# Canada

# Du même auteur

*Une saison ardente*
Éditions de l'Olivier, 1991
Points « Signatures », n° P2021

*Le Bout du rouleau*
Éditions de l'Olivier, 1992
Points, n° P2152

*Ma mère*
Éditions de l'Olivier, 1994
Petite Bibliothèque de l'Olivier, 2003
Points, n° P2143

*Indépendance*
Éditions de l'Olivier, 1996
Points, n° P429
Prix Pulitzer 1996

*Une situation difficile*
Éditions de l'Olivier, 1998
Points, n° P1154

*Un week-end dans le Michigan*
Éditions de l'Olivier, 1999
Points, n° P96

*Rock Springs*
Éditions de l'Olivier, 1999
Points, n° P1143

*Une mort secrète*
Éditions de l'Olivier, 1999
Points, n° P1104

*Péchés innombrables*
Éditions de l'Olivier, 2002
Points, n° P1153

*L'État des lieux*
Éditions de l'Olivier, 2008
Points, n° P2203

# RICHARD FORD

# Canada

*traduit de l'anglais (États-Unis)*
*par Josée Kamoun*

ÉDITIONS DE L'OLIVIER

Photographie de couverture :
*I-8, Yuma, Arizona, September 23rd, 1974*
© Stephen Shore / Sprüth Magers Berlin London.

L'édition originale de cet ouvrage
a paru chez HarperCollins en 2012,
sous le titre : *Canada*.

ISBN 978.2.8236.0011.7

© Richard Ford, 2012.

© Éditions de l'Olivier
pour l'édition en langue française, 2013.

© Éditions du Boréal
pour l'édition en langue française au Canada, 2013.

*Kristina*

*Canada* est une œuvre d'imagination où les personnages et les événements sont fictifs. Toute ressemblance avec des personnes réelles ne saurait être que fortuite. J'ai pris des libertés avec la topographie de Great Falls, Montana, ainsi qu'avec les paysages de la Prairie, et certains détails des petites villes situées dans le sud-ouest du Saskatchewan. Ainsi la highway 32 n'était pas pavée en 1960, contrairement à ce que mon texte laisse supposer. Toutes les erreurs caractérisées et les omissions qui pourraient apparaître sont à mettre sur mon compte.

R.F.

Première partie

# 1

D'abord, je vais raconter le hold-up que nos parents ont commis. Ensuite les meurtres, qui se sont produits plus tard. C'est le hold-up qui compte le plus, parce qu'il a eu pour effet d'infléchir le cours de nos vies à ma sœur et à moi. Rien ne serait tout à fait compréhensible si je ne le racontais pas d'abord.

Nos parents étaient les dernières personnes qu'on aurait imaginées dévaliser une banque. Ce n'étaient pas des gens bizarres, des criminels repérables au premier coup d'œil. Personne n'aurait cru qu'ils allaient finir comme ils ont fini. C'étaient des gens ordinaires, même si, bien sûr, cette idée est devenue caduque dès l'instant où ils ont bel et bien dévalisé une banque.

Mon père, Bev Parsons, était un gars de la campagne, né dans le comté de Marengo, Alabama, en 1923 ; il avait quitté l'école en 1939, brûlant d'entrer dans l'armée de l'air, ce corps qui est devenu l'Air Force. Il a intégré Demopolis, fait ses classes à Randolph, près de San Antonio, et il voulait à tout prix être pilote de chasse mais, n'en ayant pas les capacités, il a appris à piloter un bombardier. Il pilotait les B-25, les Mitchell poids léger, qui ont servi aux Philippines, puis à Osaka, où ils faisaient pleuvoir la destruction sur terre – frappant l'ennemi comme l'innocent. C'était un grand gaillard sympathique, souriant, bel homme, de plus d'un mètre quatre-vingts (il tenait tout juste dans l'habitacle du bombardier), avec un visage large et carré tourné vers autrui, des pommettes saillantes, une bouche sensuelle et de longs cils de fille, superbes. Il avait des dents d'une blancheur éclatante et des cheveux noirs coupés court dont il était très fier, comme il était fier de son prénom, Bev. Capitaine Bev Parsons. Il n'a jamais voulu reconnaître que Beverly était un prénom féminin pour la plupart des gens. C'était d'origine anglo-saxonne, disait-il. « Très courant en Angleterre, il y a des hommes qui s'appellent Vivian, Gwen et Shirley, là-bas. Et on ne les confond pas avec des femmes pour autant. » C'était un causeur impénitent, l'esprit ouvert pour un sudiste, des manières affables et obligeantes qui auraient dû le mener très loin au sein de l'Air Force, mais qui ne l'ont mené nulle part. Ses yeux vifs, noisette, parcouraient la pièce où il se trouvait pour y découvrir un auditoire – ma sœur et moi en général. Il racontait des blagues ringardes avec un cabotinage typiquement sudiste, il connaissait des tours de cartes et des tours de magie, il arrivait à détacher la première phalange de son pouce et à la remettre en place, il savait faire disparaître et revenir un mouchoir. Il jouait du boogie-woogie au piano et parfois il nous parlait « dixie », ou bien comme dans *Amos 'n' Andy*[1]. Il avait perdu un peu d'audition en pilotant les Mitchell et il était susceptible sur ce chapitre. Mais il était rudement chic avec sa coupe d'« honnête » GI et sa tunique bleue de capitaine ; en somme, il dégageait une chaleur sincère qui faisait que ma sœur jumelle et moi, on l'adorait. C'est d'ailleurs sans doute ce qui avait attiré ma mère (même s'ils étaient aussi différents, aussi désassortis que possible, tous les deux) qui était par malchance tombée enceinte dès leur première rencontre, expéditive, après une soirée en l'honneur des aviateurs rentrés du front, non loin de l'endroit où il se recyclait en directeur de l'approvisionnement, à Fort Lewis, en mars 1945, ses services

---

1. Sitcom dont l'action se situe dans la communauté afro-américaine, jouée par des acteurs blancs. Elle connut un très grand succès entre 1920 et 1950. *(Toutes les notes sont de la traductrice.)*

de largueur de bombes n'étant plus requis. Ils s'étaient mariés
dès qu'ils s'en étaient aperçus. Ses parents à elle, des juifs
polonais émigrés qui habitaient Tacoma, n'étaient pas ravis.
Gens instruits, professeurs de mathématiques, musiciens semi-
professionnels – ils donnaient des petits concerts très courus
à Potsdam, qu'ils avaient quitté en 1918 pour s'installer dans
l'État de Washington via le Canada –, ils étaient devenus,
hasards de la vie, concierges d'école. Être juifs ne voulait plus
dire grand-chose pour eux à l'époque, ni pour notre mère, et
renvoyait surtout à un mode de vie étriqué, vieillot et contrai-
gnant qu'ils n'étaient pas fâchés d'avoir laissé derrière eux en
émigrant dans un pays apparemment exempt de juifs.

Pour autant, l'idée que leur fille unique épouse un garçon
d'ascendance irlando-écossaise, souriant et disert, unique rejeton
d'une famille d'estimataires de bois sur pied du fin fond de
l'Alabama, ne leur serait jamais venue à l'esprit, et ils s'em-
pressèrent d'en chasser la nouvelle. Et si, à première vue, on
aurait pu simplement remarquer que nos parents n'étaient guère
faits l'un pour l'autre, il est plus vrai de dire que ce mariage
présageait une perte pour elle et que sa vie en a été changée à
jamais – pas en mieux, comme elle avait dû le penser.

Ma mère, Neeva (diminutif de Geneva) Kamper, était une
femme minuscule, passionnée, binoclarde, avec une chevelure
brune rebelle qui se prolongeait par un duvet le long de la
joue. Elle avait des sourcils épais, un front luisant aux veines
apparentes sous sa peau fine, et son teint pâlot de rat de bibliothèque lui donnait l'air fragile, elle qui ne l'était pas. Mon père
disait pour plaisanter que, chez lui en Alabama, on appelait
ces tignasses des « cheveux juifs » ou des « cheveux d'immigré »,
mais ce trait lui plaisait, et elle, il l'aimait. (Elle ne m'a jamais
semblé accorder trop d'importance à ces formules, du reste.) Elle
avait des petites mains délicates dont elle limait et polissait les
ongles avec soin ; elle en était très fière et faisait toutes sortes

de gestes distraits avec. Elle était sceptique par tempérament, écoutait avec attention quand nous lui parlions, pouvait avoir l'esprit mordant à ses heures. Elle portait des lunettes sans monture, lisait de la poésie en français, et employait souvent des termes comme *cauchemar**[1] ou *trou du cul**, que ma sœur et moi ne comprenions pas. Elle écrivait des poèmes à l'encre marron, achetée par correspondance, et tenait un journal que nous n'avions pas la permission de lire ; en temps ordinaire, elle avait une expression d'astigmate, nez légèrement levé, un air de perplexité qui était devenu une seconde nature, sauf à penser qu'elle était née avec. Avant d'épouser mon père, et de nous avoir aussitôt, ma sœur et moi, elle était sortie à dix-huit ans de Whitman College, à Walla Walla ; elle avait travaillé dans une librairie, se voyant peut-être en bohème et en poète, espérant décrocher un jour un emploi de chargée de cours dans une petite fac, mariée à un homme bien différent de celui qu'elle avait épousé, prof de fac lui-même peut-être, qui lui aurait assuré la vie à laquelle elle se croyait destinée. Elle n'avait que trente-quatre ans en 1960, l'année où ces événements se sont produits. Mais on lui voyait déjà les « rides du sérieux » de part et d'autre du nez, qui était petit et rose au bout, et ses grands yeux gris-vert pénétrants avaient des paupières bistres qui lui donnaient des airs d'étrangère un peu triste, insatisfaite, ce qu'elle était. Elle avait un joli cou délié et un sourire qui vous prenait par surprise, mettant en valeur ses petites dents et sa bouche en cœur, une bouche de gamine, mais c'était un sourire qui lui venait rarement, sauf avec ma sœur et moi. Nous nous rendions compte qu'elle détonnait, habillée d'ordinaire d'un pantalon vert olive et d'une blouse de coton aux manches bouffantes, avec des espadrilles qu'elle faisait sûrement venir de la côte Ouest parce qu'on n'en trouvait pas à Great Falls. Et elle détonnait encore plus à côté de

---

1. Les mots en italique suivis d'un astérisque sont en français dans le texte.

notre père, un beau gars, liant de nature. Mais enfin il était rare que nous sortions « en famille » ou que nous allions dîner au restaurant, si bien que nous avions à peine conscience de l'effet qu'ils faisaient à l'extérieur, auprès d'inconnus. La vie à la maison nous paraissait normale, à nous.

Ma sœur et moi, on voyait bien ce qui avait pu plaire à notre mère chez Bev Parsons, ce grand gaillard taillé comme une armoire, volubile, amusant, qui faisait du charme à tous ceux qui passaient dans son champ visuel. Mais on n'a jamais vraiment mis le doigt sur ce qu'il avait pu lui trouver, à elle, ce petit bout de femme (à peine un mètre cinquante) introvertie, timide, hostile au monde, portée sur l'art, jolie seulement quand elle souriait, spirituelle seulement quand elle était tout à fait à l'aise. Il faut croire que quelque part il était sensible à tout ça, qu'il pressentait qu'elle était plus fine que lui, mais qu'il pouvait lui être agréable, et que ça le rendait heureux. Portons à son crédit qu'il ignorait leurs différences physiques pour s'attacher à ce qui fait l'essentiel de l'humain, chose que j'admirais pour ma part, même si notre mère n'était pas femme à s'en apercevoir.

Malgré tout, leur bizarre disparité m'apparaît encore aujourd'hui comme l'une des raisons pour lesquelles ils ont mal fini : ils n'allaient pas ensemble, c'était un fait, ils n'auraient jamais dû se marier ni rien, leurs chemins auraient dû se séparer après leur première rencontre enflammée, au mépris des conséquences. Plus ils restaient ensemble, mieux ils se connaissaient, et mieux elle – en tout cas – réalisait leur erreur, alors avec le temps leur vie déviait de sa trajectoire, telle la démonstration laborieuse d'un problème de mathématiques qui, entachée d'une erreur de calcul au départ, vous éloigne ensuite inexorablement des données initiales cohérentes. Un sociologue spécialiste de l'époque – le début des années soixante – dirait peut-être que nos parents étaient à l'avant-garde d'un moment historique, qu'ils comptaient parmi ceux qui transgressaient les barrières sociales, choisissaient la révolte, croyaient qu'on ne s'affirme qu'en s'autodétruisant. Mais il n'en était rien. Ni têtes brûlées ni avant-gardistes, c'étaient, je l'ai dit, des gens ordinaires que les circonstances et les mauvais instincts, ainsi que la malchance, ont conduits à franchir des frontières qu'ils savaient légitimes et qu'ils ont découvertes impossibles à franchir en sens inverse.

Mais je dirai ceci pour mon père : quand il est rentré du théâtre de la guerre et de ses raids où il dispensait une mort hurlante du haut du ciel – en 1945, l'année de notre naissance, à ma sœur et à moi, sur la base militaire de Wurtsmith, à Oscoda, Michigan –, il s'est peut-être senti plombé par une gravité colossale et sans nom, comme beaucoup de GI's. Il a passé le restant de ses jours aux prises avec cette gravité, il s'est échiné à rester positif, à se maintenir à flot, et il n'a fait que prendre de mauvaises décisions qui lui semblaient bonnes sur le moment. Il était à contresens du monde qu'il avait retrouvé en rentrant chez lui, un contresens qui était devenu sa vie. Là encore, ce fut sans doute le lot de millions de gars comme lui, mais il n'a jamais dû le comprendre à titre personnel, ni reconnaître que c'était vrai.

# 2

Notre famille s'est posée à Great Falls dans le Montana, en 1956, comme tant de familles de militaires ont été amenées à le faire ici ou là, après la guerre. Nous avions vécu sur des bases aériennes, dans le Mississippi, en Californie, au Texas. Notre mère avait son diplôme, elle faisait des remplacements dans les écoles du coin, chaque fois. Notre père n'était pas parti en Corée ; on l'avait mis dans les bureaux, à l'approvisionnement et à la réquisition. On lui avait permis de rester sur le territoire à cause de toutes ses décorations, mais il n'avait pas dépassé le grade de capitaine. Un beau jour – nous vivions à Great Falls, il avait trente-sept ans – il a décidé qu'il n'avait pas d'avenir dans l'Air Force, et comme il totalisait vingt ans d'armée, c'était le moment d'empocher sa retraite et de prendre ses cliques et ses claques. Il avait le sentiment que le manque de sociabilité de notre mère et son peu d'empressement à recevoir les gens de la base en général avaient été un frein pour lui ; peut-être voyait-il juste. À vrai dire, je pense que s'il y avait eu des gens qu'elle ait appréciés, elle en aurait eu envie. Mais il ne lui serait pas venu à l'idée qu'il en existe. « Quelle bande de péquenots, résumait-elle. Il n'y a pas de vie sociale possible, ici. » Quoi qu'il en soit, notre père en avait marre de l'Air Force, et ce qu'il aimait dans la ville de Great Falls, c'était qu'elle allait lui permettre de faire son chemin – avec ou sans vie mondaine. Il comptait entrer chez les francs-maçons, disait-il.

On était au printemps 1960. Ma sœur Berner et moi, nous avions quinze ans. Nous étions inscrits au collège Lewis, Meriwether Lewis, qui était si proche du Missouri que depuis les hautes fenêtres je voyais la surface luisante de la rivière, et les canards et autres oiseaux qui s'y rassemblaient ; j'apercevais même le dépôt de la compagnie Chicago, Milwaukee and St Paul, où les trains de voyageurs ne s'arrêtaient plus, et au-delà l'aéroport municipal de Gore Hill, avec ses deux vols par jour, puis en aval de la rivière, la cheminée de la fonderie et la raffinerie de pétrole, au-dessus des chutes qui donnaient leur nom à la ville. Par beau temps, j'apercevais même les pics enneigés du massif de l'est, à une centaine de kilomètres, qui plongeait vers l'Idaho côté sud et vers le Canada côté nord. Ma sœur et moi n'avions aucune idée de ce qu'était l'« ouest », sinon ce qu'on en avait vu à la télévision, ni d'ailleurs des États-Unis en général, que nous considérions spontanément comme le plus beau pays du monde. Notre vraie vie, à nous, c'était la famille, et nous faisions partie de ses impedimenta aléatoires. Et parce que notre mère se faisait plus hostile au monde, qu'elle se repliait sur elle-même, sur son complexe de supériorité et sur son désir que nous ne nous adaptions pas, Berner et moi, à la mentalité provinciale, qu'elle considérait comme étouffante à Great Falls, nous ne menions pas la vie des autres enfants, vie qui nous aurait permis d'avoir une bande d'amis chez qui aller, des journaux à distribuer, des sorties de scouts, des bals. Si nous nous adaptions, pensait ma mère, nous risquions d'autant plus de moisir sur place. Il était non moins vrai aussi que lorsqu'on avait un père qui travaillait à la base militaire, où qu'elle soit, on avait toujours peu d'amis et on rencontrait rarement ses voisins. Nous faisions tout à la base, c'est là que nous allions chez le médecin, chez le dentiste, chez le coiffeur, chez l'épicier. Les gens le savaient. Ils savaient qu'on n'allait pas rester, alors pourquoi prendre la peine de nous connaître ? La base était entachée de suspicion, comme s'il s'y passait des choses que les gens convenables ne voulaient pas savoir et auxquelles ils ne voulaient pas s'associer. En plus ma mère était juive, elle avait une tête d'immigrée et elle était bohème par certains côtés. On en parlait tous de ça, comme si défendre les États-Unis contre ses ennemis n'était pas un métier honorable.

Pourtant, au début du moins, j'aimais bien Great Falls. On l'appelait la ville électrique, parce que les chutes produisaient du courant. Elle avait quelque chose de brut, de vertical, de difficile d'accès – et cependant elle faisait partie du pays sans limites où nous avions déjà vécu. Il me déplaisait que les rues portent un numéro en guise de nom, on ne s'y repérait pas bien, et selon ma mère, ça montrait que la ville avait été conçue par des banquiers rapaces. Et naturellement, les hivers étaient polaires et opiniâtres, le vent du nord nous déboulait dessus comme un train de marchandises, et le manque de lumière aurait donné le cafard à n'importe qui, même aux plus optimistes.

Mais à vrai dire, Berner et moi, on ne s'était jamais considérés comme originaires d'un endroit plutôt que d'un autre. Chaque fois que notre famille s'installait quelque part dans un de ces bleds impossibles où on louait une maison, que notre père endossait son uniforme bleu bien repassé pour partir travailler sur la base, que notre mère prenait un nouveau poste d'institutrice, Berner et moi, on convenait de ce qu'on allait dire si on nous demandait d'où on était. Tous les jours, on s'entraînait sur le chemin de notre nouvelle école : « Salut, on est de Biloxi, dans le Mississippi », « Salut, je suis d'Oscoda, c'est là-haut dans le Michigan », « Salut, j'habite Victorville ». J'essayais d'assimiler les trucs essentiels des autres garçons, de parler comme eux, d'adopter l'argot du coin, de prendre des airs d'assurance, de celui que rien n'étonne. Berner faisait pareil. Et puis on déménageait, et il nous fallait reprendre nos marques. Ce genre d'enfance, je le sais, ou bien ça fait de vous un marginal, un déraciné, ou bien ça vous encourage à être malléable, acharné à vous intégrer, chose que ma mère désapprouvait puisqu'elle ne la pratiquait pas et se faisait pour sa part l'idée d'un avenir tout autre, plus conforme à celui qu'elle imaginait avant de rencontrer notre père. Nous, ma sœur et moi, tenions des rôles mineurs dans le drame qu'elle voyait se dérouler implacablement.

Résultat, ce qui m'a importé le plus, avec le temps, c'était l'école, ce fil conducteur de ma vie, à part mes parents et ma sœur. J'aurais voulu qu'il n'y ait jamais de vacances. J'y passais tout le temps que je pouvais, à l'école, je m'absorbais dans les livres qu'on nous donnait, je traînais avec les profs, je respirais les odeurs des classes, les mêmes partout, semblables à aucune autre.

Savoir des choses m'importait, quelles qu'elles soient. Notre mère savait des choses, et les appréciait à leur juste valeur. Je voulais être comme elle à cet égard, parce que les choses que je savais, je pourrais les garder avec moi, elles feraient de moi un homme instruit et plein d'avenir, caractéristiques importantes à mes yeux d'alors. Si je ne me définissais pas par la ville que j'habitais, je me définissais par l'école où j'allais. J'étais bon en anglais, en histoire, en sciences, en maths – matières où ma mère était bonne aussi. Chaque fois qu'on pliait bagage, je redoutais par-dessus tout de me retrouver dans l'impossibilité de retourner en classe, pour une raison ou une autre, et de ne pas assimiler des connaissances cruciales susceptibles d'assurer mon avenir, et que je ne pourrais acquérir nulle part ailleurs. J'avais peur qu'on parte pour un endroit où il n'y aurait pas du tout d'école (ils avaient envisagé Guam). Peur de finir ignare, sans atout qui me distingue. J'étais sûr d'avoir hérité cette inquiétude de ma mère qui pensait ne pas avoir une vie gratifiante. Mais ça me venait peut-être de mes deux parents : pris dans les remous de leurs jeunes vies de plus en plus confuses, pas faits l'un pour l'autre, ne se désirant plus comme au tout début, sans doute, devenant chacun jour après jour le satellite de l'autre, et finissant par s'en vouloir sans en avoir tout à fait conscience, ils ne pouvaient pas nous offrir, à ma sœur et à moi, la prise solide sur le monde que les parents sont censés assurer. Mais cela dit, accuser ses parents de tous les problèmes de la vie, ça ne mène nulle part en fin de compte.

# 3

Quand mon père a pris sa retraite de l'armée, au début du printemps, nous nous intéressions à la campagne présidentielle. Ils étaient tous deux partisans des démocrates et de Kennedy, qui recevrait bientôt l'investiture. Ma mère disait que mon père aimait bien Kennedy parce qu'il se figurait lui ressembler. Eisenhower déplaisait profondément à mon père, en revanche, pour des raisons qui avaient trait aux bombardiers américains qu'il avait sacrifiés en arrière du front afin de « ramollir les Boches », le jour du Débarquement, et parce qu'il avait traîtreusement passé sous silence le rôle de MacArthur, que mon père révérait, et enfin parce que sa femme était une « pocharde ».

Il détestait Nixon tout autant. C'était un « type froid », il avait « une tête d'Italien », et c'était un « Quaker va-t-en-guerre », autant dire un hypocrite. Il détestait aussi l'ONU, qui coûtait trop cher et fournissait à des cocos comme Castro (un cabotin de bas étage) une audience mondiale. Il avait accroché la photo encadrée de Franklin Roosevelt au mur du séjour, au-dessus du piano Kimball et du métronome en acajou et laiton qui ne fonctionnait pas, mais faisait partie des objets que nous avions trouvés en emménageant. Il admirait Roosevelt qui ne s'était pas laissé abattre par la polio, qui s'était tué au travail pour sauver son pays, qui avait tiré de l'obscurantisme l'Alabama en instituant le REA[1] et qui, par-dessus le marché, s'était accommodé de Mrs Roosevelt, qu'il surnommait l'Emmerdeuse numéro 1.

Mon père entretenait des sentiments très ambivalents quant à l'Alabama, son État d'origine. D'un côté il se voyait comme un homme « moderne », et pas comme un « derrière-terreux », selon son expression. Il avait des conceptions modernes sur bien des sujets, la race, par exemple, du fait d'avoir travaillé dans l'Air Force avec des Noirs. Il considérait que Martin Luther King était un homme de principes et que les lois d'Eisenhower sur les droits civiques s'imposaient cruellement. Il pensait de même que les droits des femmes avaient besoin d'une sacrée toilette et que la guerre était une tragédie, un gâchis, qu'il connaissait de l'intérieur.

Pour autant, quand notre mère dénigrait le Sud d'une façon ou d'une autre – ce qui était fréquent –, il en prenait ombrage et déclarait que Lee et Jeff Davis « avaient du fond », même si leur cause les avait égarés. Le Sud avait produit de très bonnes choses, disait-il, et pas seulement le métier à tisser le coton ou les skis nautiques. « Peut-être pourrais-tu en citer une, lui répondait ma mère. Outre ta précieuse personne, bien sûr. »

Dès l'instant où il avait quitté son uniforme et cessé de se rendre à la base, il avait trouvé du boulot comme vendeur d'Oldsmobile neuves. Il était convaincu d'avoir la vente dans le sang. Sa personnalité chaleureuse – sa bonne humeur, son sens de l'accueil, son assurance, son bagout invétéré – briserait la glace et lui faciliterait une tâche ardue pour d'autres. Les clients lui feraient confiance parce qu'il était du Sud et que les gens du Sud, c'était bien connu, avaient davantage les pieds sur terre que les taiseux de l'Ouest. L'argent commencerait à rentrer dès que le dernier modèle serait sur le marché depuis plus d'un an et que les fortes promotions donneraient un

---

1. *Rural Electrification Act* (mai 1935) : campagne d'électrification des zones rurales isolées.

coup de fouet aux ventes. Ses employeurs lui attribuèrent une Oldsmobile 88 rose et grise comme véhicule de démonstration, et il la gara devant chez nous, sur First Avenue SW, où elle faisait une excellente réclame. Il nous emmena tous à Fairfield, vers les montagnes, et à l'est, vers Lewistown, et aussi au sud, en direction d'Helena. « Vérification de la performance et des capacités d'orientation en randonnée... » disait-il de ces virées, lui qui ne connaissait pas grand-chose à la région d'est en ouest et du nord au sud, et moins encore aux voitures, sinon qu'il les conduisait pour son plus grand plaisir. En tant qu'officier de l'Air Force, il n'avait eu aucun mal à décrocher un emploi – il aurait dû quitter l'armée sitôt la fin de la guerre, pensait-il. Il aurait fait plus de chemin aujourd'hui.

Puisque notre père ne travaillait plus dans l'armée, ma sœur et moi nous figurions que notre vie allait enfin prendre une assise permanente. Nous vivions à Great Falls depuis quatre ans. Ma mère profitait de la voiture d'une collègue pour se rendre dans la petite ville de Fort Shaw, où elle avait une classe de CM2. Elle ne parlait jamais de son métier, qu'elle avait l'air de bien aimer, elle parlait parfois de ses collègues, qu'elle tenait pour des gens dévoués à leur tâche, tout en ne souhaitant pas les fréquenter ni les recevoir davantage que ceux de la base. À la fin de l'été, je me voyais déjà entrer au lycée de Great Falls où j'avais appris qu'il existait un club d'échecs et un autre de débats ; je pourrais aussi y apprendre le latin, puisque j'étais trop freluquet pour m'engager dans une équipe sportive, ce qui ne me tentait guère de toute façon. Ma mère disait espérer que Berner et moi ferions des études supérieures, mais qu'il nous faudrait nous débrouiller tout seuls car ils n'auraient jamais les moyens de nous envoyer à la fac. Encore que, ajoutait-elle, Berner ait peut-être déjà un caractère trop proche du sien pour faire bonne impression aux comités de sélection, sans doute vaudrait-il mieux alors qu'elle essaie d'épouser un universitaire. Dans une boutique de fripes, sur Central Avenue, elle avait trouvé des fanions de différentes facs et les avait punaisés aux murs de nos chambres. C'étaient des fanions dont d'autres jeunes s'étaient défaits à la fin de leurs études. Moi, j'avais ceux de Furman, de Holy Cross et de Baylor, ma sœur ceux de Rutgers, Lehigh et Duquesne. Bien entendu, nous ne savions rien de ces facs, et notamment pas où elles se trouvaient, mais je me faisais tout de même une idée de leur allure : édifices de brique à l'ombre de grands arbres, avec rivière et beffroi.

Déjà, Berner n'était plus aussi facile à vivre. Depuis l'école primaire, nous n'étions pas dans la même classe parce qu'on considérait à l'époque qu'il n'était pas sain pour des jumeaux de vivre collés en permanence, ce qui ne nous empêchait pas de faire nos devoirs ensemble et d'avoir de bons résultats. La plupart du temps, à présent, elle s'enfermait dans sa chambre, lisait des magazines de cinéma qu'elle achetait au Rexall, ainsi que *Peyton Place* et *Bonjour Tristesse*, qu'elle avait fait entrer en douce sans vouloir me dire où elle l'avait trouvé. Elle regardait son poisson dans le bocal, elle écoutait de la musique à la radio et n'avait pas d'amis – ce qui était vrai de moi, aussi. Je n'étais pas fâché d'être séparé d'elle, d'avoir une vie à moi, avec mes centres d'intérêt propres, mes idées sur l'avenir. Berner et moi étions des faux jumeaux – elle avait six minutes de plus que moi – et nous ne nous ressemblions pas du tout. Elle était grande, osseuse, gauche, avec des taches de rousseur sur tout le corps, gauchère alors que j'étais droitier, des verrues sur les doigts, des yeux gris-vert clairs, comme ma mère et moi, de l'acné, un visage aplati et un menton fuyant qui n'était pas joli. Elle avait des cheveux très frisés, la raie au milieu, une bouche sensuelle comme notre père, mais pas de poils sur les bras ou les jambes, et pour ainsi dire pas de poitrine, ce qui était le cas de notre mère, également. Elle portait des pantalons et des tuniques longues par-dessus, ce qui l'étoffait. Parfois, elle mettait des gants de dentelle blanche pour cacher ses mains. Comme elle souffrait d'allergies, elle avait toujours un aérosol Vicks dans sa poche, et sa chambre sentait le Vicks quand on passait devant. Pour moi, elle tenait de nos deux parents, la stature de mon père, le physique de ma mère. J'avais quelquefois l'impression qu'elle était mon frère aîné. D'autres fois, j'aurais voulu qu'elle me ressemble davantage, pour qu'elle soit plus gentille avec moi et que nous soyons plus proches. Mais lui ressembler, non.

Parce que moi, j'étais petit et mince, avec des cheveux raides et la raie sur le côté, les joues lisses, très peu d'acné, de « jolis » traits plutôt comme ceux de mon père, mais un petit gabarit comme ma mère. Ce qui me plaisait, comme me plaisait sa façon de m'habiller en pantalon de coton et chemise repassée, avec des chaussures Oxford qu'elle achetait dans le catalogue Sears. Nos parents disaient pour plaisanter que Berner et moi, on devait être les enfants du facteur ou du laitier – des curiosités. Mais je pense qu'ils ne visaient que Berner. Depuis quelques mois, elle était devenue susceptible sur son physique, on la voyait perdre tout ressort, comme si quelque chose venait de se détraquer dans sa vie. Hier encore, si j'avais bonne mémoire, c'était une petite fille comme tant d'autres, joyeuse, criblée de taches de rousseur, mignonne, un sourire extraordinaire, et capable d'inventer des grimaces très drôles qui nous avaient tous fait rire. Mais aujourd'hui, elle était désabusée, ce qui la rendait sarcastique et prompte à épingler mes défauts, mais surtout, donnait l'impression qu'elle était en rogne. Elle détestait même son nom – que j'aimais, au contraire, estimant qu'il la rendait unique.

Mon père vendait des Oldsmobile depuis un mois quand il a eu un accident de la circulation sans gravité. Il a embouti une autre voiture, un jour qu'il roulait trop vite dans son véhicule de démonstration et qu'il était retourné à la base, où il n'avait nul besoin d'aller. Après ça, il s'est mis à vendre des Dodge et nous en a ramené une superbe, une Coronet blanche et marron à toit rigide. Elle avait ce qu'on appelait un embrayage automatique, des vitres à fermeture électrique, des sièges pivotants, ainsi que des ailerons chic, des feux arrière rouges assez voyants et une longue antenne fine comme un fouet. Cette voiture-là aussi est restée garée devant la maison pendant trois semaines. Berner et moi, on montait dedans pour écouter la radio, et notre père nous emmenait faire de nouvelles balades, toutes vitres baissées pour avoir de l'air. Plusieurs fois, il nous a emmenés sur la piste des Bootleggers, dans l'idée de nous laisser conduire, de nous apprendre à faire la marche arrière et à ne pas bloquer les roues en cas de verglas. Malheureusement, n'étant pas arrivé à vendre une seule voiture, il en a conclu que dans une ville comme Great Falls, une ville rustique de cinquante mille âmes à peine, peuplée de Suédois frugaux et d'Allemands méfiants, où seuls une poignée d'habitants nantis étaient prêts à investir dans une voiture de luxe, il s'était trompé de carrière. Il a donc bifurqué pour prendre un emploi dans la vente et l'échange de voitures d'occasion chez un marchand proche de la base. Les gars de l'Air Force avaient perpétuellement des problèmes d'argent parce qu'ils passaient leur vie à divorcer, à être attaqués en procès, à se remarier, à aller en prison et à avoir besoin de liquide. La voiture leur servait de monnaie d'échange. Il y avait de l'argent à se faire en jouant l'intermédiaire, position qui lui plaisait. En plus, les hommes de l'Air Force seraient tout disposés à entrer en affaires avec un ancien officier qui comprendrait leurs problèmes spécifiques au lieu de les traiter de haut comme les autres habitants de la ville.

Pour finir, il n'a pas gardé cet emploi-là longtemps non plus. Deux ou trois fois, tout de même, il nous a emmenés visiter le parc auto, Berner et moi. On n'avait rien à faire, sinon se balader entre les rangées de véhicules, dans le vent brûlant qui nous accablait, sous les bannières flottantes et les fanions argentés, en regardant passer les autos de la base, postés derrière les capots qui rôtissaient au soleil du Montana. « Great Falls, c'est une ville qui a besoin de voitures d'occasion, pas de voitures neuves, disait notre père, mains sur les hanches devant le petit bureau en bois où les vendeurs attendaient le client. Une voiture neuve, ça vous met sur la paille, ici. Il y a mille dollars qui partent en fumée dès qu'on quitte le parking. » À cette époque-là, fin juin, il disait qu'il avait envie de descendre dans le Dixieland pour voir comment ça se passait chez « ceux qui étaient restés ». Ce voyage-là, lui a répondu ma mère, il le ferait tout seul, sans ses enfants, et il en a été contrarié. Pas question pour elle de s'approcher même de l'Alabama, a-t-elle dit, le Mississippi lui avait largement suffi. La situation des juifs y était pire encore que celle des gens de couleur, qui étaient du moins des indigènes. De son point de vue, le Montana valait mieux, parce que personne n'avait la moindre idée de ce que c'était qu'un juif. Ils en restèrent là. Notre mère vivait sa judéité tantôt comme un fardeau, tantôt comme un facteur distinctif acceptable. Mais jamais comme quelque chose de bien à tous égards. Berner et moi, nous ne savions pas ce qu'était un juif, sauf que notre mère en était une et que, selon la loi ancestrale, nous l'étions aussi, officiellement, ce qui était toujours préférable à être originaires de l'Alabama. Nous devions nous considérer comme « non pratiquants » ou « déracinés », disait-elle. Ce qui voulait dire que nous fêtions Noël, Thanksgiving, Pâques et le 4 Juillet, et que nous n'allions pas à la synagogue, ce qui tombait bien puisqu'il n'y en avait pas à Great Falls. Un jour, ça voudrait peut-être dire quelque chose, mais rien ne pressait.

Après avoir tenté de vendre ses véhicules d'occasion pendant un mois, un beau jour notre père est rentré avec une voiture contre laquelle il avait troqué notre Mercury de 1952. C'était une Chevrolet Bel Air de 1955, rouge et blanche, qui appartenait au parc où il était vendeur. « Une affaire. » Il a dit qu'il avait pris des dispositions pour commencer un nouveau boulot : vendeur de fermes et de ranches. Il admettait ne rien y connaître, mais il s'était inscrit à une formation qui aurait lieu dans les sous-sols du YMCA. Les autres types de l'agence allaient l'aider. Son père avait été estimateur de bois sur pied, il était alors bien convaincu que son sens des affaires s'exprimerait mieux « dans la nature » qu'en ville. En plus, quand Kennedy serait élu en novembre, on entrerait dans une période d'effervescence et les gens s'empresseraient d'investir dans la terre. On n'en fabriquait plus, ironisait-il, même si ça ne semblait pas manquer dans les environs. La marge sur les voitures d'occasion ne profitaient qu'au patron, il l'avait appris. Il se demandait bien pourquoi il fallait qu'il soit le dernier à découvrir ce que tout le monde savait. Ma mère ne l'a pas contredit.

Nous, ma sœur et moi, ne le savions pas encore, bien entendu, mais nos parents devaient se rendre compte que la brèche se creusait entre eux, depuis qu'il avait quitté l'armée et avait dû faire son chemin dans le monde. Ils devaient se rendre compte qu'ils ne se voyaient plus du même œil, et comprenaient peut-être que leurs différences n'allaient pas en s'estompant mais en s'accentuant. Toutes ces années itinérantes passées dans l'urgence, le tohu-bohu et le souci d'élever deux enfants à la sauvette les avaient dispensés de remarquer ce qu'ils auraient dû les frapper depuis le début – surtout elle, sans doute : ces petits riens étaient devenus autre chose, qu'elle, du moins, n'aimait pas. Son optimisme à lui, son scepticisme hostile à elle. Le fait qu'il était du Sud, elle immigrante et juive. Son manque d'instruction à lui, sa façon à elle de s'investir au contraire dans l'éducation, et son sentiment d'insatisfaction. Quand ils s'en sont aperçus, elle en tout cas, au moment où, je le répète, mon père a quitté l'armée et où les choses ont changé, chacun s'est mis à éprouver une tension et une appréhension propres que l'autre ne partageait pas. (On en veut pour preuve que ce que ma mère a écrit dans sa Chronique.) Si les choses avaient pu suivre le cours que suivent des milliers d'autres vies, celui qui conduit à la séparation ordinaire, elle aurait pris ses cliques et ses claques, Berner et moi avec, et elle nous aurait tous mis dans un train pour Tacoma, sa ville d'origine, ou pour New York ou Los Angeles. Dans ce cas de figure, chacun aurait eu sa chance de construire une vie agréable dans le vaste monde. Mon père serait peut-être retourné dans l'Air Force, puisqu'il avait eu du mal à la quitter. Il aurait pu se remarier. Ma mère aurait pu reprendre des études une fois Berner et moi en fac. Elle aurait pu écrire des poèmes, suivre ses premières aspirations. Le destin leur aurait distribué une nouvelle donne, plus favorable.

Si c'étaient eux qui racontaient cette histoire, elle serait naturellement différente et ils seraient les acteurs principaux des événements à venir, tandis que ma sœur et moi en serions les spectateurs, ce qui fait partie des rôles des enfants vis-à-vis de leurs parents. Le monde n'envisage guère que les braqueurs de banque aient des enfants. Et pourtant. L'histoire de leurs enfants – celle de ma sœur, la mienne –, c'est à nous qu'il revient de la peser, de l'évaluer et de la juger sur pièces. Des années plus tard à la fac, j'ai lu que, d'après le grand critique Ruskin, la composition est l'art d'agencer des éléments disparates. Ce qui veut dire que c'est au compositeur de décider ce qui est égal à quoi, ce qui prime et ce qui peut être laissé de côté, pour dégager la voie à l'existence qui fonce comme un bolide.

# 4

Ce que je sais des événements qui ont eu lieu ensuite, à partir de la mi-été 1960, je le tiens essentiellement de quelques sources plus ou moins fiables : la *Great Falls Tribune,* dont les reportages sur nos parents faisaient ressortir le côté loufoque et cocasse de leur entreprise. Et puis la Chronique écrite par ma mère à la prison du comté de la Golden Valley dans le Dakota du Nord, où elle attendait son procès, et, plus tard, dans le pénitencier de Bismarck. Je sais deux ou trois choses que les gens m'ont dites à l'époque. Et bien entendu, je connais certains détails parce que nous vivions avec eux, à les observer comme le font les enfants, et que nous avons vu un quotidien heureux, banal et paisible se détériorer, se dégrader – même s'il n'y a pas eu mort d'homme à ce moment-là.

Presque tout le temps où notre père était stationné à Great Falls, soit quatre ans, il avait trempé à notre insu dans une combine qui consistait à vendre du bœuf volé au club des officiers de la base militaire ; il touchait une commission et un quota de steaks frais qui arrivaient dans nos assiettes deux fois par semaine. Il s'agissait d'un trafic bien établi, relayé par les officiers de l'approvisionnement qui s'y succédaient. Le stratagème reposait sur un commerce illégal avec certains membres de la tribu indienne des Crees, qui vivaient sur une réserve au sud de Havre, dans le Montana, et qui étaient passés maîtres dans l'art de voler des vaches Hereford aux ranchers du coin.

Ils les abattaient et les débitaient en douce, puis transportaient les quartiers de bœuf à la base, le tout en une nuit. La viande était alors stockée par le directeur du club des officiers dans la chambre froide, avant d'être servie aux commandants, aux colonels, au chef et à leurs épouses, qui ne savaient rien de son origine et s'en fichaient d'ailleurs, tant que personne ne se faisait prendre et qu'on leur servait un bœuf de bonne qualité – ce qui était le cas.

De toute évidence, c'était une combine qui rapportait des clopinettes, ce qui explique que les choses se soient passées sans heurts durant des années et que tout le monde ait cru qu'elles allaient durer indéfiniment. Là-dessus était survenu un problème d'étiquetage au bureau de l'approvisionnement, des pratiques douteuses avaient été mises au jour et plusieurs membres de l'Air Force sanctionnés, mon père perdant le grade de capitaine dont il était si fier, pour redevenir lieutenant. Il était peut-être de ceux qui avaient vendu la mèche, mais ce ne fut jamais dit. L'épisode, dont on ne parlait pas chez nous et que ma sœur Berner et moi ignorions, avait très probablement contribué à sa décision de quitter l'Air Force. Il est possible qu'il ait été retraité d'office, toujours est-il qu'il a reçu son certificat de bons et loyaux services, affiché dans un cadre au-dessus du piano, à côté de la photo de Roosevelt. Il y est demeuré d'ailleurs après que nos parents ont été arrêtés, pendant que ma sœur et moi étions à la maison, sans que personne vienne voir ce que nous devenions. À diverses occasions, durant ces quelques jours, je suis resté planté devant à le regarder en me disant que ce certificat mentait. J'ai envisagé de l'emporter avec moi lorsqu'il m'a fallu partir, mais j'y ai renoncé et je l'ai laissé dans notre maison abandonnée, histoire qu'un autre en rigole et le flanque à la poubelle.

Or ce qu'avait fait mon père – c'est dans la Chronique de ma mère (« Chronique d'un crime commis par une personne faible », tel était son titre ; elle avait peut-être l'intention de publier son histoire un jour) –, ce qu'avait fait mon père alors qu'il s'essayait sans succès à la vente d'Oldsmobile, puis de Dodge neuves, et ensuite à l'échange de voitures et de motos d'occasion aux pilotes, c'était d'aller revoir ses anciens complices, les Indiens qui vivaient au sud de Havre, pour tenter de remonter une affaire de quartiers de bœuf, car, en somme, ils avaient perdu après tout un débouché rentable à leur entreprise. Et s'il trouvait un particulier ou une collectivité à fournir, tout pourrait reprendre de plus belle puisque désormais, l'Air Force n'aurait rien à y voir, et il n'aurait personne avec qui partager les bénéfices. Encore une fois, c'était un plan tellement foireux et bancal qu'il y aurait eu de quoi rire si nos vies n'en avaient pas été changées : notre père et notre minuscule mère juive rigoriste dans leur modeste maison louée à Great Falls, les infortunés Indiens et les vaches chapardées abattues en pleine nuit dans un semi-remorque, l'idée même insultait le bon sens. Mais du bon sens, personne n'en avait.

Quand il avait compris qu'il n'aurait pas assez d'argent pour faire vivre sa famille le temps qu'il s'initie à la vente de fermes et de ranches, même avec sa retraite de deux cent quatre-vingts dollars et le salaire de ma mère à l'école de Fort Shaw, mon père s'était mis en quête d'un client potentiel pour le bœuf volé, un client à qui servir d'intermédiaire. Ils se comptaient sur les doigts d'une main à Great Falls, il le savait : Colombus Hospital et le Rainbow Hotel, où il ne connaissait personne. Peut-être une ou deux steakhouses, mais qui étaient dans le collimateur de la police pour héberger des jeux d'argent illégaux. Il avait alors repéré la Great Northern Railway, qui gérait le Western Star, un train de voyageurs qui passait par Great Falls sur la route de Seattle, puis rentrait deux jours plus tard à Chicago ; il fallait fournir régulièrement le wagon-restaurant en produits de première qualité, tant à l'aller qu'au retour. Notre père s'était dit que leur fournisseur pourrait bien être lui, s'il s'associait de nouveau aux Indiens de Havre. Il avait entendu parler d'un pilote qui avait vendu des canards, des oies sauvages et du gibier (en toute illégalité) à un Noir employé des chemins de fer comme chef de rang au wagon-restaurant. C'est donc vers lui qu'il s'était tourné, et il était allé le trouver chez lui, à Black Eagle, pour lui proposer du bœuf fourni par les Indiens, ses associés.

Ce Noir, qui s'appelait Spencer Digby, avait répondu favorablement. Il avait déjà trempé dans des combines semblables au fil des années, ça ne lui faisait pas peur. Les chemins de fer et l'Air Force, apparemment, c'était un peu la même chose. Je me souviens qu'un après-midi, mon père était rentré d'humeur joviale. Il avait dit à ma mère qu'il venait de monter une affaire indépendante en partenariat avec des gens des chemins de fer. Ça arrondirait les fins de mois le temps que la vente de fermes et de ranches n'ait plus de secret pour lui. Ça ne changerait pas leur train de vie du tout au tout, mais ça leur donnerait une sécurité sans précédent depuis qu'il avait quitté la base.

Je ne me rappelle pas ce que notre mère avait dit. Ce qu'elle écrit dans sa Chronique, c'est qu'elle pensait quitter mon père depuis quelque temps et nous emmener dans l'État de Washington, ma sœur et moi. Quand il lui avait expliqué comment il comptait s'y prendre pour vendre la viande à la Great Northern (manifestement, ça ne le gênait guère), écrit-elle, elle s'y était opposée et elle avait d'emblée ressenti « une nervosité terrible », et décidé – puisque tout allait de travers – de partir au plus vite en nous emmenant avec elle. Reste qu'elle ne l'a pas fait.

Bien sûr, je ne sais pas ce qu'elle pensait vraiment. Il paraît crédible que notre mère, jeune femme instruite aux valeurs solides – elle avait trente-quatre ans –, ne se soit senti aucune affinité avec des délinquants à la petite semaine. Il est possible qu'elle n'ait pas été au courant de la combine précédente, puisque notre père partait à la base tous les matins, comme pour un boulot ordinaire, à part qu'on y portait un uniforme bleu. Il ne lui avait peut-être pas parlé de ses agissements, dans la mesure où elle s'y serait certainement opposée déjà à l'époque ; il devinait peut-être aussi qu'elle était de plus en plus désenchantée de sa vie de femme de militaire.

Elle se disait peut-être que cette vie touchait à sa fin et que son sort s'améliorerait une fois que Berner et moi serions assez grands et qu'elle pourrait enfin songer au divorce. Elle aurait pu le quitter dès l'instant qu'il lui avait parlé du plan avec la Great Northern. Mais, je le répète, elle n'en a rien fait. Par conséquent, tout ce qui aurait pu lui arriver si elle n'avait pas rencontré Bev à une soirée, les poèmes qu'elle aurait écrits et publiés, le poste d'assistante dans une petite fac, le mariage avec un jeune professeur, les enfants qui leur seraient nés, et qui n'auraient pas été Berner et moi, tout ce qui aurait pu lui arriver dans cette vie revue et corrigée, ne lui était pas arrivé. À la place, elle s'était retrouvée à Great Falls (dont elle n'avait jamais entendu parler, et qu'on confondait si facilement avec Sioux Falls, Sioux City, Cedar Falls), elle avait vécu dans un monde à part, absorbée par nous, souffrant d'isolement, ne voulant pas s'intégrer et n'envisageant l'avenir que comme un casse-tête exaspérant. De son côté, notre père vivait lui aussi sur une autre planète, avec sa nature portée aux combines, son optimisme, son charme. Leurs deux mondes paraissaient n'en faire qu'un parce qu'ils le partageaient et qu'ils nous avaient. Mais il n'en était rien. Il est possible aussi qu'elle l'ait aimé, lui qui l'aimait sans conteste. Donc, si l'on considère son peu d'optimisme en général, si l'on considère qu'elle l'aimait peut-être et qu'ils nous avaient, il est concevable qu'elle n'ait pas eu le cran de partir et de se retrouver seule avec nous pour toujours. Une histoire pareille n'aurait rien d'inédit dans ce monde.

# 5

Pendant un temps, mon père avait dû entretenir un commerce sans heurts avec les Indiens et la Great Northern. Et pourtant ma mère écrit dans sa Chronique qu'à cette époque, à la mi-juillet, elle commençait à éprouver un « *ennui*\* physique » et que pour la première fois depuis des années, elle s'était mise à téléphoner à ses parents lorsque mon père sortait apprendre à vendre ses ranches ou superviser la livraison de son bœuf. Nos grands-parents n'avaient jamais joué le moindre rôle dans notre vie de famille. Ma sœur et moi ne les avions jamais vus et nous savions que c'était rare, puisque les élèves de notre école voyaient les leurs tout le temps, allaient faire des balades avec eux et en recevaient des cartes, des cadeaux et de l'argent pour leurs anniversaires. Nos grands-parents de Tacoma s'étaient opposés à ce que leur fille, intelligente et diplômée, épouse un ex-aviateur de l'Alabama, un malin tout sourires, personnage alarmant dans leur petit monde clos d'immigrés. Ils avaient vexé mon père en laissant paraître leur réprobation. Il s'était senti insulté de ce déni de justice et, par conséquent, ne nous avait jamais encouragés à aller les voir, pas plus qu'eux à venir nous voir ; du reste, ils ne seraient jamais venus là où nous habitions, au Texas, dans le Mississippi, ou à Dayton, Ohio. Ils considéraient que leur fille aurait dû faire son chemin dans une profession libérale, qu'elle aurait dû habiter une ville de culture, épouser un expert-comptable ou un chirurgien. Or notre mère avait confié à Berner qu'elle n'aurait rien fait de tel, ayant toujours voulu, avec la personnalité si originale qu'elle se connaissait, une vie plus aventureuse. Mais ses parents étaient pessimistes, inquiets, inflexibles, bien qu'installés aux États-Unis depuis 1918. Ils s'étaient jugés autorisés à tourner le dos à leur fille, son mari, ses enfants, et à nous laisser disparaître dans les profondeurs du pays. « Ce serait quand même bien que vous connaissiez vos grands-parents avant qu'ils meurent », nous avait-elle dit plusieurs fois. Elle avait gardé une photo en noir et blanc dans un cadre, prise aux chutes du Niagara – trois personnages minuscules, pareillement binoclards, et qui se ressemblaient dans leur ciré, avec leur air malheureux et mysti-fié, posant sur la passerelle d'un bateau (le *Maid of the Mists*, la demoiselle des brumes, je le sais aujourd'hui pour l'avoir pris) qui emmenait ses passagers jusqu'au ras de la cataracte rugissante. Ses parents retraversaient le continent pour leur vingtième anniversaire de mariage, en 1938, notre mère avait douze ans. Ils s'appelaient Woitek et Renata et avaient choisi de s'appeler Vince et Renny aux États-Unis. Ils ne s'appelaient pas davantage Kamper, d'ailleurs, mais Kampycznski. Le nom de ma mère, Neeva Kampycznski, lui allait mieux que Kamper, et a fortiori Parsons, qui ne lui allait pas du tout. « Ça, c'est une vraie cataracte, les enfants, nous avait-elle dit en contemplant la photo fendillée qu'elle était allée chercher dans le placard pour nous la montrer. Un jour, vous les verrez, tous les deux ! À côté, les cascades de Great Falls, c'est de la rigolade, sauf pour les péquenots d'ici qui n'ont jamais rien vu. »

Je suis convaincu que notre mère avait exprimé son insatis-faction à ses parents, et peut-être même qu'elle avait évoqué son intention de partir en nous emmenant avec elle à Tacoma. Avant ça, je ne savais pas que Seattle et Tacoma étaient si proches. J'avais entendu parler de la Space Needle[1] de Seattle

---

1. Tour futuriste de cent quatre-vingt-deux mètres de hauteur, construite pour l'Exposition universelle de 1962, et toujours visible à Seattle.

dans l'hebdomadaire de l'école, et savais qu'elle sortirait bientôt de terre. J'avais envie de la voir. L'Exposition universelle me paraissait brillante, éblouissante, vue de Great Falls, Montana. Je ne risquais pas de savoir si nos grands-parents écoutaient les griefs de notre mère d'une oreille complaisante et nous auraient accueillis volontiers. Quinze ans qu'elle était partie sans leur bénédiction. C'étaient de vieux intellectuels, rigides, conservateurs, qui avaient sauvé leur peau dans des circonstances difficiles, l'imprévu n'avait pas de place dans leur vie. Ils auraient pu être réceptifs, tout au plus. Mais, comme je l'ai déjà dit, je ne crois pas non plus que partir lui aurait été facile, toute décalée qu'elle était. À cet égard, elle était peut-être plus conventionnelle et plus conservatrice que je ne l'en crédite. Plus semblable à ses parents qu'elle n'en avait conscience.

À l'époque, la perspective d'entrer au lycée de Great Falls m'emballait, et j'aurais voulu que les cours reprennent bien avant septembre pour pouvoir être plus souvent hors de la maison. J'avais découvert que le club d'échecs se réunissait une fois par semaine pendant l'été, dans une salle poussiéreuse et sans air au sein de la tour sud. Je prenais ma bicyclette et franchissais la rivière sur le vieux pont voûté pour aller jusqu'à Second Avenue South. Je me tenais en « observateur » auprès des garçons plus âgés, qui jouaient par deux, tenaient des propos cryptiques sur les échecs, ainsi que sur leurs stratégies personnelles et sur les gambits, et lançaient des noms de joueurs célèbres que je ne connaissais pas encore, Gligorish, Ray Lopez et même Bobby Fischer, qui était déjà un maître admiré. (On savait qu'il était juif, ce dont je tirais une fierté irrationnelle autant que muette.) Je ne connaissais rien aux échecs. Mais j'aimais le paysage ordonné de l'échiquier et l'aspect vénérable des pièces, leur contact dans ma main. Je savais qu'il fallait de la logique pour jouer, la capacité de projeter plusieurs coups à l'avance, et de la mémoire – en tout cas, c'est ce que disaient les autres.

Ma présence ne les dérangeait pas ; ils étaient arrogants mais accueillants, ils me disaient quels livres lire, me parlaient du mensuel *Chess Master* auquel m'abonner si je voulais faire les choses sérieusement. Ils n'étaient que cinq. Pas de filles. Fils d'avocats, de médecins hospitaliers, ils discouraient doctement sur toutes sortes de sujets auxquels je ne connaissais rien, mais qui me passionnaient. L'incident de l'avion-espion, Francis Gary Powers, les « Vents du Changement », la révolution cubaine, le fait que Kennedy soit catholique, Patrice Lumumba, s'il était vrai que le meurtrier Caryl Chessman avait préféré jouer aux échecs plutôt que prendre un dernier repas avant de s'asseoir sur la chaise électrique, s'il était souhaitable que les joueurs de base-ball portent leur nom sur leur maillot, toutes conversations qui me faisaient prendre conscience que je ne savais pas grand-chose de ce qui se passait dans le monde et qu'il était urgent que je m'instruise.

Ma mère m'encourageait à jouer. Elle me disait que son père jouait contre d'autres émigrés dans un parc de Tacoma, parfois sur plusieurs échiquiers en même temps. Elle considérait que les échecs m'aiguiseraient l'esprit, m'habitueraient à la complexité du monde et au fait que la confusion n'était pas à craindre, vu qu'elle était partout. En économisant sur mon argent de poche hebdomadaire, je m'étais acheté des pièces en plastique de marque Staunton à la boutique de loisirs de Central Avenue, ainsi qu'un échiquier souple en vinyle, que je laissais déroulé sur le haut de ma commode, et puis aussi un livre illustré, recommandé par les membres du club pour apprendre les règles tout seul. Je l'avais rangé avec mes livres de Rick Brant sur les mystères de la science et les albums culturistes de Charles Atlas, trouvés dans la maison et que j'avais lus. Ce qui me plaisait particulièrement, c'est que toutes les pièces étaient différentes, un peu énigmatiques, et qu'elles avaient toutes des vocations complexes, déterminant leurs déplacements lors de missions stratégiques définies, dont mes livres affirmaient qu'elles correspondaient à l'art de la guerre véritable au temps où le jeu avait été inventé, en Inde.

Ma mère ne jouait pas, préférant la pinochle, un jeu juif, disait-elle, mais pour lequel elle n'avait pas de partenaire. Mon père n'aimait pas les échecs parce que Lénine y jouait. Il préférait les dames, jeu plus naturel qui requérait de l'astuce et de la ruse. De l'astuce, persiflait ma mère, oui, si on venait de l'Alabama et qu'on n'était pas capable d'aligner deux idées. Quand j'avais acheté mon jeu, je l'avais déroulé et je lui avais fait voir comment bougeaient les pièces. Après avoir joué quelques coups et s'être ennuyée très vite, elle avait conclu que son père lui avait gâté le plaisir en se montrant trop exigeant. J'avais appris par mon livre que tous les grands joueurs d'échecs jouaient tout seuls pour s'entraîner, et passaient des heures à essayer de se vaincre eux-mêmes, de sorte que, quand ils affrontaient un adversaire, en tournoi, le jeu n'était plus qu'une gymnastique mentale ; l'idée me séduisait sans que je sache comment parvenir à ce résultat, et je jouais des coups imprudents et étourdis qui m'auraient fait huer par les membres du club. Plusieurs fois, j'avais tenté de convaincre Berner de s'asseoir en face de moi devant l'échiquier, sur mon lit, pour lui montrer les coups que je venais de découvrir dans le *Chess Fundamentals*, et lui apprendre à les parer. Elle s'était laissé faire deux fois, et puis, elle aussi s'était lassée et avait déclaré forfait avant même que la partie ait vraiment commencé. Quand je l'écœurais, elle me dévisageait sans rien dire, puis elle reniflait avec ostentation. « Supposons même que tu deviennes bon à ce truc, à quoi ça va te servir ? » avait-elle dit en se levant. Moi évidemment, je pensais que là n'était pas la question. Il n'était pas nécessaire que tout débouche sur une application pratique. Il y avait des choses qu'on faisait par plaisir, mais ce n'était pas sa manière de voir la vie à l'époque.

Berner était, bien sûr, ma seule vraie amie. Nous n'avions jamais connu les rivalités, les querelles amères et l'agressivité qui sévissent parfois entre frère et sœur. C'était parce que nous étions jumeaux, chacun devinant souvent ce que l'autre pensait, ce qui lui tenait à cœur ; nous tombions facilement d'accord. Nous savions aussi que la vie avec nos parents était très différente de celle des autres enfants, ceux avec lesquels nous allions en classe et dont nous nous figurions qu'ils menaient une vie ordinaire avec des amis, et des parents qui avaient des comportements normaux (c'était faux, bien entendu). Nous étions également d'accord sur le fait que notre vie se ramenait à une « situation », dans laquelle le plus dur était d'attendre. Un jour ou l'autre, tout changerait ; et mieux valait prendre entre-temps notre mal en patience en tâchant de tirer le meilleur parti de notre lot.

Comme je l'ai dit, Berner affichait depuis peu un caractère plus morose, elle ne parlait plus beaucoup à qui que ce soit et se montrait parfois sarcastique, même envers moi. Je voyais les traits de ma mère reproduits sur son visage aplati et couvert de taches de rousseur – son nez rond, ses grands yeux sans pupille sous leurs sourcils épais, les pores dilatés de sa peau acnéique, ses cheveux drus, bruns et frisés, implantés très bas sur son front. Elle ne souriait pas davantage que ma mère, et une fois, j'avais entendu celle-ci lui dire : « Tu ne voudrais quand même pas devenir une grande bringue qui passe son temps à faire la tête. » Mais je crois que Berner se fichait pas mal de ce qu'elle allait devenir. Elle donnait l'impression de ne vivre que dans l'instant, et l'idée de ce qu'il lui arriverait un jour ne lui permettait pas de dépasser son insatisfaction devant l'état actuel des choses. Physiquement, elle était plus forte que moi, alors, parfois, elle m'attrapait le poignet dans ses grandes mains et frottait sa peau à contresens de la mienne pour m'infliger une « brûlure chinoise », tout en me disant que comme elle était l'aînée, je devais faire ses quatre volontés, mais je les faisais presque tout le temps, de toute façon. J'étais très différent d'elle. Moi je rêvais, j'imaginais ce qui m'arriverait plus tard, le lycée, mes victoires aux échecs, la fac. On ne l'aurait peut-être pas deviné à la voir, mais Berner était sans doute plus réaliste dans son scepticisme que moi, avec mes aspirations. Au vu de ce que la vie lui a réservé, il aurait peut-être mieux valu pour elle qu'elle reste à Great Falls, qu'elle épouse un fermier au grand cœur, qu'elle ait une ribambelle d'enfants à qui elle aurait appris des choses, ce qui aurait fait son bonheur, aurait effacé cette expression aigrie de son jeune visage, expression qui n'était en fait que sa manière de préserver son innocence. Elle et ma mère entretenaient une intimité muette où je n'avais pas ma place. J'acceptais et valorisais cette intimité dans l'intérêt de Berner. J'avais l'impression qu'elle en avait plus besoin que moi, je me croyais mieux adapté à ma vie. Moi, j'étais censé être proche de mon père – c'est ce qu'on attendait des garçons, même chez nous. Sauf qu'il n'était pas possible d'être très proche de lui. Il était absent la plupart du temps : à la base d'abord, et puis, quand ça s'est terminé, dans le vaste monde où il s'était lancé, pour vendre des voitures qu'il ne vendait pas, apprendre à vendre des fermes et des ranches, et finir par se faire intermédiaire dans un trafic de bœuf entre des Indiens chapardeurs et la Great Northern, combine qui allait causer sa ruine. Notre ruine à tous, en fin de compte. À dire vrai, nous n'avons jamais été proches, quoique je l'aie aimé comme si nous l'étions.

J'imagine que, rétrospectivement, on pourrait voir notre petite famille comme au bord du gouffre, courant à la catastrophe, vouée à la dégradation et à l'effondrement final. Mais je suis incapable de nous représenter sous ce jour, ni de présenter cette période comme une phase d'infortune et de désolation, même si elle sortait beaucoup de l'ordinaire. Je revois mon père sur la petite pelouse de notre maison jaune moutarde fané aux volets blancs ; ma frêle mère assise sur les marches du perron, bras enserrant ses genoux, elle porte son short bouffant en toile à voile ; mon père, son pantalon chic couleur brique, avec une chemise bleu ciel et une ceinture en serpent à losanges jaunes, ainsi qu'une paire de bottes de cow-boy noires toutes neuves, qu'il s'est offertes en quittant l'armée. Il est grand, il sourit, d'un sourire sans embarras mais non sans dissimulation. La tignasse de ma mère est négligemment maintenue par un foulard. Elle le regarde monter tant bien que mal un filet de badminton au flanc de la maison. La Chevrolet 1955 est garée le long du trottoir, à l'ombre de l'orme élancé, sous le doux ciel du Montana. Ma mère plisse les yeux pour observer mon père en femme avertie, son visage se fronce autour de son nez, derrière ses lunettes. Ma sœur et moi, on aide à dérouler le filet, car il est pour nous, ce jeu de badminton. Tout d'un coup, ma mère sourit et lève le menton à cause de quelque chose qu'il a dit : « Il n'y a rien qui marche à tous les coups, avec moi, Neevy », « On n'est pas doués pour ces trucs-là », « Je sais larguer des bombes, mais je suis pas fichu de monter un filet ». « Ça, on est au courant », répond-elle. Les voilà qui rient tous les deux. Il avait de l'humour, et elle aussi, même si elle en usait avec parcimonie. C'était typique d'eux, et de nous, à cette époque. Mon père allait travailler, ici ou là. Moi, je m'étais mis à lire mon livre sur les échecs, ainsi qu'un ouvrage sur l'apiculture parce que j'avais décidé que ce serait mon deuxième projet scolaire, me disant qu'aucun autre élève n'y connaîtrait quoi que ce soit, ici. C'était un sujet plus susceptible d'intéresser des écoles rurales pratiquant le FFA[1] et les 4-H[2]. Ma mère s'était mise à lire des romans européens, Stendhal, Flaubert. Et comme il y avait une petite fac catholique à Great Falls, elle prenait des cours

---

1. *Future Farmers of America* : organisation de jeunesse offrant un programme de cours consacrés à l'agriculture et à l'environnement.
2. Mouvement de jeunesse administré par le ministère américain de l'Agriculture, et visant au départ à faire des jeunes ruraux des citoyens responsables. Aujourd'hui relayé dans de nombreux collèges, écoles et universités, il étend les activités parascolaires à d'autres domaines comme celui de la santé.

d'été, une fois par semaine. Ma sœur, malgré sa grogne et son jugement sévère sur le monde, s'était trouvé un petit ami dans la rue, en rentrant à pied du Rexall (ce qui avait contrarié mon père qui, néanmoins, s'était empressé de l'oublier). Mes parents ne buvaient pas, ne se disputaient pas et, à ma connaissance, ne se faisaient pas d'infidélités. Ma mère ressentait peut-être un « *ennui** physique » et envisageait peut-être chaque jour davantage de partir. Mais elle envisageait surtout de rester. Je me souviens qu'elle m'avait lu un poème de l'Irlandais Yeats, dont un vers disait : « Rien ne saurait être complet ni entier, qui n'ait été déchiré. » Je l'ai expliqué bien des fois, ce poème, dans ma vie de professeur, et je me dis que c'est ainsi qu'elle voyait les choses : imparfaites, et pourtant vivables. Changer de vie, changer la vie, ça aurait été faire injure à la vie, et à soi-même – trop radical. Tel était son point de vue d'enfant d'immigrés, hérité de ses parents. Et si, avec le recul des événements, il est toujours possible d'accabler nos père et mère, de diagnostiquer une force irrationnelle, terrible, cataclysmique à l'œuvre en eux, il est surtout vrai que vus de l'espace, vus du Spoutnik, nous n'aurions pas paru si cataclysmiques ni si irrationnels, et ce n'est sûrement pas l'idée que nous nous faisions de nous-mêmes. Mieux vaut considérer notre vie et les agissements qui y ont mis fin comme les deux faces d'une même médaille à observer dans son entier pour bien la comprendre, l'avers, normal, le revers, désastreux. Contraires si proches. Toute autre façon de voir risque de ne pas rendre justice à la part rationnelle et banale de notre existence, celle où tout avait un sens pour ceux qui la vivaient, part essentielle sans laquelle ce récit ne vaudrait pas la peine qu'on le suive.

# 6

Même si la nouvelle combine de notre père pour vendre aux chemins de fer du bœuf volé avait – dans un premier temps – fonctionné comme prévu, le reportage publié par la suite dans la *Tribune* montrait clairement qu'elle était d'un fonctionnement plus complexe que celle montée à la base. Là-bas, pour livrer la viande, les Indiens entraient avec leur camion par l'accès principal. Les gardes étaient au courant qu'il fallait les laisser passer. Ils roulaient jusqu'à la porte de service du club des officiers, déchargeaient la marchandise, et ils étaient aussitôt payés – peut-être par mon père – en cash. Sur cette somme, lui et le responsable du club, un certain capitaine Henley, pré-levaient le pourcentage convenu entre eux, en plus de quoi ils emportaient les filets de leur choix pour nourrir leur famille. Tout le monde était content.

Mais la transaction avec la Northern Railway avait requis quelques aménagements parce que le Noir nommé Spencer Digby avait peur des Indiens et s'en méfiait, et que, par ailleurs, il craignait pour son emploi, un bon boulot bien payé garanti par les syndicats et lui assurant un statut de toute première importance au sein du personnel du wagon-restaurant. Ce Digby voulait que les Indiens conduisent leur camion (qui portait sur son flanc la raison sociale d'une maison de tapis de Havre) jusqu'au quai de charge du dépôt de la Great Northern, où il prenait livraison de la marchandise délictueuse. Mais il refusait de les payer sur-le-champ parce que, comme je l'ai dit, il avait peur d'eux et s'en méfiait, et qu'il prétendait contrôler la qualité de la viande, deux raisons qui insultaient les Indiens, lesquels n'aimaient pas faire des affaires avec un Noir, de toute façon. Il avait donc fallu trouver un arrangement : c'était notre père qui venait au dépôt se faire remettre l'argent par Digby, mais le lendemain seulement, le temps que Digby ait réuni la somme et vérifié que la marchandise était à la hauteur des exigences du wagon-restaurant. Digby tenait à ce que la transaction ait lieu en deux temps, réception de la viande puis règlement, de sorte que, s'il se faisait prendre, l'argent n'ait pas l'air d'avoir été versé en paiement du bœuf, et que mon père apparaisse comme le seul fournisseur, les Indiens n'ayant de rapports qu'avec lui. Au cœur des combines de ce genre, il y a toujours une part déraisonnable qui relève du simple facteur humain.

La modification de l'organisation d'origine mettait mon père dans une position précaire. Il aimait bien le rôle d'intermédiaire, qui lui donnait le sentiment d'être compétent, et la position qui allait avec, position qui ne lui avait pas paru précaire, sinon trop tard. Or, avec la nouvelle organisation, pendant une journée, voire plus, les Indiens se retrouvaient délestés de ce bœuf qu'ils avaient volé et abattu en prenant de gros risques, puis qu'ils avaient convoyé jusqu'à Great Falls et livré plus ou moins au vu et au su de tous –, après s'être déjà dangereusement découverts en roulant avec un camion plein d'une viande qui ne leur appartenait pas, le tout à une époque où la police de Great Falls se serait fait un plaisir d'arrêter un Indien sans la moindre raison, et tenait les Noirs à l'œil depuis les émeutes qui avaient éclaté dans le Sud. Malgré les risques pris, les Indiens n'étaient pas en situation d'empocher sans délai l'argent qui leur revenait de droit, soit cent dollars par flanc de bœuf (le bœuf ne coûtait pas cher à l'époque). Et péril encore plus grand à leurs yeux, il leur fallait rester sur place pour le récupérer des mains de notre père, à qui ils faisaient une confiance toute relative. Dans l'organisation antérieure, ils avaient fait confiance à l'Air Force parce que l'un d'entre eux avait été aviateur, et puis parce que les Indiens ont tendance à trouver normal que l'État les prenne en charge, puisqu'il l'a toujours fait. À cet égard, ils n'étaient pas si différents de notre père.

Le danger de cet arrangement mis au point par mon père en croyant qu'il conviendrait à tout le monde, c'est qu'il y servait d'intermédiaire à des partenaires délinquants qui se méfiaient et ne s'appréciaient pas, mais en qui lui-même avait décidé de mettre sa confiance, à défaut de les apprécier. Pis encore, à chaque nouvelle livraison, il se retrouvait devoir de l'argent à des Indiens dont personne n'aurait voulu être le créancier ni le débiteur, au vu de leurs antécédents violents bien établis. Deux d'entre eux étaient des meurtriers, avait révélé la *Tribune,* le troisième un kidnappeur. Tous trois avaient passé la moitié de leur vie dans la prison de Deer Lodge. Avec le recul des années, c'était une combine saugrenue qui n'aurait pas dû fonctionner une seule fois. Sauf qu'elle avait bel et bien fonctionné, et que ce n'était pas plus saugrenu que de dévaliser une banque.

Un matin de la mi-juillet, mon père s'est levé en nous annonçant qu'il partait faire un tour jusqu'à Box Elder, dans le Montana, sur la route de Havre, pour jeter un coup d'œil à une parcelle de ranch, un très beau produit, que sa nouvelle agence comptait vendre pour une somme coquette. Il voulait qu'on l'accompagne, ma sœur et moi, parce que, étant des gosses de militaire toujours par monts et par vaux, nous ne savions rien des endroits où nous vivions et passions trop de temps entre quatre murs. Et ça ne ferait pas de mal à notre mère d'être tranquille toute une matinée.

Nous voilà partis dans la Bel Air rouge et blanche sur la highway 87, qui grimpait dans la chaleur des champs de blé mûrissant en direction de Havre, à cent cinquante kilomètres de chez nous. Les Highwoods, qui se dressaient à l'est de Great Falls, apparaissaient à notre droite, dans un lointain flou, bleues, brumeuses, plus mystérieuses vues d'ici que de la ville. Au bout d'une heure, nous avons dépassé Fort Benton, où nous avons aperçu le Missouri en contrebas de la route, cette même rivière que l'on voyait miroiter depuis les fenêtres de l'école. Elle était plus étroite et plus calme, et elle coulait vers l'est, le long d'une corniche de craie et de pitons de granit, pour gagner, cela je le savais déjà, son confluent avec la Yellowstone, la White et la Vermillon, puis avec la Platte, et enfin, avec le Mississippi, à la frontière de l'Illinois. La route s'est mise à descendre, elle a longé le lit d'un ruisseau, puis elle est montée de nouveau, sur un plateau de cultures, avec des montagnes bleuâtres devant nous, plus longues, plus basses que les Highwoods, mais tout aussi brumeuses, boisées, étrangères à notre œil. C'étaient les Bear's Paws, les pattes de l'ours, a annoncé notre père avec autorité. Elles étaient situées sur la réserve indienne de Rocky Boy, une réserve, ça voulait dire que les Indiens y vivaient mais n'en étaient pas tout à fait propriétaires ; ce n'était pas nécessaire pour eux, vu que le gouvernement pourvoyait à leurs besoins, sans compter qu'ils ne savaient pas travailler la terre. Il était déjà venu là pour affaires, nous dit-il. Il pouvait entrer en toute quiétude et sans autorisation particulière.

Nous avons roulé sur la route étroite, entre les blés, jusqu'à dépasser un petit bourg poussiéreux avec un silo à grain ; puis nous sommes rapidement arrivés à un autre, Box Elder, les Aulnes, nom des arbres qui offraient leur ombre à notre pâté de maisons. Il y avait une courte rue centrale coupée par des voies de chemin de fer, avec une banque, une poste, une épicerie, deux cafés et une station-service, spectacle étonnant en rase campagne. Nous avons quitté la grand-route et pris une petite piste de terre battue et de gravier qui menait droit vers les montagnes où se trouvait le ranch que l'agence de mon père voulait vendre. Devant nous, rien d'autre que les contreforts des collines et les océans de blé. Pas de maisons, ni d'arbres, ni d'hommes. Des blés mûrs, jusqu'au ras de la piste, jaunes et drus, ondoyant dans la brise chaude et sèche qui soufflait des tourbillons de poussière par nos vitres baissées, et recouvrait mes lèvres d'une pellicule. Notre père nous a dit qu'à présent, nous nous trouvions au nord du Missouri. Nous ne pouvions plus le voir, des pitons nous le cachaient ; Lewis et Clarke, dont nous avions entendu parler, étaient parvenus ici en 1805 et ils avaient chassé le bison à cet endroit précis. Mais enfin, a-t-il ajouté (il conduisait, le coude gauche en appui sur la vitre baissée), cette partie du Montana ressemblait au Sahara vu depuis un bombardier, et ce n'était pas un endroit où un natif de l'Alabama aurait pu vivre heureux. Pour taquiner Berner, il lui a demandé si elle se sentait originaire de l'Alabama, dans la mesure où il l'était lui-même. Elle a dit que non et elle a froncé les sourcils dans ma direction, en faisant une bouche de poisson. Moi j'ai dit à mon père que je ne me sentais pas non plus originaire de l'Alabama, et ça a eu l'air de l'amuser. Il a dit qu'on était américains et que c'était ce qui comptait. Ensuite, nous avons vu un grand coyote sur la route, avec un lapin dans la gueule. Il s'est immobilisé en entendant la voiture, et puis il s'est enfoncé dans les épis, disparaissant à notre vue. Nous avons aperçu un oiseau dont notre père nous a dit que c'était un aigle doré, ailes étales dans le ciel d'un bleu parfait, aux prises avec des corbeaux qui voulaient le chasser. Nous avons vu trois pies, piquant du bec un serpent qui traversait la chaussée comme une flèche. Notre père a donné un coup de volant pour l'écraser, ça a fait deux chocs sourds sous nos roues, et les pies se sont envolées.

Au bout de plusieurs kilomètres sur ce chemin de terre, où nous soulevions une tornade de poussière dans notre sillage, le blé s'est arrêté brusquement, cédant la place à des prairies sèches, encloses en pâturages, avec quelques vaches étiques immobiles dans les fossés. Mon père a ralenti et klaxonné, alors elles ont rué, renâclé, et chié de longues giclées avec un gros soupir en nous dégageant le passage. « Faites excuse, hein », a dit Berner, en les regardant depuis le siège arrière.

Un moment plus tard, nous sommes passés devant une maison de bois brut, basse, construite en retrait de la chaussée, à même le sol nu. Tout là-bas sur la route, on en apercevait une deuxième, puis une troisième, à peine visibles dans l'incandescence miroitante du lointain. Elles étaient en triste état, comme s'il leur était arrivé malheur. La première n'avait plus de porte d'entrée ni de carreaux aux fenêtres, la partie arrière s'était effondrée. Des pans de carcasses de voitures, un lit-cage en fer et un réfrigérateur blanc encore debout avaient été traînés dans la cour, devant. Des poulets picoraient le sol desséché. Plusieurs chiens étaient assis sur le perron, observant la route. Un cheval blanc portant une bride était attaché à un poteau de bois, au flanc de la maison. Des sauterelles fusaient dans le courant d'air chaud créé par la voiture. On avait garé un semi-remorque peint en noir au milieu du champ, derrière, à côté d'une camionnette à portes coulissantes portant l'inscription HAVRE TAPIS. Deux gamins maigres, l'un torse nu, sont venus s'encadrer dans l'entrée béante de la maison et nous ont regardés passer. Berner leur a fait signe, l'un des deux a répondu.

« C'est des Indiens, ces gamins, a dit mon père. C'est là qu'ils habitent. Ils ont pas votre chance. Y a pas l'électricité, par ici.

— Pourquoi ils habitent là ? » a demandé Berner. Elle regardait par la lunette arrière, à travers la poussière, la maison en ruine et les deux garçons. Rien n'indiquait qu'ils étaient indiens. Je savais bien que tous les Indiens ne vivaient pas dans des tipis et ne dormaient pas à même le sol, avec des plumes sur la tête. À ma connaissance, il n'y en avait pas dans mon école. Mais je savais qu'il y avait des Indiens qui étaient tout le temps saouls ; on les retrouvait dans des ruelles, l'hiver, rigidifiés à même l'asphalte. Et puis il y avait des Indiens dans le bureau du shérif, qui traitaient seulement les crimes et délits d'Indiens. Mais je m'étais tout de même dit que, quand on allait les voir chez eux, ils n'étaient pas pareils que nous. Or ces deux garçons n'étaient en rien différents de moi, même si leur maison menaçait de s'effondrer. Où étaient leurs parents, je me le demandais.

« Ta question pourrait s'appliquer à la famille Parsons, non ? a dit mon père, en manière de plaisanterie. Qu'est-ce qu'on fiche, nous, dans le Montana ? On devrait être à Hollywood, et je doublerais l'acteur qui joue Roy Rogers. » Là-dessus, il s'est mis à chanter. Il chantait souvent. Quand il parlait, il avait un timbre velouté qui me plaisait, mais il n'avait pas une belle voix quand il chantait. En général, Berner se bouchait les oreilles. Cette fois, il a chanté : « *Home, home on the range, where the goats and the pachyderms play.* » Ça faisait partie de ses blagues[1]. Je me disais que ces jeunes Indiens ne jouaient pas aux échecs, ne participaient pas à des débats, et n'allaient sans doute même pas à l'école. Ils ne feraient jamais grand-chose dans la vie.

« J'admire les Indiens », a ajouté mon père après avoir fini sa chanson. Et puis on n'a plus rien dit.

Nous sommes passés devant la deuxième maison délabrée, où il y avait une voiture noire roues en l'air, sans pneus ni vitres aux portières. La toiture de la maison était percée de grands trous. De hauts lilas et des roses trémières encadraient la porte, comme chez nous, et on avait fabriqué un enclos à cochons circulaire avec des radiateurs de voiture. Les oreilles et les groins des porcs dépassaient par-dessus. Derrière la maison se trouvait une rangée de ruches peintes en blanc, dont un habitant s'occupait. La chose a attiré mon attention. J'avais déjà lu mon livre sur les abeilles et je cherchais moyen de convaincre mon père

---

1. *Home on the Range* : chanson traditionnelle du folklore américain. Le père en modifie les paroles originales, en remplaçant « une maison dans la prairie, où jouent le cerf et l'antilope », par « une maison dans la prairie, où jouent les chèvres et les pachydermes ».

de m'aider à construire une ruche, une seule, qu'on placerait dans le jardin. J'avais une adresse en Géorgie, d'où faire venir les abeilles. Bientôt, je l'avais entendu à la radio, la foire du Montana s'installerait à deux pas de chez nous, et j'avais bien l'intention de visiter le stand des abeilles, où l'attirail serait exposé et où l'on ferait des démonstrations sur la fumigation, le matériel et la récolte du miel. L'apiculture et les échecs se rejoignaient, dans mon esprit. Dans les deux cas, il s'agissait d'activités complexes, obéissant à des règles, requérant un savoir-faire et des objectifs précis. L'une comme l'autre proposaient des itinéraires secrets vers la réussite, qu'on ne pouvait décrypter qu'avec de la patience et de l'assurance. « Les abeilles dévoilent les mystères de toute entreprise humaine », disait le livre *Le Bon Sens des abeilles*, que j'avais pris à la bibliothèque. Toutes ces choses que je voulais apprendre, je les aurais apprises aisément si j'étais allé chez les scouts, si ma mère avait voulu. Mais elle ne voulait pas.

Une femme trapue, à la peau claire, en short et haut de maillot de bain est apparue à la porte, main en visière pour se protéger du soleil, sur notre passage.

« On en a, nous aussi, des Indiens, en Alabama, a dit mon père sur un ton qui suggérait que tout ce que nous avions sous nos yeux était parfaitement banal, pour le cas où nous aurions pensé le contraire. On a les Chickasaws, et les Choctaws, et les Bulgares des marais. Ils sont tous cousins des gens d'ici. Aucun n'a été traité correctement, bien sûr. Mais ils ont toujours conservé leur dignité et le respect de soi. » On ne peut pas dire que ça se voyait à regarder leurs maisons, mais j'étais impressionné qu'ils s'y connaissent en apiculture, et je me suis dit qu'ils valaient peut-être mieux que je croyais.

« Où est le ranch que tu veux vendre ? » j'ai demandé.

Mon père a tendu le bras et m'a tapoté le genou. « On l'a dépassé il y a longtemps, fils. Il ne m'a pas fait bonne impression. Mais je constate que tu es attentif. Je voulais simplement que vous, les enfants, vous voyiez de vrais Indiens pendant qu'on est ici. Il faut que vous soyez capables de les reconnaître. Vous vivez dans le Montana, ils font partie du paysage. » J'aurais voulu aborder la question de la foire, profitant qu'il était de bonne humeur, mais il était parti sur les Indiens et je me suis dit qu'il fallait peut-être sacrifier l'occasion et y revenir plus tard.

« On ne m'a toujours pas dit pourquoi ils habitent ici », a repris Berner. Elle transpirait, et son doigt moite traçait des dessins sur la fine couche de poussière déposée pendant le voyage sur son bras couvert de taches de rousseur. « Rien ne les y oblige, ils pourraient habiter Great Falls. On est en démocratie, ici. Pas comme en Russie ou en France. »

On aurait dit que notre père avait cessé de faire attention à nous. Il a roulé sur la route pleine d'ornières encore un kilomètre et demi, jusqu'à ce qu'on arrive si près des Bear's Paws que je distinguais la limite des arbres et les quelques plaques de neige éparses que le soleil n'atteignait jamais. Il faisait chaud, là où nous étions, mais si on montait plus haut, il ferait froid. À un certain endroit de la route, pendant que ce paysage desséché et désert se déroulait, indéfiniment semblable, nous nous sommes arrêtés entre des poteaux d'enclos sans palissade et nous avons fait demi-tour pour repartir par où nous étions arrivés, en repassant devant les maisons délabrées à gauche, devant les Indiens, puis par Box Elder, jusqu'à la highway 87 en direction de Great Falls. J'avais l'impression qu'on s'était rendus là-bas sans rien mener à bien, rien de ce qui intéressait ou préoccupait notre père, rien qu'il avait besoin de savoir, rien qui avait trait à la vente ou à l'achat d'un ranch. Je ne voyais pas du tout pourquoi nous y étions allés. Ma sœur et moi, on n'en a pas parlé une fois rentrés.

# 7

Ce qui s'est passé, c'est que la première semaine d'août, mon père avait déjà conclu avec Digby, le gars de la Great Northern, et ses complices crees, trois transactions qui s'étaient déroulées de façon tout à fait satisfaisante. Les vaches avaient été volées, abattues et livrées. L'argent avait changé de mains. Les Indiens étaient repartis. Tout le monde était rassuré. Mon père était convaincu que sa combine remaniée fonctionnait bien, et il ne se sentait nullement pris entre deux feux d'une manière qui puisse l'inquiéter. Il n'était pas homme à imaginer que ce qui marchait comme sur des roulettes aujourd'hui ne marcherait peut-être pas indéfiniment. Il était largement dans le même état d'esprit que les Indiens qui comptaient sur l'État : l'Air Force lui avait épargné la vie difficile que la plupart des gens affrontaient. Et quand il songeait aux services spécifiques qu'il avait rendus pendant la guerre (maîtriser le ciblage des bombes, les larguer sur des gens qu'il ne voyait jamais, se débrouiller pour ne pas se faire tuer), il ne jugeait pas anormal d'être pris en charge, moyennant quoi il n'était pas trop regardant – en toutes circonstances. Il en oubliait par exemple que son rôle d'intermédiaire dans le trafic de bœuf ne lui avait pas tellement réussi, du temps qu'il était à la base. Car en définitive, la combine lui avait fait perdre ses galons de capitaine et l'avait, en quelque sorte, réexpédié dans la vie civile sans lui laisser le temps de s'y préparer – à supposer que la chose ait été possible après être resté si long-temps sous l'uniforme.

Il n'est pas exclu non plus que notre mère, si studieuse, si distante, lui ait donné l'impression qu'elle le tenait à l'œil et n'attendait que son prochain faux pas pour le quitter. Si bien que malgré la réussite apparente de mon père, son naturel opti-miste, son nouveau départ dans la société civile, les incertitudes personnelles croissantes de ma mère sapaient son moral et sa conviction d'avoir du flair dans son nouveau métier. Tout ce qu'il voulait, c'était que la vie continue sans à-coup jusqu'à la rentrée des classes, car alors ma mère reprendrait le travail. Il aurait ainsi tout loisir d'apprendre les ressorts de la vente de ranches, en continuant de réaliser ses profits avec Digby et les Indiens – tout ça dans notre intérêt, bien sûr.

La vie, à cette époque, me paraissait encore parfaitement normale. Début août, je me souviens, mon père a tenu à ce qu'on aille tous au Liberty voir *Les Robinsons suisses* en matinée, un samedi. Mon père et moi, on a adoré. Mais notre mère a insisté pour que nous lisions le livre, son exemplaire du lycée qu'elle avait gardé, et qui était beaucoup moins optimiste et romantique que le film. Ses cours d'été à l'Institut des sœurs de la Miséricorde avaient commencé, et elle rapportait de nouveaux livres, ainsi que les propos des sœurs sur le sénateur Kennedy : les gens du Sud, disaient-elles, ne le laisseraient jamais gagner ; on lui tirerait dessus avant les élections. (Mon père nous assurait que ce n'était pas vrai, que le Sud était cruellement incompris, mais que ce qui était certain, par contre, c'était que le pape aurait désormais voix au chapitre dans la vie américaine, et que Kennedy père était un baron du whisky.) Il a de nouveau été question de la Space Needle, mon père disant qu'il voulait la voir et nous y emmènerait quand elle serait achevée. Pendant cette période, ma sœur a amené son petit ami jusque chez nous deux fois, mais jamais dans la maison même. Il me plaisait. Il

s'appelait Rudy Patterson, il avait un an de plus que nous et
c'était un mormon (j'avais cherché le mot dans le dictionnaire,
et il disait lui-même qu'ils étaient polygames, entre autres
choses). Il allait déjà au lycée, ce qui lui conférait un grand
prestige à mes yeux. Il était roux, osseux, avec des grands
pieds et un duvet de moustache dont il était très fier. Une
fois, on avait traversé la rue, lui et moi, pour lancer quelques
ballons dans le panier de basket d'en face, installé par la ville.
Il m'avait raconté ses projets : quitter bientôt le lycée et partir
en Californie pour entrer dans un orchestre, ou s'engager dans
les Marines. Il avait déjà demandé à Berner si elle viendrait
avec lui, ou bien si elle voudrait le rejoindre là-bas plus tard ;
elle avait répondu que non, d'où Rudi concluait qu'elle était
coriace comme fille – elle l'était en effet. Pendant qu'on jouait,
sous le feuillage parfumé des ormes et des aulnes, saturé du
chant des cigales, Berner était assise sur les marches du perron,
tout comme notre mère la veille, les paupières plissées dans le
soleil, les bras autour des genoux, en train de nous regarder
nous escrimer. Elle a crié : « Va pas lui répéter ce que je t'ai
dit, je veux pas qu'il soit au courant de mes secrets. » Je ne
savais pas à qui ces mots s'adressaient, à lui ou à moi. Je n'étais
plus au courant des secrets de Berner, à l'époque, moi qui me
figurais autrefois tout savoir d'elle du fait d'être son jumeau.
Mais elle devait en avoir de nouveaux, puisqu'elle ne me parlait
plus de ses affaires personnelles et me traitait en cadet, comme
si sa vie avait pris une tangente qui l'éloignait de la mienne.

Ce que je sais comme témoin direct des ennuis, des gros
ennuis, c'est que vers la fin de la première semaine d'août,
mon père est rentré à la maison un soir et que, sans même
le voir, j'ai compris qu'il se passait quelque chose d'insolite
à la maison. On est réceptif à ce genre d'indices – la porte
d'entrée claquée trop fort, le son des bottes sur le parquet, le
grincement d'une porte de chambre qui s'ouvre, une voix qui

se met à parler, le bruit de la porte qui se referme promptement, étouffant les sons.

Au cœur de l'été, la maison était chaude, sèche, poussiéreuse, ce qui réveillait les allergies de Berner. (Elle était glaciale et pleine de courants d'air en hiver.) Ma mère laisser tourner la ventilation de la soupente et prenait un bain frais en début de soirée, avant de préparer le dîner, à l'heure où une lumière pastel traversait le minuscule carreau de la salle de bains. Elle allumait une bougie au santal sur le couvercle du siège des toilettes et restait dans la baignoire le temps que l'eau refroidisse complètement. Ce soir-là mon père s'était absenté, censément pour se former aux techniques de vente. Mais en rentrant, il est allé tout droit à la salle de bains où se trouvait ma mère, et il s'est mis à parler avec force animation. La porte s'est refermée sur ce qu'il disait. Mais j'ai quand même saisi : « Je suis tombé sur un os, dans cette affaire… », et je n'ai pas entendu le reste. J'étais dans ma chambre, je lisais un livre sur les abeilles en écoutant la radio. J'éprouvais le besoin de parfaire ma stratégie pour pouvoir aller à la foire. Depuis trois ans que nous vivions là, nous n'y étions jamais allés. Ma mère n'en voyait pas l'intérêt, n'aimant pas les manèges ni les odeurs. Ça ne tentait pas Berner non plus.

Mon père est demeuré longtemps à parler à ma mère dans la salle de bains. Dehors, la nuit tombait ; ma sœur est sortie de sa chambre, elle a allumé dans le salon, tiré les rideaux et arrêté la ventilation, de sorte que la maison est devenue silencieuse.

Peu après, la porte de la salle de bains s'est ouverte et mon père a dit : « Je m'en occuperai plus tard, ce n'est pas le moment. » À quoi ma mère a répondu : « Bien sûr. Je ne te donne pas tort. » Il s'est encadré dans la porte de ma chambre, qui était ouverte. Il avait mis ses bottes Acme noires et une chemise blanche avec des poches fendues et des boutons de nacre, ainsi que sa ceinture en serpent. Ayant porté l'uniforme les trois quarts de sa vie, il avait le goût du vêtement. Apprendre à vendre des ranches l'avait persuadé de se faire l'allure du rancher, lui qui n'y connaissait rien. Il m'a demandé ce que je faisais. Je lui ai dit que je lisais un livre sur l'apiculture et que j'avais l'intention d'aller à la foire, comme je l'avais déjà annoncé. Il y aurait un stand 4-H, et des garçons de mon âge montreraient quelques aspects fondamentaux de l'apiculture et de la récolte du miel. « Ça m'a l'air d'être un projet d'envergure, il a dit. Il faut être prudent pour ne pas subir de piqûres mortelles. Tout l'essaim peut fondre sur toi, d'après ce que j'ai entendu dire. » Il est allé à la porte de la chambre de ma sœur, il lui a posé des questions sur ses activités et lui a parlé de son poisson. Ma mère est sortie de la salle de bains, le visage grave, vêtue d'un peignoir, une serviette enroulée sur ses cheveux mouillés. Elle est allée à la cuisine dans cette tenue et a commencé à sortir des aliments du réfrigérateur. Mon père est arrivé sur ses talons en disant : « Je vais régler le problème. » Elle a répondu quelque chose que je n'ai pas entendu parce qu'elle parlait tout bas. Puis, mon père est sorti sur la terrasse côté rue, à la fraîche. Les lampadaires étaient allumés. Il s'est mis sur la balançoire, qui avait des chaînes fines et fragiles, et il s'est balancé dans le chant des cigales. Je l'ai entendu parler tout seul, signe qu'il était inquiet. (Il parlait souvent tout seul, ils le faisaient l'un et l'autre, comme si certaines parties de la conversation ne pouvaient se partager. Ils le faisaient surtout quand ils avaient un souci en tête.) À un moment donné, tout en se balançant de façon rythmée, il a éclaté de rire. Un peu plus tard, il est sorti dans la rue et a pris sa voiture pour – pensais-je – régler ce qui le turlupinait.

Le lendemain, c'était dimanche. Comme je l'ai dit, nous n'allions pas à l'office. Mon père rangeait une grande bible familiale avec son nom dessus dans un tiroir de sa penderie. Officiellement, il appartenait à la Church of Christ et il avait été sauvé des années auparavant, en Alabama. Ma mère se revendiquait comme « agnostique éthique », quoique juive. Berner disait croire en tout et en rien, ce qui expliquait qu'elle soit comme elle était. Moi je ne croyais en rien, autant que je me souvienne, je ne comprenais même pas ce que croire voulait dire, sinon croire que les poissons nagent et que les oiseaux volent, toutes choses démontrables. Pour autant, le dimanche était bien un jour à part. Ce jour-là, on ne parlait pas trop, ni trop fort, surtout le matin. Mon père regardait les informations puis le basket à la télévision, habillé d'un bermuda et d'un T-shirt, ce qu'il ne faisait pas en semaine. Ma mère lisait un livre, préparait ses cours pour l'automne et rédigeait son journal, qu'elle tenait depuis l'adolescence. Après le petit déjeuner, en général, elle partait faire une longue promenade toute seule, prenant Central Avenue, traversant la rivière pour entrer en ville, où il ne se passait rien et où les rues étaient quasi désertes. Ensuite, elle rentrait faire le déjeuner. Moi, je réservais le dimanche à la pratique des échecs et à l'approfondissement de leurs règles, ce qui était, m'avaient dit les garçons du club, la clef de tout. Si on assimilait complètement les règles complexes de ce jeu, alors on pouvait jouer d'instinct et avec audace, comme Bobby Fischer qui n'avait que dix-sept ans et était donc à peine plus vieux que moi.

Ce dimanche matin-là, il n'a pas été question de ce qui devait se « régler » la veille et dont nos parents avaient discuté une heure durant dans la salle de bains. J'ignorais à quelle heure mon père était rentré de sa mystérieuse course. Le fait est qu'il se trouvait là en ce dimanche, à regarder la télé en bermuda. Le téléphone a sonné à plusieurs reprises. J'ai répondu deux fois, mais il n'y avait personne au bout du fil – rien de bien exceptionnel. Rien ne laissait penser qu'il se passait quelque chose de particulier. Ma mère était sortie se promener en ville. Mon père regardait *Meet the Press*. Il s'intéressait aux élections et croyait que les communistes étaient en train de prendre le pouvoir en Afrique, mais que Kennedy allait les en empêcher.

Berner et moi, on est sortis dans le jardin sous le soleil brûlant, on a déplacé les piquets du badminton pour avoir plus d'espace de jeu. C'était un joli matin vide, les roses trémières étaient en fleur sur le flanc du garage. Il n'y avait rien à faire à Great Falls.

À onze heures, les luthériens de Sion, de l'autre côté de la rue, le long du parc, se sont mis à sonner leurs cloches à toute volée comme d'habitude, pour accueillir les fidèles. Des voitures et des pick-up sont arrivés et se sont garés. Des familles avec enfants se sont dirigées vers l'édifice de bois gris et ont disparu à l'intérieur. J'aimais bien les regarder depuis la balançoire de la terrasse. Ils étaient toujours de bonne humeur, ils riaient, parlaient de sujets qui les intéressaient et sur lesquels je supposais qu'ils étaient d'accord. Une fois, un jour de semaine, j'avais traversé la rue pour voir ce qu'il y avait à voir. Mais les portes étaient verrouillées, et il n'y avait personne. On aurait dit que la vaste bâtisse grise abritait un commerce qui aurait fermé.

C'est à l'instant même où les cloches se sont mises à sonner qu'une vieille bagnole s'est garée devant chez nous. J'ai cru que le conducteur, un homme, était luthérien, qu'il allait sortir de son véhicule et traverser pour aller à l'église. Mais il est resté à l'intérieur de la vieille Plymouth peinte en rouge vif, et il a fumé une cigarette comme s'il attendait quelque chose, ou espérait se faire remarquer. La voiture datait des années quarante, elle était boueuse et cabossée ; elle me paraissait vaguement familière, allez savoir pourquoi. Sa lunette arrière avait volé en éclats, ses pneus étaient désassortis et une des roues arrière avait perdu son enjoliveur. Elle avait eu plus d'un accident et semblait déplacée derrière la Bel Air de mon père, d'une propreté étincelante.

Après être resté un moment à l'intérieur de son véhicule avec sa cigarette (Berner et moi, on l'observait depuis le filet, nos raquettes à la main), l'homme a jeté un regard circulaire sur notre maison, puis, subitement, il est sorti de sa voiture en faisant claquer la portière.

Presque en même temps, mon père est apparu sur le perron, en bermuda, à croire qu'il guettait si l'homme sortirait de sa voiture. Il a pris l'allée de ciment : puisqu'il était sorti il fallait réagir tout de suite.

On a tous deux entendu notre père faire « Holà, holà » tandis que l'homme s'avançait lentement dans l'allée. « Pas la peine de te ramener ici, je suis chez moi. Ça va s'arranger », il a dit en ponctuant sa phrase d'un rire, sans qu'on voie ce qu'il y avait de drôle.

L'homme n'a pas bougé, le menton baissé de manière théâtrale, les yeux braqués sur notre père. Il n'a pas reculé quand notre père s'est approché en lui disant holà ; il ne lui a pas tendu la main ; il n'a pas souri comme d'une bonne blague. Il était vêtu en homme qui viendrait du froid, un gros pantalon de laine marron, des chaussures de cuir brun éraflé, mais sans chaussettes, et un cardigan rouge vif sur un sweat-shirt gris sale. Drôle de tenue en plein mois d'août.

Quand il avait remonté le trottoir, on avait bien vu qu'il avait mal aux jambes. Il devait se déplacer à la force des épaules, les genoux en dedans. Ce n'était pas un grand costaud, il n'avait pas la stature de notre père, mais il était lourd, plombé par une charpente encombrante, malcommode à bouger. Il avait une masse de cheveux noirs huileux ramenés en long catogan et de grosses lunettes à monture noire. Son teint tirait sur l'orangé, sa peau était ravagée par des cicatrices d'acné, et il avait un pansement dans le cou. Il portait un bouc effiloché et pouvait avoir cinquante ans, mais peut-être moins. Il émanait de lui comme une sévérité, il donnait l'impression de ne pas être content. Loin comme nous étions, Berner et moi, le long du filet de badminton, nous sentions son odeur, une odeur de viande, et de médicament aussi. Quand il est parti plus tard, je l'ai sentie sur mon père.

Puisque l'homme ne lui serrait pas la main, et ne reculait pas, notre père l'a pris par l'épaule pour lui faire faire demi-tour, si bien qu'ils se sont mis à parler en revenant vers la Plymouth au lieu de continuer vers la maison, mais un instant plus tard, l'homme s'est dégagé et a obliqué vers la pelouse. Il regardait au loin, non pas vers Berner et moi, mais à l'opposé de notre père, comme s'il ne voulait pas le voir ni nous voir. Et puis il s'est mis à parler, et Berner et moi, on a entendu : « Ça pourrait mal tourner pour tout le monde, Cap. » Cap, c'était comme ça que tout le monde appelait mon père dans l'Air Force. L'homme a jeté un œil autour de lui, et ensuite il a fixé mon père. Il a ajouté quelque chose à mi-voix, comme s'il savait que Berner et moi écoutions et qu'il ne voulait pas être entendu. Il s'est tu, il a croisé les bras, torse rejeté en arrière, et il a mis un pied devant l'autre, comme je n'avais jamais vu personne le faire. On aurait dit qu'il voulait voir ses propres paroles flotter en sortant de sa bouche.

Notre père s'est mis à hocher la tête, mains dans les poches de son bermuda, il ne disait rien, il hochait la tête. L'homme parlait avec plus de véhémence, et plus vite. Il parlait d'une voix sourde, mais j'ai tout de même entendu le mot *toi*, sur lequel il insistait, et puis le mot *risque*, et le mot *frère*. Notre père gardait les yeux rivés sur le bout de ses sandales en caoutchouc et ses pieds nus, il secouait la tête en répétant « Non, non, non, non », comme s'il était d'accord malgré le mot qu'il répétait. Et puis il a dit : « Ça n'est pas raisonnable, désolé. » Puis : « Je comprends, bon, d'accord. » La tension s'est retirée de son corps à ce moment-là, comme s'il était soulagé, ou bien déçu. Puis l'homme – on a appris plus tard qu'il s'appelait Marvin Williams et que c'était un Indien cree – s'est retourné sans un mot, il a regagné la Plymouth de sa démarche douloureuse, à la force des épaules, les genoux en dedans, il a ouvert la portière, mis le moteur en route bruyamment et démarré sans lancer un regard à notre père, le laissant planté là dans l'allée, en short et sandales, à le suivre des yeux. La cloche des luthériens a retenti de nouveau, pour le dernier appel aux dévotions. Un homme en costume gris clair a fermé les portes à deux battants. Il a lancé un coup d'œil vers chez nous, nous a fait un signe de la main, mais notre père ne l'a pas vu.

Plus tard dans la matinée, notre mère est rentrée de sa promenade et elle a fait des blinis, notre plat préféré. Pendant le repas, notre père n'a pas dit grand-chose. Il nous a raconté la blague du chameau à trois bosses qui faisait meuh. Il a dit qu'on devrait apprendre à raconter des blagues, Berner et moi, comme ça on serait invités partout. Ensuite, lui et notre mère se sont retirés dans leur chambre, ils ont fermé la porte et ils y sont restés bien plus longtemps à parler que la veille dans la salle de bains. Avant que notre mère rentre de promenade, notre père avait retiré ses sandales pour jouer au badminton avec nous dans le jardin – on s'était mis à deux contre lui. Il avait couru partout, le dessus de la lèvre en sueur, essoufflé, et il avait mis beaucoup d'ardeur à frapper le volant, riant, s'amusant comme un fou. On aurait dit que tout allait pour le mieux et que la visite de l'Indien ne concernait qu'une vétille. Berner a demandé son nom, et c'est comme ça qu'on a su qu'il s'appelait Marvin Williams et qu'il était cree. C'était un « homme d'affaires », nous a dit notre père, « honnête, mais exigeant ». À un moment de la partie, il est demeuré là, dans l'herbe tiède, mains sur les hanches, sourire aux lèvres, en nage, tout rouge. Il a inspiré profondément en nous disant qu'il pensait que ça s'arrangerait bientôt pour nous tous. On ne resterait pas forcément à Great Falls, on tenterait peut-être une percée vers une ville plus prometteuse, il n'a pas dit laquelle – aussitôt j'en ai été ébranlé et inquiet, parce qu'on n'était plus qu'à quelques semaines de la rentrée et que j'avais fait le projet de jouer aux échecs, d'élever des abeilles et d'apprendre des tas d'autres choses. J'étais content du tour que prenaient les événements, ce qui me semble fou, rétrospectivement, puisque je n'avais pas la moindre idée du tour réel qu'ils prenaient. C'est sans doute, en suis-je venu à penser, au cours des heures qui ont suivi la visite de l'Indien Williams, dit Mouse, qui s'était planté devant chez nous et avait menacé à voix basse de tuer notre père et peut-être bien nous tous si on ne le payait pas (c'était ce qu'il avait dit, je l'ai appris plus tard), c'est sans doute alors que notre père s'est mis à échafauder des plans pour nous tirer d'affaire, des plans pour dévaliser une banque, en l'occurrence – laquelle, quand, et comment y associer notre mère pour minimiser le risque d'être découverts et éviter de se retrouver en prison. Mais les choses ont tourné autrement.

# 8

Par la suite, quand j'ai su toute l'histoire – pour autant que je puisse vraiment la savoir – j'ai découvert que la veille du samedi où mon père avait parlé à ma mère dans son bain pour partir ensuite en voiture à la nuit close, les Indiens avaient livré à Digby quatre carcasses de Hereford découpées sur le quai de charge de la Great Northern, et qu'ils étaient repartis en comptant bien que mon père les paierait le lendemain. Digby avait décidé, en effet, en voyant que leur combine marchait comme sur des roulettes, de réceptionner désormais davantage de viande pour en fournir à un ami chef de rang sur un autre train de la Great Northern et se faire grassement payer. Notre père jugeait cette extension du projet profitable à tous. Sauf que lorsqu'il s'était rendu au petit bungalow de Digby à Black Eagle, ce samedi-là, pour récupérer sa part, celle qui lui revenait en tant que cerveau de l'affaire, Digby lui avait raconté que deux des carcasses étaient arrivées avariées (on était en été, il faisait trop chaud pour acheminer la viande dans un camion de transport de moquette, non réfrigéré). On n'aurait même pas pu la servir à des Indiens, il était donc exclu de la présenter aux passagers du Seattle-Chicago habitués au luxe. Digby avait déclaré qu'il n'était pas question qu'il paie à mon père une marchandise pareille. D'ailleurs, il l'avait déjà fait emporter par camionnette et balancer dans le Missouri pour éviter qu'on – la police du rail, par exemple – le trouve en possession de cette viande dont il n'aurait pas pu expliquer la présence dans la chambre froide, sans bordereau de vente ni visa des services sanitaires.

Surprise désagréable pour mon père, qui avait annoncé sans ambages à Digby qu'il n'aurait jamais dû accepter la livraison d'une viande « fichue », mais que, dans la mesure où il l'avait fait, la responsabilité lui en incombait, ainsi que le règlement, soit quatre cents dollars.

Mon père avait compris que Digby, ce grand échalas en veste de larbin et nœud pap, aux yeux globuleux et à la voix de fausset, avait eu peur des Indiens – qui se méfiaient de lui comme il se méfiait d'eux – et que, du coup, son plan mirobolant pour acheter des quantités de viande supérieures à celles prévues lui était apparu pour ce qu'il était : une mauvaise inspiration. Il était en outre déjà empêtré dans une autre activité illégale pour laquelle la police de Great Falls n'aurait pas été fâchée de le coffrer. Personne n'ignorait en effet que les employés du wagon-restaurant et les porteurs Pullman géraient tout un réseau de filles qu'ils dispatchaient sur la ligne, la fille montant dans telle gare, faisant affaire avec son client, et descendant à telle autre, le lendemain matin.

Mon père n'a pas cru un instant que la viande avait été livrée avariée ; ça ne s'était jamais produit, il n'y avait pas de raison que cela arrive. Mais lorsqu'il est retourné chez Digby (après avoir tenu conseil avec ma mère dans sa baignoire) pour lui réclamer de nouveau les quatre cents dollars, quitte à faire usage de ses poings (ce n'était pas son genre, il fallait qu'il soit dos au mur), Digby était déjà loin, il roulait vers Chicago et son autre vie, bien étanche ; mon père n'avait plus qu'à se débrouiller avec les Indiens.

Il se trouvait donc très précisément dans le guêpier où il risquait de tomber, et contre lequel il aurait dû se prémunir. (Par exemple en étant sur place quand la viande changeait de mains, ou encore en ayant assez d'argent liquide sur lui pour indemniser les Indiens en cas de problème.) Seulement voilà, pour honorer son contrat, il ne disposait que de ce qui restait de sa pension mensuelle, des trois sous que notre mère avait mis de côté sur ses neuf mois de salaire à Fort Shaw, et de notre Chevrolet. Nos parents n'avaient aucun bas de laine pour les urgences – or urgence il y avait. Ils n'avaient même jamais eu de compte chèque, ils payaient tout en liquide.

Le lendemain, le dimanche, Williams/Mouse arrivait chez nous, se plantait dans notre jardin et proférait ses menaces de mort, que mon père avait prises très au sérieux. Williams avait également fait remarquer que ses associés et lui avaient couru des risques aggravés en volant quatre vaches au lieu d'une, sans compter qu'il était aussi beaucoup plus périlleux de les découper et de les transporter, tout ça pour se faire rire au nez par le Noir Digby quand, en lui livrant la marchandise, ils lui avaient réclamé six cents dollars au lieu de quatre cents. En plus, avait ajouté Williams, l'un de ses associés était dans le collimateur de la police de la réserve, précisément à propos des vols de bétail, et il lui faudrait de l'argent pour aller se mettre au vert quelques mois dans le Wyoming. Pour toutes ces raisons, avait-il conclu, lui et ses amis exigeaient à présent deux mille dollars et non plus les quatre cents ou six cents convenus au départ. Comment il parvenait à cette somme : mystère.

Notre père n'était pas un homme qu'on menaçait. Lui, en général, avait des rapports faciles avec les gens, il les amusait, ils admiraient son physique, ses manières affables, son accent du Sud, ses bons et loyaux services pendant la guerre. S'entendre menacer de mort lui avait fait un choc. Aussitôt, il s'est mis à broyer du noir et à se creuser la tête sur les moyens de se procurer l'argent, et c'est ainsi que, très vite, lui est venue l'idée extravagante de trouver une banque à dévaliser. Sur le moment, il avait dû juger que ça valait mieux que de se laisser tuer par les Indiens avec femme et enfants, et mieux aussi que de nous charger tous trois dans la Bel Air pour décamper en pleine nuit sans laisser d'adresse. S'il y avait d'autres options financières, comme de faire un emprunt, par exemple (mais il n'aurait pas été solvable ; il ne plaisait pas à ses beaux-parents ; il ne touchait pas de salaire, n'avait rien à hypothéquer), ou d'autres moyens de se tirer de ce mauvais pas, comme d'aller trouver la police de Great Falls ou tenter de ramener Williams à la raison, soit il n'y a pas pensé, soit il a considéré que ce serait reculer pour mieux sauter. Plus tard, quand il aurait pu envisager d'aller voir la police pour lui demander sa protection, il était déjà arrivé à la conclusion que dévaliser une banque était une bonne idée, point final.

À la prison de femmes du Dakota du Nord, à Bismarck, après leur double procès, ma mère a décrit dans sa Chronique les jours précédents et les jours suivants le hold-up. C'est un récit minutieux de leurs faits et gestes. Du temps qu'elle était à la fac de Walla Walla, elle avait des aspirations à la poésie ; elle s'est peut-être dit que si elle écrivait un compte rendu bien tourné, elle se ménagerait un avenir à sa sortie de prison, sortie qui n'eut jamais lieu. Elle s'y montre très critique envers notre père et ses failles. Elle ne cherche pas pour autant à se dédouaner, elle ne plaide pas la folie, ni la contrainte, elle n'explique même pas comment il l'avait persuadée – mais elle exprime tout de même de la tristesse pour ma sœur et moi. Elle confirme qu'elle croyait bien être la femme qu'elle avait toujours cru être, une femme réfléchie, intelligente, imaginative, peut-être un peu en rupture de ban, ou sceptique, mais protectrice, joyeuse (il n'en était rien). C'était au nom de ses valeurs qu'elle n'avait jamais voulu que nous nous assimilions, Berner et moi, dans toutes les villes où le métier de mon père nous entraînait. Ces lieux et milieux allaient diluer et pervertir ce qu'il y avait de bon en nous, d'essentiel, ils feraient de nous des êtres étiolés et banals sous le joug des normes en vigueur dans le Mississippi, le Texas, le Michigan, l'Ohio, États qu'elle ne tenait pas en grande estime et considérait comme peu éclairés. Tels sont les mots exacts qu'elle emploie dans sa Chronique : diluer, protectrice, en rupture de ban, étiolé, pervertir. Mon père et elle n'auraient jamais dû se marier, poursuivait-elle ; elle aurait dû se douter qu'ils seraient plus heureux l'un sans l'autre. C'est dans ces pages qu'elle raconte avoir rêvé d'épouser un professeur d'université, de mener une vie de poète, etc. En tout état de cause, elle aurait dû quitter notre père dès l'instant qu'il avait parlé de dévaliser une banque, puisqu'elle en avait déjà l'intention. Seulement, elle s'était aperçue qu'outre toutes ses autres caractéristiques très réelles, l'être singulier qu'elle voyait dans son miroir était aussi un être faible. Elle n'y avait jamais réfléchi, mais c'était sans doute la raison même qui lui avait fait épouser ce beau gosse souriant et romantique de Bev Parsons. (Elle était enceinte, certes, mais elle aurait pu se débarrasser de l'enfant ; les étudiantes de 1940 savaient déjà comment s'y prendre.) C'était parce qu'elle était faible qu'elle n'avait pas quitté Bev Parsons longtemps auparavant, en nous emmenant avec elle. Les faits lui confirmaient à présent qu'elle était faible, comme tout le monde, ce qui l'avait inexorablement conduite selon une logique délirante à braquer une banque. Elle ne se considérait pas comme une criminelle pour autant. Jamais de la vie. La manière dont ses parents l'avaient élevée l'empêchait de croire une chose pareille (ce n'était peut-être pas sans rapport avec le fait d'être juive, donc unique en son genre, là où elle se trouvait ; convaincue d'occuper un statut *à part* elle n'avait pas la ressource d'adopter les vues et les garde-fous des autres, pour raisonnables qu'ils aient pu être).

Ce que j'ai pensé, ce qui m'est venu à l'esprit pendant que Berner et moi étions à la maison, et nos parents dans deux cellules de la prison du comté de Cascade, c'est qu'ils étaient très jeunes, trente-sept et trente-quatre ans. Et qu'ils n'étaient pas faits pour dévaliser une banque. Pourtant, dans la mesure où ceux qui passent à l'acte sont très rares, on peut lire là l'histoire d'un destin, quelles que soient par ailleurs l'image qu'ils ont d'eux-mêmes et l'éducation qu'ils ont reçue. Il m'est impossible de raisonner autrement si je ne veux pas me laisser accabler par un sentiment de tragédie.

N'empêche, ça fait drôle de penser que ses parents avaient l'étoffe de criminels. C'est un miracle à l'envers, en somme. Je suis sûr que c'est ce que ma mère voulait dire en parlant de sa faiblesse. Pour elle, ces mots, *criminel* et *faible*, recouvraient peut-être la même idée.

# 9

Dès lundi matin, quelque chose avait incontestablement changé à la maison. Il se passait des choses capitales, plus capitales qu'un nouveau travail pour mon père, que son départ de l'Air Force, ou que de faire nos bagages pour déménager. La veille, nos parents étaient restés à parler dans leur chambre, porte close, jusqu'à une heure tardive, et je savais qu'ils s'étaient disputés. J'avais compris qu'il était résolu à faire quelque chose avec quoi elle n'était pas d'accord. J'avais entendu la porte de leur penderie claquer à plusieurs reprises et ma mère dire : « C'est la dernière fois », puis « Tu ne vas pas l'avoir, de toute façon », et « C'est le truc le plus fou... » Chaque fois, elle attaquait fort, puis sa voix baissait aussitôt et la fin de sa phrase m'était inaudible. À trois reprises, mon père est sorti de la chambre pour se planter sur le perron, j'ai entendu ses bottes sur les planches. Chaque fois, il est rentré, la porte de leur chambre s'est refermée, et ils se sont remis à parler. « Tu vois une autre possibilité ? » il a dit, puis : « Ce que tu peux être timorée, pour ces choses-là. » Et : « C'est pas comme ça qu'on se fait prendre, en tout cas. » Au bout d'un moment, ils n'ont plus échangé que quelques mots, et puis ces mots mêmes ont fait place au silence. J'ai quitté ma chambre pour aller à la cuisine, où il y avait de la lumière, et j'ai bu un verre d'eau. Une goutte de clarté orangée perlait sous leur porte. Quand je suis retourné dans mon lit, j'y ai trouvé Berner. Elle ne m'a rien dit. Elle était allongée, elle respirait, frissonnante, visage tourné vers le mur où étaient accrochés mes fanions d'université. Dormir ensemble, on ne le faisait plus depuis qu'on habitait Great Falls, on l'avait fait, enfants, dans des maisons plus petites. J'étais mal à l'aise, de l'avoir dans mon lit. Mais je savais qu'elle ne serait pas là sans raison majeure, ni si elle ne les avait pas écoutés, comme moi. Elle sentait la cigarette et le bonbon, et elle s'était couchée tout habillée. On s'est endormis quand nos parents ont cessé de parler. Mais le lendemain, quand je me suis réveillé, j'avais les poings serrés et douloureux, et Berner était partie ; on n'en a pas parlé quand on s'est vus. On a fait comme si de rien n'était.

D'habitude, mon père était de bonne humeur, le matin. Mais ce lundi matin-là, il paraissait grave et préoccupé. On aurait dit que ma mère l'évitait. Elle nous a servi le petit déjeuner et on s'est mis à table. Tout en mangeant ses œufs, mon père nous a demandé, à Berner et à moi, si on pensait pouvoir faire quelque chose d'utile à la République. C'était sa formule quand il voulait connaître nos projets. Je lui ai rappelé que la foire ouvrait ce jour-là et que j'aurais bien aimé voir les démonstrations d'apiculture, qui pourraient me servir. Il n'a pas relevé, on aurait dit qu'il avait oublié sa question. Il n'a pas raconté de blagues, pas souri. Il avait les yeux rouges. Il n'a pas dit merci à notre mère pour le petit déjeuner. Il n'était pas rasé, alors qu'il se rasait toujours avec soin quand il allait à la base. Ses joues bleuâtres de barbe étaient hâves. Quelque chose le tracassait, c'était flagrant, mais personne ne lui a demandé quoi. J'ai vu que notre mère le regardait d'un œil agacé derrière ses lunettes. Elle pinçait les lèvres comme s'il s'était permis un geste déplacé envers elle.

Il ne m'avait pas échappé que notre père n'avait pas mis son pantalon neuf, ses bottes noires en cuir repoussé, ou une de ses chemises avec la poche en biais, comme quand il allait travailler à son agence immobilière. Il portait sa vieille combinaison bleue de l'Air Force, avec des tennis blanches maculées de peinture, tenue qu'il endossait pour tondre la pelouse ou arroser. Il avait décousu les insignes depuis qu'il avait quitté l'Air Force, et même la pièce qui disait PARSONS. On aurait dit quelqu'un qui cherchait à passer incognito.

Après le petit déjeuner, on a encore moins parlé. Berner est allée dans sa chambre, elle a fermé la porte et écouté un disque sur son tourne-disque. Ma mère s'est mise à nettoyer la cuisine, et puis elle s'est assise sur le perron pour boire une tasse de thé au soleil, faire ses mots croisés et lire un roman pour son cours chez les sœurs. Moi, j'ai suivi mon père dans la maison. Apparemment il se disposait à sortir, et je voulais savoir où il allait et si je pouvais l'accompagner. Il a pris sa trousse de toilette dans l'armoire de la salle de bains et il y a glissé quelques objets. Il a mis des chaussettes et un slip dans son sac en toile de l'Air Force ; moi, j'étais sur le seuil de la salle de bains, à le regarder. Chez nous, on ne voyageait pas parce qu'on déménageait trop. C'était un luxe de se poser, disait mon père. Son souhait le plus cher était de jeter l'ancre comme tout le monde. Dans notre pays, on était libre de s'installer où on voulait, pensait-il. Qu'on soit né ici ou là, quelle importance ! Telle était la beauté des États-Unis, en cela bien différents des pays qu'ils avaient libérés pendant la guerre, pays étriqués, provinciaux. Ce que je craignais, c'était que lui et ma mère aient décidé de se séparer. Ça aurait expliqué sa conduite. Silence. Tension. Colère. Sauf qu'ils n'avaient jamais parlé de se séparer – en ma présence du moins.

Quand je l'ai vu tirer sur la fermeture Éclair de son sac (je venais de le voir y glisser le pistolet qu'on lui avait donné à son départ de l'Air Force, un gros calibre .45 noir), j'ai dit :

« Où tu vas ? »

Assis sur son lit (mes parents faisaient lit à part), il a levé les yeux vers moi. Il faisait chaud dans la maison, comme toujours le matin. On attendait l'après-midi pour mettre en route la ventilation. Il n'était que neuf heures. Il m'a souri, comme s'il ne m'avait pas entendu, ce qui pouvait lui arriver. Mais il n'avait plus cette tête d'insomniaque aux joues creuses, il avait retrouvé ses couleurs.

« Vous êtes de la police ?

– Oui, justement », j'ai dit. Je ne voulais pas demander : « Est-ce que vous allez vous séparer, maman et toi ? » Je ne voulais pas entendre la réponse.

« Je pars en voyage d'affaires, il a dit en continuant à tripoter son sac.

– Tu vas revenir ?

– Évidemment, voyons. Pourquoi, tu veux venir avec moi ? »

Aussitôt, ma mère a surgi sur le seuil de la chambre, son livre à la main. Elle m'a posé une main sur l'épaule et elle l'a serrée. Pour une petite femme, elle serrait fort. « Il ne vient pas avec toi. J'ai de quoi l'occuper ici, dans l'intérêt général. » Elle m'a poussé de son chemin et elle est entrée dans la chambre en me fermant la porte au nez. J'ai entendu un échange animé entre eux, même s'ils parlaient bas parce qu'ils savaient que je les écoutais. « Pas question, pas question que tu fasses ça, à aucun prix... » a-t-elle dit ; à quoi il a répondu : « Oh bon Dieu, tu m'emmerdes, ça va, on en reparlera ! » Il ne disait presque jamais de gros mots, et ma mère non plus. Berner, si. C'était Rudy qui les lui avait appris. J'ai été choqué de l'entendre parler de cette façon à notre mère.

Comme elle risquait d'ouvrir la porte inopinément et de se fâcher si elle me surprenait à espionner, je suis retourné dans ma chambre et je me suis installé face à mon plateau d'échecs vert et blanc. Je me sentais calme derrière ces pièces blanches en ordre de bataille, avec chacune sa mission et qui n'attendaient plus que mon commandement pour attaquer.

Un instant plus tard, mon père sortait de la maison, emportant son sac avec le pistolet, et il montait dans sa voiture. Il s'est bien gardé de me préciser quelle affaire il allait traiter, il ne m'a même pas dit au revoir. Je me doutais que son déplacement n'avait rien à voir avec une vente de ranch ou de ferme, mais avec l'Indien qui était passé chez nous. En tout cas, c'était une affaire de première importance, sinon il ne serait pas parti précipitamment. Quelque chose me disait qu'il venait d'entrer dans notre vie un élément inconnu jusque-là.

# 10

Et qu'a fait mon père, les jours suivants ? Il a parcouru en voiture l'est du Montana et l'ouest du Dakota du Nord inconnus de lui, en quête d'une banque à braquer. Il ne s'agissait pas d'en dévaliser une tout de suite, mais de choisir la ville et la banque selon certains critères établis dans sa tête, puis de rentrer à Great Falls s'immerger brièvement dans sa vie de famille, avant de passer à l'action un jour ou deux plus tard. Ce plan lui paraissait moins précipité, plus réfléchi, plus facile à modifier, voire à abandonner – une approche raisonnée du hold-up, en somme. Faute de quoi, tout partait de travers, et on se retrouvait en prison.

Ça fait drôle, quand on y pense : ce conducteur au volant d'une voiture qu'on dépasse sur une route de campagne déserte ; ce voisin de table avec lequel on échange quelques mots au restaurant ; ce client qui arrive devant vous à la réception d'un motel ; cet homme sympathique avec son sourire engageant et ses yeux noisette pétillants qui vous raconte sa vie et cherche à vous plaire... ça fait drôle de penser qu'il se balade avec un pistolet chargé et qu'il est en train de jeter son dévolu sur une banque à braquer.

Je me dis que, même si mon père avait peur des Indiens – et des représailles promises par Williams/Mouse au cas où l'argent n'arriverait pas assez vite –, après sa longue incursion vers l'est, dans l'immensité vide du Montana, jusqu'au Dakota du Nord, où il avait pris la mesure des banques et des bourgades, repéré des planques possibles, noté les effectifs des policiers de l'État et des shérifs adjoints croisés en route, calculé à quelle distance de la frontière de l'État se trouvait chaque banque (homme du Sud, il attachait plus de pertinence que la plupart des gens à la notion de frontière d'État) – après avoir fait tout ça, l'idée du hold-up lui a paru sinon raisonnable, du moins recevable : pas de quoi se tracasser. J'en juge par son comportement lors de son retour, deux jours plus tard : il débordait d'assurance et d'enthousiasme, il avait retrouvé sa bonne humeur – comme si le gros problème avec lequel il était parti s'était résolu le plus simplement du monde. C'était typique de sa manière de minimiser les obstacles. Autre indice qu'il s'était libéré d'un poids : il envisageait que je l'accompagne dans ce hold-up. Il n'est tout de même pas allé jusqu'à me le proposer. Je ne l'ai découvert que plus tard, dans la Chronique de ma mère, même si je les avais entendus en parler derrière leur porte, sans tout bien comprendre : à ses yeux, je faisais un complice plausible. Ma mère, l'autre possibilité, ne passerait pas inaperçue, elle, à cause de ses allures d'étrangère, de sa petite taille, du fait que la majorité des gens la trouvaient antipathique – c'était risqué, d'après lui. Il voulait braquer une banque en toute convivialité. (C'est ce projet de faire de moi son complice qui a décidé ma mère à l'accompagner, j'en suis sûr, et à commettre l'acte le plus étranger à sa personne.)

À certaines choses que mon père m'avait dites, je savais que dévaliser une banque, il y pensait depuis longtemps, mais je ne l'avais jamais pris au sérieux. On voit bien dans la Chronique que l'idée de se faire prendre ne lui était même pas venue : il se jugeait trop malin pour ça. Il avait par ailleurs le sentiment que voler une banque nationale était un crime sans victimes, puisque, d'après lui, tant qu'on ne volait pas plus de dix mille dollars (il en a raflé bien moins), le gouvernement fédéral couvrait la somme afin qu'aucun client n'en soit pour ses frais. Comme je l'ai dit, il avait en l'État une confiance qui remontait au New Deal et au REA, et qui ne s'était jamais démentie pendant toutes ses années dans l'Air Force, où il avait été intégralement pris en charge pour services rendus. On dirait aujourd'hui qu'il était démocrate jusqu'à la moelle.

Quant à se faire attraper, une fois constaté à quoi ressemblaient l'est du Montana et l'ouest du Dakota du Nord (régions vides, vacantes, sans vie sociale, pauvres), il n'a pas imaginé un instant qu'on le remarquerait, surtout s'il n'était pas accompagné de ma mère, qui faisait tache. Il passerait inaperçu, un type sympathique, habillé de manière anodine, au volant d'une voiture anodine avec son fils à bord. (Il se proposait de voler une plaque d'immatriculation du Dakota du Nord pour que sa Chevrolet passe inaperçue, elle aussi.) N'ayant pas la tête d'un braqueur de banque, il pourrait se permettre d'en braquer une sans mettre de masque ni se déguiser. Il agirait vite, se fondrait dans le paysage recuit au soleil et serait de retour à Great Falls le soir même. Ni vu ni connu.

Logique, vu sous un certain angle. Le shérif du comté de Cascade, dont fait partie Great Falls, l'a raconté à la *Tribune* après l'arrestation de nos parents : on se figure souvent qu'il est facile de dévaliser une banque sans se faire prendre, dans le Montana ; et c'est pourquoi il s'y déroule énormément de hold-up (chose que mon père ignorait). Les gens s'imaginent qu'une fois leur braquage commis, ils vont être absorbés par le paysage sans que personne les remarque, pour la bonne raison qu'il n'y a pas grand monde pour remarquer quoi que ce soit là-bas. Seulement voilà, un braqueur se repère tout de suite dans le Montana. D'abord, il est bien le seul à avoir pu commettre ce crime, puisque c'est justement ce qui l'a amené là, en solo. Tandis que la plupart des gens du coin ont la conscience tranquille. En plus, un visage avenant comme celui de mon père se remarque dans une région où l'on en rencontre fort peu, même les jours fastes.

Ma mère a sans doute été lucide sur toute la ligne. Quand mon père est parti, le lundi matin, dans sa combinaison bleue de l'Air Force, avec son pistolet chargé, tellement affolé à l'idée qu'on nous fasse la peau qu'il préférait dévaliser une banque pour se procurer l'argent, elle a aussitôt réagi comme si notre vie était entrée dans une phase de changement décisif. Elle nous a immédiatement mis au ménage, tous les trois, elle qui ne s'y consacrait guère puisque nous occupions toujours des locations dont les tuyaux sentaient l'égout et le gaz, et que nous ne trouvions jamais propres à notre arrivée. Elle s'est noué sur la tête un fichu rouge qui faisait bouffer ses cheveux, elle a enfilé un vieux pantalon en coton dont elle a retroussé les jambes, une paire de gants en caoutchouc noir pour ne pas s'abîmer les ongles, et puis elle a commencé à briquer le parterre de la cuisine et le carrelage de la salle de bains, à balayer à fond les placards, faire les vitres, sortir la vaisselle des buffets pour passer les étagères à l'eau de Javel. À Berner et moi, elle a dit de faire nos chambres : nettoyer le sol, les portes, les boiseries, les angles du placard, les moulures de fenêtre avec un savon et un chiffon, et laver les carreaux au vinaigre (j'en avais les mains desséchées et qui puaient). Elle nous a dit de faire le tri dans nos vêtements, et ceux qu'on voulait donner à Saint-Vincent-de-Paul, de les empiler sur le perron de derrière, à côté de ma bicyclette, pour qu'ils les emportent. Elle m'a expédié au grenier par l'escalier qui se perdait dans les hauteurs, pour vérifier que nous n'oubliions rien de ce qu'il y avait à jeter. Il faisait noir là-haut, une chaleur étouffante, ça sentait la naphtaline et le moisi, c'était plein de poussière et de suie ; je pressentais qu'il y avait des serpents à sonnette, des araignées venimeuses et des frelons cachés dans les poutres, et je suis aussitôt descendu les mains vides.

Lorsque nous lui avons demandé pourquoi ce grand nettoyage, notre mère a répondu que lorsque notre père rentrerait de son voyage d'affaires, il se pourrait que nous quittions Great Falls, et alors il faudrait rendre la maison à son propriétaire, qui habitait Butte. Nous lui avions versé une caution, elle entendait qu'il nous la rende. (Il s'appelait Bargamian, et mon père disait qu'il était « de sa tribu à elle », à quoi elle répondait qu'il était arménien, une race de victimes.)

Elle n'a pas précisé où nous irions, et comme notre père avait eu la même attitude le dimanche soir, j'avais tendance à croire qu'on n'en savait rien. Non sans affolement : dans trois semaines, le lycée reprenait, est-ce que je pourrais y aller ?

Les jours suivants, en l'absence de notre père, le téléphone a sonné plusieurs fois. Moi, je décrochais tout de suite, pensant que c'était lui. Mais de nouveau, personne au bout du fil. Finalement ma mère a pris l'appel en disant : « Qu'est-ce que vous voulez ? Qui est à l'appareil ? » Toujours pas de réponse à l'autre bout de la ligne, et puis on a coupé. Quatre fois au moins, en regardant par la fenêtre, j'ai vu un véhicule passer au ralenti devant chez nous. Le premier, c'était la Plymouth déglinguée de Mouse. Ce n'était pas lui qui la conduisait, mais un type plus jeune, pas forcément indien. Le second, c'était un pick-up marron en plus triste état encore, amortisseurs cassés, toit gondolé. Il y avait plusieurs personnes à bord, dont une grande et grosse femme qui m'a paru indienne, celle-là. Chaque fois, le conducteur a jeté un long regard sur la maison, mais sans s'arrêter. Il ne fallait pas être un fin limier pour deviner que ces Indiens étaient liés aux raisons de notre départ éventuel, et aussi à celles de notre visite à Box Elder, quelques jours plus tôt (histoire de regarder de plus près comment ils vivaient eux-mêmes) ; ni pour comprendre ce qui m'angoissait, et ce qui poussait probablement notre père à nous chercher un nouveau bercail.

Autre événement marquant en l'absence de mon père, Berner est sortie un jour de sa chambre, la bouche maquillée d'un rouge éclatant, ce que ma mère a choisi de prendre avec humour, en la traitant de femme fatale qui n'allait pas tarder à connaître la gloire sur les planches, à New York et à Paris. Il en fallait plus pour décourager Berner. Elle avait lâché ses cheveux, toujours sévèrement tirés en queue-de-cheval avec la raie au milieu, et ils lui pendaient sur les épaules dans le plus grand désordre. Ça ne me plaisait pas parce que ça faisait ressortir son visage aplati, et ça lui donnait un teint brouillé, avec ses taches de rousseur, elle qui avait toujours une belle peau, même quand il lui sortait des boutons. Alors qu'on était en plein nettoyage, je lui ai demandé pourquoi elle s'était maquillée de manière si outrancière. Elle m'a répondu en fronçant les sourcils que c'était à cause de son « petit ami » Rudy – que nous avions à peine vu. Il lui avait dit que, si elle voulait qu'il s'intéresse à elle, elle ferait bien de s'attifer davantage en femme. Elle m'a confié qu'elle envisageait de fuguer avec lui, mais que, si je le répétais à notre mère, elle m'assassinerait. « Ça me rend dingue, de vivre ici », m'a-t-elle dit avec une moue de dégoût. Je n'en revenais pas ; j'étais loin de penser que vivre avec nos parents soit insupportable, fuguer ne me serait pas venu à l'esprit.

Pendant qu'on faisait le ménage, Berner et moi, et que notre père sillonnait les grands espaces du Montana et du Dakota du Nord pour choisir quelle banque dévaliser, il était en train de se produire un autre phénomène : notre mère entrait dans une nouvelle phase bizarre. Passe encore qu'elle se soit mis en tête de briquer et d'aérer la maison, mais elle a également donné plusieurs coups de téléphone à ses parents qui vivaient à Tacoma. Elle ne leur demandait pas asile pour elle-même ; elle voulait qu'ils nous accueillent, Berner et moi. Elle leur parlait avec spontanéité et affection, comme s'ils se voyaient tous les mois, alors qu'ils ne s'étaient pas vus depuis seize ans ou presque. J'ai cru comprendre qu'ils accepteraient d'accueillir Berner, mais pas moi. Un garçon, c'était au-dessus de leurs forces. Raison de plus, cependant, pour que Berner juge opportun de fuguer : elle se voyait mal vivre entre ces deux vieux Polonais sévères, soupçonneux et peu compréhensifs, qu'elle ne connaissait pas et à qui elle risquait de ne pas plaire, le hasard seul ayant voulu qu'ils soient ses grands-parents.

Les circonstances précises qui ont amené ma mère à prendre ses dispositions pour que je ne tombe pas aux mains de l'État du Montana, j'y viendrai à la fin, parce que c'est ce qui compte le plus à mes yeux. Mais c'est l'état d'esprit dans lequel elle était durant ces deux jours, quand nous avons briqué la maison avant le retour de mon père le mercredi soir, qui demeure le sujet le plus intéressant, bien qu'elle nous ait quittés depuis tant d'années.

On pourrait croire qu'une femme dont le mari est peut-être en train de perdre la tête, ou une partie, un mari qui se prépare à dévaliser une banque, à mener sa famille à la ruine, qui ne trouve rien de plus malin que de vouloir impliquer son fils dans le hold-up, qui fait peser la menace de la prison, du désastre et de l'anéantissement de tout ce à quoi ils ont cru tous deux (rappelons qu'elle pensait déjà à le quitter), on pourrait croire que cette femme va guetter la première occasion de le dénoncer à la police, histoire de sauver sa peau et celle de ses enfants, à moins encore qu'elle ne trouve le cran nécessaire pour tenir bon, s'arc-bouter, et du même coup, protège son foyer par la seule force de sa volonté (ma mère, petite créature mécontente de son sort, donnait l'impression d'avoir un fort caractère, mais ce n'était pas le cas). Or elle n'a rien fait de tout ça.

Une fois la maison propre comme un sou neuf, une fois passés les appels à ses parents, et une fois retombée la colère contre notre père (il n'était plus là), elle s'est retrouvée dans un état non pas d'euphorie, ce n'était pas son genre, mais, contre toute attente, d'apaisement. La chose était non moins rare. On aurait dit qu'elle était soulagée pour la première fois depuis des semaines, pour ne pas dire plus. On aurait dit qu'une décision importante venait d'être prise et mise en perspective. Elle a ri avec nous, elle nous a taquinés en disant que Berner deviendrait vedette de cinéma, et moi professeur d'université, champion d'échecs, expert apiculteur. Elle a commenté l'actualité mondiale, dont je ne la savais pas au courant et dont nous n'avions jamais parlé. Le sénateur Kennedy, qui ne l'impressionnait pas, le tremblement de terre d'Agadir, la révolution cubaine ; elle avait dû en entendre parler à la radio, tout comme moi. Elle a regardé la télé avec nous : *Douglas Edwards, Restless Gun, Trackdown*, ces émissions que je suivais. Elle s'est moquée des soap-opéras et d'autres émissions qui passaient.

Berner et moi ne lui avons pas beaucoup parlé au cours de ces deux jours. Nous faisions cause commune avec elle, malgré notre embarras, mais sans nous retourner contre notre père et tout en respectant le clivage inexprimé entre eux, clivage qui l'avait poussé à partir en « voyage d'affaires » sans même dire quand il reviendrait. (Je me suis d'ailleurs demandé plusieurs fois, dans mes fantasmes, s'il était parti dévaliser une banque.) Je ne voyais pas du tout comment aborder le sujet de ce clivage, ne serait-ce qu'avec ma sœur, sans risquer de devoir crever l'abcès. Si bien que nous nous sommes contentés de briquer la maison, de prendre nos repas et de regarder les deux chaînes de télévision. J'ai lu mon livre sur les échecs, échafaudé des stratégies d'ouverture impraticables, parcouru des catalogues d'apiculture, j'avais hâte que les cours reprennent. Berner, selon son habitude, s'est enfermée dans sa chambre, écoutait la radio, faisait des essais de maquillages, de coiffures, les défaisait, prenait la rallonge pour téléphoner à Rudy en toute discrétion et (j'en suis sûr) planifier sa fugue, sans retour puisqu'il n'y aurait plus rien pour l'accueillir si elle revenait. Si, dans ce court laps de temps, notre mère a manifesté un apaisement dans sa vision critique du monde, ce devait être l'aboutissement d'un processus long de plusieurs années, mais que l'absence de notre père avait soudain mis au jour.

J'ai toujours pensé que l'apparence de notre mère avait dû jouer un grand rôle dans son retournement et sa nouvelle sérénité durant cette période où nous attendions le retour de mon père et les aléas de la vie à venir. Son physique, sa taille (celle de Shirley Temple à l'âge de quinze ans), sa physionomie (pas souriante, binoclarde, studieuse, des allures de juive étrangère), la personnalité qui s'en dégageait (sceptique, l'esprit aiguisé, sur la défensive, souvent distante) semblaient parties prenantes de tout ce qu'elle pensait ou disait, comme si l'extérieur créait chez elle toute la personne. C'est peut-être vrai de chacun d'entre nous. Mais elle, tout la singularisait dans les endroits où nous vivions, alors qu'il n'en serait pas allé de même en Pologne, en Israël, voire à New York ou Chicago, où il y avait des tas de gens avec son physique et ses manières. Elle n'avait rien qui lui permît de se fondre dans la masse, de s'intégrer plus facilement. J'aurais été incapable de le formuler à l'époque, mais je tenais pour acquis que tout chez elle (ce qu'elle disait, ses conseils, ses antipathies et ses valeurs) émanait d'elle seule – et non du qu'en-dira-t-on, ni de la communauté ou même du sens commun. Elle ne l'a jamais écrit dans sa Chronique, mais pour la femme qu'elle était, tout devait être une épreuve : les navettes en voiture jusqu'à Fort Shaw ; les déménagements perpétuels ; les villes invivables ; les amis et connaissances de mon père à l'Air Force, avec leurs calembours, leurs gros biceps et leurs combines débiles pour se pousser du col ; l'absence d'amis personnels. Comme je l'ai dit, elle s'est crue un temps dotée d'une grande force de caractère ; or étant donné l'isolement qu'elle ressentait dans son milieu (Berner et moi exceptés, car elle nous adorait), cette force la conduisait au plus grand mépris pour l'essentiel de son quotidien. Le quotidien, l'intégration n'étaient pas dans ses moyens, donc c'était méprisable. Ce qui explique aussi pourquoi elle ne voulait pas que nous nous assimilions.

Cette sérénité (sans doute due à la confirmation de ses prévisions) – le fait qu'elle blaguait avec nous, plaisantait sur la carrière d'actrice de Berner et sur ma carrière d'universitaire, regardait la télé avec nous, parlait de *The Secret Storm* et de *As the World Turns*, de leur véracité – tenait peut-être simplement à ce qu'elle avait enfin compris ceci : sa place à part dans l'existence, sa singularité n'étaient pas un fardeau à porter, mais la source d'un immense désir de changement, jamais sollicité, refoulé depuis des années. Face à mon père qui perdait la tête et se préparait à braquer une banque (elle était au courant), ce qu'elle éprouvait n'était pas du désespoir, de la terreur ou un sentiment de révolte accru – toutes réactions convention- nelles –, mais une libération. Elle se sentait libérée de toutes les forces qui l'oppressaient. Peut-être croyait-elle le devoir aux qualités mêmes qui la singularisaient, et qui n'étaient donc pas son tourment mais sa force. Ça lui aurait ressemblé, avec sa tournure d'esprit sceptique. Ça lui aurait permis d'aller mieux qu'elle ne l'était depuis longtemps. Étrange, certes, mais elle était étrange.

Ce qui n'explique pas qu'elle ne nous ait pas embarqués, Berner et moi, dans un train pour Tacoma (Chicago, Atlanta ou La Nouvelle-Orléans), de sorte que mon père découvre la maison vide à son retour et retrouve ses esprits – si la chose était encore possible. Et n'explique pas davantage pourquoi, quand il est en effet rentré, le lendemain, chantonnant, en pleine effervescence, ayant repéré sa banque et piaffant de passer à l'action, pourquoi – au lieu de partir séance tenante, de le dissuader de son projet, d'aller à la police ou de tracer un cercle magique dans le sable –, elle s'est faite sa complice et a foutu sa vie en l'air tout comme il l'a fait lui-même. Quand on se met à réfléchir aux raisons qui peuvent pousser deux êtres raisonnablement intelligents à dévaliser une banque et à rester ensemble après que l'amour s'est délité, évaporé, on trouve toujours des raisons de ce genre, des raisons qui, rétrospectivement, ne tiennent pas debout, et doivent s'inventer.

# 11

Plus je retarderai le moment de caractériser mon père comme un criminel-né, plus exacte sera cette histoire. Criminel, il l'est devenu, c'est vrai. Mais je me demande bien en quel point de l'enchaînement des événements lui, ou qui que ce soit d'autre, ou le monde en général aurait pu s'en apercevoir. C'est l'intention qui doit peser son poids dans ces affaires-là. On pourrait fort bien défendre qu'avant de dévaliser l'Agricultural National Bank, à Creekmore, dans le Dakota du Nord, il n'en avait pas l'intention. Peut-être même qu'il n'en avait toujours pas l'intention immédiatement après, et ce jusqu'à ce qu'il commence à en mesurer les conséquences. Dans l'état d'abattement où il était tombé, son entreprise était si impérative et si banale à la fois qu'elle en devenait incontestable – ce qui ne plaide pas en sa faveur, j'en conviens. Et lui qui ne se considérait pas comme le genre de type à braquer une banque n'a pas changé d'avis du simple fait d'en avoir braqué une ; peut-être lui a-t-il fallu attendre le moment où les inspecteurs sont venus à la maison, ont arpenté le séjour en parlant de cette « randonnée dans le Dakota du Nord » et annoncé ensuite à nos parents, comme négligemment, qu'ils allaient devoir leur passer les menottes et les conduire en prison. C'est peut-être ainsi que beaucoup de criminels débutants considèrent leurs actes et leur personne.

Mais comment fonctionnent au quotidien les gens qui s'apprêtent à monter en voiture pour dévaliser une banque ?

Si vous étiez passé devant chez nous, ce mercredi soir-là, que vous ayez vu les lumières allumées, tout comme chez les voisins, ma mère dans la cuisine en train de préparer le dîner, mon père au sortir de la douche, assis sur les marches du perron en train de lacer ses chaussures à la fraîche, dans la rumeur du crépuscule, sous une lune haute et brillante, les voitures circulant de l'autre côté du parc, lui, les cheveux encore humides, sentant l'Old Spice et le talc, nous racontant, à Berner et à moi, ce qu'il avait vu pendant son « voyage d'affaires » – la Prairie, pareille à une mer intérieure (il disait comme le golfe du Mexique), les aurores boréales, pas de montagnes, mais une foule de bêtes sauvages, nous deux l'écoutant passionnés, sous le charme –, est-ce que vous auriez pensé avoir devant vous un homme prêt à commettre un hold-up ? Sûrement pas. Mais j'avoue être intrigué de constater à quel point une conduite ordinaire peut perdurer à la lisière de son contraire parfait.

Là où nous croyons détecter les indices, les signes avant-coureurs des désastres, nous nous trompons le plus souvent. Un enfant verrait aussi clair qu'un adulte dans ce domaine. Voire plus. Il y a des années, j'ai connu un homme qui s'est pendu, un boursier. Il avait des tas d'ennuis, des problèmes psychiques, il avait atteint un désespoir qui le rendait inaccessible à toute idée positive. Mais la semaine qui a précédé son instant fatal planifié dans le moindre détail – il avait pris ses dispositions pour que sa femme partie en Floride avec des amies le trouve à son retour –, il semblait, selon son entourage, avoir cessé de porter le monde sur ses épaules, il était d'excellente humeur. Il riait, il racontait des blagues, il mettait les uns et les autres en boîte, il faisait des projets comme on ne se rappelait pas lui en avoir entendu faire depuis longtemps. Ses amis se sont dit qu'il avait tourné la page, compris la vie, qu'il était redevenu lui-même – fidèle à leur souvenir pour leur plus grande joie. Et puis voilà : pendu au grand lustre du vestibule, dans la maison qu'il avait fait construire deux ans plus tôt et qu'il prétendait adorer. C'est un mystère, les ressorts de l'être. Un mystère.

Quand mon père est rentré, le vendredi soir, sur le coup de huit heures, il débordait d'enthousiasme. À croire qu'il venait de conclure l'affaire du siècle, de découvrir une mine d'or, un puits de pétrole, ou de gagner à la loterie. Il avait gardé sa combinaison de l'Air Force et ses tennis maculées d'herbe, et il ne s'était pas rasé. Il avait rapporté son sac bleu, celui qui contenait le pistolet qu'il y avait glissé en douce. (J'étais allé jeter un coup d'œil dans le tiroir de sa commode tout en faisant le ménage, histoire de m'assurer que je n'avais pas la berlue. Le pistolet n'était plus là ; il l'avait donc bien sur lui.)

Pendant un moment, il a parlé en arpentant la maison, il a parlé à ma mère dans la cuisine, à Berner et à moi, et même parlé tout seul. Il avait le geste délié, il était relax. Il est allé regarder dans toutes les chambres, comme s'il s'apercevait qu'elles étaient impeccables. Il parlait d'une voix pleine d'assurance, avec un accent du Sud plus prononcé que d'habitude, ce qui arrivait lorsqu'il baissait la garde, qu'il racontait une blague ou buvait un verre. Il épiloguait sur les changements de la vie moderne ; il y avait désormais un satellite dans le ciel pour nous donner la météo. La nuit, on aurait dit une étoile. Ce serait une aubaine pour la navigation aérienne. Au Brésil, le gouvernement avait fait surgir de la jungle une ville entière et y avait installé des milliers de personnes. Ça résoudrait les problèmes raciaux. À présent, il deviendrait possible de se faire remplacer un rein moyennant finances, si les nôtres venaient à lâcher – formidable ! Il avait entendu ces nouvelles en voiture, sur une radio canadienne. La réception était nette parce que la route longeait la frontière.

Après la douche, comme je l'ai dit, il nous a accompagnés sur le perron, Berner et moi, et il nous a dit à quoi ressemblait la Prairie, c'est-à-dire à un océan. On a cherché le satellite sur orbite, il croyait le voir, nous pas. Il a parlé de son enfance en Alabama et des histoires drôles qu'on y racontait. C'était haut en couleur par rapport au Montana, où les gens n'avaient guère d'humour et faisaient vertu d'être pincés ou revêches. Il nous a redemandé, car il le faisait souvent, si nous nous sentions enfants de l'Alabama. On a tous les deux dit que non, une fois de plus. Il m'a demandé d'où je me sentais, j'ai dit de Great Falls. Berner a commencé par lui répondre de nulle part, et puis elle a dit qu'elle venait de la planète Mars, et tout le monde a ri. Après, il a raconté qu'il avait rêvé d'être pilote mais avait dû se rabattre sur bombardier, il nous a dit à quel point il avait été déçu, mais que les déconvenues nous apprenaient la vie et que les revers avaient parfois des conséquences heureuses. Il a parlé des erreurs terribles qu'on commet quand on apprend à larguer les bombes, et quelle lourde responsabilité c'était. Une ou deux fois notre mère est sortie de sa cuisine. Il avait rapporté deux bouteilles de Shlitz et ils en avaient bu une chacun, ce qui n'était pas dans leurs habitudes. Ils étaient donc d'humeur joviale, tout comme notre mère l'était devenue après son départ. Elle avait mis un corsaire blanc qui découvrait ses chevilles fines, des ballerines de coton blanc et une jolie blouse verte, vêtements que nous ne lui connaissions pas. Elle avait l'air d'une jeune fille et souriait plus qu'en temps normal, tenant sa bouteille de bière par le goulot pour la boire à petites gorgées. Elle était démonstrative envers notre père, elle riait de ses bêtises en secouant la tête. Une ou deux fois, elle lui a tapé sur l'épaule en lui disant qu'il était « un as » (je l'ai déjà dit, elle savait écouter). Lui, il était comme d'habitude, vu qu'il était presque toujours de bonne humeur.

Pendant que nous étions sur le perron et que les cigales s'affairaient dans les arbres, Berner lui a tout de même dit que des inconnus étaient passés devant la maison et que le téléphone sonnait sans qu'il y ait personne au bout du fil. Les gens qui étaient passés devant chez nous, ce devaient être des Indiens.

Mon père s'est contenté de dire : « Oh, ils sont très bien, ces jeunes. Ne t'inquiète pas. Ils comprennent rien aux manières des Blancs, mais ils sont très bien. »

Je lui ai demandé des nouvelles de l'affaire qu'il était parti prospecter. Il a dit que tout se passait au mieux, mais qu'il lui faudrait bientôt y retourner pour régler certains problèmes et que, cette fois, je pourrais peut-être l'accompagner. On pouvait aussi y aller tous ensemble. Je lui ai demandé si c'était vrai ce qu'il avait dit dimanche, qu'on allait déménager. Je m'inquiétais toujours pour le lycée, pour mon club d'échecs, toutes choses qui m'importaient. Il a souri et m'a dit que non, on ne déménageait pas. Il était temps que notre famille se pose et que Berner et moi, on puisse se faire des amis et vivre en citoyens respectables. Il espérait bien réussir dans son nouveau boulot d'agent immobilier, il m'en apprendrait les ficelles sitôt qu'il les aurait assimilées, mais je ne voyais pas bien comment ça s'articulait avec ses nouvelles opportunités professionnelles. J'ai failli lui demander pourquoi il avait emporté son pistolet en voyage d'affaires, mais je ne l'ai pas fait, ne comptant pas qu'il m'en avouerait les vraies raisons. Quand j'y repense, je n'entendais pas une once de vérité dans ses propos. Je comprenais seulement que j'étais censé le croire. Les enfants apprennent à faire semblant comme les adultes.

Quand nous sommes passés à table, il était plus de dix heures et demie. J'avais sommeil, je n'avais plus faim. Pendant le dîner, le téléphone a sonné encore deux fois. La première, mon père a répondu ; il a ri de bon cœur en disant qu'il rappellerait la personne plus tard. La seconde fois, il a eu l'air d'écouter quelqu'un qui lui parlait sérieusement, mais quand il est revenu, il a déclaré : « Rien, rien, c'était rien. Simple suivi de dossier. »

À table, ma mère lui a demandé s'il n'avait pas remarqué du nouveau chez Berner. Et comment ! il a dit. Elle avait changé de coiffure et il trouvait ça bien. Ma mère lui a fait observer qu'elle portait du rouge à lèvres (elle en avait remis) et que, si on n'y prenait pas garde, elle partirait à Hollywood ou en France. Mon père a suggéré qu'elle entre chez les sœurs de la Providence avec notre mère et prenne ses dispositions pour devenir nonne en faisant vœu de chasteté. Ça a fait rire ma mère, mais pas Berner. Aujourd'hui, je me souviens de cette soirée comme la meilleure, la plus spontanée que nous ayons eue cet été-là – et de tout temps. Un bref instant, j'ai cru que la vie pourrait prendre une trajectoire plus fiable, plus régulière. Ils étaient heureux tous les deux, à l'aise ensemble. Mon père était reconnaissant envers ma mère pour sa prévenance à son égard. Il lui faisait compliment de ses vêtements, de sa beauté, de sa bonne humeur. On aurait dit qu'ils avaient redécouvert quelque chose qui avait été masqué, mal compris, oublié avec le temps, et qu'ils étaient de nouveau sous le charme l'un de l'autre. Ce qui est tout de même logique et légitime chez des gens mariés. Ils entrevoyaient de nouveau la personne dont ils étaient tombés amoureux et qui tissait la trame de leur vie. Pour certains, il est probable que cette vision ne pâlit jamais – il en va ainsi pour moi. Mais chez nos parents, chose curieuse, cette redécouverte qui dissipait la frustration, l'anxiété et les soucis comme autant de nuages, et qui les révélait sous leur meilleur jour, est survenue au moment précis où ils s'apprêtaient à mener notre famille à la ruine.

Je dirai ceci de notre père : pendant toute cette soirée où nous avons été une famille qui riait, plaisantait, mangeait, en ignorant délibérément ce qui était suspendu au-dessus de nos têtes, sa physionomie avait changé une fois de plus. Quand il était parti deux jours plus tôt, il avait le visage bouffi, l'air épuisé. Il avait les traits qui se délitaient, perdaient leur dessin, comme lessivés, on aurait dit qu'il partait à reculons, d'un pas incertain. Mais lorsqu'il était rentré, ce soir-là, et qu'il s'était mis à arpenter la maison en racontant ce qui le passionnait, les satellites, la politique en Amérique du Sud, les greffes d'organes, tout ce qui pourrait rendre la vie meilleure, ses traits semblaient mieux définis, ils avaient retrouvé leur modelé. Notre père avait de petits yeux noisette, des disques brun clair qui passaient inaperçus. On aurait pu le croire myope parce qu'il plissait les paupières quand il souriait. Et avec l'architecture puissante de son visage, ses yeux se perdaient souvent dans l'effet général. Au contraire, durant ce dîner, ses yeux ont monopolisé l'attention, comme s'ils venaient de découvrir un monde inconnu jusque-là. Ils brillaient. Quand il m'a regardé avec ces yeux-là, au début, ça m'a fait du bien, ça m'a rassuré. Mais au bout d'un moment ça m'a mis mal à l'aise. On avait le sentiment qu'il réévaluait tout, comme quand il était allé de pièce en pièce, deux heures plus tôt, en donnant l'impression de les voir pour la première fois, d'un œil neuf et intéressé. Du coup, la maison m'avait paru étrangère, comme s'il en projetait un usage inédit. Ses yeux me faisaient le même effet.

Pendant toutes ces années, j'ai repensé à son regard, à la façon dont il avait changé. Et comme il allait lui-même provoquer des changements considérables, je me suis dit que, peut-être, des capacités refoulées se reflétaient sur son visage. Il était en passe de devenir ce qu'il avait sans doute toujours été. Il avait simplement fallu qu'il use toutes les couches superficielles de son être pour laisser voir le fond de sa nature. J'ai observé le phénomène sur le visage d'autres hommes. Des hommes sans feu ni lieu, vautrés sur le trottoir, devant des bars, des jardins publics, des dépôts d'autobus, en train de faire la queue devant la porte d'institutions charitables où échapper à la longueur de l'hiver. Sur leurs visages – beaucoup étaient beaux, mais ravagés – j'ai vu les vestiges de ce qu'ils avaient failli être, sans y parvenir, avant de devenir ce qu'ils étaient. C'est une théorie sur la destinée et le caractère qui ne me plaît pas et à laquelle je ne veux pas adhérer. Mais elle est là, en moi, comme un impitoyable récit en sous-main. De fait, je ne croise jamais un homme ravagé sans me dire : *Voilà mon père, mon père est cet homme-là. Je l'ai connu dans le temps.*

# 12

Ce qu'on a fait, ce qu'on n'a pas fait, ce qu'on a rêvé de faire, un beau jour tout se rejoint.

Après qu'on s'est couchés, Berner et moi, le mercredi du retour de mon père, j'ai écouté mes parents parler, rire et faire la vaisselle dans la cuisine. Le bruit du robinet qui coulait, le fracas des assiettes et des couverts, des placards qui s'ouvraient et, clac, se refermaient, leurs voix assourdies.

« Qui veux-tu qui croie… a demandé mon père, et le reste s'est perdu.

— Tu vois ça comme une petite balade en famille ? » a dit ma mère. L'eau s'est mise à couler, puis s'est arrêtée. Ma mère avait des sarcasmes plein la voix.

« Qui veux-tu qui croie… il a repris, puis mon nom : Dell.

— Pas question, je te le défends.

— Soit. » Des assiettes propres, qu'on replace sur la pile.

« Bon, te voilà contente ? » Trop fort pour que je ne l'entende pas.

« Contente ou pas contente, qu'est-ce que ça peut faire ?

— Tout, ça peut tout faire. »

Et voici mon rêve : je me précipite dans la cuisine en pyjama ; ils sont là, sous la lumière crue, ils me regardent. Mon père, du haut de sa stature, ses petits yeux brillants. Ma mère, si menue, dans son corsaire blanc, sa jolie blouse verte à boutons verts. Ils sont graves, l'inquiétude se lit sur leurs visages. « Je m'en vais », je dis, poings serrés, front en nage, cœur battant.

Mes parents s'éloignent de mon champ visuel, comme chez le malade dont la fièvre rétrécit le monde en augmentant les distances. Mes parents ont rapetissé jusqu'à me laisser tout seul dans la cuisine, sous cette lumière crue. Ils sont devenus infinitésimaux, sur le point de disparaître.

# 13

J'ai ouvert les yeux tard, le jeudi, pour être resté à les écouter aller et venir pendant la nuit. Notre mère est entrée dans ma chambre à huit heures – ses lunettes, son visage doux et attentif, tout proche du mien, sa petite main fraîche touchant mon épaule nue. Son haleine était sucrée par le dentifrice et acidifiée par le thé. La porte de ma chambre était grande ouverte. J'ai vu passer mon père dans le couloir. Il avait mis un jean, un T-shirt blanc et ses Acme.

« Ta sœur a déjà déjeuné, il y a de la bouillie de blé pour toi. » Ses yeux étaient rivés sur mon visage, comme si elle y découvrait quelque chose d'inattendu. « On va devoir partir pour la journée. On sera de retour demain. Ça ne vous fera pas de mal, à ta sœur et à toi, de vous débrouiller tout seuls. » Son visage était calme. Elle avait pris une décision.

Notre père s'est arrêté devant ma chambre, les cheveux bien peignés et brillants ; il s'était rasé. Le parfum de son talc a pénétré jusqu'à moi. Il s'encadrait, très grand, dans le chambranle de la porte.

« Si le téléphone sonne, ne répondez pas, toi et ta sœur. Et ne bougez pas de la maison. Nous, on rentre demain soir. Ça va vous faire du bien, cette expérience.

– Où vous allez ? » Il se découpait sur le soleil du séjour ; je n'avais pas assez dormi, les yeux me piquaient.

« J'ai encore à faire, je vous l'ai dit. Je voudrais l'avis de votre mère. » Il parlait sans élever le ton, mais je voyais une veine se gonfler sur son front.

Ma mère l'a regardé, comme si c'était une première nouvelle pour elle. Elle était à genoux à mon chevet, ses doigts effleurant ma poitrine. « C'est exact », elle a dit.

« On peut venir avec vous ? j'ai demandé.

– La prochaine fois », a répondu mon père.

Mon rêve m'est revenu à l'esprit. Je m'en vais, je gueule, poings serrés.

« Veille sur ta sœur, il a ajouté avec un sourire entendu. Elle est sous la juridiction du colonel Parsons, ici. » Il ratait rarement l'occasion de plaisanter.

« Tu vas tuer quelqu'un ?

– Oh mon Dieu ! » s'est écriée ma mère.

La grande bouche de mon père était tout sourires, mais la stupéfaction lui a décroché la mâchoire. Il a plissé les paupières comme si une lampe aveuglante venait de s'allumer face à lui.

« Qu'est-ce qui te fait dire ça ?

– Il sait », a répliqué ma mère. À mon chevet, elle me regardait comme si j'avais quelque chose à me reprocher. Je ne savais rien du tout.

« Qu'est-ce que tu crois savoir, Dell ? » Mon père avait retrouvé le sourire. Il paraissait compréhensif.

« Tu as pris ton pistolet, la dernière fois. »

Il a fait un pas pour entrer dans ma chambre. « Ah ! Mais les gens sont armés, ici, c'est courant. On est au Far West. Et pourtant on ne tire jamais sur personne. »

Ma mère ne me quittait pas du regard. Ses petits yeux étaient attentifs derrière ses lunettes, comme si elle cherchait un signe à déchiffrer sur mon visage. Elle transpirait sous sa blouse, je sentais son odeur. Il faisait déjà chaud dans la maison.

« Tu as peur ? elle m'a demandé.

– Non, j'ai dit.

– Il n'a pas peur, a repris mon père en sortant de la chambre pour jeter un œil à la pendule de la cuisine. Il faut qu'on y aille. » Il a disparu dans le couloir.

Ma mère a continué de me dévisager comme quelqu'un qui ne lui serait plus tout à fait familier.

« Trouvez-vous un endroit formidable où vous auriez envie d'aller, Berner et toi, et je vous y emmène », a-t-elle dit.

La porte moustiquaire s'est refermée. Mon père a lancé : « Il est sous la juridiction du colonel Parsons, ici. » Il s'adressait à Berner, sur le perron.

« J'irais bien à Moscou », j'ai dit. J'avais lu dans *Chess Master* que les grands joueurs étaient russes. Mikhail Tal, célèbre pour son gambit et son regard paralysant. Alexandre Alekhine, pour son jeu offensif. J'avais cherché Moscou dans le *Merriam-Webster*, et puis dans le *World Book*, pour finir par situer la ville sur le globe terrestre de ma commode. Je ne savais pas ce qu'était l'Union soviétique, ni en quoi elle différait de la Russie. Lénine, que mon père disait joueur d'échecs, y avait eu un rôle. Staline, aussi. C'étaient des hommes que mon père détestait. Il disait que Staline avait expédié Roosevelt au cimetière aussi sûrement que s'il lui avait logé une balle dans la peau.

« À Moscou ! a répété ma mère. Mon pauvre père en ferait une crise cardiaque. Moi, je pensais à Seattle. »

La Chevrolet a klaxonné devant la maison. J'ai entendu la porte moustiquaire se refermer, Berner était rentrée, prête à veiller sur moi. « Il disjoncte », dit-elle. Ma mère s'est penchée pour déposer un baiser rapide sur mon front. « On en parle à mon retour », a-t-elle assuré. Et puis elle est partie.

Quand on vivait à Biloxi, dans le Mississippi, c'est-à-dire en 1955, j'avais onze ans, mon père travaillait à la base et restait à la maison le week-end, tout comme à Great Falls. Il se plaisait dans le Mississippi, proche de la région où il avait grandi ; il aimait le golfe du Mexique. S'il avait quitté l'Air Force à ce moment-là, sans plus attendre, les choses auraient mieux tourné pour ma mère et lui. Ils auraient divorcé et ils seraient partis chacun de son côté. Les enfants s'adaptent si leurs parents les aiment. Et les nôtres nous aimaient.

Le samedi matin, mon père m'emmenait souvent au cinéma, quand la programmation lui plaisait ou qu'il n'avait rien de mieux à faire. Il y avait un ciné climatisé qui s'appelait le Trixy, dans l'avenue principale qui débouchait sur le golfe. Les séances commençaient à dix heures du matin et duraient jusqu'à quatre heures de l'après-midi, avec des courts métrages, des dessins animés et des films, en projection ininterrompue, le tout pour un seul ticket de cinquante cents. On restait du début à la fin, on mangeait des bonbons, du pop-corn et on buvait des Dr Pepper tout en se délectant des aventures de Tarzan, Jungle Jim, Johnny McShane et Hopalong Cassidy, et puis aussi de celles des Stooges et de Laurel et Hardy, des actualités ou des archives de guerre, que mon père aimait bien. À quatre heures, on quittait la fraîcheur de la salle pour retrouver l'après-midi du littoral, torride, salé, irrespirable ; on était éblouis par la lumière, vaseux, pas causants, comme des gens qui viennent de passer la journée à ne rien faire de productif.

Un matin comme ça, on était dans le noir, côte à côte, mon père et moi, et voilà qu'apparaît sur l'écran un film d'actualités des années trente consacré à Bonnie Parker et Clyde Barrow, couple tristement célèbre qui avait semé la terreur dans plusieurs États du Sud-Ouest, disait le commentateur, volant, tuant, jusqu'au jour où ils avaient eux-mêmes été abattus sur une route de campagne, en Louisiane, dans une embuscade tendue par une horde d'officiers de police qui s'étaient cachés dans des fourrés pour les mitrailler, mettant ainsi un terme à leur carrière. Ils n'avaient pas vingt-cinq ans.

Plus tard, lorsque nous sommes sortis dans l'étuve de cet après-midi écrasé de soleil – on était en juin –, mal aux yeux, la tête pas claire, nous avons découvert que quelqu'un, le gérant du cinéma, avait garé un camion à plateau devant la salle. Sur le plateau on avait placé une vieille Ford grise à quatre portes datant des années trente, criblée d'impacts de balles luisants, les fenêtres en éclats, les portières et le capot perforés, les pneus à plat. À côté du volant, un panneau annonçait : CECI EST L'AU-THENTIQUE VOITURE DANS LAQUELLE BONNIE ET CLYDE ONT TROUVÉ LA MORT. 10 000 $ À QUI PROUVERA LE CONTRAIRE. Les propriétaires avaient installé un escabeau de bois pour monter à bord, et moyennant cinquante cents, les spectateurs sortant du cinéma étaient invités à inspecter le véhicule comme si les corps de Bonnie et Clyde y étaient encore et que le spectacle valait le coup d'œil.

Mon père se tenait là, sur le ciment dur et brûlant, à regarder la voiture et ses visiteurs – des petits et des grands, des hommes et des femmes – qui défilaient, les yeux écarquillés, faisant des blagues et imitant le bruit d'une mitrailleuse en riant. Il n'avait pas l'intention de payer. Il m'a dit que cette voiture était un faux, sinon elle ne serait pas là. Ça ne se passait pas comme ça dans la vie. En plus, on venait de la repeindre et les impacts de balles ne faisaient pas vrai. Il en avait vu, des impacts, sur les avions, ils étaient plus gros, moins réguliers. Cela dit, tout le monde avait le droit de fiche son argent en l'air.

Mais au bout de quelques minutes à regarder la voiture, il m'a lancé : « Tu aimerais devenir braqueur de banque, un jour, Dell ? Ça doit être excitant. Elle en reviendrait pas, ta mère…

– Non, j'aimerais pas », j'ai dit, observant avec perplexité les impacts luisants et tous les culs-terreux qui lorgnaient par les fenêtres en braillant et en ricanant.

« Tu es sûr ? il a demandé. Moi, ça me tenterait. Mais je serais plus malin que ces deux-là. Si on n'a pas de jugeote, on termine en gruyère. Pas la peine de répéter ça à ta mère, naturellement, elle le prendrait de travers. » Il m'a entouré de son bras, sa chemise sentait l'amidon au soleil. On a repris le cours de notre après-midi.

Je ne l'ai jamais répété à ma mère, et je n'y ai d'ailleurs jamais repensé, même après que ma sœur et moi avons regardé depuis le perron nos parents partir dévaliser une banque. Sur le moment, je n'ai pas fait le rapprochement, mais plus tard, si. C'était quelque chose qui l'avait toujours tenté. Il y a des gens qui rêvent de devenir directeurs de banque. D'autres, braqueurs de banque.

# 14

Ce que je sais du vrai hold-up, je le tiens essentiellement de la Chronique de ma mère et des numéros de la *Great Falls Tribune*, qui, comme je l'ai dit, avait choisi de présenter l'événement sous l'angle cocasse, comme un conte moral destiné à édifier ses lecteurs. Ça ne m'a pas empêché de reconstruire le hold-up dans ma tête, fasciné que ce soient nos parents qui l'aient commis, et ce dans des conditions tellement saugrenues et irrationnelles que les faits eux-mêmes n'expliquent rien.

Je conçois que nous soyons nombreux à rêver de braquer une banque, de la même manière que le soir, dans notre lit, nous tramons méthodiquement d'éliminer notre pire ennemi selon un plan complexe, avant de revenir en arrière pour réévaluer les risques de se faire prendre. Au bout du compte, nous nous retrouvons face à un problème de logique imparable que toute notre sagacité ne suffit pas à résoudre. D'où nous concluons que, malgré le plaisir que nous aurions à abattre cet ennemi dans une embuscade (comme il le mérite), il faudrait être dérangé ou suicidaire pour passer à l'acte. Car le monde s'est blindé contre ces actes-là. Du reste, nous ne sommes que des amateurs quand il s'agit d'ourdir une intrigue meurtrière ; nous n'avons pas la concentration requise pour percer le blindage du monde. Moyennant quoi nous oublions notre plan et trouvons le sommeil.

Pour réussir, mes parents auraient dû penser que leur voiture serait reconnue sur-le-champ. Que le bleu de mon père serait identifié comme une combinaison de l'Air Force, même sans ses insignes ; que la marque laissée par ses galons de capitaine, plus sombre que le reste du tissu, se remarquerait. Et que, parmi les gens présents dans cette banque du Dakota du Nord, personne n'oublierait un beau gosse à l'accent et aux manières affables du Sud. Le fait qu'il ait raconté à plusieurs collègues de la base de Great Falls qu'il avait envie de dévaliser une banque, même s'il l'avait dit pour rire, reviendrait dans les mémoires. Nos parents auraient bien dû se douter que, contrairement à l'intuition de mon père, les pilleurs de banque ne se fondent pas dans la population, mais qu'ils font tache au contraire, parce qu'ils sont devenus différents de ce qu'ils étaient hier, et aussi de tous les autres, même s'ils ne s'en rendent pas compte. Pour toutes ces raisons, découvrir les auteurs d'un hold-up devient très vite un jeu d'enfants.

Mais mes parents, partis en toute innocence ce jeudi matin-là pour s'acquitter d'une dette banale envers une poignée d'Indiens pas très débrouillards, difficulté qu'ils auraient pu aplanir de trente-six manières différentes, n'ont pas réfléchi à tout cela. Toutefois, il est plus que probable qu'ils en aient pris conscience sur le chemin du retour pour Great Falls, dans la peau de délinquants dorénavant, leurs rêves d'impunité s'envolant dans les airs jusqu'au ciel plat de l'été.

# 15

Ce qu'ils ont fait, c'est qu'ils ont pris vers l'est sur la highway 200, traversé Lewistown et Winnett, le bassin-versant de la Musselshell en direction de Jordan, Circle et Sydney, franchi le plateau à l'herbe sèche et à la terre durcie par l'été qui s'étendait depuis les montagnes jusqu'au Minnesota. Ils se trouvaient désormais sur un territoire où ils ne connaissaient rien ni personne, sinon à travers les observations de mon père pendant son prétendu voyage d'affaires, observations dont il surestimait l'importance sans doute et qui contribuaient à entretenir son illusion d'invisibilité.

Pendant les deux jours où il avait passé et repassé la frontière du Dakota du Nord, il s'était rendu dans la ville de Creekmore (six cents habitants à l'époque) et dans sa Agricultural National Bank. Il avait déjeuné en face, dans un café de la rue principale. Personne ne lui avait adressé la parole, personne ne semblait remarquer sa combinaison (il y avait une base aérienne à Minot, non loin de là). Il en avait déduit que les gens seraient frappés d'amnésie si, vêtu de même, il entrait dans la banque dès l'ouverture en brandissant son .45 et raflait le contenu des tiroirs du caissier et tout autre argent qui traînerait – sans prendre la peine d'aller aux coffres, à moins qu'ils ne soient ouverts avec des liquidités en évidence, sur lesquelles faire main basse sans effort –, mettait le tout dans son sac et partait. En moins de trois minutes, il pourrait être remonté en voiture et rouler vers la frontière du Montana pour retrouver sans délai son anonymat. Ma mère l'aurait attendu, mais elle ne serait pas sortie de la voiture, car trop repérable. Elle aurait laissé le moteur tourner, le temps du hold-up, et aurait démarré sitôt après. Oui, c'était un plan audacieux. Mais mon père le croyait assez simple pour réussir, et puis, il s'était servi de sa jugeote. Le fait qu'il ne soit jamais entré dans la banque jouerait en sa faveur. En général, les braqueurs de banque aiment bien « repérer les lieux », et c'est ainsi qu'ils implantent des souvenirs inconscients dans la mémoire de toute personne qui les revoit par la suite – même si mon père ne pensait pas devoir être revu par qui que ce soit. Les rares personnes présentes dans la minuscule succursale en cette heure matinale seraient obnubilées par l'apparition subite de son .45 menaçant et ne risqueraient pas de s'intéresser à son apparence physique. C'était uniquement pour ça, le flingue, pour faire diversion. Il pourrait empocher au moins cinq, six, voire dix mille dollars. Question de jugeote, toujours.

La partie plus complexe de son plan consistait à éviter qu'on le repère une fois le hold-up commis. Les grands espaces seraient son allié le plus sûr. Mais pour tirer le maximum de cet avantage, il était allé le mardi précédent jusqu'à la ville de Wibaux dans le Montana, de l'autre côté de la frontière, au sud de Creekmore. En sa qualité d'agent immobilier, il s'était renseigné à la banque, dans une compagnie d'assurances et dans un bar, pour savoir s'il y avait des ranches à vendre dans le coin, si leurs propriétaires étaient déjà partis, s'il pouvait les contacter de la part d'un client de Great Falls. Il était convaincu que le territoire était ainsi émaillé de domaines vacants auxquels personne ne faisait attention. Et où il n'y aurait pas un chat, d'un horizon à l'autre.

Muni des renseignements des commerçants de la ville et d'une carte du secteur, il s'était rendu sur plusieurs ranches, jusqu'à ce qu'il en découvre un manifestement désaffecté, avec des véhicules et du matériel agricole en évidence, mais pas âme qui vive. Il avait pénétré dans la cour, il était sorti de sa voiture et avait frappé à la porte. Il avait jeté un coup d'œil dans la maison, pour être tout à fait certain qu'il n'y avait personne. Il se disposait à faire démarrer un des pick-up de la ferme sans la clef de contact, quand il en avait aperçu une sur le tableau de bord du véhicule qu'il avait choisi, lequel avait démarré. Il s'était demandé s'il pourrait ouvrir une remise et s'il était facile d'entrer dans la maison : les deux étaient possibles.

Selon son plan, lui et ma mère gagneraient ce ranch isolé le jeudi soir. Ils dormiraient dans la voiture ou dans une dépendance, voire dans la maison, sans allumer la lumière. Ils cacheraient la Bel Air dans l'un des garages. Il poserait sur l'un des pick-up de la ferme les plaques minéralogiques volées à Creekmore et qu'il transportait dans son sac de l'Air Force avec son pistolet et une casquette (son seul déguisement). C'est dans le véhicule du ranch (un pick-up Ford) qu'ils couvriraient le lendemain matin la courte distance qui les séparait de Creekmore, de l'autre côté de la frontière du Dakota. Ma mère se garerait dans la rue, tout près de l'entrée de la banque, au moment précis où elle ouvrirait. Mon père sortirait du pick-up, pénétrerait dans la banque, la dévaliserait et remonterait en voiture. Ma mère les conduirait au ranch de Wibaux, où la Chevrolet les attendrait. Ils se changeraient, jetteraient l'arme, la casquette, le sac bleu et les plaques minéralogiques – enfin tout sauf l'argent – dans la mare, dans un ruisseau, un puits, après quoi, ils reprendraient le chemin de Great Falls comme des gens qui ont fait une virée et qui rentrent au bercail. Berner et moi les y attendrions.

Mon père détailla son plan à ma mère sur le trajet, le jeudi, en traversant Lewistown en direction du Dakota du Nord. Elle y trouva aussitôt à redire. Elle ne s'y connaissait pas en hold-up, mais elle avait une très bonne écoute ; elle était réfléchie ; le plan de mon père était trop compliqué, il comportait trop de facteurs de risque. Pour une raison ou une autre, elle avait décidé de dévaliser une banque – la seule explication qui tienne est la plus simple, à savoir que c'est une chose qui se fait régulièrement. Illogique, dites-vous ? C'est que vous en êtes encore à juger du point de vue de quelqu'un qui n'en dévalise pas, et n'en dévalisera jamais parce qu'il sait que c'est de la folie.

Et si, objecta ma mère, les propriétaires du ranch venaient à rentrer chez eux et les surprenaient endormis dans la voiture, voire dans la maison ? (À ça, il avait une réponse : ils avaient senti le sommeil venir et, par mesure de prudence, s'étaient arrêtés. Personne ne les poursuivrait : ils n'auraient pas encore braqué la banque et pourraient toujours rentrer chez eux.) Et si le vieux pick-up rendait l'âme avant même qu'ils aient quitté Creekmore ? (Là, il sécha.) Et s'ils tombaient sur quelqu'un qui les attendait de pied ferme quand ils reviendraient récupérer la Chevrolet ? (Il se disait que si le ranch était vide quand il l'avait repéré, il serait vide tant qu'il en aurait besoin – ce qui montre sa tournure d'esprit.)

Son scénario comportait trop de pièces détachées, dit ma mère. Trop de failles. Il fallait faire plus simple. Elle lui rappela la combine abracadabrante qui lui valait d'être pris entre les deux feux des Indiens et de Digby. Il n'était pas assez méfiant, pas assez prudent, il avait vu trop de films de gangsters dans sa cambrousse, en Alabama. Elle, elle n'en avait pas vu un seul, elle ne savait rien de la voiture de Bonnie et Clyde, ni de ce goût pour le hold-up qu'il m'avait confié. Mais à présent, elle était partie prenante.

Un meilleur plan, meilleur car plus simple, consisterait à remplacer les plaques minéralogiques de leur Chevrolet par celles du Dakota du Nord, arriver à Creekmore à une heure matinale, comme il le proposait, se garer derrière l'immeuble, et non au vu et au su de tout le monde ; entrer dans la banque, la dévaliser, refaire le tour de l'immeuble et remonter dans la voiture où elle l'aurait attendu ; il n'aurait plus qu'à s'allonger sur la banquette arrière, voire dans le coffre, et elle partirait comme elle était venue. Sans précipitation. Avec un parfait naturel. Le postulat de ce plan, c'était que l'être humain trouve banales les choses qui ne le touchent pas personnellement. Ce serait le cas des gens dans la rue à neuf heures du matin, un vendredi, à Creekmore, Dakota du Nord, une petite ville où il ne se passait que des choses ordinaires.

La Chronique de ma mère ne précise pas si mon père s'est rendu sans discuter à son plan simplifié. La route était longue, six cents kilomètres. Ils s'arrêtèrent pour déjeuner, prendre de l'essence à Winnett, ils passèrent de longues heures dans la voiture et eurent donc tout loisir d'exprimer leur vision des choses en long et en large. Ma mère indique simplement qu'au bout du compte, elle l'a persuadé que le mieux était de rester dans la ville de Glendive, Montana, de s'y faire voir sans s'y faire remarquer, au motel et là où ils iraient dîner. Le lendemain, ils se lèveraient, parcourraient les quatre-vingts kilomètres qui les séparaient de Creekmore, mettraient leur plan à exécution, puis rentreraient directement à la maison nous retrouver, ma sœur et moi. Elle lui avait bien dit de mettre un masque. Mais il avait refusé parce que personne ne le connaissait, en ville, et que son visage était déjà un masque. Un beau masque.

Rétrospectivement, c'est par une cruelle ironie du sort que le plan de ma mère a prévalu. Car malgré tous les points qui clochaient dans celui de mon père, il aurait peut-être mieux marché. Il avait passé un certain temps, des années peut-être, à le mettre au point, à le méditer, alors que celui qu'elle préconisait avec une belle assurance, s'il ne les a pas fait prendre tout de suite, les a bel et bien trahis. On n'avait pas oublié la Bel Air vue le jour où mon père était allé déjeuner au Town Diner de Creekmore, le mardi précédent. On s'est souvenu de l'avoir aperçue une deuxième fois lorsqu'ils étaient arrivés, le vendredi matin, qu'ils s'étaient garés derrière la banque et qu'ils avaient quitté la ville après le hold-up. La femme de chambre du motel de Glendive et le shérif du comté de Dawson, qui avait remarqué les plaques de Great Falls et l'autocollant du magasin BX, sur le pare-brise, avaient l'un comme l'autre enregistré ce véhicule dans un coin de leur mémoire. Et puis il y avait ce drôle d'accent du Sud de mon père et ses manières cérémonieuses, sa combinaison de l'Air Force et son .45 de service. Le vigile de la banque avait même remarqué les tout petits trous effrangés sur les épaules de la combinaison. Ancien sergent dans l'Air Force, il avait deviné fort justement que les trous et la différence de couleur provenaient des galons de capitaine, aujourd'hui décousus. Mes parents n'entendaient rien à la vie dans les petites villes de la Prairie. Rien n'échappe à personne, là-bas. Certes, aucun de ces détails n'aurait permis de remonter jusqu'à eux, qui étaient déjà rentrés à Great Falls auprès de nous, si la Chevrolet n'avait pas été reconnue par ceux-là mêmes dont on croyait qu'ils ne remarquaient rien ou ne feraient aucun rapprochement, et qui, contre toute attente, les avaient faits. La suite a montré que le visage de mon père n'avait rien eu de mémorable pour qui que ce soit à Creekmore, jusqu'au moment de témoigner contre lui, où il était devenu très mémorable, au contraire.

Je me suis toujours demandé de quoi mon père et ma mère avaient parlé dans la voiture pendant la traversée du Montana, pistolet dans le sac, pied au plancher vers leur destin, celui de ma sœur et le mien devant en découler à brève échéance. J'ai toujours tenu que ce devait être différent de ce qu'on en attendrait, comme souvent dans la vie. Dans mon fantasme (disons le mot) ils ne se sont pas disputés, il n'y a pas eu de flambée de violence, de panique ou de dégoût mutuel. Il n'a pas tenté de la convaincre de commettre ce hold-up (ce n'était pas nécessaire). Elle n'a pas tenté de lui répéter pourquoi ce hold-up ne s'imposait pas (la question était réglée). Il pensait que l'argent nous permettrait de nous rétablir et, ainsi à flot, de rester ensemble et de nous installer pour de bon à Great

Falls comme une famille normale (sic). À moins qu'il ne soit parvenu à la conclusion qu'il était un raté, qu'il avait tout loupé, auquel cas il brûlait de frapper un grand coup (plus grand que de vendre des ranches ou des voitures, ou de voler des vaches), quelque chose qui lui rendrait, nous rendrait la vie facile, ou au contraire, réduirait cette perspective à néant, de sorte que notre vie ne serait plus jamais la même. Ces deux hypothèses se défendent sans s'exclure, vu son tempérament volatil et son caractère imprudent. Mais ce qui est clair, c'est qu'il voulait davantage que les deux mille dollars pour solder sa dette envers les Indiens, et ce « plus », quel qu'en soit le montant, donnait tout son sens au hold-up.

Pour notre mère, bien sûr, il n'en allait pas de même ; ce n'était pas une tête brûlée, elle avait du bon sens. Son éducation lui avait formé le jugement, appris les nuances, il ne lui était pas interdit d'imaginer un avenir tout autre, encore réalisable à l'âge de trente-quatre ans. Mais puisqu'elle avait accepté de l'accompagner, d'élaborer un plan plus simple, de l'attendre dans la voiture et de démarrer sitôt le hold-up commis, qu'elle était même de bonne humeur la veille, il faut bien reconnaître qu'elle a agi sinon volontiers, du moins en toute connaissance de cause, dans l'espoir que son propre sort s'améliore après le hold-up.

Dans ses périodes de lucidité, elle devait bien sentir que c'était une erreur – qu'ils auraient pu quitter leur domicile avec leurs maigres affaires personnelles et décamper au beau milieu de la nuit. Après tout, rien ne les retenait à Great Falls, à présent qu'il avait quitté l'Air Force. Ils avaient, l'un comme l'autre, horreur d'accumuler des objets et ne possédaient guère que leur Chevrolet et leurs deux enfants. C'est simplement qu'elle n'a pas dû en penser si long ; car alors, les aléas lui auraient paru dissuasifs.

Je dirais, avec cinquante ans de recul à ce jour, qu'ayant inopinément découvert son sentiment de liberté et de soulagement alors que Bev écumait la grande friche du Dakota pour y choisir une banque à braquer, Neeva en était arrivée à la conclusion particulièrement erronée que, grâce à ce braquage, elle aurait les coudées franches pour changer de vie – erreur de calcul pas très différente de celle qui l'avait conduite à épouser Bev en renonçant du même coup à la vie qu'elle aurait pu avoir pour en mener une autre potentiellement plus aventureuse et pleine d'imprévus, mais qui ne s'était pas réalisée. Si elle empochait la moitié du butin, elle ne serait pas obligée de revenir à l'erreur de cette vie, qui était devenue un reproche. Dévaliser une banque pouvait lui paraître plus judicieux que de lever le camp dans la nuit, pour se réveiller dans la poussière étrangère de Cheyenne, Wyoming, ou d'Omaha, Nebraska, et reprendre une dose de ce dont elle avait déjà eu à satiété. Dans sa Chronique, elle écrit que sur la route de Creekmore, et sans savoir encore le montant du butin, elle avait annoncé à mon père qu'une fois le hold-up commis, elle prendrait la moitié des gains, s'ils étaient suffisants, et partirait avec nous, les enfants. Elle écrit qu'il s'était mis à rire en lui disant : « Bon, attends de voir quel effet ça va te faire. »

Ce qui me fascine, moi, c'est comment ils s'approchaient insensiblement du point de non-retour : sur tout le chemin, ils bavardaient, échangeaient des confidences, des mots tendres puisque, après tout, leur vie était encore intacte officiellement. Ils n'étaient pas encore des délinquants. C'est fou jusqu'où va la normalité. On peut ne pas la perdre de vue pendant très longtemps, tel le radeau qui quitte la côte et la voit s'amenuiser. Telle la montgolfière, happée par un courant ascendant au-dessus de la Prairie, d'où l'on voit le paysage s'agrandir, s'aplatir et perdre ses contours. On s'en rend compte ou pas. Mais on est déjà trop loin, tout est perdu. À cause des choix désastreux de nos parents, la « vie normale » me laisse sceptique, en même temps que j'y aspire désespérément. J'ai beaucoup de mal à faire coexister l'idée d'une vie normale avec la fin qui fut la leur. Mais ça vaut la peine puisque, je le répète, on ne comprendrait pas grand-chose à cette histoire autrement.

La dernière image d'eux, avant leur transformation, me dit que dans leur Chevrolet qui roulait vers l'est, côte à côte, libérés de leurs enfants pour la première fois, seuls tous les deux, ils ont peut-être retrouvé un peu de leur complicité de la veille, un goût de revenez-y. Comme tous les parents. Le sentiment qu'ils se complétaient, chacun apportant à l'autre quelque chose d'unique, d'aimable, de tellement essentiel qu'ils ne l'avaient jamais pris en compte, jamais vécu totalement, sauf une fois, au début. Certes, si ma mère n'était pas tombée enceinte, si mon père n'avait pas « régularisé » la situation, ils auraient pu sourire avec indulgence de leur passade en s'émerveillant plus tard d'avoir connu quelque chose qui ressemblait à l'amour, mais qui, quoique réciproque, s'était éteint sans heurts.

# 16

Pour aller jusqu'à Glendive, ils mirent six heures et demie. Ils descendirent au motel Yellowstone. Mon père se montra d'une jovialité délibérée avec le réceptionniste, tout en évitant de dire quoi que ce soit de marquant. Il avait laissé ma mère dans la voiture ; trop repérable, elle risquait de demeurer dans les mémoires. Ils allèrent faire la sieste, stores baissés, dans la touffeur de leur bungalow en aggloméré qui sentait le renfermé. À sept heures, alors qu'il faisait encore jour, dans la petite ville vide, où des nuées de martinets plongeaient vers leur reflet à la surface lisse de la Yellowstone, il prit la voiture et alla dîner tout seul au Jordan Hotel, après quoi il demanda qu'on lui prépare un bœuf macaronis dans une assiette couverte, pour sa femme, malade, qui gardait la chambre.

Comment passèrent-ils cette nuit ensemble, leur dernière nuit avant de devenir délinquants, on ne le saura jamais car ma mère n'en parle pas. Il ne reste aucun détail de cette nuit-là. Ils étaient seuls dans la chaleur de four de leur bungalow. Ils avaient épuisé les sujets qu'il leur fallait discuter, et l'imagination leur manquait pour en trouver d'autres. Des gens ordinaires se seraient réveillés dans l'angoisse à deux heures du matin. En nage, ils auraient tiré leur compagnon du sommeil, allumé la lampe de chevet en criant : « Stop, stop, ça ne va plus ! Qu'est-ce qui nous a pris ? C'est bien gentil de menacer de faire ces choses-là, de mijoter un plan, de venir jusqu'ici en fantasmant que ça va marcher. Mais c'est de la folie ! Il faut qu'on rentre auprès de nos enfants et qu'on trouve une solution de rechange. » Ainsi pensent, parlent et agissent ceux qui raisonnent, dès qu'ils ont un instant de réflexion. Mais nos parents n'en firent rien. « J'ai mal dormi, cette nuit-là, à Glendive, écrit ma mère. Je faisais des cauchemars, j'étais sur un bateau, un gros bateau, qui traversait le canal de… Panama, sans doute, ou peut-être de Suez ; nous étions coincés, impossible d'avancer ni de reculer. B a dormi profondément, comme toujours. Il s'est réveillé tôt. Quand j'ai ouvert un œil, il était déjà habillé, assis dans le fauteuil, en train de bricoler son pistolet. »

À sept heures et demie, ils se levèrent en laissant leurs vêtements éparpillés dans la chambre et sans prendre le temps de déjeuner ; ils accrochèrent l'écriteau NE PAS DÉRANGER à la poignée de la porte et partirent en voiture. Ils voulaient donner à croire qu'ils allaient rester, qu'ils étaient en train de dormir avant de se rendre là où ils avaient à faire, avec la ferme intention de revenir.

Ils se dirigèrent vers l'est en traversant le minuscule village de Wibaux, non loin de l'endroit où mon père avait mis au point son plan original – ranch désaffecté, pick-up emprunté –, avant de céder à la version simplifiée de ma mère. Après Wibaux, ils franchirent la frontière du Dakota du Nord, simple panneau métallique annonçant qu'ils entraient dans un autre État. À quelques pas de là, ils tournèrent dans un chemin de terre, roulèrent un kilomètre et demi à travers les champs d'orge, jusqu'à un endroit où la rivière faisait une boucle autour d'un bouquet de peupliers verts, avec des pies dans les branches. Mon père sortit dans la lumière vaporeuse du matin et fixa les plaques d'immatriculation volées trois jours plus tôt, celles vertes et blanches du Dakota du Nord, État des Jardins paisibles, à la place des siennes, de l'État du Trésor, qu'il avait bien l'intention de remettre après les opérations. Il enfila sa combinaison bleue et ses tennis dont il croyait qu'elles le rendaient invisible, et puis il plia sa tenue de ville et la fourra sous un arbre, avec ses bottes. Ma mère était restée dans la voiture, elle avait peur des serpents. Ensuite ils revinrent sur la highway, poursuivirent vers l'est, et peu après, ils arrivèrent dans Creekmore, première ville après la frontière, qu'ils avaient choisie pour cette raison précise.

L'Agricultural National Bank était située au centre-ville, à l'extrémité ouest de la rue principale. Mon père constata avec étonnement qu'il y avait du monde dans la rue à 8 h 58. Des pick-up de fermiers, des moissonneuses, des camions céréaliers circulaient, et les gens étaient sortis faire leurs courses. C'était une ville de lève-tôt. Comme prévu, il évita la rue principale et tourna le premier coin, celui où se trouvait une compagnie d'assurances, roulant quelques mètres pour gagner la ruelle déjà repérée, celle avec des touffes d'herbe dans le gravier et un garage, mais sans immeubles du côté opposé à la banque elle-même. Il s'y engagea pour s'arrêter derrière la banque, où étaient déjà stationnées deux autres voitures, appartenant sans doute aux employés. Il comptait que tout irait très vite. Il voulait que tout passe aussi inaperçu que possible, c'est pourquoi il avait décidé de ne pas se déguiser malgré les conseils de ma mère. En cet instant encore, il ne pensait pas avoir une tête de braqueur de banque. Il avait des traits lisses et réguliers ; une bonne coupe de cheveux ; il s'était rasé. Rien, sinon son bleu de travail, ne le distinguait d'un autre adulte lisse et régulier, natif du Dakota du Nord.

Il était neuf heures passées de trois minutes quand ils se garèrent derrière la banque. Aussitôt, mon père sortit, coiffé d'une casquette marron, pistolet chargé dans la poche de sa combinaison. Ma mère et lui n'avaient pas échangé un mot. Il prit la ruelle latérale, partiellement pavée, ombragée, qui séparait la banque d'une bijouterie, et il déboucha sur le trottoir de la rue principale. Le soleil était plus éclatant, le ciel plus bleu et plus haut qu'il ne l'aurait cru. Il en avait des mouches devant les yeux – il l'a dit à notre mère. Dans son affolement, il crut un instant ne plus savoir de quel côté tourner tant il y avait de mouvement dans la rue, davantage encore que cinq minutes plus tôt. Il avait failli rebrousser chemin, écrit ma mère, c'était encore possible. Mais dans le feu de l'action, il s'était dit que l'activité ambiante ferait diversion quand il sortirait de la banque, c'est-à-dire dans trois minutes, pas plus, un sac bourré d'argent à la main. Il passerait inaperçu ainsi, il pourrait s'éclipser en toute discrétion par la ruelle.

Il fit quelques pas sur le trottoir brûlant et poussa la grande porte de cuivre aux vitres biseautées. Il se disait qu'il aurait dû prendre des lunettes de soleil : non seulement elles lui auraient protégé les yeux, mais elles lui auraient aussi tenu lieu de déguisement. Il pénétra sans hésiter dans la banque, mais marqua un temps sitôt la porte refermée derrière lui. Quelle fraîcheur, quelle pénombre, quel silence, quel calme, après l'effervescence, la chaleur, le bruit du dehors ! Et puis, il eut un choc en découvrant combien la banque était minuscule. Comme je l'ai dit, il n'y était jamais entré de crainte qu'on le reconnaisse ensuite. Il n'y avait qu'une seule cliente, devant l'un des trois guichets aux barreaux de laiton, une petite blonde mince. Elle regardait la caissière compter les billets pour les mettre dans une pochette de toile ; c'était le fonds de caisse de la bijouterie d'à côté. La banque sentait le propre, le produit pour astiquer les cuivres, dit-il à ma mère, ou bien l'intérieur de frigo neuf.

C'est alors qu'il se ressaisit, sortit son .45 de sa poche et s'approcha du guichet occupé – il n'y avait toujours personne aux deux autres. Il lança à la cantonade qu'il s'agissait d'un hold-up. Il annonça à la bijoutière et aux deux cadres de la banque – ces hommes en costume qui le regardaient avec étonnement, assis derrière leurs bureaux dans la partie enclose par des barreaux où les affaires se concluaient –, ainsi qu'au vieux vigile en uniforme derrière l'un des guichets vides, qu'ils devaient s'allonger face contre le sol de marbre et ne faire que ce qu'il leur dirait. Si l'un d'entre eux déclenchait une alarme, tentait de se lever ou faisait un geste inconsidéré, il l'abattrait (il nia par la suite avoir proféré ces mots).

C'est peut-être dans l'instant de cette déclaration mélodramatique – « Pas un geste ou je tire ! » – que mon père s'amusa et s'accomplit le plus, lui qui avait déversé un plein ciel de bombes sur les Japonais. Enfin, il réalisait un vieux rêve. La vie le lui devait bien après toutes ces déconvenues, les Indiens, l'Air Force, les boulots successifs, et ma mère. Et puis, le vol à main armée était à la fois une solution satisfaisante et une compensation : d'une part, il ne volait pas directement les épargnants mais l'État pour lequel il avait fait tant de sacrifices, tué des milliers de gens, et qui, avec ses ressources inépuisables, s'assurerait qu'aucun innocent n'y avait perdu un sou, d'autre part, sur ce coup de maître, il nous tirait d'affaire.

Son euphorie fut sans doute de courte durée. Un œil sur les employés de la banque, un autre sur le vigile, sans se préoccuper de la bijoutière qui s'était péniblement mise à genoux et lui dégageait la voie en se traînant comme un ver sur ce parterre si dur, mon père posa son sac de toile sur le comptoir, le glissa sous les barreaux et dit à la caissière de vider à l'intérieur les trois tiroirs-caisses, plus ce que la bijoutière venait de recevoir et qui venait d'être compté – le tout en vitesse et sans un mot. C'est à ce moment-là, au moment où elle jetait les liasses de billets dans le sac, qui aurait pu contenir une boule de bowling, que l'un des employés, le fringant vice-président nommé Lasse Clausen – il devait témoigner contre mon père lors du procès –, leva la tête en lui disant : « D'où tu viens, mon petit gars ? (Il avait détecté son accent de l'Alabama.) Tu sais, rien ne t'oblige à faire ça. C'est pas de cette manière-là qu'on s'y prend, dans la vie. » Du coup, la bijoutière, à plat ventre sur le sol froid, ajouta : « Et vous n'allez pas vous en tirer à si bon compte, vous allez vous faire tuer avant de quitter la ville. Vous n'êtes pas le seul à être armé, ici. »

Notre père a dit à notre mère que ces mots-là lui avaient cassé le moral et inspiré « une bouffée de rancune ». Il avait été tenté d'abattre les gens de la banque les uns après les autres, éliminant ainsi tout risque de se faire prendre, et tant pis pour eux, la faute à pas de chance. S'il ne l'avait pas fait, lui a-t-il dit, c'est uniquement qu'il n'avait pas prévu de le faire. Pendant toutes ces années où il avait peut-être caressé avec délectation l'idée de dévaliser une banque, personne ne trouvait la mort au cours des opérations. Il voulait donc s'en tenir à son plan, comme tout individu sensé. Mais il aurait pu les tuer, il avait fait bien pire dans sa vie. Peut-être n'était-ce que vantardise de sa part, car les tuer aurait été en l'occurrence un geste personnel, contrairement au largage des bombes depuis un avion.

Lorsque les tiroirs-caisses ont été vidés dans son sac, la jeune caissière, derrière son guichet, a regardé mon père bien en face. Elle a raconté plus tard qu'elle l'avait regardé comme si elle le reconnaissait. Il le savait, lui aussi, qu'ils l'avaient vu et bien vu, que l'apparition subite de son pistolet ne les avait pas ébranlés, ni même le hold-up. Ce n'était pas la première fois que la banque était braquée ; il y avait des précédents. Le personnel se mettait déjà en tête de le coincer. Si quelqu'un était sous le choc, c'était plutôt lui qu'eux. Il a dit plus tard à notre mère que, pour la première fois, l'idée qu'il pourrait se faire prendre lui avait sérieusement traversé la tête. Il avait eu envie de tout laisser tomber sur-le-champ. Mais il était trop tard. Il avait jeté un coup d'œil à la grosse pendule au-dessus du coffre ouvert : 9 h 09. Le coffre de laiton, d'argent et d'acier s'enfonçait dans le mur, tunnel tentateur. Il y avait là des milliers de dollars à prendre. Mais il estimait qu'il n'avait pas la place de les transporter dans son sac et que, d'ailleurs, il ne lui en fallait pas tant. Il était dans l'Agricultural National Bank depuis quatre minutes. Tout le monde l'avait vu.

Tout le monde avait entendu sa voix veloutée et son accent du Sud. Tous le reverraient en esprit pour le restant de leurs jours quand ils raconteraient qu'ils se trouvaient à la banque le jour du hold-up. Il le savait, tout ça. Peut-être même qu'il en tirait plaisir. Il sentait l'odeur de sa transpiration, et donc eux aussi la sentaient. Il ne lui restait plus qu'à embarquer le sac plein d'argent – deux mille cinq cents dollars – et à partir. Ce qu'il fit. Sans un mot de plus. Il pressentait déjà fortement que dévaliser une banque était une grave erreur.

# 17

Ma mère s'était glissée au volant dès que mon père avait garé la voiture derrière la banque. Elle avait avancé le siège pour toucher les pédales. Elle attendait, moteur tournant, lorsqu'il déboucha de la ruelle avec son sac de toile. Il monta directement à l'arrière, se recroquevilla sous une couverture, et elle roula lentement pour que l'on ne pense pas à faire le rapprochement entre ce qui venait de se passer à la banque et une Chevrolet blanche et rouge, modèle Bel Air, immatriculée dans le Dakota du Nord, qui se dirigeait au ralenti vers l'ouest.

Elle écrit que, quand elle s'arrêta au coin de la rue principale pour tourner vers la gauche, elle ne vit rien d'insolite du côté de la banque. Une femme y entrait. On n'avait pas déclenché l'alarme ; pas de shérifs ou de policiers de l'État en vue, ni de gens qui déboulaient en hurlant : « Il y a eu un hold-up ! » Ils allaient s'en sortir, se dit-elle. Bientôt, elle aurait une nouvelle vie devant elle, une vie où il n'y aurait de place ni pour mon père ni pour Great Falls, Montana.

Selon le plan établi, elle reprit la direction de la frontière du Montana, mon père toujours caché à l'arrière, puis elle s'engagea dans le chemin de terre cahoteux qui menait, par les champs d'orge, jusqu'aux peupliers et au ruisseau où ils avaient fait halte moins d'une heure plus tôt. Mon père sortit dans la chaleur et la poussière ; il se débarrassa de sa combinaison et de ses chaussures de tennis, et, en caleçon, fourra l'argent (il savait déjà qu'il y en avait moins qu'escompté) derrière le siège arrière. Quant à la combinaison, aux chaussures, au flingue, à la casquette, à la couverture et aux plaques minéralogiques du Dakota du Nord, il les entassa dans son sac bleu, qu'il lesta de quelques pierres avant de le jeter dans le ruisseau. Au lieu de couler, le sac s'éloigna en tourbillonnant vers une boucle d'écume jaune et disparut. Ça revenait au même, puisqu'il n'y avait personne pour le voir, se dit notre père. Alors, il remit son jean, sa chemise blanche, ses bottes ; et la plaque du Montana sur le garde-boue. Ma mère prit le volant jusqu'à la highway, puis tourna vers la frontière de l'État, et ils laissèrent l'épisode derrière eux.

À Glendive, ils s'arrêtèrent au motel Yellowstone. Notre père entra dans leur chambre, ramassa les vêtements qu'ils avaient laissés. Il alla jusqu'à la réception, parla au concierge (qui n'était pas celui de la veille au soir). Tout en payant, en liquide, il plaisanta en disant sur le ton de la blague que le ciel serait bientôt infesté de satellites et que le jour viendrait où tout le monde connaîtrait les faits et gestes de son prochain. Plus tard, le réceptionniste dira avoir trouvé la chose curieuse. Mon père retourna au bungalow et mit la petite valise de ma mère dans la Chevrolet, où elle l'attendait. Il prit le volant et roula vers Great Falls. Tout s'était passé comme prévu dans le plan simplifié de ma mère. S'ils s'étaient dit qu'ils pouvaient se faire prendre, et ils avaient bien dû se le dire, cette appréhension devait leur être sortie de la tête sur le chemin du retour. Ils se sentaient soulagés et heureux à l'idée de nous retrouver, Berner et moi, en train de les attendre, eux et la vie meilleure qui commencerait pour nous tous.

# 18

Trois remarques – elles ont trait aux conséquences du hold-up de mes parents et à leur transformation en criminels se dirigeant tout droit vers la prison. La première, c'est qu'ils avaient toujours été très différents l'un de l'autre. Ma sœur et moi, on s'en était rendu compte en grandissant. Ces contrastes saillants, dans la personnalité, l'allure, le physique, le tempérament (que j'ai déjà décrits), constituaient les deux extrêmes du continuum où se déroulait notre vie à Berner et à moi. Nous étions tous deux composés de ces traits humains qui faisaient leur différence ; certains représentés chez moi, d'autres chez Berner, ce qui n'accentuait pas la ressemblance entre nous. Moi, j'étais optimiste, mais pas tant que notre père. J'étais circonspect, mais pas aussi inébranlable, pas aussi sceptique que notre mère. Berner ressemblait à notre mère, de visage, mais elle était grande ; à quinze ans, elle mesurait déjà un mètre soixante-douze. Elle avait de la douceur, comme notre père, mais elle la cachait bien, son comportement habituel n'en laissait rien paraître, réserve qu'elle tenait davantage de notre mère, à mon avis. Nous étions tous deux raisonnablement intelligents, comme notre mère. Mais Berner avait du sens pratique, contrairement à nos deux parents. Elle était par ailleurs lunatique et vite abattue, et ils l'étaient l'un comme l'autre à l'occasion, mais il venait un temps où elle avait tendance à accepter la défaite et la destinée avec fatalisme, ce que je n'ai jamais fait.

Lorsque nos parents sont rentrés et que nous nous sommes

tous retrouvés à la maison, avant que les inspecteurs arrivent, ma sœur et moi avons remarqué presque tout de suite qu'ils étaient moins dissemblables, plus en phase, moins enclins à soupirer, à se chamailler, à se conduire en adversaires, en antagonistes, chose sans précédent avant leur aller-retour. J'ai conclu que ce lien qu'ils s'étaient découvert datait d'avant même leur départ, du soir où ils étaient d'humeur si joyeuse qu'on aurait dit qu'ils se ressouvenaient de leur complicité originelle, qui refaisait surface et les réunissait, si bien qu'ils étaient à présent moins les deux extrêmes d'un continuum que deux individus qui s'étaient mariés jadis parce qu'ils se plaisaient.

Dieu seul sait ce qui a pu se passer dans leur tête les jours qui ont suivi le hold-up. L'argent volé était quelque part dans la maison. Ils devaient se sentir à découvert, dans un monde désormais hostile, eux qui, la veille encore, étaient invisibles. Leur vie d'avant, celle qui les impatientait pour des raisons personnelles, leur paraissait sans doute brutalement inaccessible ; le radeau avait dérivé, la montgolfière prenait de la hauteur. Le passé était cruellement révolu, l'avenir compromis. Cela dit, c'était peut-être ce qui les unissait, cette conscience subite des conséquences. Ni l'un ni l'autre n'en étaient largement dotés au départ. Cet aveuglement était peut-être leur faille la plus dramatique. Pourtant, ils n'étaient pas trop mal placés l'un comme l'autre pour savoir que les actes ont des conséquences.

Le deuxième point ne m'était pas venu à l'esprit jusqu'à ce que je lise la Chronique de ma mère, des décennies après son suicide en prison, car alors, j'ai appris que mon père voulait me prendre pour complice à sa place. J'aurais bien voulu savoir s'il comptait m'expliquer qu'il allait braquer une banque et qu'il voulait mon aide. Quels mots aurait-il choisis pour faire comprendre cette entreprise à un garçon de quinze ans ? Serait-il entré dans ma chambre à mon réveil, le jeudi matin, pour proposer qu'on parle tous les deux, et m'en faire part ? Aurait-il attendu que nous soyons dans la voiture, direction le bassin-versant de la Musselshell, pour aborder ce sujet de conversation extravagant ? Aurait-il attendu le moment où nous serions entrés dans Creekmore ? Ou bien ne m'aurait-il jamais rien dit, mon rôle se bornant à faire office de camouflage, auquel cas je serais resté dans la voiture derrière la banque, à attendre qu'il reparaisse, ignorant tout ?

Et s'il me l'avait dit, au contraire, qu'aurais-je pu répondre ? Un non était-il possible ? (En théorie, il l'était.) Bien entendu j'aurais dit oui ou, au minimum, je l'aurais accompagné sans rien dire. Je n'étais pas indocile, ni grande gueule comme ma sœur. Je l'aimais, j'avais envie de voir les choses comme lui. Et si j'étais devenu son complice, qu'est-ce qui aurait changé entre nous, après ? Tout, c'est plus que probable. Est-ce que j'aurais grandi en l'espace de cette journée ? Est-ce que ma vie en aurait été gâchée ? Est-ce que nous serions devenus plus frères que père et fils ? Serais-je un délinquant aujourd'hui, plutôt qu'un professeur de lycée, comme je le suis ? Tout est possible.

D'où une autre question : qu'est-ce qui se serait passé si nous avions été pris ensemble, capturés, incarcérés ? Ou encore si la police nous avait tendu une embuscade, comme à Bonnie et Clyde, si elle nous avait révolvérisés pour livrer nos corps à l'objectif des photographes : « Braquage en famille. Père et fils abattus ». Il n'en avait pas pensé si long, et ma mère m'a épargné ce destin.

Et s'ils ne s'étaient pas fait prendre, l'impunité aurait-elle mis un terme à leur vocation de braqueurs ? Troisième interrogation. Dans le cas de notre mère, oui, catégoriquement, pour autant que l'on puisse être formel en la matière. Elle avait un but pour tenter le coup une fois, du moins selon moi : laisser derrière elle cette existence de frustration. L'objectif atteint, elle aurait sans nul doute entamé une vie nouvelle, avec Berner et moi, quelque part, ailleurs. Elle n'avait que trente-quatre ans ; il n'est pas farfelu de penser qu'elle se serait mise à enseigner dans une petite fac – moins hostile au monde, probablement pas remariée, passablement réconciliée avec son lot – à des années-lumière de son hold-up.

Quant à mon père, je serais moins affirmatif. Il avait le goût du hold-up ou, en tout cas, c'est ce qu'il croyait. Si l'opération avait marché une fois, il était, comme je l'ai dit, homme à se figurer qu'elle marcherait toujours, et qu'elle pourrait même être améliorée. Il aurait tenté le coup au moins une fois de plus. Du reste, il a continué à croire – même devant les preuves croissantes du contraire – qu'il n'avait pas une tête à braquer les banques. Ce fut, bien sûr, son erreur majeure.

# 19

Lorsqu'ils sont rentrés, le vendredi soir, il était sept heures passées. Ils avaient l'air fatigués, la tête ailleurs, mais soulagés d'être chez eux. Moi, j'étais tout content et j'ai entrepris de leur raconter comment on avait vécu ces deux jours, Berner et moi ; ce qui s'était produit, ce qu'on avait vu, ce qu'on avait pensé. Les Indiens qui étaient passés et repassés devant la maison, le téléphone qui avait sonné des tas de fois sans que nous répondions. Nous avions mangé des restes de spaghettis et des œufs durs, fait griller du pain. Nous avions joué aux échecs, regardé *Les Intouchables*, Ernie Kovacs, les actualités. J'avais tondu la pelouse et observé les abeilles qui s'affairaient dans les zinnias, près du garage. Au crépuscule, on était allés s'asseoir sur la balançoire pour contempler les dernières lueurs. J'avais entendu le boucan de la foire, pas loin de chez nous, le présentateur qui annonçait dans son porte-voix le rodéo du Far West et la course de charrettes, les ovations de la foule. Un orgue de Barbarie. Le rire d'un homme, au micro.

Nos parents avaient des soucis en tête, ils s'inquiétaient l'un de l'autre. On aurait dit qu'ils faisaient attention à ne pas s'irriter mutuellement. Après son bain, notre mère est entrée dans la cuisine pour faire du pain perdu et couper des tranches de jambon. Notre père aimait bien dîner d'un menu de petit déjeuner. Il croyait que c'était bon pour la digestion. Il est sorti dans la rue et il est allé garer la voiture derrière la maison, dans l'allée, chose qu'il faisait rarement, fier qu'il était de sa Bel Air, comme il l'avait été de toutes les autres voitures de démonstration qu'il avait en vain tenté de vendre. Il l'a verrouillée, puis a rapporté la clef au lieu de la laisser sur le contact, comme à son habitude.

Quand nous sommes passés à table, il nous a annoncé que l'affaire qu'ils étaient allés prospecter, il aurait fallu être fou pour s'y lancer. Des puits de pétrole, il a dit d'une voix sentencieuse, et puis il a souri en secouant la tête d'un air de pitié. Notre mère lui avait ouvert les yeux, a-t-il précisé. Il avait été bien inspiré de l'emmener avec lui. Elle avait l'esprit affûté pour les affaires. À présent, il avait la ferme intention de se jeter à fond dans la vente de fermes et de ranches. C'était un job stable. Nous aurions bientôt l'occasion d'acquérir de la terre nous-mêmes. Nous allions rester à Great Falls. Berner et moi pouvions compter reprendre les cours dans deux semaines. Il se proposait de faire une offre à Bargamian pour la maison. C'était une « Craftsman » comme on n'en construisait plus. Il faudrait un coup de peinture, changer les tapisseries ; il regrettait qu'elle n'ait pas de « vestibule » ni de cheminée. Mais elle n'était pas sans cachet – le médaillon au plafond du séjour, par exemple. Il admirait la symétrie de cette maison, la solidité de ses lignes. Les fenêtres du séjour laissaient entrer une belle lumière – c'était vrai –, et les pièces étaient fraîches en été – c'était faux. Notre maison lui évoquait le « dog-trot[1] » où il avait grandi, en Alabama. Plus question de déménager. Ce qui m'a soulagé, tout en laissant peut-être Berner assez froide, puisqu'elle avait décidé de s'enfuir avec Rudy Patterson et de tout laisser derrière elle.

J'avais remarqué que mon père n'avait pas rapporté le sac bleu pris la veille au matin, sans pour autant dire qu'il l'avait perdu. Il était maniaque pour ses objets personnels, comme le sont les militaires. Quand j'avais cherché son pistolet dans le tiroir

---

1. Maison typique du sud des États-Unis, traversée par un couloir à l'air libre.

à chaussettes, il n'était toujours pas là. J'en avais conclu que, dans ce voyage d'affaires, quelque chose avait dû se produire, qui faisait qu'il ne l'avait pas rapporté. Je ne pouvais pas imaginer de quoi il s'agissait. J'avais également remarqué qu'en sortant de table, après nous avoir assuré que nous allions rester à Great Falls, il s'était installé dans le séjour, sans retirer ses bottes, son jean et sa chemise blanche, et qu'il avait allumé la télé pour voir *Summer Playhouse*, tout en parlant à ma mère qui était dans la cuisine, en train de faire la vaisselle. Il lui disait qu'il se sentait tout à fait chez lui à Great Falls, mais qu'il était certain qu'il serait heureux en Alabama, aussi. L'avantage, c'est qu'il aurait sa famille à côté. À quoi elle a répondu qu'on n'était jamais mal inspiré de rester à proximité de son lieu d'origine. Beaucoup de gens passaient leur vie à combattre cette idée. Lui, il avait la chance de l'avoir compris encore jeune.

Du pipeau, bien sûr – ces grandes déclarations, cette façon de se ménager mutuellement, les choses qu'ils voulaient nous faire croire, l'avenir qu'ils dépeignaient. Ils brodaient la surface des actes qu'ils avaient commis, ils tentaient de la travestir, pour en rendre agréables les résultats escomptés. Seulement les faits sont têtus ; nos parents couraient au désastre. Mais, revenus dans leur univers familier et tranquille, ils retrouvaient en place tout ce qui leur appartenait, y compris Berner et moi, tels quels en apparence, comme si de rien n'était. Peut-être se croyaient-ils inchangés eux-mêmes, prêts à continuer comme par le passé. Mêmes problèmes. Mêmes désirs. Qu'il faille à présent faire face à des conséquences calamiteuses, des événements qui s'étaient mis en branle et qui allaient les rattraper, tamponner le mot *fichue* sur leur vie, ils ne le réalisaient pas encore pleinement. Ils parvenaient à penser, agir, parler comme avant. Pardonnables, attendrissants même, car ils se laissaient griser l'un comme l'autre par la dernière gorgée de cette vie qu'ils venaient de foutre en l'air.

# 20

Le samedi matin, j'ai été réveillé par la voix de ma mère qui parlait au téléphone. Elle réclamait quelque chose avec insistance et m'a écarté d'un geste de la main comme je passais devant l'appareil en allant aux toilettes. Apparemment mon père était sorti. La voiture n'était plus derrière chez nous. Le temps avait changé pendant la nuit, il faisait frais, il y avait de l'air car on avait laissé les portes, celle de derrière et celle de devant, ouvertes. Par la fenêtre de la cuisine, on voyait des nuages pâles courir vers l'ouest, et la lumière avait tourné au jaune-vert. Les rideaux bouffaient, et dans le jardin et le parc, les ormes se balançaient comme à l'approche de la pluie. Notre pile de vêtements attendait encore, sur le perron de derrière, le camion de Saint-Vincent-de-Paul. À l'intérieur, la maison semblait fraîche et presque calme malgré les courants d'air. On avait l'impression que ce matin serait suivi d'un après-midi à marquer d'une pierre blanche.

Après avoir raccroché, ma mère m'a annoncé qu'elle partait à pied chez l'Italien du centre-ville, où elle achetait son épicerie. Berner dormait encore. Je pouvais l'accompagner si je voulais. J'en ai été ravi. Je trouvais que je ne passais pas assez de temps avec elle. Elle en passait davantage avec Berner.

Pour autant, elle n'a pas dit grand-chose sur le trajet. Chez l'Italien, elle a acheté un numéro de la *Tribune,* ce que je ne l'avais jamais vue faire puisqu'elle ne s'intéressait ni de près ni de loin à la vie locale. Chemin faisant, j'avais tenté d'aborder quelques sujets qui me tenaient à cœur. Ma Schwinn était vieille ; on l'avait achetée d'occasion dans le Mississippi, elle n'était plus à ma taille. Je me serais bien vu avec une Raleigh, une bicyclette anglaise avec des pneus minces, des freins au guidon, des vitesses et un panier sur le porte-bagages. J'aurais voulu transporter mes livres et mes pièces d'échecs au lycée dès la rentrée. Pour l'instant, je n'avais pas la permission d'aller en cours à bicyclette, mais je me disais que je l'aurais désormais. Je lui ai rappelé que je voulais construire une ruche dans le jardin et que je comptais le faire avant le printemps, quand arriveraient les abeilles commandées par correspondance en Géorgie. Il y aurait des avantages : les roses trémières seraient pollinisées. Le miel, on en profiterait tous, c'était bon pour les allergies, ça ferait donc du bien à Berner. En plus, ce serait instructif, parce que les abeilles étaient organisées et persévérantes ; je pourrais faire des comptes rendus de mes observations en classe, comme je l'avais fait pour la fonte des métaux et les vaccins contre la polio que nous avions eus tous deux, Berner et moi. Je lui ai rappelé que la foire avait ouvert ses portes et que j'espérais visiter le stand d'apiculture. Or c'était le dernier jour. Ma mère m'a répondu qu'il faudrait voir avec mon père – elle, elle avait à faire. Elle m'a rappelé qu'elle n'aimait pas les foires. C'étaient des lieux dangereux. On savait très bien que ceux qui y travaillaient étaient des voleurs d'enfants (je me suis dit qu'elle l'inventait, ça). Elle, elle réfléchissait à des achats de vêtements. Berner avait besoin de sous-vêtements. Moi, je ne grandissais pas très vite, mais elle si, ce que j'avais remarqué, et que ma mère trouvait naturel. Je pourrais porter encore une saison mes vêtements de l'an dernier. J'ai eu l'impression de n'avoir réussi à me faire entendre sur aucun des points qui m'importaient.

Quand nous sommes arrivés devant la maison, les portes de l'église luthérienne étaient grandes ouvertes, et il régnait une certaine animation à l'intérieur. Ma mère a levé les yeux vers la voûte des branches agitées par le vent, et observé que le fond de l'air était froid, à présent ; ce que je ne sentais pas pour ma part. Elle s'en désolait. Nous allions bientôt voir de la neige sur les sommets de l'ouest. L'automne nous rattraperait par surprise.

Une fois rentrés chez nous, ma mère a fait du thé et un sandwich à la mortadelle, puis elle est sortie lire le journal sur les marches, dans le vent et le soleil. Elle avait allumé la grosse radio Stromberg Carlson du séjour, ce qui n'était pas dans les habitudes. Elle guettait une allusion au braquage et voulait savoir si la nouvelle était parvenue jusqu'à Great Falls, mais cela, je ne le savais pas. Un peu plus tard, j'ai parcouru moi-même les journaux pour savoir à quelle heure la foire fermait. Je n'avais rien dû remarquer d'insolite et n'ai pas souvenir qu'on y évoquait un hold-up. Rien de tout ça n'avait encore fait son chemin dans ma vie.

Ce qui ne m'avait pas échappé, en revanche, c'est que les Indiens avaient cessé de rouler devant chez nous en nous jetant des regards de haine. Le téléphone s'était arrêté de sonner. Une voiture de police noire et blanche est passée deux ou trois fois, et je sais que ma mère l'a vue. Ça ne m'a pas paru anormal. La seule chose dont j'avais conscience, sans pouvoir mettre des mots dessus, c'est qu'on s'activait autour de moi. Rien n'était visible à la surface de la vie, or moi, je n'en connaissais que la surface. Mais les enfants ont cette sensation, en famille. Ça peut signifier qu'on prend soin d'eux ; que quelqu'un veille, invisible ; que rien de fâcheux ne risque d'arriver. Ou alors, ça veut dire autre chose. C'est la sensation qu'on éprouve si l'on a été élevé convenablement – et Berner et moi pensions l'avoir été.

À midi, notre père n'était toujours pas rentré, et notre mère s'est habillée pour sortir, ce qui n'arrivait jamais non plus le samedi. Elle a mis le tailleur qu'elle portait parfois pour faire la classe, un tailleur de gros lainage vert à grands carreaux rose pâle, vraiment pas un vêtement de saison. Elle a enfilé des bas et des chaussures noires à petits talons. Dans cette tenue, arpentant la maison à la recherche de son porte-monnaie, elle semblait raide, mal à l'aise. Son tailleur avait l'air de la gratter, ses chaussures crissaient sur le plancher. Elle est allée crêper ses cheveux dans la glace de la salle de bains. Ils moussaient autour de sa tête et lui faisaient un petit visage, qu'ils cachaient presque, ce qu'elle recherchait sans doute. Quand Berner l'a aperçue, elle a dit « On aura tout vu ! » et puis elle est retournée dans sa chambre en refermant la porte.

Moi, j'étais dans le séjour, j'ai demandé à ma mère où elle allait. J'avais toujours cette sensation qu'on s'agitait autour de moi. La pluie nous avait finalement contournés, comme presque toujours. La journée était devenue claire et moite, une étuve. Ma mère m'a dit que son amie Mildred Remlinger allait venir la prendre en voiture – c'était l'infirmière de son école, avec qui elle faisait les trajets tous les jours en période scolaire, et qu'elle cessait donc de fréquenter au début de l'été. Je ne l'avais jamais vue, cette Mildred. Elle avait des problèmes de femme, m'a dit ma mère, dont elle voulait discuter avec elle. Elle n'en aurait pas pour longtemps. Berner et moi pouvions finir la mortadelle si nous avions faim. Elle nous préparerait à dîner.

Pour finir, la voiture de Mildred s'est arrêtée devant la maison, et le klaxon s'est fait entendre. Ma mère est sortie en trombe, elle a descendu les marches et elle est montée dans la voiture, une Ford marron quatre portes, qui a démarré aussitôt. Je me suis dit que les sensations bizarres que j'éprouvais étaient liées à ma mère.

Au bout d'un moment, Berner est apparue, on a fini la mortadelle et mangé du fromage. Notre père n'était toujours pas rentré. Berner a dit qu'on devrait descendre le long de la rivière en emportant un peu de fromage, qu'on donnerait aux canards et aux oies, comme on le faisait parfois. Nous n'avions pas beaucoup de distractions quand nous n'étions pas à l'école ou chez nous avec nos parents, à les observer pendant qu'ils nous observaient. Être enfant, dans ces conditions, c'était surtout attendre, attendre que nos parents fassent quelque chose, attendre de grandir – or grandir semblait loin.

La rivière n'était qu'à trois rues de chez nous, dans la direction opposée à celle de l'Italien. Berner a mis ses lunettes de soleil et ses gants de dentelle blanche pour dissimuler ses mains et ses verrues. En chemin, elle m'a dit que Rudy Patterson lui avait dit que Castro aurait bientôt la bombe atomique et que son premier geste serait de faire sauter la Floride. Il s'ensuivrait une guerre mondiale dont personne ne réchapperait – je n'y ai pas cru. Elle m'a dit que, toujours selon Rudy, les mormons portaient des vêtements spéciaux pour se protéger des non-mormons ; ils n'avaient pas le droit de les retirer. Ensuite, elle m'a dit que, maintenant, elle faisait le mur pour retrouver Rudy, qui empruntait la voiture de ses parents en douce. Ils allaient au bord des rochers, près de l'aéroport municipal, se garaient dans un endroit où ils voyaient les lumières de la ville, et ils écoutaient les stations de radio de Chicago et du Texas en fumant des cigarettes. C'était là que Rudy avait fait cette digression sur Fidel Castro et qu'il lui avait dit penser sérieusement à s'évader de Great Falls. Il se sentait plus vieux que son âge, il avait déjà des poils sur la poitrine, on lui donnait dix-huit ans. Ce qu'ils avaient fait d'autre dans la voiture m'intéressait. « On s'est embrassés. Rien de bien méchant, a dit Berner. J'aime pas trop sa bouche, et cette petite moustache, qu'il a. Il sent pas bon. Il sent la crasse. » Et puis elle m'a fait voir un suçon caché par son col roulé. « Il m'a fait ça. Je lui ai mis des coups. Maman serait furax. » Je savais ce que c'était : « Un tatouage avec la langue », disait un garçon de mon école. Il en avait un exactement au même endroit que Berner. Il disait que ça faisait mal, pendant. Pourquoi faire un truc pareil, je ne voyais pas. À l'époque, on ne m'avait rien expliqué des choses du sexe. Je savais seulement ce que j'en avais entendu dire.

On est restés un moment dans les hautes herbes, au bord de la rivière, où les sauterelles et les mouches voletaient en bourdonnant sur le miroir de l'eau sifflante. Au-dessus de nos têtes, sur le pont de Central Avenue, les voitures roulaient avec fracas. Un midi chaud et immobile. Les fonderies laissaient toujours un relent amer de métal dans l'air, et la rivière elle-même dégageait une odeur métallique, quoique fraîche en surface. Les grands immeubles de Great Falls – celui de la Milwaukee Road et les grands entrepôts du Nord, le Rainbow Hotel, la First National Bank, la Great Falls Drug Company – étaient sur l'autre rive, comme étrangers. Un aigle à tête blanche volait à l'aplomb de la rivière, vers Squaw Island et la cheminée de l'usine Anaconda – à une hauteur de cent cinquante mètres, impressionnant à voir –, puis il s'est posé sur un arbre de la rive d'en face, où il est aussitôt devenu minuscule. Des corégones montaient à la surface gober les boulettes de fromage jaune que nous laissions flotter au fil du courant. Des colverts s'approchaient et se les disputaient avec des battements d'ailes, tout en se laissant porter vers la rive et les roseaux. J'ai attrapé une sauterelle toute tiède entre mes mains et je l'ai posée sur la pellicule de la rivière. Elle a décrit des cercles dans le courant, tenté de s'envoler. Puis je ne l'ai plus vue. Un gros jet ravitailleur de l'Air Force s'est élevé dans le ciel, depuis la base. Il a viré sur l'aile en direction du sud et il a disparu avant qu'on n'ait pu l'entendre. J'aimais bien Great Falls, mais je ne m'y suis jamais attaché. Je me voyais déjà monter dans le Western Star pour aller dans une fac, Holy Cross ou Le High – après quoi ma vie démarrerait pour de bon.

# 21

Quand nous sommes rentrés, le soleil nous tapait sur le crâne. Un vent lourd, venu du sud, soulevait la poussière sur Central Avenue. Les pneus des voitures patinaient, et les arbres étaient poussiéreux, leurs feuilles friables. Il n'y avait plus la moindre fraîcheur dans le fond de l'air.

L'église luthérienne était pleine, on célébrait un mariage. La grande porte et la porte latérale étaient ouvertes et on avait installé deux gros ventilateurs chromés pour faire courant d'air. Deux hommes en chapeau de cow-boy, veste sur le bras, fumaient dans la cour. Un pick-up rouge, boueux, était garé tout seul le long du trottoir. On avait attaché à son pare-chocs arrière des boîtes de conserve, des couverts et des vieilles chaussures, et barbouillé en blanc sur la vitre des portières « Just married, en route pour le paradis » et « La pauvre ! ».

Berner et moi, on s'est arrêtés, et elle a regardé le portail grand ouvert derrière ses lunettes de soleil, comme si des mariés allaient apparaître. On n'avait jamais mis les pieds dans une église.

« Quelle idée de se marier ! elle a dit d'un air écœuré. C'est payer ce qu'on peut avoir pour rien. » Elle a craché avec précision entre ses tennis, sur notre pelouse. Je ne m'étais jamais posé cette question, mais j'avais parfois l'impression que Berner savait ce que je pensais avant moi. C'était vrai qu'elle grandissait plus vite que moi. Ce qu'elle ne comprenait pas la rebutait.

« Les parents de Rudy, ils sont même pas mariés. Sa vraie

mère habite à San Francisco, et c'est là qu'il ira quand il va se tailler d'ici. Ça se peut que je parte avec lui. Tu le répètes pas, sinon je t'étrangle. » Elle m'a agrippé le bras et m'a pincé si fort, malgré ses gants blancs, que j'en ai eu mal aux oreilles. Elle était beaucoup plus forte que moi. « Je plaisante pas, p'tite merde. »

Elle m'avait déjà dit des choses comme ça. Elle m'avait déjà traité de p'tite merde, de minus, de p'tite bite. Ça ne me plaisait pas, mais j'y voyais le signe que nous étions encore proches. Dans ce sens, ça me remontait le moral.

« Pas de danger, j'ai dit.

– Toute façon, personne t'écouterait, m'a-t-elle répondu, narquoise. Un fêlé des échecs, c'est tout ce que tu es. »

Elle a monté les marches du perron.

Notre père était assis à table et il passait ses bottes de cow-boy noires au cirage Cat's Paw. Je l'avais vu cent fois le faire sur ses godillots de l'Air Force. Son nécessaire à cirer était ouvert sur le numéro de la *Tribune* que ma mère lisait tout à l'heure. Il s'était coupé les ongles, aussi. Les rognures en demi-lune s'éparpillaient sur le journal.

Il était allé prendre le globe terrestre sur ma commode et l'avait posé sur la table, devant lui. La pièce sentait l'odeur douceâtre du cirage. Il avait mis Radio-Montana pour entendre la rubrique agriculture du samedi. Il était vêtu comme d'habitude le samedi – sandales en caoutchouc, bermuda, chemise hawaïenne à fleurs rouges qui laissait voir son tatouage, un serpent enroulé sur l'avant-bras, figurant le nom de l'appareil depuis lequel il larguait les bombes, *Old Viper*. Il en avait un autre sur l'épaule, les ailes de l'Air Force, qu'il n'avait pas gagnées en étant pilote, à son grand regret.

Il s'est forcé à me faire un large sourire. Nous l'avions trouvé morose et concentré en entrant dans la pièce. Il n'avait pas l'air dans son assiette. Il ne s'était pas rasé, mais ses yeux brillaient comme quand il était rentré de son premier voyage d'affaires.

Berner a continué à traverser la pièce sans s'arrêter. « J'ai pris une suée, elle a dit. Je vais me faire couler un bain froid, et puis je donnerai à manger à mon poisson. » Personne n'avait enclenché la ventilation, elle l'a fait en passant dans le couloir. Le brassage de l'air s'est fait sentir. J'ai entendu sa porte se fermer.

« Il faut que je te parle, a dit mon père, tout en s'activant avec son chiffon et son cirage. Assieds-toi là. »

Je n'avais pas l'habitude d'être seul en sa compagnie, même si j'étais censé me trouver plus souvent avec lui, et moins avec ma mère. Il tenait toujours à ce qu'on se lance dans des conversations sérieuses quand on était tous les deux. En général, c'était pour me faire savoir qu'il nous aimait, qu'il travaillait pour notre bien-être et qu'il investissait beaucoup dans notre avenir – sans donner d'autres précisions sur ce chapitre. J'en retirais toujours l'impression qu'il ne nous connaissait pas très bien, Berner et moi, puisque nous tenions ces choses pour acquises.

Je me suis assis à côté des chiffons, des brosses à dents noires de cirage et de la boîte ronde de Cat's Paw. Le globe terrestre était tourné du côté des États-Unis. « J'aurais été très heureux de t'y emmener, à cette foire. » Il me regardait dans les yeux, comme pour me signifier de chercher un double sens à ses paroles. Ou comme s'il m'avait pris en flagrant délit de mensonge et tentait de me faire comprendre qu'il était crucial de ne pas mentir. Or je n'étais pas en train de mentir.

« Aujourd'hui, c'est le dernier jour », j'ai dit. L'information était dans le journal sur lequel il cirait ses bottes. Il l'avait sans doute lue, ce qui expliquait qu'il soulève la question. « On a encore le temps d'y aller. »

Il a jeté un œil par la fenêtre, une voiture passait, et puis il s'est remis à observer le globe terrestre. « Je le sais, il a dit, seulement je ne suis pas dans une forme olympique, aujourd'hui. »

Une fois, dans le Mississippi, nous étions allés à une fête foraine du comté, qui avait dressé ses tentes pas loin de chez nous. Nous y étions allés un soir, lui et moi. J'avais lancé des balles en caoutchouc sur des poupées de chiffon avec des nattes rouges, mais je n'en avais pas dégommé une seule. Ensuite, j'avais tiré avec un fusil chargé de bouchons et réussi à renverser des canards, ce qui m'avait valu un paquet de pastilles sucrées au goût de craie. Mon père m'avait abandonné pour entrer sous un chapiteau regarder un spectacle qui n'était pas de mon âge. J'étais resté dehors, dans la sciure, à écouter la voix des gens, la musique des manèges et les rires. Les lumières de la fête jaunissaient le ciel. Lorsque mon père était sorti avec une foule d'autres hommes, il m'avait dit que c'était une sacrée expérience, sans autre commentaire. On était montés dans les autos tamponneuses, on avait mangé des caramels mous, et puis on était rentrés. Je n'étais plus jamais allé à aucune autre foire après, et celle-là ne m'avait pas emballé. Les garçons du club d'échecs disaient que la foire du Montana servait de vitrine au bétail, à la volaille et à l'agriculture, qu'elle n'en valait pas la peine. N'empêche que je continuais à m'intéresser aux abeilles.

Mon père respirait par le nez tout en faisant pénétrer le cirage dans ses bottes. Il sentait fort, plus fort que le cirage, une odeur âcre, sans doute liée au fait qu'il n'était pas dans son assiette. Il s'est adossé à sa chaise, il a posé son chiffon et s'est frotté le visage avec ses deux mains, comme s'il y avait de l'eau dans ses doigts, puis il les a passées dans ses cheveux, libérant l'odeur davantage. Il a serré fort les paupières, puis il les a rouvertes.

« Tu sais, quand j'étais petit en Alabama, j'avais un copain qui habitait la même rue que moi. Et un de nos voisins, un vieux médecin, avait son cabinet dans la maison, alors un jour, il y a invité mon copain. Et il a essayé de lui faire un truc idiot, pas convenable. » Les yeux sombres et luisants de mon père fixaient la boîte de cirage en fer-blanc, puis il les a levés vers moi avec une mimique théâtrale. « Tu comprends ce que je te dis ?

– Oui, père, j'ai dit, sans comprendre.

– Mon copain, qui s'appelait Buddy Inkster, l'en a empêché, évidemment. Il est rentré chez lui aussitôt, et il a tout raconté à sa mère. Et tu sais ce qu'elle lui a dit, sa mère ? » Mon père m'a fait un clin d'œil et il a penché la tête sur le côté pour souligner sa question.

« Non, père.

– Elle lui a dit : "Buddy, dis au vieux qu'il arrête ses conneries." »

Ma sœur a fait couler son bain. Malgré la ventilation, j'avais chaud dans mes vêtements. Je m'étais mis à transpirer sous mon col de chemise. La porte de la salle de bains s'est refermée, on a entendu la clef tourner dans la serrure.

« Tu comprends ce que sa mère voulait dire ? » Mon père a ramassé le couvercle du cirage et l'a revissé avec soin entre le pouce et l'index. On a entendu un léger déclic. « Bien sûr, maintenant, le vieux toubib, on le jetterait en prison, on le poursuivrait avec des fourches et des torches. Tu comprends ? » Je ne comprenais pas. Dans la rue, une voiture a klaxonné, son moteur a changé de régime, et puis elle s'est éloignée dans un grondement. Mon père n'a pas paru l'entendre. « Eh bien, elle voulait dire à Inkster qu'il devait apprendre à accepter la réalité des choses, et suivre son petit bonhomme de chemin. Tu comprends ?

– Je pense. »

J'avais bien compris, en effet.

« Il se peut qu'il t'arrive certains désagréments, mais que ça ne t'empêche pas de vivre. »

Il tentait de donner de l'impact à son histoire. Il sous-entendait qu'une part importante de ce que les gens disent ou font peut vous échapper, mais qu'il ne faut compter que sur soi-même pour les comprendre. Mais moi j'ai pensé que ce qu'il était en train de me dire, sans employer ces termes, c'était qu'un pépin se profilait peut-être dans ma vie et qu'il faudrait que je trouve moyen de m'en sortir par moi-même. Il voulait aussi que je prenne Berner en charge. Voilà pourquoi c'était à moi qu'il en parlait et non pas à elle, ce qui prouvait bien qu'il était aussi loin de la connaître qu'il l'était de me connaître, moi.

« Vous y pensez, ta sœur et toi, à ce que vous voulez faire de votre vie ? » Il avait l'œil sec et las, les doigts tachés de cirage, et il les essuyait un par un sur le chiffon de flanelle. On aurait dit qu'il me parlait à distance, à présent.

« Oui, père.

— Alors, qu'en penses-tu ? De l'avenir ?

— Je voudrais être avocat, j'ai dit, sans raison spéciale, sinon qu'un des garçons du club d'échecs avait mentionné que son père en était un.

— Il faudrait t'y mettre dès maintenant, alors », il a dit en évaluant ses ongles après le nettoyage en profondeur. Il restait du noir dessous. « Il faudra que tu te débrouilles pour donner du sens à tout. Il faut établir une hiérarchie. Il y a des choses plus importantes que d'autres. Pas forcément celles qu'on croit. » Il a porté son regard vers la fenêtre qui donnait sur SW First. Les luthériens se mêlaient les uns aux autres sous les arbres du parc, en face de leur église. La noce était en train de sortir. Les gens s'éventaient avec leurs chapeaux et des éventails de papier, ils riaient. Ma mère descendait de la Ford de Mildred Remlinger. Toute petite dans son tailleur vert à carreaux roses, elle avait l'air malheureuse. Elle n'a rien dit à la conductrice en descendant de voiture, elle s'est contentée de refermer la portière et de monter les marches de notre perron. La voiture de Mildred s'est éloignée. « Les ennuis commencent », a dit mon père. Je m'attendais à ce qu'il me demande de ne pas répéter cette conversation à ma mère ; il le faisait souvent, comme si nous avions des secrets d'État, lui et moi, ce dont je ne croyais rien pour ma part. Mais il n'a pas dit ça. Ce qui m'a donné à penser qu'ils avaient décidé ensemble de cette conversation, sans que, sur le moment, j'en saisisse bien le sens, qui était de nous interroger sur ce que nous pourrions faire, Berner et moi, puisqu'ils allaient être arrêtés.

Mon père m'a adressé son sourire de conspirateur. Il s'est levé de table. « Elle, elle va tout comprendre. Attends un peu, tu vas voir. C'est une maligne. Plus maligne que moi, et de loin. » Il est allé lui ouvrir. Notre conversation s'est arrêtée là. Nous n'en avons pas eu d'autre du même genre par la suite.

## 22

Il s'en raconte des histoires sur les gens qui commettent des crimes graves. Tout d'un coup, ils décident de faire des aveux complets, de se livrer à la police et de décharger leur conscience de tout ce fardeau, de se laver de ce mal, de cette honte, de ce dégoût de soi, avant d'aller en prison. Comme s'il n'y avait rien de pire que la culpabilité à leurs yeux.

Or moi, je serais tenté de dire que la culpabilité a moins à voir qu'on se le figure dans l'affaire. L'insupportable, c'est plutôt que tout se brouille subitement : la voie du retour au passé s'encombre, on ne peut plus la suivre. On ne se retrouve plus soi-même. Alors le temps change de consistance : les heures du jour et de la nuit se mettent à battre la breloque ; d'abord elles courent, ensuite elles stagnent. Et puis l'avenir devient aussi confus et impénétrable que le passé lui-même. Cette situation paralyse ; on est piégé dans un présent qui s'étire à l'infini, insoutenable.

Qui ne voudrait y mettre un terme, s'il avait le choix ? Obliger le présent à céder à l'avenir, quel qu'il soit ou presque. Qui n'avouerait tout ou presque pour desserrer l'étau de ce présent terrible ? Moi je serais prêt à le faire. Il faudrait être un saint pour s'y refuser.

Une autre voiture de police noire et blanche est passée plusieurs fois au ralenti devant chez nous, ce samedi-là. Le conducteur en tenue semblait s'intéresser de très près à notre

maison. Notre père est allé jeter un coup d'œil à la fenêtre,
à plusieurs reprises, en disant et répétant : « C'est bon, je te
vois. » La veille encore, notre mère et lui s'étaient montrés
chaleureux l'un envers l'autre et causants. Mais à présent, ils
adoptaient une attitude d'évitement qui m'était plus familière.
Notre père paraissait un peu désœuvré. Elle, au contraire, avait
un but. On ne disait pas grand-chose. J'ai essayé d'intéresser
Berner au concept de positionnement et au sacrifice offensif,
que j'avais découverts dans mon livre et dont je lui faisais la
démonstration sur l'échiquier que j'avais déroulé sur mon lit.
Elle m'a dit qu'elle n'avait pas le moral et que je ne pouvais
pas comprendre, parce qu'il s'agissait de la vie, et pas d'un jeu.

Depuis que notre mère était revenue de voir Miss Remlinger,
elle s'activait de nouveau dans la maison. Elle a lavé un ballot
de linge dans la lessiveuse de la salle de bains, et elle l'a mis à
sécher sur la corde, dans le jardin, en se hissant sur une caisse
de bois pour atteindre le sac à épingles. Elle a nettoyé la baignoire, que Berner laissait toujours crasseuse, et elle a balayé
le perron, où le vent avait soufflé des grains de sable dans les
interstices des lattes. Elle a fait la vaisselle de la veille, laissée
dans l'évier. Notre père est sorti dans le jardin, et il a pris un
transat et fixé le ciel de l'après-midi en pratiquant des exercices
oculaires appris dans l'Air Force. Au bout d'un moment, il est
rentré, il est allé prendre la table à jeux dans le placard du
couloir, il l'a installée dans le séjour et il a descendu un puzzle
dont il a étalé les pièces sur la table. Il aimait bien les puzzles,
convaincu qu'ils requéraient une intelligence particulière. Avec
les années, il avait également réalisé quelques tableaux en colo-
riant l'image selon les numéros indiqués, tableaux qu'il avait
mis au mur quelque temps, puis rangés dans le même placard
sans plus jamais les regarder.

Il a pris une chaise dans la salle à manger, pour le cas où
l'un d'entre nous aurait envie de se mettre au puzzle avec lui,

et puis il a commencé à retourner les pièces sur le plateau, en les étudiant pour emboîter les plus évidentes, minuscules îlots. Il a demandé à Berner si elle voulait le faire avec lui, ça lui remonterait le moral. Mais elle a dit non. C'était le puzzle qui représentait la toile de Frederic E. Church, *Les Chutes du Niagara*. On voyait les puissantes eaux vertes se précipiter et s'anéantir sur des rochers rouges, avant de se teinter de jaune et de blanc dans la nacre aérienne du gouffre. Nous l'avions assemblé bien des fois, ce puzzle, et il me rappelait naturellement la photo de notre mère et de ses parents, qui étaient passés au ras des chutes en bateau. C'était le préféré de notre père parce qu'il était spectaculaire. La boîte disait que ça représentait l'école de l'Hudson, ce qui n'avait pas grand sens pour moi puisqu'on disait aussi qu'il s'agissait des chutes du Niagara, et pas de l'Hudson. Je m'étais toujours demandé s'il n'y avait pas une formule qui permette de reconstituer tout le puzzle en une heure maximum. Devoir chaque fois se représenter l'image pour trouver les pièces adéquates, c'était vraiment chercher la difficulté. En plus, je ne voyais pas du tout l'intérêt d'assembler le puzzle plus d'une fois. Ce n'était pas comme les échecs, qui pouvaient paraître semblables à chaque partie, mais autorisaient une variété de coups infinie.

Pendant quelque temps, je suis resté auprès de mon père sans m'asseoir, pour lui désigner les pièces mauves et bleues qui appartenaient manifestement à la rivière. Berner a demandé à notre mère la permission de sortir faire un tour, parce que la ventilation lui faisait mal aux sinus, mais nos parents ont dit non tous les deux.

De nouveau, notre mère est demeurée un long moment au téléphone – notre père faisant comme si de rien n'était. À la fin, elle a emporté dans sa chambre l'appareil et sa rallonge, et elle a fermé la porte. J'entendais vaguement le bourdonnement de sa voix que couvrait le bruit de la ventilation. « Ce n'est pas une chose qu'on ferait en temps ordinaire, mais là... » puis « Il n'y a aucune raison de penser que ça durera indéfiniment... ». Ces bribes de conversation échangées avec je ne savais qui faisaient que mon père, assis dans le séjour à assembler son puzzle, me paraissait bizarre, comme si notre mère était aussi la sienne et qu'elle devait veiller sur lui autant que sur nous.

Pour finir, je suis parti m'allonger dans ma chambre. Berner est arrivée, elle a fermé la porte et m'a annoncé que nos parents étaient fous. Elle m'a dit que notre mère était allée dans la cuisine après avoir raccroché, et qu'elle, Berner, avait été dans leur chambre pour chercher un indice qui lui permette de savoir avec qui elle parlait. Or sa valise était ouverte sur le lit, et elle y avait déjà mis des vêtements. Berner lui avait demandé ce que faisait cette valise, et notre mère avait répondu que nous allions partir en voyage sous peu. Elle n'avait pas dit où. Berner ayant demandé si notre père serait du voyage, notre mère avait répondu qu'il pourrait tout à fait en être, s'il en avait envie, mais que ce ne serait sans doute pas le cas. Cette conversation lui avait donné la nausée, m'a dit Berner, et puis envie de vomir – mais elle n'avait pas vomi – et de fuguer pour se marier avec Rudy Patterson. Ce voyage-là, je me suis dit qu'on ne m'inviterait pas à en être.

À quatre heures, notre mère est retournée faire la sieste dans sa chambre. Une fois sa porte fermée, mon père est venu jeter un coup d'œil dans la mienne, et puis il s'est arrêté devant la porte de Berner. Il voulait savoir si nous aurions envie d'aller faire un tour à la foire, puisqu'il avait vu que les entrées étaient moitié prix le dernier après-midi et qu'il y aurait un feu d'artifice dans la soirée. Rien n'interdisait d'aller voir. Il souriait d'un air malicieux, comme s'il voulait jouer un bon tour à notre mère.

Moi, bien sûr, je ne demandais pas mieux. J'avais des choses très importantes et très compliquées à apprendre. Les experts allaient montrer, grâce à une ruche aux parois de verre, où vivait la reine et comment pratiquer la fumigation sans risquer des piqûres mortelles, ce dont mon père m'avait parlé, et qui m'inquiétait.

Berner a répondu que ça ne lui disait rien. Sans se lever de son lit, elle a raconté que, d'après les filles de son école, le dernier jour il n'y avait que des Indiens puants qui attendaient ce moment parce qu'ils étaient fauchés et toujours bourrés. Des Indiens, elle en avait vu de pleines voitures passer sous nos fenêtres toute la semaine, pendant qu'eux deux n'avaient pas jugé utile de rester ici.

Notre père avait enfilé les bottes de cow-boy qu'il venait de cirer, et un jean bien repassé qu'il mettait pour aller à l'agence – mais il n'était pas rasé ni peigné comme d'habitude. Il souriait, mais il avait de nouveau l'air bizarre, comme si les traits de son visage ne s'adaptaient pas à son ossature. Dans l'encadrement de la porte, il a dit à Berner qu'il était désolé de ces allées et venues d'Indiens, mais qu'ils étaient calmés à présent. Un jour, son oncle Cleo lui avait proposé de venir avec lui à Birmingham. Mais à l'époque, il avait une petite amie nommée Patsy. Il avait répondu à l'oncle Cleo qu'il ne pouvait pas, parce qu'il avait peut-être une chance de la voir. Et puis, le mois suivant, l'oncle Cleo s'était tué à un passage à niveau dont la barrière n'était pas descendue. Il ne l'avait jamais revu et il regrettait de ne pas l'avoir accompagné.

« Je ne trouve pas que c'était ta faute, a dit Berner depuis son lit, tout en se limant les ongles. Il n'avait qu'à faire gaffe, l'oncle Cleo. » Elle adorait discutailler avec notre père et se sentir en position de supériorité.

« Sans aucun doute. Je dis simplement que je me figurais pouvoir l'accompagner à Birmingham n'importe quand, et la suite a prouvé que non. »

Berner a ajouté quelque chose que je n'ai pas entendu avec le bruit de la ventilation. Il me semble que c'était : « Alors tu vas te tuer si je viens pas ? »

« J'espère bien que non, a répondu mon père, j'espère sincèrement que non. » Berner avait la langue bien pendue, je l'ai
déjà dit. Mon père disait qu'elle avait de la *hauteur**.

« C'est du chantage, elle a conclu, je refuse le chantage.

– Il faut croire que je m'exprime mal », a dit notre père.

Ensuite Berner a dit quelque chose que je n'ai pas saisi, mais
au ton plaintif de sa voix, j'ai compris qu'elle avait cédé. J'ai
entendu grincer le parquet de sa chambre. Nul ne savait lui
résister quand il concentrait son énergie pour mettre la pres-
sion. Seule notre mère y arrivait. Nous les aimions tous deux,
cela dit. Il ne faudrait pas que ce point se perde dans le récit.
Nous les avons toujours aimés.

## 23

On a pris Third Street, qui longeait la rivière, et on est passés devant l'endroit où on était allés donner à manger aux canards, Berner et moi. Le ciel était redevenu instable, avec un vent qui déplaçait les odeurs. Des nuages plats au ventre violet arrivaient du sud à l'oblique. Des crêtes d'écume dansaient à la surface de la rivière et des mouettes s'élevaient dans la brise humide. Il allait faire de l'orage. Ça avait couvé tout l'après-midi. L'automne commençait – notre mère avait raison.

Sur le siège arrière, je ne pensais pas à la démonstration d'apiculture, mais à la tente où la police de l'État présentait ses armes à l'inspection des citoyens. Certains membres du club d'échecs avaient spéculé sur les bazookas, les grenades offensives et les mitraillettes Thompson qui seraient exposés. On avait conjecturé sur l'usage que pourrait bien en faire la police. Les hypothèses tournaient autour des Indiens, considérés comme des délinquants en puissance, et les communistes, qui conspiraient contre les États-Unis. J'avais regardé pour la troisième fois dans le tiroir à chaussettes de mon père, histoire de voir si le pistolet y était. Il n'y était pas. Je m'étais imaginé qu'il avait tué un homme, peut-être le dénommé Mouse, et qu'il s'était débarrassé de l'arme en la jetant dans la rivière.

Berner était montée devant et elle faisait la tête, ce qui m'agaçait. Il y avait un embouteillage aux abords de la foire. Deux fois, notre père a lorgné dans son rétroviseur en disant : « Bon, qui est-ce qui nous colle au train comme ça, Dell ? » C'était un jeu qu'on pratiquait entre nous. Je regardais par la lunette arrière, mais il n'y avait jamais rien. Cette fois, pourtant, j'ai remarqué la même voiture noire à deux reprises. Comme nous longions la palissade chaulée de la foire, j'ai aperçu le sommet des manèges – la grande roue, le Zéphyr, qui m'avait été décrit à l'école, le dos-d'âne du grand huit, avec un train de voitures qui l'escaladait en se tortillant pour redescendre comme une flèche dans les hurlements des passagers qui agitaient leurs mains. La musique, le bruit de la foule et des haut-parleurs se mêlaient au vent, comme je les avais entendus de chez nous, il y avait même des voix de femmes annonçant les numéros du loto. Le vent charriait une odeur de sciure, de purin, avec quelque chose de plus suave. Ça m'excitait, j'étais pressé d'entrer avant la fermeture des portes. J'avais mal aux mâchoires à force de serrer les dents, et des fourmis dans les orteils. Mais la chaussée était engorgée par des vieilles bagnoles, des tacots pleins de jeunes, et par une file de gens, manifestement indiens, qui s'acheminaient vers l'entrée piétonne.

C'est à cet instant précis – au niveau de la grande porte – que j'ai découvert le magot. Par nervosité, j'avais passé la main gauche dans le sillon frais entre les deux coussins de la banquette arrière, et elle avait rencontré un objet que j'avais extrait aussitôt. C'était une liasse de billets américains, entourée d'une bande de papier blanc sur lequel on lisait AGRICULTURAL NATIONAL BANK, CREEKMORE, DAKOTA DU NORD. Stupéfait, j'ai poussé un « Oh ! » assez fort pour que mon père me regarde aussitôt dans le rétroviseur. J'ai soutenu son regard qui me tenait captif. « Qu'est-ce que tu as vu ? il m'a demandé. Tu as vu quelque chose, derrière nous ? » Sa bouche formait les mots, au-dessous de ses yeux, mais sa voix semblait venir d'ailleurs. J'ai cru qu'il allait se retourner vers moi, mais c'est Berner qui l'a fait. Elle a tout de suite aperçu la liasse et en a immédiatement détourné les yeux.

« Tu as vu ces fichus flics ? m'a demandé mon père.

– Non », j'ai répondu.

Les gens klaxonnaient derrière nous. On s'était arrêtés au lieu de tourner à gauche dans le champ de foire. À l'intérieur, les voitures se garaient sur la pelouse, derrière laquelle apparaissaient les manèges et l'allée centrale. Un policier nous faisait signe d'avancer. D'autres voitures se préparaient à sortir, et son collègue leur faisait signe en même temps. C'était le bazar intégral.

« Eh ben, qu'est-ce qu'il y a, bon Dieu ? » Mon père s'énervait, il jetait des coups d'œil furibonds dans le rétroviseur au lieu d'avancer.

« Il y avait une abeille, je viens de me faire piquer », j'ai dit. C'était tout ce que j'avais trouvé. J'ai fourré les billets dans mon jean. Berner s'est retournée à moitié pour me lancer un regard ironique, comme si j'étais en train de faire quelque chose de défendu. Mon cœur s'est mis à cogner. Je ne sais pas pourquoi je n'ai pas dit : Qu'est-ce qu'il fait là, ce paquet d'argent ? Au lieu de ça, je me suis conduit comme si je l'avais volé, ou comme si quelqu'un d'autre l'avait volé, et que je doive éviter de me faire prendre avec, pensant qu'il disparaîtrait de lui-même si on ne le voyait pas.

« Fichus flics, a dit mon père. Ils gâchent tout. » Il a lancé de nouveau un regard noir dans le rétroviseur, sur nos suiveurs hypothétiques. Et au lieu de tourner devant l'officier de police pour nous emmener sur le champ de foire, il a écrasé l'accélérateur et on a foncé à toute blinde dans Third Street. Je ne comprenais pas pourquoi la police l'inquiétait tellement.

« Où on va ? j'ai demandé en voyant défiler la palissade blanche à toute allure.

— On ira l'an prochain, il y a trop de monde, ils laissent entrer toutes les squaws. En plus, il va pleuvoir.

— Je croyais que tu les aimais, les Indiens, a dit Berner de sa voix hautaine.

— Je les aime, mais c'est pas le jour.

— Si c'est pas le jour, alors quand ? » Elle ne disait ça que pour le narguer.

« Quand ça me chantera », il a répondu.

Et voilà comment la foire s'est terminée.

# 24

On a roulé sur Smelter Avenue et Black Eagle, les yeux de mon père rivés au rétroviseur comme s'il y avait vu quelque chose qui le faisait fuir. Il a passé les doigts dans ses cheveux, et puis il s'est frotté la nuque, au-dessus de son col de chemise. Il m'a regardé parce que je le taraudais jusqu'au fond de lui, avec ma colère. Nous nous dirigions vers le haut-fourneau et la raffinerie, qui était éclairée nuit et jour, et dont les sorties de gaz crachaient des flammèches jaunes. Ça sentait mauvais, dès qu'on en approchait. Rudy nous avait raconté que son père puait la raffinerie en permanence, ce qui expliquait entre autres choses pourquoi sa mère était partie à San Francisco.

« Ça veut dire qu'on va plus à la foire ? a demandé Berner.

— Les manèges étaient déjà presque tous démontés, a répondu notre père.

— Non, pas du tout, a dit Berner. Moi j'ai pu voir, à l'intérieur. Toi tu conduisais, si on peut dire.

— Moi, c'étaient pas les manèges qui m'intéressaient », j'ai dit.

Les relents de la raffinerie avaient envahi la voiture.

« Pouah, ça pue ! » a dit Berner en remontant sa vitre, tandis que nous longions un labyrinthe de tuyaux, de valves géantes et de réservoirs trapus, avec des hommes coiffés d'un casque métallique sur des passerelles et des échafaudages, et la longue flamme des torches qui léchait les bourrasques de vent. La raffinerie se dressait entre Smelter Avenue et la rivière. Nous nous dirigions vers le pont de Fifteenth Street, qui nous ramènerait sur la rive de Great Falls.

« Je voulais voir le stand d'apiculture », j'ai poursuivi, tout espoir perdu, le cœur gros. Encore une chose que je ne pourrais pas apprendre.

« Les abeilles sont plus intelligentes que nous », a lancé Berner. L'argent que j'avais découvert faisait une bosse, il déformait mon pantalon. Berner s'est retournée pour me regarder de nouveau, avec un petit sourire sarcastique. Elle faisait toujours semblant d'en savoir plus long que moi pour me rabaisser.

— Les gens du Montana, c'est comme les abeilles, si vous voulez mon avis, a dit notre père en obliquant pour tourner sur le pont. Tous sur le même modèle. Des abeilles ouvrières. Sans cervelle. Une bande de Suédois, de Norvégiens et d'Allemands qui ont réussi à passer entre les bombes. Radins comme des juifs. Je leur ai vendu des voitures. » Il lui arrivait de dire qu'il avait bombardé les Japonais pour que les juifs ouvrent des boutiques de prêts sur gages. J'étais tenté de lui faire remarquer que le système des abeilles ne reposait pas sur l'individu et que les humains auraient été bien inspirés d'en prendre de la graine. Mais je ne tenais pas à attirer l'attention sur moi tant que j'avais le magot dans mon jean.

« Où on va ? » a demandé Berner.

Notre père regardait dans le rétroviseur. « On va aller à la base regarder les jets décoller. » On avait fait ça partout où on avait vécu. Pour lui, c'était un but de promenade. Ses yeux ont cherché les miens pour savoir comment j'allais prendre ce changement de cap, puisque la foire, c'était fichu, désormais. Ses sourcils ont tressauté, comme s'il s'agissait d'une plaisanterie qui exclurait Berner. Je ne lui ai pas rendu son sourire.

« Maman a déjà fait à moitié sa valise, a dit Berner. Où elle va ? »

Nous étions sur le vieux pont WPA. Notre père a reniflé, il s'est pincé les narines entre deux doigts, et puis il a reniflé de nouveau. Il lançait des regards furtifs dans le rétroviseur, mais pas à moi. « Attendez, c'est que je viens de l'épouser, votre mère. Je ne lis pas dans ses pensées, je ne la connais pas dans les moindres détails. Elle vous aime beaucoup, et moi aussi. » Il était agité. « J'ai des soucis personnels, en ce moment, des soucis à réveiller un fauve. Il m'arrive de faire des bourdes, je m'en rends bien compte.

– Où tu es allé quand tu es parti ? » Berner l'a regardé bien en face, pâle sous ses taches de rousseur, comme si elle était malade en voiture. Notre père a jeté un coup d'œil dans le rétroviseur, une fois de plus. J'ai voulu voir ce qui était derrière nous. Une Ford noire, avec deux hommes en costume sur le siège avant. Ils se parlaient. Il y en avait un qui riait. Je ne me rappelais pas au juste si c'était la voiture que j'avais repérée sur le champ de foire, mais il me semblait bien que si.

« Il est possible que votre mère doive vous emmener en voyage, les enfants. Il faut pas que ça vous inquiète.

– Tu as entendu ce que je t'ai demandé ? a dit Berner.

– Oui, je t'ai entendue. » Il a mis son clignotant au moment où nous sortions du pont pour aller vers la base, et puis subitement, il a accéléré, il est sorti tout droit, et ce n'est qu'à la rue suivante, sur Seventh Street, qu'il a tourné à droite vers le centre-ville, pour déboucher sur une jolie rue ombragée, avec des maisons de bois peintes en blanc, plus chic que la nôtre, des ormes plus vastes, des chênes, des pelouses tondues de plus près, et une école de briques rouges. Je ne savais pas qui habitait là. Peut-être les garçons du club d'échecs qui avaient un père avocat. Je n'étais jamais venu dans ce quartier, et pourtant Great Falls n'était pas bien grand. C'était plus un gros bourg qu'une ville.

J'ai regardé derrière nous. La Ford noire avait tourné, elle était encore là, les deux hommes parlant toujours entre eux. Finalement, on n'allait plus voir décoller les jets à la base.

« Qu'est-ce que tu as fait de ton pistolet ? » j'ai demandé.

Mon père a brièvement posé les yeux sur moi, puis encore sur la Ford. « Pourquoi cette question ?

– J'ai regardé dans ton tiroir. »

Il a soupiré d'un air agacé. « Tu n'aurais pas dû. Ce sont mes affaires personnelles. » Il n'était pas fâché. Il ne se fâchait jamais contre nous. D'ailleurs, nous n'avions rien fait de mal.

« Pourquoi, personnelles ? Qu'est-ce qu'il y a de personnel là-dedans ? a insisté Berner.

– Est-ce que vous savez ce que ça veut dire "faire sens", les enfants ? » Il regardait sans arrêt dans son rétroviseur. On avait parcouru tout Seventh Street, on était de retour sur la rive de la rivière. Les crêtes blanches en émaillaient toujours la surface. Sur l'autre rive, à la foire, le haut du Zéphyr, de la grande roue et du grand huit était encore visible sous le défilé en accéléré des nuages. Rien n'avait été démonté. On aurait pu y être.

Tout d'un coup, mon père s'est tourné à moitié sur son siège pour me foudroyer du regard, tout en conduisant. Je croisais les mains sur la bosse que faisait l'argent. Le ciel allait nous tomber sur la tête s'il la voyait, en tout cas, c'est ce que je me disais. Il me brûlait de ses yeux sombres. Ses traits (je n'en voyais que la partie droite), sa joue, son menton, sa bouche, son sourcil semblaient en mouvement. Ça me faisait peur. Il ne regardait pas où il allait. Moi, j'avais oublié ce qu'il venait de dire.

« Je vous ai posé une question. Est-ce que vous savez ce que ça veut dire "faire sens" ? »

Nous avions déjà abordé le sujet précédemment, pendant qu'il cirait ses bottes. Les échecs avaient un sens. Il suffisait d'un peu de patience pour savoir lequel. Cet aspect-là ne l'intéresserait pas, pourtant. « Oui », j'ai répondu.

Il considérait la rue, bouche bée. Nous étions en train de passer devant la prison du comté de Cascade. « Qu'est-ce que tu as dit ? » J'avais parlé à mi-voix.

« Oui, père, je sais », j'ai dit plus fort.

Il s'est de nouveau retourné pour me regarder, comme s'il ne m'avait toujours pas entendu. Il avait mauvaise haleine. Il m'a fait un clin d'œil. Il paraissait changé.

« Pourquoi tu me demandes pas, à moi ? a dit Berner, menton levé dans une attitude de défi. Moi, je sais tout ça.

— Tant mieux, il a dit en la foudroyant du regard à son tour, comme si elle le contrait. Mais je vais quand même te le dire, on ne sait jamais. » Il a passé sa main devant la bouche, et de nouveau dans les cheveux. « Ça veut dire qu'on accepte les choses. Si on les comprend, alors on les accepte. Si on les accepte, alors on les comprend. » Il a lancé un regard furieux à Berner, et puis ses yeux se sont reposés sur le rétroviseur. La Ford noire était là. Les deux hommes en costume. On aurait dit des principaux de collège, ou alors des commis voyageurs.

On se dirigeait vers le pont de Central Avenue, par le quartier commerçant. Les bars. Le Rexall. Woolworth. Un grand immeuble de bureaux, au rez-de-chaussée duquel il y avait la boutique de loisirs où j'avais acheté mon échiquier. L'auditorium municipal. Il n'y avait pas beaucoup d'animation. Tout le monde était à la foire pour profiter du demi-tarif. Notre maison était juste sur la rive d'en face, dans son quartier minable.

« Je ne trouve pas que ça se vérifie », a déclaré Berner. Elle s'est retournée vers moi en gonflant les joues. Elle paraissait vieille, comme une institutrice. Elle aimait bien le défier, et puis elle se cherchait un nouveau prétexte pour fuguer.

« Alors c'est toi qui as tort. Tu as tort, voilà tout.

— Je ne comprends pas certaines choses, a repris Berner, mais je les accepte. Et je n'accepte pas certaines choses, mais je les comprends. » Elle a croisé les bras serrés sur sa poitrine, elle regardait par la vitre la rivière qui passait sous le pont que nous traversions. « C'est toi qui dis des choses qui n'ont pas de sens, et tu le sais. »

Notre père a eu un drôle de sourire et il a secoué la tête. « Dites voir, les enfants, vous croyez que je ne suis pas gentil

avec vous ? C'est ça ? » Il a jeté un coup d'œil dans le rétroviseur pour voir si la voiture noire nous suivait toujours – si
elle avait tourné sur le pont, elle aussi. Elle avait tourné.

On n'a rien dit ni l'un ni l'autre. Je ne comprenais même
pas pourquoi il nous posait la question. Ils n'étaient jamais
méchants avec nous. « Parce que c'est pas le cas, il a poursuivi.
Je voudrais seulement que vous appreniez quelque chose de
fondamental dans la vie. Il y a des choses qu'il faut accepter
et comprendre, même si elles paraissent dépourvues de sens
au départ. C'est à vous de leur en donner. C'est ce que font
les adultes.

— Alors si c'est ça, je refuse de grandir », a répliqué Berner
avec dépit. J'ai compris que notre père était en train de parler
de l'argent que j'avais fourré dans mon jean. Il parlait par
allusions. Il m'avait vu le découvrir, dans le rétroviseur, ou le
fourrer dans mon jean quand il s'était retourné. Ce qu'il essayait
de me dire, avant qu'on soit rentrés chez nous, c'était de le
remettre en place en acceptant de ne pas comprendre d'où il
venait. Le pire de tout aurait été que je le garde dans mon
pantalon en arrivant à la maison, et qu'il faille s'expliquer. Le
remettre en place avait un sens. Une fois que je l'aurais remis,
tout irait bien.

« Je ne vois vraiment pas pourquoi tu te mets à pleurer »,
a dit mon père. Berner avait croisé les bras sur son ventre et
elle regardait par sa vitre d'un air farouche. « Personne ne t'a
fait de misères, petite sœur.

— Je suis pas ta sœur, elle a répondu rageusement. Et je
pleure pas.

— Ben si, tu pleures. Mais il ne faut pas. » Il l'a regardée, puis
il a regardé la rue. Central Avenue nous ramenait chez nous.

À un certain point de notre vie, Berner avait cessé de pleurer,
comme si elle trouvait ça insupportable et qu'elle détestait les
comportements que ça induisait chez les autres, moi en particulier. Elle se mettait en colère à la place. Mais je voyais bien

qu'elle pleurait à présent, parce qu'elle avait posé son petit doigt sur le coin de l'œil et qu'elle respirait profondément. Il n'y avait pas de gros sanglots, de bouh-ouh, comme quand on était petits. Moi je ne pleurais plus depuis aussi loin que ma mémoire remontait, depuis plus longtemps qu'elle encore. Notre mère ne pleurait jamais. Une fois, par contre, nous avions vu notre père pleurer en regardant un film de guerre à la télé.

Berner mobilisant l'attention de mon père, c'était le moment ou jamais de remettre le magot où je l'avais trouvé. Je me suis penché en avant, comme pour rattacher mon lacet, et je suis arrivé à sortir la liasse de mon jean et à la fourrer entre les deux coussins du siège ; aussitôt, je me suis senti cent fois mieux et plus léger. Quand j'ai levé les yeux vers le rétroviseur, mon père me transperçait de nouveau du regard.

« Et toi, qu'est-ce que tu fabriques ? » a-t-il dit. Berner m'a regardé tristement, comme si je l'avais trahie. Elle avait le visage marqué par le chagrin. Elle s'est détournée encore vers la rue.

« Je rattachais mon lacet », j'ai dit. Notre rue approchait. La cime des ormes et des érables dans le parc oscillait au vent, le modeste clocher de l'église luthérienne les dépassait à peine.

« Demande à ta sœur pourquoi elle boude. » Gauchement, notre père a tendu la main vers elle pour lui tapoter sur l'épaule. Elle n'a pas tourné la tête. « Je ne vois pas du tout pourquoi, je le jure. Peut-être qu'elle voudra bien te le dire, à toi. Tu voudras le dire à Dell, ma chérie, pourquoi tu pleures ? Je ne suis pas un méchant homme, je ne veux pas que vous le croyiez.

– On pleure parce qu'on est malheureux », a craché Berner.

Nous étions en train de faire le tour du parc. « Malheureux ? » Il était toujours désarçonné quand les gens ne ressentaient pas la même chose que lui.

Je me suis retourné vers la lunette arrière. La Ford et ses deux passagers nous avaient suivis jusque devant l'église luthérienne. Notre père a donné un coup de volant vers le trottoir, comme pour lui dégager la voie. La Ford est passée, lentement, en douceur. Les deux hommes nous ont regardés, l'un parlait et l'autre hochait la tête. Ils sont allés jusqu'au coin de la rue, ils ont tourné vers l'ouest du parc et remonté lentement vers Central Avenue. J'ai compris qu'ils étaient de la police, mais sans imaginer pourquoi ils nous avaient suivis. Que l'argent fourré dans le siège arrière puisse en être la cause ne m'a pas effleuré.

« Qui ça pouvait bien être, ces deux pékins ? » a dit mon père en regardant la Ford se fondre dans la circulation de Central Avenue. Ses mains se crispaient sur le volant. Il contractait les mâchoires comme s'il avait l'intention de dire quelque chose d'autre. Nous étions devant chez nous, muets sur nos sièges. Le vent poussait les confettis blancs de l'église luthérienne sur le trottoir, jusqu'à notre pelouse.

« Peut-être que… » a dit mon père. Il a claqué des lèvres et souri à Berner, qui fixait toujours le lointain, malheureuse. Il s'est tourné vers moi, mais je ne savais pas ce que j'étais censé faire. « J'allais dire que ça doit être des missionnaires mormons, ces deux types. Ils sont en costume-cravate. Ils ont peut-être bien un livre à nous faire lire. J'aurais dû m'arrêter pour leur parler. Ça aurait pu être intéressant, vous croyez pas ? » Il entendait par là que ces hommes étaient ridicules et qu'il ne fallait plus y penser. « Qu'est-c' t'en penses, 'tite sœur ? » il a dit en parler du Sud. Il se figurait que ça amusait les gens. Il a eu des haussements de sourcils en me regardant pour signifier qu'on était de mèche, et pas Berner. C'était une expression qui me plaisait toujours chez lui.

« Je donnerais cher pour être bien loin d'ici, a dit Berner d'un ton mélancolique. En Californie, ou en Russie.

– Ça nous arrive à tous, parfois, ma chérie. À toi et à ta mère, plus souvent qu'à la plupart des gens. Il faudra que vous en discutiez, toutes les deux. » Il s'est tourné vers moi. J'ai cru qu'il allait dire quelque chose, mais il s'est contenté de faire son sourire aux grandes dents blanches, comme si on venait de perdre une bataille. Il a ouvert sa portière pour sortir, tout en continuant à parler. « On est en train d'attraper la chance par les cheveux, les enfants, ça fait trop longtemps qu'on avale des couleuvres. »

Berner a froncé les sourcils et pris un air ironique, comme s'il était méprisable, pitoyable, en quoi je n'étais pas d'accord, même s'il ne nous avait pas emmenés à la foire.

« Et voilà, a conclu mon père une fois dehors, comme si je lui avais répondu. C'est tout ce que je voulais savoir. » Il s'est penché vers nous, qui étions restés sur nos sièges. Le vent soufflait dans la rue, il faisait danser les confettis et courbait le sommet des arbres. Une odeur de pluie enivrante s'est engouffrée dans la voiture. L'orage arrivait. « Allez, dehors, les gosses. C'est là qu'on habite. On n'y peut rien. Notre petit chez-nous chéri. Pour l'instant du moins. »

## 25

Sitôt rentrés, notre père a annoncé qu'il était crevé ; il est allé dans la chambre qu'il partageait avec notre mère, il s'est couché en travers de son lit, tout habillé, bottes aux pieds, plafonnier allumé au-dessus de sa tête, et il s'est endormi tout de suite, un bras sur les yeux.

Dans cette lente fin de journée, les lumières se sont allumées chez les voisins et il s'est mis à pleuvoir – en douceur, au début, puis plus fort ; le vent est monté en puissance, des gerbes de pluie battaient les carreaux. Un souffle froid a pénétré dans la maison, il a fait bouffer les rideaux et a chahuté le journal sur la table. Notre mère a fermé les fenêtres et tiré les rideaux déjà trempés, puis elle a allumé les lampes de table et rangé les accessoires de cirage de mon père.

Elle n'était pas causante, elle s'activait. Elle a préparé le dîner dans la cuisine, sans parler de Miss Remlinger, ni de sa conversation au téléphone, sans demander où nous étions allés avec notre père. Je l'ai cependant informée que nous étions sortis parce qu'il nous avait promis d'aller à la foire, mais qu'une fois sur place, il y avait trop de monde. Je ne me suis pas hasardé à lui confier que j'avais trouvé le magot entre les coussins du siège, ni que Berner avait pleuré et qu'elle voulait aller en Russie, ni que deux policiers nous avaient suivis. Je me disais qu'il était plus sage d'attendre.

Selon ses habitudes, Berner est partie directement dans sa chambre et elle en a fermé la porte sans rien dire à personne.

Sa radio passait de la musique en sourdine, je l'entendais aller et venir, faire grincer les cintres métalliques dans sa penderie et parler à son poisson – pour se sentir moins seule, je suppose. J'étais convaincu qu'elle faisait son sac pour fuguer. Je ne saurais pas l'en dissuader, et je ne pouvais rien dire à nos parents. On avait toujours fonctionné de cette façon. Entre jumeaux, on se serre les coudes. En tout cas si elle partait, j'étais sûr qu'elle reviendrait. Personne ne lui ferait de reproches.

Je me suis installé dans ma chambre, où la fenêtre était à peine entrouverte ; au déclin du jour le vent est tombé, la pluie fouettait les bardeaux de la maison, pénétrait en crachotant. Pas de coup de tonnerre, pas d'éclairs, une pluie d'été battante, c'était tout. De temps en temps, elle s'interrompait, et alors j'entendais mon père ronfler derrière la cloison, ma mère à la cuisine, et les corbeaux dans les branches mouillées qui croassaient et sautillaient, reprenant leur place avant qu'il se remette à pleuvoir. J'ai pensé à la foire en train de fermer, à la pluie qui ruisselait sur la sciure, les tentes, les stands d'exposition, aux ouvriers en train de démonter les manèges pour les charger sur des camions, au matériel d'apiculture et aux armes, qu'on enfermait pour les emporter. J'ai ouvert mon *World Book* à la lettre A, et j'ai lu l'article sur les abeilles. La ruche était un monde idéal d'ordre où l'on se sacrifiait pour honorer la reine, faute de quoi, tout aurait sombré dans le chaos. Les abeilles, je l'avais déjà lu ailleurs, dévoilent les mystères de toute entreprise humaine, elles sont parfaitement en phase les unes avec les autres et avec leur milieu. Je pourrais écrire un exposé là-dessus dès la rentrée des classes et partir ainsi d'un bon pied. J'ai marqué la page avec un crayon et j'ai refermé le volume. J'allais décompresser, à la rentrée, quand mon père retravaillerait et que ma mère retournerait faire cours.

Au bout d'un moment, mon père s'est mis à parler tout bas, d'une voix somnolente. On a entendu le choc sourd de ses pieds en chaussettes sur le sol. Dans la cuisine, c'était le bruit des casseroles, des plats et des marmites. Ma mère parlait, à voix basse elle aussi. « Comme un poisson dans l'eau… » a dit notre père. « Dans le meilleur des mondes possibles… » a répondu notre mère. Je me demandais s'ils allaient parler de l'argent dans le siège arrière de la voiture, ou des circonstances où mon père avait perdu son pistolet, ou de l'endroit où ils étaient allés, ou de la valise de ma mère sur son lit. Allongé dans la douce brise nocturne, la pluie trempant le bas de mon dessus-de-lit, le rai de lumière du couloir passant sous ma porte, je tournais ces questions dans ma tête. Elles étaient très proches, et puis tout à coup, très lointaines, alors j'ai empoigné mon matelas à bras-le-corps et je m'y suis accroché. Ça me rappelait l'état dans lequel je me trouvais quand j'avais eu la scarlatine, des années plus tôt, et qu'on n'arrivait pas à me réveiller complètement. Ma mère, entrée dans ma chambre, avait posé son doigt frais sur ma tempe. Mon père s'encadrait dans la porte, grand, nébuleux. « Comment il va ? On devrait peut-être le prendre avec nous ? » « Ça va aller », avait répondu ma mère. J'avais tiré le couvre-lit jusqu'à mon menton, et je m'étais blotti dessous.

J'ai écouté une chouette, dans le noir. J'aurais voulu ressasser toutes mes pensées dans ma tête. Mais impossible de résister au sommeil, alors j'ai ôté la bonde et lâché prise.

# 26

« Tu veux ton dîner ? » m'a dit ma mère tout bas, penchée sur moi. Le verre de ses lunettes reflétait une lumière placée quelque part derrière elle. Sa paume sur ma joue, ses doigts sentaient le savon. Elle a renvoyé mes cheveux en arrière, saisi délicatement le pourtour de mon oreille entre le pouce et l'index. Je m'étais entortillé dans mes draps et je ne pouvais plus bouger les bras ; j'avais les mains engourdies. « Tu es très chaud, m'a-t-elle dit. Tu te sens malade ? » Elle est allée au pied du lit et a touché le couvre-lit. « Il a plu sur toi.

– Où est Berner ? » Je me disais qu'elle s'était déjà sauvée.

« Elle a mangé et puis elle est retournée dans sa chambre. » Ma mère a baissé le panneau de la fenêtre.

« Où est papa ? » Une onde puissante venait de me traverser le corps. J'avais la bouche pâteuse, comme pleine de paille, les cheveux collés à mon crâne, les articulations douloureuses.

« Il n'a pas bougé. »

Elle a regagné l'embrasure de la porte. Une lumière mordorée baignait le couloir. L'eau gouttait de l'autre côté du mur, ou dehors. « Il a plu sans discontinuer, m'a-t-elle chuchoté. Ça vient de s'arrêter. Je vais te faire un sandwich.

– Merci », j'ai dit. Elle a repassé la porte et disparu.

À table, j'ai mangé un sandwich au fromage avec un cornichon, une feuille de laitue et de la vinaigrette, toutes choses que j'aimais. J'avais faim, j'ai mangé vite et bu un verre de lait battu. Mon père était convaincu que c'était roboratif. Mes habits étaient chiffonnés et humides. Il faisait frais dans la maison ; ça sentait le propre, comme si le vent l'avait récurée. Mais c'était nous qui l'avions récurée quelques jours plus tôt. Il était dix heures et demie du soir, pas une heure pour dîner.

J'ai entendu les talons des bottes de mon père sur les planches de la galerie. Son dos s'est inscrit devant la fenêtre. De temps en temps il toussait, puis se raclait la gorge. Il est passé plusieurs voitures ; le faisceau oblique de leurs phares glissait sur nos rideaux entrouverts. L'une d'entre elles s'est arrêtée le long du trottoir. Un puissant rayon de lumière a jailli soudain, et il a balayé la cour trempée. On ne pouvait pas voir qui se trouvait à l'intérieur du véhicule. Depuis la galerie obscure, mon père a dit : « Bonsoir, les gars. Bienvenue. Le dîner est servi, on n'attendait plus que vous. » Il a ri bruyamment. Les phares se sont éteints, et la voiture est repartie au ralenti sans qu'aucun de ses occupants en soit sorti ou ait dit quelque chose. Mon père a ri de nouveau et a arpenté un peu plus la galerie en sifflotant des notes qui ne faisaient pas un air.

Ma mère était retournée dans leur chambre. Depuis ma chaise, je l'apercevais. Elle avait rangé d'autres vêtements dans sa valise. Elle était en train d'en plier encore d'autres pour les poser par-dessus. Elle a levé les yeux vers la porte, et allez savoir pourquoi, le fait d'être vu m'a fait sursauter. « Viens ici, Dell, j'ai à te parler. »

Je me suis approché, en chaussettes. Je me sentais lourd comme si j'avais trop mangé. J'aurais voulu me coucher dans son lit et m'y endormir devant elle.

« Il était bon, ton sandwich ?

— Pourquoi tu fais ta valise ? »

Elle a continué de plier ses habits. « Je me suis dit qu'on allait partir pour Seattle par le train, demain.

— Quand est-ce qu'on rentrera ?

— Quand on sera prêts.

– Et Berner, elle vient ?

– Oui, elle vient, je le lui ai déjà expliqué.

– Et papa ? (Je le lui avais déjà demandé.)

– Non. » Elle est allée jusqu'à la penderie et elle a raccroché les cintres vides qui se trouvaient sur le lit.

« Pourquoi ?

– Parce qu'il a une affaire à terminer. Et de toute façon, il est content de rester ici.

– Qu'est-ce qu'on va faire à Seattle ?

– Eh bien, a dit ma mère de sa voix officielle, c'est une vraie ville. Tu vas faire la connaissance de tes grands-parents. Ils sont curieux de vous rencontrer, ta sœur et toi. »

Je l'ai dévisagée, comme ma sœur le faisait avec moi. Elle ne m'avait toujours pas dit pourquoi nous partions, et je savais qu'il serait mal vu d'insister.

« Et l'école ? » Mon cœur s'emballait. Je ne voulais pas envisager de rater la rentrée. Les garçons qui la rataient, souvent on ne les revoyait jamais. Ma gorge s'est nouée. Les yeux m'ont piqué comme s'il y avait déjà des larmes dedans.

« Ne t'inquiète pas pour ça.

– J'ai déjà des tas de projets.

– Je les connais. Des projets, on en a tous. » Elle a secoué la tête comme si c'était une conversation idiote. Elle m'a regardé et elle a battu des paupières une fois, derrière ses lunettes. Elle avait l'air fatigué. « Il faut savoir s'adapter, m'a-t-elle dit. Les gens qui ne savent pas le faire ne vont pas loin dans la vie. Moi, je m'efforce d'être souple en ce moment. »

Je croyais savoir le sens de ce mot, mais apparemment, il en avait un autre. C'était comme « faire sens ». Pas question de me reconnaître comme « pas souple », quoi que ce mot puisse recouvrir.

Le vent s'est levé dehors. Il a chassé l'eau sur les feuilles, fait grand bruit sur le toit. Dedans, calme plat.

Ma mère est allée à la fenêtre, elle a posé les mains en

coupole sur la vitre et regardé au-dehors. Les carreaux reflétaient la chambre, elle et moi, le lit avec sa valise dessus et ses vêtements. Elle était toute petite devant la fenêtre. Au-delà de sa silhouette, je ne voyais que des formes et des ombres. Le garage, les roses trémières pâles et les zinnias qui poussaient à côté. La corde vide, le linge propre rentré. Un jeune chêne que mon père avait planté et tuteuré. Sa voiture. « Qu'est-ce que tu sais du Canada, mmh ? » m'a-t-elle demandé, le « mmh » indiquant toujours qu'elle était d'humeur communicative.

Le Canada se trouvait au-delà des chutes du Niagara sur le puzzle de mon père. Je n'avais jamais consulté l'encyclopédie à cette rubrique. C'était au nord de nous. J'avais des larmes chaudes dans les yeux. J'ai inspiré aussi profondément que j'ai pu et j'ai bloqué ma respiration. « Pourquoi ? » Ma voix était blanche.

« Oh… » Elle a appuyé son front sur la fenêtre. « J'ai l'habitude de voir les choses simplement comme on me les présente. Je préférerais que tu ne tiennes pas de moi. C'est une de mes faiblesses. » Elle a tambouriné du bout de son ongle sur le carreau. On aurait dit qu'elle envoyait un signal à quelqu'un dans le noir. Elle a retiré ses lunettes, soufflé sur les verres, qu'elle a nettoyés avec la manche de sa blouse. « Ta sœur n'est pas comme ça.

— Elle est bien plus maligne que moi. » Je me suis promptement frotté les yeux puis essuyé la main sur ma jambe de pantalon pour ne pas me faire remarquer.

« Sans doute, oui. La pauvre. » Ma mère s'est retournée vers moi et elle a souri de ce sourire amical. « Pourquoi tu ne retournes pas te coucher, à présent ? On s'en va demain matin. Le train part à dix heures trente. » Elle a posé un doigt sur sa bouche pour me signifier de ne rien dire. « Inutile d'emporter autre chose que ta brosse à dents. Tu laisses tout à la maison, d'accord ?

— Je peux emporter mes pièces d'échecs ?

— D'accord. Mon père joue aux échecs. Il y jouait, en tout cas. Ça vous fera de quoi batailler. Allez, vas-y, maintenant. »

Je suis sorti de leur chambre, elle s'est remise à sa valise. Tout ce que j'aurais voulu dire ou demander, sur la police, l'école, la fugue de Berner, pourquoi nous partions, mes remarques, mes questions, je n'en avais placé aucune. Comme je l'ai déjà dit : on s'activait autour de moi. Mon rôle à moi, c'était de trouver le moyen d'être normal. Et pour ça, les enfants n'ont pas leur pareil.

## 27

Plus tard, ma mère est venue glisser une couverture sèche à l'endroit mouillé de mon matelas. J'ai gardé les yeux fermés, mais je sentais l'odeur de naphtaline de la couverture. Ma porte s'est refermée sans bruit, et je l'ai entendue frapper à celle de Berner. Berner a dit : « J'ai mal au ventre. » Ma mère a dit : « Tu vas t'y faire ; je t'apporte une bouillotte. » La porte s'est refermée, et au bout d'un moment, ma mère est revenue dans la chambre de ma sœur, et elles ont parlé encore un peu. Les ressorts du lit de Berner grinçaient. « Bien sûr, bien sûr », j'ai entendu dire ma mère. Puis les pas sont retournés à la cuisine, où un robinet s'est mis à couler.

La pluie avait cessé complètement, et un air frais filtrait à travers ma chambre. Je me disais qu'on devait entendre le feu d'artifice de la foire, et j'ai relevé le panneau de la fenêtre. Mais je n'ai entendu que les hauts-fourneaux qui sifflaient à la fonderie, et une sirène, là-bas en ville. Dans l'air planait un fort effluve de vaches, venu des quais de marchandises. J'ai entendu les pas de mon père, puis leurs deux voix qui parlaient. Ils ont échangé des phrases brèves et sèches, ponctuées de silences, comme s'ils n'avaient pas grand-chose à se dire. Peu après, ma mère – j'ai reconnu sa démarche – est allée dans leur chambre et en a fermé la porte. Mon père est retourné sur la galerie et il s'est assis sur la balançoire ; la porte moustiquaire a battu en grinçant.

Alors j'ai pensé à Seattle pendant un temps. Je n'avais pas vu beaucoup de villes, et aucune grande. L'image qui me venait de

Seattle, c'était celle du soleil qui s'élevait très lentement au-dessus d'un océan obscur, avec des immeubles qui se découpaient en ombres chinoises à mesure que la lumière les gagnait. Mais à cet instant, je me suis souvenu que le soleil se levait à l'est. La lumière frapperait donc les immeubles de l'autre côté. J'ai essayé d'imaginer la Space Needle, à quoi elle ressemblerait. Une grande aiguille, pointée haut vers le ciel. Et puis j'ai dû m'endormir. La dernière chose dont je me rappelle, c'est que je m'étais trompé sur le lever du soleil et que je n'allais pas m'en vanter.

Au cours de la nuit, je me suis levé pour aller aux toilettes et j'ai trouvé mon père tout seul devant sa table à jeux, son puzzle des chutes du Niagara étalé devant lui comme un festin. Côté rue, toutes les lumières de la maison étaient allumées. Les chutes du Niagara étaient presque complètes. Il ne restait plus que quelques fragments de ciel irréguliers à placer. Mon père ne s'était pas changé depuis l'après-midi, il avait gardé sa chemise blanche, à présent froissée, son jean et ses bottes éraflées à la pointe. Pourtant, il s'était rasé et il sentait le bain. Il a tourné la tête dans ma direction, content de me voir, apparemment, alors que j'avais l'intention de me recoucher tout de suite.

Il s'est mis à parler, simplement. « Tu sais, quand j'étais gosse, à ton âge... » Il a manipulé une pièce du puzzle et l'a soulevée pour l'inspecter, et puis il a tenté un espace vide dans le ciel, où elle s'est adaptée parfaitement. Il avait encore du cirage sous les ongles. « J'étais franchement bon en sport. C'était crucial à l'époque. On n'avait pas tant d'autres sujets de contentement. Tu sais ce que c'était que la Grande Dépression, bien sûr... ? »

J'avais déjà étudié Roosevelt et Hoover, les marches de travailleurs, les soupes populaires, en instruction civique. J'ai dit : « Oui, père.

– Et donc... » Il a essayé une autre pièce avec circonspection ; ce n'était pas la bonne. « J'avais des capacités en sport. À la fois

CANADA

au football et au base-ball. Sauf que personne ne m'a jamais rien appris. Tu comprends ? Ils te montraient rien, les entraîneurs. Tu étais doué, c'était le système D. Pour moi ça a été le système démission. » Il s'est éclairci la voix et il a dégluti. « C'est ce qui m'a amené à m'engager dans l'armée. Pas tout de suite, mais au final. » Il a pris une pièce plus petite et l'a délicatement enfoncée entre les autres ; il a chantonné de satisfaction en la voyant s'encastrer. Il ne restait plus que quatre pièces à caser. Il s'est retourné sur son siège et m'a inspecté. J'avais mon bas de pyjama rayé bleu et blanc, et j'étais pieds nus.

« Pourquoi tu ne dors pas, tu as de gros tracas ?

— Non, père », j'ai répondu. J'en avais, pourtant. L'école, le départ, pourquoi il ne venait pas avec nous. Pourquoi la police nous suivait et passait devant chez nous. Des tracas, ce n'était pas ce qui me manquait.

« Bon, formidable. C'est ce qu'il faut quand on a quinze ans. Quinze ans, c'est bien ça ? » Il s'est détendu sur sa chaise.

« Oui, père. »

Il s'est servi d'une pièce du puzzle pour se gratter dans l'oreille. « Ta mère me fait des cachotteries, je crois. Depuis toujours, peut-être. Elle a le projet de changer de vie. Je ne le lui reproche pas. Mais je ne regrette pas de l'avoir épousée. Sans ça, on ne vous aurait pas, ta sœur et toi. » Il a examiné la pièce du puzzle comme si elle présentait un intérêt parti-culier. « Elle m'en veut un peu en ce moment. Elle fera le point quand vous serez à Seattle. Elle est allée à la fac, elle, contrairement à moi.

— Pourquoi tu n'y es pas allé ? » J'aurais voulu lui deman-der pourquoi il ne venait pas avec nous, pourquoi elle lui en voulait, mais voilà ce que je lui ai demandé à la place. J'avais toujours voulu le savoir.

« La question ne s'est pas posée. » Il a dit ça sans s'émouvoir. « On a considéré que j'étais bien assez intelligent. Pour l'avenir qui m'attendait. Ce qui était sans doute exact.

– Tu nous accompagnes à Seattle ? » Je savais bien qu'il ne nous accompagnait pas, mais je voulais faire celui qui croyait encore la chose possible.

« Je suis très bien ici, je te l'ai dit cet après-midi. Vous me trouverez à votre retour. C'est le projet de ta mère.

– Est-ce que tu vas retourner travailler ? »

Il a fait un large sourire et s'est remis à se gratter l'intérieur de l'oreille avec sa pièce de puzzle. « S'ils veulent me reprendre. Je débute à peine. Mais je crois que j'ai le truc. »

Il a brandi la pièce, l'a tournée et retournée pour que je la voie bien. Il nous avait fait ce tour cent fois, à Berner et à moi, quand on était petits. Il a écarquillé les yeux. Son sourire tremblotait aux commissures de ses lèvres, comme s'il était pris d'un doute, ce qui n'était pas le cas. Tout à coup, il a lancé la pièce dans sa bouche, l'a mâchée et avalée d'un grand coup de gosier théâtral, après quoi il s'est raclé la gorge et a toussé avec exagération. « Fameux, dis donc ! Les pièces de puzzle, c'est meilleur que les sous et les boutons.

– Elle est dans ta main, j'ai dit, en touchant mon oreille où ces objets resurgissaient souvent.

– Je l'ai mangée. Tu en veux une ? Il m'en reste trois. » Il a pris l'une des dernières.

« Elle est dans ta main », j'ai répété.

Il a posé les mains sur ses genoux et il les a tapotés avec un hochement de tête. J'attendais qu'il fasse reparaître la pièce. « Au lit, colonel. Tu as eu une journée bien remplie, comme nous tous. » Il a tendu la main pour m'attraper par l'épaule et m'a serré dans ses bras ; j'ai senti son grand corps, tout chaud, à l'odeur citronnée. Il m'a donné trois claques dans le dos, puis m'a repoussé à bout de bras, avec une expression sérieuse. J'attendais toujours de voir ressurgir la pièce du puzzle. Comme un imbécile. « On va travailler ton corps quand tu reviendras. Il va falloir que tu te fasses des muscles. Quand je te reverrai, on va s'y employer.

– Où elle est, la pièce du puzzle ? »

Il a désigné son ventre du doigt en le regardant. « Là-dedans. C'est pas un tour de passe-passe à chaque fois. Voilà le secret du magicien. Bonne nuit.

– Bonne nuit », j'ai dit. Je suis retourné dans ma chambre, j'ai fermé la porte et je me suis endormi dans mon lit froid.

## 28

Le soleil qui pénétrait dans ma chambre à travers les feuilles mouillées dessinait un treillage sur le sol et au pied de mon lit. Les cloches dominicales des luthériens m'avaient tiré du sommeil. J'étais resté un moment éveillé dans la nuit, ou alors, j'avais fait un rêve tellement intense que je croyais l'avoir vécu en vrai. Une chauve-souris s'était prise dans le grillage de ma moustiquaire. J'étais sorti du lit et j'avais soulevé le panneau et tapoté le grillage avec une gomme à crayon, en prenant bien soin de ne pas blesser l'animal. J'avais vu son petit visage humain grimaçant, sa peau grise soyeuse, ses ailes qui palpitaient. Elle m'avait fixé comme si je l'avais appelée. J'avais tapoté légèrement la moustiquaire, la chauve-souris avait regardé à droite et à gauche. Puis elle avait disparu, libérée, le grillage était vide.

Une voiture stationnait dans l'allée du garage, juste devant, moteur tournant, gaz d'échappement plombant l'air. Tout d'un coup, une lumière s'était allumée à l'intérieur du véhicule. Il y avait deux hommes en costume dedans. Le passager lisait quelque chose au conducteur. Il tenait un bout de papier blanc à la main. Ils étaient penchés en avant, tous les deux, et ils regardaient notre maison entre les piquets de la corde à linge. Ils ne pouvaient pas me voir, il n'y avait pas de lumière derrière moi. L'un des deux m'avait montré du doigt, pourtant, et leur lampe s'était immédiatement éteinte. Le moteur était monté en régime. Les pneus avaient éclaboussé le gravier humide. C'est là que le rêve s'était achevé.

J'ai entendu la voix de Berner, au bout du couloir. J'étais allongé dans mon lit, les yeux au plafond, observant les taches d'eau y dessiner les cartes aux contours rouillés des États de l'Union. Depuis combien de temps sonnaient les cloches des luthériens, je l'ignorais. Un chien s'est mis à hurler dans une rue derrière la nôtre. Peut-être que notre voyage à Seattle était reporté. Si je restais au lit, on l'oublierait peut-être. Je ne voulais pas y aller.

J'ai entendu ma mère parler à Berner d'une voix sèche. Presque aussitôt, ma porte s'est ouverte, et ma mère est entrée, l'air contrarié et décidé. « Je t'ai laissé dormir, mais il faut qu'on parte, à présent. » Elle avait retiré d'un oreiller une taie rose festonnée de blanc. « Mets ce que tu emportes là-dedans. » Elle a fait un pas pour laisser tomber la taie sur mon lit. « Ne va pas t'encombrer. On t'achètera des affaires neuves sur place. » Elle m'a regardé avec insistance. J'étais dans les draps jusqu'au menton, le soleil divisait le plancher et un pan du mur blanc. Notre mère avait remis la jupe du tailleur en lainage vert à carreaux roses, qui la faisait paraître plus petite et plus jeune ; mais elle avait passé un corsage blanc. Ses traits se fronçaient autour de son nez et de ses lunettes. « Ta sœur est habillée. Ne m'oblige pas à te le dire deux fois. » Elle a disparu, laissant ma porte ouverte en guise d'avertissement.

J'ai enfilé mes vêtements en vitesse. Apparemment, je n'avais pas le temps de prendre un bain. Dans la taie, j'ai glissé mon jeu d'échecs en balsa, mes magazines *Chess Master*, mon manuel, *Chess Fundamentals*, et le livre sur les abeilles que j'avais emprunté à la bibliothèque et comptais bien rendre. J'ai aussi mis deux tomes du *World Book*, le A et le M, qui étaient plus épais que les autres et contenaient plus d'informations. Et puis une paire de chaussettes, un slip Jockey, un T-shirt, et rien d'autre puisque mon père avait dit qu'on reviendrait. Je suis allé dans la salle de bains me laver les dents, le visage et sous les bras (« le bain de l'aviateur », disait mon père). Je me suis peigné et j'ai mis du Wildroot que mon père voulait bien partager avec moi. Je ne l'avais pas encore vu, mais j'avais entendu sa voix. « Il faut qu'ils mangent, ces enfants », il avait dit. « Ils mangeront dans le train », avait répondu ma mère sur un ton agacé.

Berner était dans le séjour, elle attendait, vêtue de sa robe à pois gris et bleus, avec des tennis blanches et des socquettes blanches. Elle avait tiré ses cheveux en arrière en les rassemblant en buisson derrière, selon son habitude. Elle ne portait pas de rouge à lèvres. Elle était assise sur le canapé, ses genoux piquetés de taches de rousseur bien serrés, elle était pâle et irritée, comme si elle avait encore mal au ventre. Elle avait calé entre ses pieds sa petite mallette verte – cadeau de mes parents pour nos quinze ans. La valise avait un imprimé crocodile ; elle ne s'était pas cachée de la trouver hideuse. On l'avait gagnée à une tombola de la base. Quand je suis passé devant la porte du séjour pour aller dans ma chambre, elle m'a regardé derrière ses lunettes avec une expression atone. Le puzzle des chutes du Niagara était toujours sur la table à jeux. Il ne lui manquait que la pièce avalée par notre père. On ne pourrait jamais le finir, maintenant, il ne valait plus rien.

À cet instant, notre père est sorti de la cuisine, habillé comme au milieu de la nuit. Grand, détendu, il semblait d'excellente humeur, malgré ses joues pas rasées et son teint gris. « Tu es une grande fille à présent, il a dit à Berner. Tu n'as pas l'air d'aller fort, tu ferais mieux de rester à la maison avec moi. » Comme de toute évidence, elle allait protester, la voix de ma mère s'est fait entendre depuis la cuisine : « Ne l'embête pas, je te prie. Elle va très bien. »

Mon père a jeté un coup d'œil circulaire dans le séjour, comme s'il avait là un auditoire nombreux. Il m'a vu, il m'a souri et adressé un clin d'œil. « C'est ma fille, il a dit tout fort. Je ne l'embête pas, je lui parle. Je m'occuperai de ton poisson en ton absence. »

C'est alors que la sonnette de la porte a retenti à travers la maison. Mon père m'a regardé. Il souriait toujours. Il a écarté les bras en signe d'impuissance, ainsi que je l'avais déjà vu faire pour exprimer sa stupéfaction – paumes en l'air, comme s'il pleuvait depuis le plafond. « Tiens, je me demande qui ça peut être, il a dit en traversant le séjour pour aller ouvrir. C'est peut-être les mormons qui apportent la bonne nouvelle que nous attendons tous. Il suffit d'aller voir, hein… »

Depuis la cuisine, ma mère a lancé : « Qui est-ce ? » Elle a laissé tomber une assiette, qui s'est brisée sur le sol au moment même où mon père ouvrait la porte aux nouvelles – bonnes ou moins bonnes – qui nous attendaient.

# 29

Le temps doit se décompter autrement dorénavant. La journée et la matinée qui ont suivi, jusqu'au lundi midi, les heures sont passées au galop, dans la confusion. Je me rappelle certains détails, mais avec peu de liens entre eux. Jusque-là, le temps s'était écoulé presque d'une seule pièce, dans l'ordre durable de la vie de famille. Aujourd'hui encore, il m'arrive de penser que les deux jours suivants n'ont pas eu lieu, ou que je les ai rêvés, ou que la mémoire me joue des tours. Mais on aurait tort de vouloir passer à la trappe des événements, même néfastes, car ils sont la seule voie qui nous mène au présent.

Il y avait deux hommes imposants sur le perron quand notre père a ouvert la porte. Notre mère est sortie de la cuisine et elle s'est assise à la table de la salle à manger. Elle avait posé sa valise à côté du canapé, où Berner s'était installée, sa mallette verte entre les pieds. Moi j'étais dans le couloir, je tenais dans mes bras la taie d'oreiller rose avec mon jeu d'échecs et mes livres. Notre mère n'avait pas pris la peine de ramasser les bris de l'assiette qu'elle avait laissée échapper.

« Eh salut, Bev », a dit l'un des deux hommes devant la porte. Ils portaient tous deux un costume dont la veste était débou-tonnée. Et tous deux un chapeau d'été à bord cassé. C'étaient des hommes corpulents, plus massifs que mon père, quoique pas plus grands. C'étaient les hommes qui roulaient derrière nous dans la Ford noire et qui stationnaient derrière la maison dans ce que j'avais pris pour un rêve. Le plus corpulent, qui était aussi le plus âgé, avait un visage rougeaud et large, aux chairs molles, avec de gros sourcils et un cou épais sans démarcation avec son menton. Il portait des lunettes. C'était le passager, celui qui m'avait montré du doigt. C'étaient des policiers.

Notre père a jeté un coup d'œil derrière lui, en direction de notre mère. Il a souri, comme si le fait que la police sache son nom et son adresse avait quelque chose de comique.

« Pourquoi tout ce barouf, les gars ? » a demandé notre père avec emphase. Les deux hommes s'encadraient dans la porte. Ils étaient trop larges pour y tenir à deux, et il leur avait fallu se mettre chacun de trois quarts.

« Quel barouf, Bev ? » a dit le gros policier en avançant imperceptiblement, avec un regard de côté pour voir ce qu'il y avait à voir dans notre séjour. Sa bouche semblait prête à sourire, mais pas franchement. L'autre était plus jeune et plus élancé, mais massif tout de même, le visage épais, les yeux en fente. On m'avait dit que ce type de physique dénotait une ascendance finlandaise. Lui aussi tâchait de voir à l'intérieur. « Vous êtes seuls, Bev ? » a dit l'aîné des policiers. Mon père a fait un pas en arrière, bras écartés du corps, et il a promené le regard autour de la pièce lui-même.

« Qui d'autre ? » Il paraissait prendre la situation de façon tout à fait détendue.

« Auriez-vous un pistolet sur vous, par hasard ? » Le policier costaud a tendu sa grande main et il a touché l'épaule de mon père. Ils étaient entrés dans le séjour tous les deux, maintenant. La pièce était pleine, il ne restait plus de place. Six personnes. On n'avait jamais été autant. J'entendais respirer le plus âgé des policiers.

« Bien sûr que non. » Mon père a baissé les yeux sur sa poitrine, comme si c'était l'emplacement éventuel d'une arme. « Je n'en possède pas. » Son accent du Sud était plus marqué, à présent.

« Il n'y en a pas un quelque part dans la maison ? » Le regard du policier allait et venait. Ses verres de lunettes agrandissaient ses yeux bleu pâle.

« Non, monsieur, il n'y en a pas dans cette maison, a dit mon père en secouant la tête.

– Vous vous êtes rendu dans le Dakota du Nord, récemment, Bev ? » Le policier costaud n'affichait pas un sérieux excessif, on aurait dit une conversation anodine. Il a fait un pas vers moi en passant devant mon père. Je restais près de la porte du couloir. Il s'est penché en avant pour jeter un coup d'œil vers la salle de bains et la chambre de nos parents. Celui qui était plus grand, et plus jeune, ne quittait pas des yeux mon père comme si c'était la tâche qui lui incombait.

« Comment ça va, petit ? » Le costaud a posé sa main sur mon épaule. Il sentait le cigare et le cuir. Il portait des caoutchoucs avec de la boue dessus. Des petits bouts de terre s'étaient déjà détachés sur notre plancher tout propre.

« Bien », j'ai dit. Il avait un insigne doré fixé à sa ceinture, sous sa veste. Son ventre tendait sa chemise blanche. Il portait un minuscule badge triangulaire doré au revers de sa veste.

« Vous partez en voyage ? » il a demandé sur un ton cordial. J'ai regardé ma mère.

« Nous allons à Seattle. Par le train, aujourd'hui. Voir leurs grands-parents », a-t-elle répondu.

« Je ne me suis pas rendu dans le Dakota du Nord », a dit mon père.

Le policier costaud gardait la main sur mon épaule. Il a évalué du regard la cuisine, où l'assiette cassée était restée sur le linoléum. « Elle est à vous la Chevy, derrière la maison ?

– Oui, elle est à moi, a confirmé mon père. Ça ne fait pas longtemps que je l'ai.

– Mais ça fait tout de même un jour ou deux, non ? » a demandé le policier. Je ne voulais pas bouger, tant qu'il avait la main sur moi.

« Ah oui », a dit mon père. Il a fait un petit sourire à ma

mère, comme si la question était amusante. Tout son visage était mobile, ses yeux allaient d'un point à un autre, sa bouche donnait l'impression de remuer avant même qu'il parle. Il avait une petite perle de salive aux commissures des lèvres. Il a projeté sa langue pour la lécher, ce qui a fait saillir ses maxillaires. Ses mains ballaient le long de son corps, comme s'il s'apprêtait à faire un geste imprévisible.

« Vous pourriez peut-être aller dans vos chambres, les enfants », a dit notre mère.

Berner s'est levée aussitôt, elle a pris sa mallette et fait mine de s'engager dans le couloir. Mais le costaud a levé la main en disant : « Il vaut mieux qu'ils restent ici, je crois. » Il m'a tiré vers lui, et j'ai senti son arme sous sa veste. Berner s'est arrêtée pile, elle a regardé notre mère. Elle pinçait les lèvres, signe d'irritation chez elle.

« Faites ce qu'on vous dit », a rectifié ma mère. Berner est revenue avec raideur et elle s'est rassise sur le canapé, sa mallette sur les genoux.

Le costaud s'est approché du piano et il s'est penché pour observer de plus près le certificat de démobilisation de mon père et la photo du président Roosevelt, ainsi que le métronome.

« Vous possédez toujours votre combinaison de l'Air Force ? » Le policier a placé ses lunettes au bout de son nez et s'est approché du certificat comme s'il s'y intéressait.

« Fichtre, non, a répondu mon père. J'ai quand même mieux à me mettre. Je suis dans la vente de fermes et de ranches, à présent. » Je ne voyais pas du tout à quoi rimait ce mensonge.

« Comment vous appelez-vous, jeune fille ? a fait le policier qui s'était retourné pour regarder Berner, tandis que son cadet tenait mon père à l'œil.

– Berner Parsons », a dit Berner. Ça paraissait déplacé de l'entendre dire son nom dans notre maison.

« Tu es allée faire un tour dans le Dakota du Nord, récemment, Berner ?

– Non.

– Ne lui réponds pas, a dit ma mère, hors d'elle, tout à coup, sans quitter sa chaise pour autant. C'est une enfant.

– Tu n'es pas obligée de me répondre, c'est certain. » Le sourire que le policier a adressé à mon père a fait enfler ses joues rouges et hausser ses sourcils. Il a replacé ses lunettes sur le haut de son nez et glissé les pouces dans les passants de sa ceinture pour remonter son pantalon, découvrant des chaussettes blanches au-dessus de ses caoutchoucs. Il a poussé un soupir. « On pourrait peut-être sortir, Bev, pour échanger quelques mots. Pendant ce temps-là, Bishop va faire la conversation au reste de la famille. » Il a adressé un signe de tête à l'autre policier, qui s'est effacé pour le laisser sortir.

« OK », a dit notre père, avec un accent du Sud très marqué à présent. Il balançait toujours les bras le long du corps et regardait à droite et à gauche comme s'il était le point de mire. Il ne se montrait pas sous son meilleur jour. Il semblait désemparé. Cette image est demeurée dans ma mémoire.

Le policier nommé Bishop a tendu le bras derrière lui et il a ouvert la porte moustiquaire. Le soleil perçait entre les arbres et réchauffait l'air ambiant. La pluie de la nuit étincelait sur notre pelouse. Les luthériens convergeaient vers l'église. Notre père s'est dirigé vers la porte, guidé par le policier au gros ventre, qui avait posé la main sur sa nuque. « De quoi va-t-on parler ? » a demandé notre père en sortant sur le perron. Il passait la main dans ses cheveux et suivait des yeux le trajet de ses bottes.

« Bah, on trouvera bien quelque chose, a dit le costaud, sur ses talons.

– Tu n'es pas tenu de dire quoi que ce soit, lui a crié notre mère.

– Je le sais bien », a répondu notre père.

L'autre policier, Bishop, a refermé la porte vitrée. Je ne voyais plus rien de ce qui se déroulait dehors, et puis nous nous sommes retrouvés seuls tous les quatre dans notre maison.

# 30

Il pouvait s'être écoulé cinq minutes comme il pouvait s'en être écoulé quinze. Nous étions dans la maison avec le policier nommé Bishop. Les cloches des luthériens avaient encore sonné plusieurs fois. Les portes de l'église étaient fermées, l'office avait commencé.

Le soleil tapait sur le toit, l'air était chaud et immobile, dans le séjour. En temps normal, nous aurions déclenché la ventilation, mais personne n'a bougé. J'ai posé ma taie d'oreiller sur le tabouret du piano. Ma mère ne me quittait pas des yeux, comme pour me signifier de penser à quelque chose. Je ne savais pas à quoi. Je me demandais ce dont mon père n'était pas tenu de parler. Je présumais que la police n'allait plus tarder à partir et qu'on en parlerait entre nous. On avait raté le train, maintenant.

Le jeune policier était assis dos tourné à la porte, mains dans les poches de sa veste. Il mâchait du chewing-gum et, à un moment donné, il a retiré son chapeau pour s'éponger le front avec un mouchoir blanc. Il avait les cheveux courts, blond-blanc, et il paraissait plus jeune sans son chapeau. Je lui donnais dans les trente ans, mais j'avais du mal à juger de l'âge des gens. Ses cheveux, la largeur de son visage et ses yeux en fente n'allaient pas ensemble, mais semblaient naturels chez un policier. Il devait bien être le genre de Berner. Il avait une lueur de folie dans le regard, un peu comme Rudy.

« Tu vas en classe ? » il m'a demandé. Ma mère continuait à

me fixer, mais n'a rien dit. Je ne savais pas ce qu'elle voulait que je fasse ou ne fasse pas. Berner se tortillait dans ses vêtements. Elle a posé sa mallette verte et poussé un gros soupir pour signifier son agacement.

« Oui », j'ai dit.

Il s'est essuyé les yeux avec son mouchoir, l'a plié et rangé dans sa veste, puis il a remis son chapeau sur la tête. Un chapeau qui le faisait paraître trop jeune pour porter un chapeau.

« À Meriwether Lewis, j'ai dit.

– Déjà ? » Il a semblé étonné. « Tu as l'air bien petit, pourtant. » J'ai regardé ma mère. Je ne savais pas ce qu'elle avait en tête. « J'y suis allé il y a quinze ans, moi aussi. J'ai des gosses à présent. » Il s'est tourné vers ma mère et ses yeux se sont attardés sur elle. « Vous connaissez du monde à Great Falls ? » Il lui a dit ça. Ma mère a levé le regard sur lui et puis l'a baissé sur ses mains croisées sur la table. Tout à coup, elle l'a posé sur la fenêtre côté rue, par laquelle elle apercevait peut-être mon père et l'autre policier. « Vous êtes les parents naturels de ces enfants ? » a demandé Bishop, voyant qu'elle ne répondait pas à sa première question. Il s'appuyait au chambranle de la porte, les yeux sur ma mère comme s'il la trouvait étrange, ce qui devait être le cas.

« Ça vous regarde ? lui a-t-elle répliqué.

– Non, a fait Bishop. Je ne dirais pas ça. » Il a tiré sur le lobe de son oreille gauche et il a souri. Le regard de ma mère s'est dirigé vers la fenêtre.

Le policier qui était devant la maison a ri, comme si mon père et lui s'amusaient d'une bonne blague. Je les entendais à travers la porte vitrée. Ça m'a fait penser que tout s'était arrangé. Le policier a dit : « Bah, c'est logique, Bev, c'est notre boulot. »

« Vous n'avez pas des têtes de braqueurs de banque, vous deux. Vous avez plutôt des têtes à travailler dans une épicerie », a dit Bishop.

Pendant un instant, je n'ai pas pu inhaler d'air dans mes

poumons : ma respiration s'est bloquée. Ma bouche s'est ouverte pour parler, mais les mots ne sortaient pas. J'ai fermé la bouche et essayé de respirer à fond. Je ne voulais pas regarder Berner.

« Ça non plus, ça ne vous regarde pas, a rétorqué ma mère.

– Alors là, détrompez-vous », a dit Bishop.

Quelqu'un parlait de l'autre côté de la porte vitrée. Un pas lourd cognait les planches de la galerie. Ma mère n'a pas bougé de la table de la salle à manger. Mon cœur s'est mis à tambouriner dans ma poitrine. J'aurais voulu qu'elle affirme qu'il n'y avait pas de braqueur de banque parmi nous. Mais elle s'est contentée de me regarder. « Ta sœur et toi, ne bougez pas d'ici. Restez à la maison, elle nous a dit. Vous comprenez ? Ne quittez la maison avec personne d'autre que Miss Remlinger. C'est clair ? » Sa main droite serrait sa main gauche, puis sa gauche sa droite.

La porte d'entrée s'est ouverte – on ne s'y attendait pas – et le gros policier est entré d'un pas décidé. Il tenait à la main son chapeau de paille. Sa tête était presque chauve, toute ronde, avec des plaques rouges. Je voyais notre père dehors, sur la pelouse, mains dans le dos. Il souriait en direction de la porte, secouait la tête et criait quelque chose. J'ai pensé qu'il s'adressait à moi, mais je ne comprenais pas ce qu'il disait.

« On va plus à Seattle ? » a demandé Berner. Elle était toujours assise sur le canapé, dans sa robe à pois ; elle ne pouvait pas voir la porte.

« Faites ce que je vous dis, c'est tout, a répondu notre mère.

– Je vais devoir vous demander de vous lever, maintenant, madame Parsons », a dit le policier costaud. L'entendre appelée madame Parsons était inattendu et déconcertant.

À ce moment-là, il s'est fait un grand remue-ménage dans la pièce. Chaussures et chaises contre le parquet ; tissus qui frottent ; cuir qui plisse ; respiration laborieuse. Bishop a sorti une paire de menottes chromées ; lui et le policier chauve ont fait le tour de la salle à manger pour mettre les mains sur

les épaules de ma mère. « Allez, Neeva, levez-vous bien gentiment », a dit le costaud. Il a posé son chapeau sur la table.
Notre mère est restée assise, elle n'a pas fait un geste ; elle
s'est raidie, muette – malgré ses lèvres entrouvertes. Les deux
policiers qui l'encadraient l'ont soulevée par les bras ; ils les lui
ont repliés dans le dos en lui joignant les mains. Elle n'a pas
résisté, mais durant l'opération, ses mains avaient tremblé, elle
a cligné des yeux à plusieurs reprises derrière ses lunettes, puis
elle les a levés. Le policier costaud a pris les menottes et les
a refermées avec précaution sur ses poignets. « Pas trop serré
pour les dames. » Il a souri en disant ça.

Notre père avait continué de parler tout seul, dehors. « Ça
pourrait être bien pire », l'ai-je entendu dire. Quelques luthériens étaient sortis de leur église et le regardaient. Un homme
en chapeau de cow-boy avait dit quelque chose que je n'avais
pas entendu. « Ça va, ça va, lui a crié mon père. La foire a
plié bagage. Il n'y a rien à voir. »

« J'ai deux enfants, ici », a dit ma mère aux policiers qui
s'étaient mis en devoir de la faire avancer tant bien que mal
le long de la table, mains menottées dans le dos. Comme elle
était petite, ses bras avaient du mal à se rejoindre. Il n'est
pas facile de décrire ce que j'ai vu. L'odeur de cigare du gros
policier planait dans toute la pièce, comme s'il l'avait fumé là.
Il respirait avec raideur. Les pieds de ma mère n'avançaient
pas de leur plein gré, mais elle ne luttait pas non plus, et elle
ne disait rien, sinon qu'elle avait deux enfants. Elle a braqué
les yeux devant elle, pas sur moi, comme si elle exécutait un
mouvement difficile.

« Oh oui, je le sais bien, a fait le costaud en la poussant avec
une délicatesse presque excessive. Je le sais.

– Dis-nous où vous allez », a lancé Berner. Elle semblait
calme, mais elle était sous le choc, comme moi. Nous n'avions
pas la moindre idée de ce qu'il fallait dire ou faire. « Vous nous
trouverez à votre retour », elle a dit. Les policiers entraînaient

notre mère vers la porte d'entrée. Notre père était sur le trottoir ; il parlait comme un dément. Ma sœur et moi, on observait tout ça. Une situation pareille, on ne l'imagine pas à l'avance.

À ce moment-là, je me suis levé du tabouret de piano ; j'avais l'impression qu'il fallait que je sois debout. Mon cœur cognait toujours, mais en même temps j'étais calme, comme s'il n'y avait rien autour de moi.

« Rappelez-vous ce que j'ai dit. » Notre mère parlait sans se retourner. Ils étaient sur le perron et elle descendait les marches en regardant où elle mettait les pieds, elle paraissait encore plus petite entre ces deux policiers qui la tenaient chacun par un bras. « Ne bougez pas jusqu'à ce que Mildred vienne vous chercher. »

Le policier corpulent s'est retourné sur la dernière marche et il m'a dit : « Apporte-moi mon chapeau, fiston. » Il était resté sur la table de la salle à manger.

J'ai traversé la pièce, j'ai pris le petit chapeau de paille – il était incroyablement léger et il sentait la sueur et les cigares. Je me suis avancé sur le perron et je le lui ai tendu. Il l'a lancé sur sa tête chauve de la main qui ne tenait pas le bras de ma mère.

« Quelqu'un va venir s'occuper de vous, les enfants », il a dit.

Le visage de notre mère s'est dirigé vers moi en un éclair. Berner m'avait rejoint à la porte. Dans ma mémoire, je revois le visage de ma mère sur fond d'obscurité. « Vous allez leur ficher la paix, elle a répliqué d'une voix furieuse. J'ai pris des dispositions. (Ces derniers mots s'adressaient à moi.)

– Ils relèvent de la Protection des mineurs à présent, a dit le costaud en lui serrant le bras plus fort. Ça ne vous concerne plus.

– Je suis leur mère. » Elle lui a jeté un regard noir.

« Il fallait y penser avant. Ils sont sous l'autorité de l'État du Montana, maintenant. »

À eux deux, ils ont entraîné ma mère sur la portion de trottoir où se trouvait mon père, mains entravées derrière le dos, hilare, les yeux ronds. Il restait des confettis de la veille sur le trottoir.

« Est-ce que j'aurai le droit de voir un avocat ? » a dit mon père. Il paraissait d'excellente humeur. « Je ne crois pas en connaître. »

– Vous n'en aurez pas besoin, Bev. » Le policier nommé Bishop l'a conduit sans le lâcher vers la voiture de police, dont il a ouvert la portière arrière.

– Vous savez, m'est avis que c'est pas la peine de faire ça. » Mon père tournait la tête vers moi. « M'est avis », il a dit. Je ne l'avais jamais entendu prononcer cela.

« Détrompez-vous », a dit Bishop.

Au moment où on faisait monter ma mère sur la banquette arrière, ses lunettes ont glissé de côté, vers son oreille. Le costaud, qui la tenait par le bras, les a remises en place, délicatement. Elle s'est retournée vers moi de nouveau, par la portière ouverte, et elle a lancé : « Ne bougez pas de la maison, Dell. Ne suivez personne d'autre que Mildred. Sauvez-vous s'il le faut.

– D'accord », j'ai dit. Il m'a semblé qu'elle avait les yeux pleins de larmes.

Notre père était de l'autre côté de la voiture, sur la chaussée. Ils étaient en train d'appuyer sur sa tête pour l'y faire entrer. Tout à coup, il a regardé par-dessus le toit de la voiture. Ses yeux de fou m'ont trouvé et il m'a crié : « Je te l'avais bien dit. Ils n'ont rien de spécial, ces singes. » Le policier nommé Bishop a appuyé plus fort sur la tête de notre père et il l'a assis sans ménagement sur le siège arrière, où était déjà notre mère. Notre père a encore dit quelque chose, mais je n'ai pas compris quoi. Bishop a claqué la portière. Sur les marches de l'église où ils s'étaient avancés pour voir, les gens étaient plus nombreux à nous regarder. C'était devenu un spectacle, le pire était arrivé, et de la pire façon.

Bishop a fait le tour de la voiture de police pour prendre le volant, et l'autre policier, le plus âgé, s'est assis sur le siège passager. Le visage de ma mère s'est encadré dans la lunette arrière. Elle parlait avec colère, apparemment, à notre père, sur le siège à côté d'elle. Elle ne me voyait pas. La voiture de police a enclenché les vitesses, et elle a démarré lentement, vers le coin du parc. Je suis resté sur le perron et j'ai tout vu. J'ai laissé faire. J'ai laissé arrêter et emmener mes parents comme si ça ne me dérangeait pas. Le soleil déployait ses rayons entre les feuillages des ormes. L'air était lourd et tiède. Une vague odeur de diesel nous parvenait depuis la gare de marchandises. Là-bas, dans Central Avenue, la sirène a hurlé une seule fois, le moteur est monté en puissance, la voiture a pris de la vitesse. Les autres véhicules lui cédaient le passage. Alors je suis rentré pour ne pas demeurer là, à me donner en spectacle aux voisins, que je ne connaissais pas. Je ne voyais pas bien quoi faire d'autre. Je ne pouvais pas demeurer là. Et c'est la fin de la première partie de l'histoire.

# 31

Vous vous dites peut-être que voir ses parents menottés, traités de braqueurs de banque et conduits en prison tandis qu'on est abandonné à soi-même, il y a de quoi perdre la tête. Qu'on va traverser toutes les pièces de la maison en courant comme un fou, en se lamentant, en s'abandonnant au désespoir puisque rien ne rentrera plus jamais dans l'ordre. Et pour certains, ça se peut. Mais on ne sait pas à l'avance comment on réagira dans une situation pareille. Je vous garantis que presque rien de tout ça ne s'est passé, ce qui n'empêche pas que la vie ait changé à jamais.

Quand je suis rentré dans la maison, Berner était dans sa chambre et elle avait fermé sa porte. Je suis resté planté au milieu du séjour et j'ai regardé autour de moi, le cœur battant à toute vitesse, des fourmis dans les jambes. J'ai passé en revue les cadres au mur ; ceux qu'on avait trouvés en emménageant, et les quelques nôtres. La photo du président Roosevelt et le certificat de démobilisation de mon père. Il y avait ma taie d'oreiller avec mes effets ; la valise de ma mère ; la mallette à l'imprimé crocodile de Berner. Mes yeux ont fait l'inventaire des quelques livres sur la petite étagère de ma mère, du puzzle avec les chutes du Niagara sur la table à jeux, du piano éraflé et des quelques meubles de Montgomery Ward que nous avions apportés avec nous à Great Falls quand j'avais onze ans. Rien qui vaille grand-chose. Le tapis persan qui avait des taches ;

la télévision ; le tourne-disque de mon père ; le papier peint au motif de voiliers qui se répétait ; le plafond taché avec son anneau de lustre en forme de fruit, et sa rosace que mon père admirait. C'était sous ma responsabilité, tout ça, pour l'instant du moins. Il me fallait prendre la juste mesure des choses. Garder mon calme, procéder par ordre.

D'ailleurs, en cet instant, je n'ai pas pensé à nos parents, qui franchissaient la rivière direction la prison. Je ne me suis pas posé de questions sur la banque qu'ils avaient prétendument dévalisée. D'une part, il me semblait exclu qu'ils ne l'aient pas fait, puisqu'on était venu les arrêter pour ça et qu'ils n'avaient pas protesté de leur innocence. J'avais du mal à me représenter concrètement les hold-up et ceux qui les commettaient. Bonnie et Clyde ne ressemblaient guère à nos parents ; le cas des Rosenberg, que je connaissais, n'avait rien à voir avec le leur. Honnêtement, quand j'ai pensé à nos parents au fil de ces premières heures, ce n'était pas pour me demander s'ils avaient oui ou non dévalisé une banque. C'était plutôt pour me dire qu'ils avaient franchi un mur, ou une frontière, et que Berner et moi, on était restés de l'autre côté. Je voulais qu'ils reviennent. Leur vie était toujours notre vraie vie, la vie en grand, la vie des grands. Entre lesquels se vivait la nôtre. Mais il faudrait qu'ils repassent ce mur pour qu'elle reprenne son cours. Et sans trop savoir pourquoi, je doutais qu'ils le fassent. Peut-être que j'étais encore sous le choc.

Ce à quoi j'ai pensé presque tout de suite, c'était l'argent caché à l'arrière de la voiture. J'étais paniqué à l'idée qu'on – la police – mette la main dessus. Les mots AGRICULTURAL NATIONAL BANK, imprimés sur la bande qui retenait les billets, ne me disaient rien. Le policier corpulent avait prononcé le nom Dakota du Nord, mais mon père avait nié s'y être rendu. Il avait acheté la Chevrolet peu de temps auparavant, si bien que l'argent pouvait déjà y être, sans qu'il y soit pour rien, pas plus que dans le hold-up. Tout de même, je faisais le rapprochement. Peut-être y avait-il d'autres liasses dans la voiture. Il fallait les en retirer, quand bien même je n'avais pas la moindre idée de l'endroit où les mettre pour le cas où la police reviendrait perquisitionner la maison, comme je savais qu'elle le faisait en cas de vol.

Je suis sorti dans la cour par la porte de la cuisine. J'ai rampé sur le siège arrière tiède de la Bel Air, qui n'était pas fermée, et j'ai plongé la main entre les coussins, jusqu'à ce que je sente la liasse, fraîche et enveloppée bien serrée. J'ai enfoncé le bras jusqu'au coude et j'ai senti les boulons et le moulage du châssis, la poussière, la crasse. Je suis tombé sur un paquet de chewing-gums au clou de girofle non entamé et sur un bouton, ainsi que sur une enveloppe vide, à l'en-tête d'un certain hôpital Saint-Patrick, toutes choses que j'ai laissées où elles étaient ; mais pas sur d'autres liasses de billets, ni là, ni sous le siège avant, ni dans la boîte à gants, et j'ai décidé qu'il n'y en avait pas. J'ai fourré dans mon pantalon celle que j'avais trouvée, comme je l'avais fait précédemment, je suis sorti à quatre pattes et j'ai couru jusqu'à la maison, en espérant que la police ne m'y attendait pas déjà. Une fois à l'intérieur, j'ai placé les billets (je n'ai pas pensé à les compter, pourtant celui qui était sur le dessus était un billet de vingt) sous le casier à couverts, dans le tiroir de la cuisine. Du coup, le tiroir ne fermait plus ; alors, j'ai ressorti la liasse, j'ai déchiré la bande qui l'entourait, je suis allé la jeter dans les toilettes et j'ai tiré la chasse. C'était la chose à faire. Mes parents penseraient que j'avais agi sagement. J'ai remis la liasse dans le tiroir en faisant deux piles de billets que j'ai disposées côte à côte, de sorte que cette fois, le tiroir glissait : on n'y voyait que du feu.

Après ça, je suis retourné dans ma chambre, tout simplement ; aucun bruit ne provenait de celle de Berner, et je n'avais pas envie de lui parler. J'ai fermé ma porte, baissé le store. J'ai éteint le plafonnier et je me suis couché tout habillé – comme la veille. Je suis resté allongé sans bouger, à regarder ma poitrine

se soulever au fil de ma respiration, mon cœur battant à l'intérieur ; j'étais attentif à mon souffle, tâchant de le maîtriser en
prenant des inspirations profondes. C'était la méthode conseillée
par ma mère pour se rendormir quand on se réveillait la nuit,
la cervelle en effervescence, ce qui lui arrivait souvent, disait-
elle. Si je réussissais à m'endormir, je croyais possible qu'à mon
réveil, cette page serait tournée. Ou alors, tout ça n'aurait été
qu'un rêve, et je me réveillerais dans le train pour Seattle ; je
serais avec ma mère et Berner, en route vers une nouvelle vie,
une autre école où je ferais des connaissances. Il était midi et
demi ; ma Baby Ben retardait de dix minutes ; les cloches de
l'église luthérienne sonnaient de nouveau. Le chien à une rue de
nous s'est mis à hurler. Grand soleil dehors, dans ma chambre,
pénombre et fraîcheur. Des oiseaux chantaient ; quelque part
j'entendais goutter, goutter ; comme prévu, je n'ai pas eu de
mal à m'endormir ; j'ai dormi longtemps.

## 32

Il y avait une voix vivante dans la maison quand je me suis réveillé. J'ai supposé que c'était la police qui parlait à Berner et avait entrepris de chercher l'argent. Mon cœur s'était calmé, il s'est aussitôt remis à cogner. Le tiroir de la cuisine serait le premier endroit où regarder.

J'ai ouvert la porte de ma chambre brusquement, dans l'idée de faire peur à toute personne qui se trouvait là, et peut-être de la mettre en fuite. Mais c'était Berner qui parlait au téléphone, devant la chambre de nos parents. Elle était vêtue de son pyjama à éléphants bleus. Elle était pieds nus et elle enroulait et déroulait le fil autour de son pouce, passait un doigt dans sa tignasse, ce que lui disait son correspondant la faisait sourire. Sa voix était plus grave ; elle s'était maquillée et elle avait mis du rouge à lèvres. « Oh oui, elle disait. Je ne sais pas. Bonne idée. » Elle avait la voix de ma mère. Je ne savais pas avec qui elle parlait, mais j'ai supposé que c'était Rudy Patterson ; c'était la seule personne qu'elle connaissait – à ma connaissance – et elle m'avait raconté ce qu'ils faisaient ensemble.

J'ai été soulagé que ce ne soit pas la police. Pour autant, j'étais convaincu qu'elle allait revenir sans tarder. L'inspecteur le plus âgé l'avait dit. Je suis allé à la fenêtre et j'ai regardé au-dehors. Notre rue et le parc étaient déserts, le soleil jouait entre les feuilles. L'église luthérienne avait fermé ses portes. L'ombre s'étendait joliment sur notre pelouse. Dans le parc, le gamin sourd qui habitait un peu plus loin, un petit gros, je l'avais déjà vu, lançait un bâton à un labrador noir. Le chien courait le chercher, il le ramassait, le rapportait et le déposait à ses pieds. Le gamin caressait la tête du chien et il lui disait quelque chose. Pas de voiture de police dans le secteur. De temps en temps, le petit se retournait presque en catimini pour jeter un coup d'œil vers notre maison.

Je suis allé à la fenêtre de la cuisine et j'ai regardé l'endroit où la voiture de notre père était garée ; elle avait disparu. À côté du garage, l'emplacement qu'elle avait occupé faisait comme une caisse vide, dont elle se serait volatilisée. Aussitôt, j'ai ouvert le tiroir à couverts en m'attendant à ne rien y trouver. Mais les deux piles de billets de vingt étaient là, sous le casier en plastique, ce qui m'a montré que je n'avais pas rêvé et que ce qui nous arrivait était bien réel.

J'ai ramassé les débris de l'assiette échappée des mains de ma mère et je les ai mis à la poubelle, sous l'évier. Les morceaux étaient gros, pas besoin de balai. Peu de temps après, Berner est entrée dans la cuisine. Avec son pyjama à éléphants, elle n'avait pas l'air affolée ; on aurait dit que se retrouver à la maison dans ces circonstances l'arrangeait ; qu'elle avait attendu ce moment et qu'elle comptait bien en profiter au maximum.

« Ils sont venus enlever la voiture. Une grande dépanneuse, elle a dit en lorgnant par la fenêtre côté rue. Beau gros chien. » Elle observait le gamin qui lançait son bâton au labrador dans le parc. Moi, je voulais déplacer l'argent ; je voulais m'en laver les mains complètement. « Je crois pas qu'il va venir qui que ce soit », elle a dit. Elle s'est gratté les fesses à travers son pantalon de pyjama, tout en fixant le gamin et son chien. Sa tignasse était emmêlée parce qu'elle avait dormi les cheveux détachés. « Ça veut dire qu'on peut faire ce qu'on veut.

– Pourquoi ? »

Ses lèvres ont esquissé un sourire mauvais, elle m'a regardé de côté et elle a soufflé comme quand elle prenait de grands airs. « Moi, je vais faire ce que je veux, elle a dit. Et toi, tout

ce que tu feras, c'est ce que tu voudras faire. » Elle a pointé
le doigt sur sa tempe pour dessiner un cercle, et puis elle l'a
tendu dans ma direction. « T'es dingo », elle m'a dit. Elle le
disait souvent.

« Qu'est-ce que tu vas faire ?

– Je sais pas. » Elle a ouvert le frigo, jeté un coup d'œil à
l'intérieur, et puis elle l'a refermé. « Pas rien, en tout cas. Ça
a assez duré, de rien faire. Rudy veut qu'on se marie.

– Tu peux pas », j'ai dit. Je savais que ce n'était pas possible.
Nous avions quinze ans. Elle m'avait déjà dit qu'elle ne voulait
pas se marier. Elle l'avait dit la veille.

« Il y a des endroits où c'est permis. On ira à Salt Lake City,
dans l'Utah. C'est mieux qu'ici. Sauf qu'il ne fait pas encore
partie de l'Église, pour l'instant. »

J'étais écœuré d'entendre ça. À côté, tout ce qui me concernait, tout ce à quoi j'avais réfléchi, paraissait futile. Plantée là
dans la cuisine, en pyjama, à parler de se marier, elle me faisait
de l'ombre, à moi et à tout ce que je pensais. Comme si mon
sort était lié au sien et qu'il ne me restait plus qu'à mettre
mes projets en charpie comme du papier hygiénique mouillé,
et à les regarder disparaître.

Je ne l'entendais pas de cette oreille. Je sentais venir ma ligne
de conduite, à présent. Je serais moi-même quoi qu'il arrive.
Alors mon cœur s'est calmé, ce qui m'a paru bon signe. Si
j'avais véritablement pensé que tout était perdu, et que ma vie
était finie parce que j'étais indissociable de ma sœur, je ne sais
pas ce que j'aurais fait. Mais j'aurais eu très peu de chances
d'aller de l'avant.

« Je ne vais pas me marier du jour au lendemain », a dit
Berner. Elle a de nouveau regardé dans la rue, et puis elle s'est
retournée vers moi avec un grand sourire grimaçant. « Maman
m'a dit de veiller sur toi. » Des larmes ont jailli de ses yeux.
Il est possible que je me sois mis à pleurer, moi aussi. Nous

avions bien de quoi. Mais elle a coupé court. « Je les déteste du fond de mes tripes, elle a dit.

– Tu n'es pas obligée de fuguer », j'ai répliqué. On se sentait abominablement mal.

« Oh si, elle a dit. Je… » J'aurais voulu la prendre dans mes bras. Ça me paraissait la chose la plus naturelle à faire si je devais me mettre aux commandes. Le téléphone a retenti dans l'entrée – des sonneries fortes, discordantes, malheureuses qui ont rompu le calme de la maison. Un instant suspendu : Berner et moi manquant de tomber dans les bras l'un de l'autre, le téléphone qui sonnait, et rien d'autre pour prendre en compte notre existence.

# 33

Le restant de ce dimanche, c'est une partie de l'histoire qui n'est pas très claire. Je me rappelle cette impression de liberté en toutes choses dans la maison, cette impression de confort du fait que nous étions seuls tous les deux. On a mangé ce qu'on a trouvé dans le frigo : des spaghettis froids et une pomme. On a mangé en regardant par la fenêtre le parc gagné par l'ombre de la fin d'après-midi. Des voitures passaient. Une ou deux ont ralenti, et les gens à l'intérieur se sont penchés à la vitre pour nous regarder, Berner et moi. Quelqu'un nous a fait un signe de la main, et nous lui avons répondu. Je ne comprenais pas ce que les gens pouvaient bien savoir de nous. Notre mère avait été prévoyante en nous dissuadant de nous intégrer ; si quelqu'un, quelqu'un du club d'échecs, par exemple, était venu nous observer, j'en aurais été humilié. Et même pire, puisque je n'avais rien fait pour me sentir humilié, sinon avoir des parents.

Avant la tombée de la nuit, Berner et moi on est allés faire le tour du pâté de maisons en dépit des instructions de notre mère qui nous avait dit de ne pas bouger. On se l'est permis parce que c'était possible : personne n'a fait attention à nous. Toutes les maisons du voisinage étaient silencieuses et fermées en cette fin de dimanche. Je n'aurais jamais cru que le quartier soit aussi agréable.

Nous sommes rentrés nous asseoir sur les marches du perron pour voir le ciel s'embraser, la lune se lever et quelques lampes piqueter les fenêtres de nos voisins. J'ai aperçu un cerf-volant de papier, pris dans les plus hautes branches d'un arbre dans le parc. Je me suis demandé comment il fallait faire pour le récupérer. Nous nous attendions à tout moment à voir une voiture s'arrêter et des inconnus nous demander de les suivre. Mais il n'est venu personne.

On n'a pas beaucoup parlé de nos parents. Assis sur les marches à regarder voltiger les chauves-souris autour des arbres qui s'assombrissaient devant la lune bossue, ainsi que les pâles étoiles qui s'allumaient dans le ciel, vers l'est, on pensait tous deux qu'ils étaient coupables de ce dont ils étaient accusés. Il y avait trop de détails dramatiques pour que ce ne soit pas vrai. Ils étaient partis du jour au lendemain, ce qu'ils n'avaient encore jamais fait. Le pistolet avait disparu. Et puis il y avait l'argent, les Indiens qui téléphonaient et qui passaient devant chez nous en voiture. Il se peut même que j'aie brièvement espéré que ce soit vrai comme si, en dévalisant une banque, notre père s'était doté de la substance qui lui manquait. Ce que ce geste impliquait concernant notre mère se comprenait plus difficilement. Il n'est pas exclu que Berner et moi, cet après-midi-là, ayons perdu la part de cervelle qui permet de réaliser ce qui vous arrive quand ça vous arrive. Sinon, comment aurions-nous été assez calmes pour sortir nous promener ? Sinon, pourquoi aurais-je pensé que mon père venait de gagner en épaisseur parce qu'il avait dévalisé une banque et brisé nos vies ? Tout ça ne s'explique guère. Ni l'un ni l'autre n'avons pensé à nous demander pourquoi ils l'avaient braquée, cette banque, pourquoi ça leur avait paru une bonne idée. Pour nous, c'était devenu un fait brut.

Lorsque nous avons fini par rentrer, il faisait nuit noire. Il y avait des moustiques dans l'air ; des papillons de nuit battaient des ailes aux fenêtres, et des cigales chantaient. La circulation du dimanche soir avait pratiquement cessé sur Central Avenue. Nous avons fermé les portes à clef, tiré les rideaux et éteint la lampe du perron. Berner avait beau dire, j'étais persuadé que quelqu'un viendrait pour nous emmener, la police ou la Protection des mineurs, et que la police fouillerait la maison. Nous avons décidé de ne laisser entrer personne. Comme si nous étions les maîtres des lieux, mari et femme.

Je suis allé dans la cuisine et j'ai pris l'argent, et puis j'ai dit à Berner d'où il venait. Je ne savais pas si elle l'avait vu la veille, mais elle m'a dit que non. Elle a dit qu'elle pensait que c'était l'argent que nos parents avaient volé ; il fallait le cacher, ou bien le jeter dans les toilettes. On l'a compté sur la table de la salle à manger, il y avait cinq cents dollars. Berner a changé d'avis ; elle a dit qu'il n'y avait qu'à se les partager, et chacun ferait ce qu'il voudrait de sa moitié. De toute façon, puisqu'il était en notre possession, cet argent, on allait nous accuser ; donc autant le garder. Elle a dit qu'il pourrait tout à fait y en avoir encore de caché dans la maison ; on ferait bien de le dénicher avant l'arrivée de la police. On est allés dans la chambre de nos parents et on a regardé dans le sac de notre mère, puis dans les tiroirs, sous les matelas, dans leur penderie, au fond de leurs chaussures, et sur les étagères du haut où ils rangeaient les vieilles chaussures et les chandails de l'Air Force de mon père, ainsi que sa casquette militaire. Pas d'autres liasses de billets, mais ma mère avait trente dollars bien pliés dans son sac de rechange. On a également trouvé ce qu'elle appelait son « livre juif », que j'avais déjà vu mais dont je ne savais rien. C'était un petit livre, écrit en lettres hébraïques, nous avait-elle dit, il était dans le tiroir du bas de sa commode, avec des photos de nous bébés et une visionneuse avec des vues du Taj Mahal, des ordonnances pour ses lunettes, des crayons à dessin, ses poèmes et son journal, que nous n'aurions pas encore osé lire. Le livre portait un nom que j'étais incapable de répéter quand elle le disait, et qui commençait par H. Je n'en avais jamais demandé davantage. Il m'est venu à l'esprit qu'il n'y avait aucune cachette introuvable dans une maison et que les policiers fouillaient en professionnels. Chez nous, on n'avait pas de cave et moi, comme je l'ai dit, je n'étais pas très partant pour monter sous les combles parce qu'il y faisait trop chaud et qu'il y avait des serpents et des frelons. Comme on ne voyait pas du tout où il pourrait y avoir d'autres paquets d'argent, on a arrêté de chercher.

Dans l'étui à bijoux en cuir aux initiales de notre père – il sentait son odeur –, je suis tombé sur sa chevalière de lycée, une grosse bague dorée avec une pierre bleue carrée et le D de Demopolis gravé dessus, et deux chevaux cabrés sur les côtés, qui représentaient des mustangs. Il nous avait dit que Demopolis signifiait « la ville du peuple » en grec, et que ça lui plaisait parce que ça voulait dire que tous y étaient égaux. J'ai passé la chevalière ; elle ne m'allait qu'au pouce, et j'ai décidé de la porter puisque, à présent, je risquais fort de ne jamais en avoir une à moi. Dans l'étui, il y avait aussi ses galons de capitaine, son bracelet-montre, l'insigne bleu et blanc au nom de Parsons, et sa plaque d'identification en métal, ainsi qu'une boîte en carton contenant ses décorations. Dans les profondeurs de la penderie était rangé son lourd uniforme de l'Air Force, lavé et repassé, prêt à être endossé, mais sans décorations ni galons. J'ai enfilé la veste, elle était trop grande pour moi, trop chaude pour la maison. En d'autres circonstances, il m'était arrivé de la mettre ; ça donnait un sentiment d'importance, j'aimais bien. Pas d'argent dans les poches. Lorsque notre père revêtait son uniforme, le matin, pour aller à la base, il était toujours de bonne humeur. Ça ne remontait qu'à quelques mois. Mais qu'elle remonte loin ou non, cette époque était révolue désormais.

Berner a pris un pantalon en lainage sombre de notre mère, qu'elle ne mettait qu'en hiver, et elle l'a maintenu contre elle devant la glace de la penderie, comme pour le tourner en dérision. Il était trop petit pour elle, malgré ses efforts. Elle a trouvé une paire d'espadrilles noires que ma mère avait commandée par correspondance, et elle y a fait entrer son grand pied osseux, après quoi elle a boitillé dans leur chambre en écrasant le contrefort et en disant que notre mère n'avait aucun sens de l'élégance, ce qui n'était pas vrai. Elle avait une élégance bien à elle. Sans doute savions-nous déjà que nos parents ne reviendraient pas. Nous n'aurions jamais enfilé leurs vêtements, rigolé, ni imité leurs travers s'il y avait eu une chance que la vie revienne à la normale.

Tout de suite après neuf heures du soir, on a frappé à la porte côté rue. Bien sûr, nous avons cru que c'était la police et nous avons éteint la lumière dans la chambre. Je suis allé dans le vestibule à quatre pattes, toujours vêtu de la veste d'uniforme de mon père, et puis j'ai fait le tour de la cuisine sans me redresser. Comme ça, personne ne pourrait me voir par la porte vitrée. Je me suis mis à la fenêtre et j'ai regardé par-dessus l'évier, dans l'obscurité de la cour, la lune suspendue au-dessus de la cime feuillue des arbres, et le panier de basket vide qui projetait des ombres sur le trottoir d'en face, dans la lumière des réverbères. Rudy Patterson se présentait sur le perron, grand, avec de longs bras, les yeux tournés vers le ciel, la cigarette au bec, un sachet à la main, attendant qu'on lui ouvre. Il parlait à quelqu'un que je ne voyais pas, je me suis dit qu'il chantait peut-être. La lampe du perron n'était pas allumée.

Je savais qu'il venait pour emmener Berner avec lui, que c'était prévu. J'allais me retrouver tout seul dans la maison, face aux événements, réduit à me débrouiller comme je pourrais. Ils partiraient pour Salt Lake ou San Francisco, c'est ce qu'elle avait décidé. Je ne savais que faire, mais je ne voulais pas le laisser entrer. J'avais envie de donner un tour de clef, de me barricader dans la maison avec Berner. Je ne pensais pas que fuguer l'avancerait à grand-chose. Ça valait aussi pour moi.

Elle est venue à la porte du couloir et a jeté un coup d'œil, comme si elle se fichait d'être vue. « Qui est-ce ? » elle a dit.

J'ai dit : « C'est Rudy. Faut pas qu'il entre. Maman nous a dit d'ouvrir à personne.

— Je l'avais oublié, celui-là ! C'est moi qui lui ai dit de venir. Bien sûr que si, il peut entrer. Fais pas l'idiot. On est amoureux, lui et moi. » Elle est allée droit à la porte et elle a ouvert à Rudy Patterson.

Malgré ce que j'avais ressenti en le voyant dans l'allée, au clair de lune, le fait est que, lorsqu'il est entré chez nous, tout a changé, pendant un temps du moins. Ce n'était pas le genre de garçon dont on attend une bonne influence. Mais quand il a franchi la porte, le temps a fait une pause, et nos vies avec. Le monde extérieur a disparu, comme si l'avenir et le passé étaient parvenus à leur terme en même temps et qu'il n'y ait plus que nous trois.

Rudy s'est imposé sitôt entré. Il a circulé dans le séjour en fumant cigarette sur cigarette et en inspectant les lieux. Il a passé en revue les mêmes objets que moi, un peu plus tôt dans la journée. Le piano ; les cadres au mur ; la démobilisation de mon père ; la valise de ma mère et la taie d'oreiller avec mes affaires. Il m'a paru plus âgé et plus grand que la dernière fois que je l'avais vu, le jour où on s'amusait à marquer des paniers dans le parc, sous les yeux de Berner. Il n'avait que seize ans, une tignasse rousse rebelle et bouclée, de longs bras pleins de taches de rousseur, de grandes mains avec déjà du poil dessus, et une petite moustache que Berner n'aimait pas. Les veines de ses biceps étaient saillantes sous les manches de son T-shirt, et ses jointures étaient griffées, égratignées, comme s'il s'était traîné sur des cailloux, ou qu'il s'était battu. Il portait une salopette noire serrée et sale, une ceinture large à boucle de laiton avec un canif sur le côté, ainsi que de gros godillots noirs montants – comme les hommes en portaient à la base ou à la raffinerie où travaillait son père. Il ne ressemblait guère au garçon pour lequel ma sœur s'était prise d'amitié cet été, et que j'aimais bien parce qu'il était sympa avec moi. Il lui était arrivé quelque chose d'insolite depuis la dernière fois que je l'avais vu, je me demandais quoi.

Mais je le trouvais toujours sympa, et maintenant je pouvais comprendre que ma sœur veuille fuguer avec lui. Il avait l'air mystérieux, dangereux. Je me disais que je ferais peut-être pas mal de partir avec eux, finalement, au lieu d'affronter ce que demain me réservait sans doute.

Tout en arpentant le séjour, il parlait sans arrêt. C'était la première fois qu'il entrait chez nous. Peut-être que ça l'intimidait et qu'il en rajoutait en conséquence. En plus, il avait bu. Le sac en papier contenait trois bouteilles de bière Pabst, ainsi qu'un sachet de cacahuètes entières, qu'il mangeait en laissant les coques sur le puzzle des chutes du Niagara appartenant à mon père. Il avait aussi une demi-pinte de whisky Evan Williams dans sa poche arrière, il appelait ça le « Pete ». Il avait une présence impressionnante dans notre maison, qui était déjà dans un curieux état.

Rudy savait que nos parents étaient en prison et que nous nous retrouvions donc tout seuls. Berner le lui avait dit ; c'était à lui qu'elle parlait au téléphone, à mon réveil. Il nous a raconté que son père et sa belle-mère ne s'entendaient pas du tout et que, de toute façon, les mormons étaient fous. Il ne partageait pas leurs croyances. Ils avaient inventé un langage secret qu'ils ne parlaient qu'entre eux. Ils avaient l'intention d'asservir les catholiques et les juifs ; les nègres, on les renverrait en Afrique ou alors on les exécuterait. La ville de Washington serait réduite en cendres. Quand on quittait l'Église mormone, ils vous traquaient et ils vous ramenaient dans les fers. Il a sorti le « Pete » de sa poche, il en a bu une gorgée, ponctuée d'un claquement de langue, et puis – j'en ai été choqué – il a tendu la flasque à Berner, qui en a bu et me l'a tendue ; du coup, j'en ai bu une gorgée aussi. Je l'ai avalée d'un trait, j'ai dû serrer les dents pour ne pas suffoquer. Ça m'a étranglé au passage, et pis encore ça m'a brûlé jusqu'au fond de l'estomac. Berner en a repris. Ce n'était pas la première fois qu'elle en buvait. Elle n'a pas fait la grimace et elle s'est tapoté les lèvres avec ses doigts comme si elle trouvait ça bon. Rudy lui a donné une cigarette, qu'il a allumée et qu'elle a fumée en la tenant loin d'elle entre le pouce et le majeur. Et tout ça chez nous, dans le séjour ! Douze heures plus tôt, nos parents étaient encore là. Leurs règles gouvernaient notre conduite et déterminaient tout ce que nous faisions. Maintenant ils étaient partis, et leurs règles avec eux. J'en avais le vertige. Je pensais avoir une vague idée de ce que serait le reste de ma vie.

Berner était assise dans un des fauteuils et elle regardait Rudy sans rien faire d'autre. Il s'était lancé dans un genre de numéro. Il faisait le tour du séjour en racontant que ses parents l'avaient menacé d'en faire un pupille de l'État. C'était le pire qui puisse arriver. Ça voulait dire qu'on vous envoyait dans un grand orphelinat de Miles City et que des inconnus pouvaient vous adopter pour faire de vous leur propriété. À son âge, personne ne l'adopterait, il serait donc prisonnier, livré à la promiscuité de garçons de ferme teigneux, orphelins ou abandonnés, ou de jeunes Indiens crasseux, fils de parents pervers. Dans ces cas-là, à supposer qu'on survive, la vie était fichue. C'était l'éventualité tant redoutée par notre mère ; voilà pourquoi elle nous avait catégoriquement interdit de quitter la maison avec qui que ce soit d'autre que Miss Remlinger.

Le séjour sentait les cigarettes de Rudy, son whisky et sa bière. Il n'y avait pas si longtemps, il était propre. Il faudrait qu'on refasse le ménage le lendemain. Je suis monté enclencher la ventilation, qui a commencé son cliquetis et a un peu dissipé la fumée. Toutes les portes et fenêtres étaient fermées, j'y avais veillé un peu plus tôt.

J'avais toujours la veste de mon père sur le dos, et Rudy m'a dit qu'il aimerait bien l'essayer. Je l'ai retirée ; il l'a enfilée ; elle lui allait mieux qu'à moi. Et sur lui aussi, l'effet a été immédiat. Il s'est remis à marcher de long en large en fumant sa cigarette et en buvant sa bière, comme un officier à qui notre maison servirait de terrain de manœuvre en prévision de la guerre qu'il allait livrer.

« Me voilà prêt à casser du coco », il a dit d'une voix soi-disant militaire tout en se pavanant. Berner a dit qu'elle aussi. Il était ivre, évidemment. Il avait l'air un peu bête. L'aura de sa présence était déjà en train de s'émousser, même si je continuais à le trouver sympa. Peut-être que j'étais un peu ivre moi-même.

« Vous avez de la musique qu'on pourrait écouter ? a dit Rudy, tout en s'admirant dans le miroir voilé de fumée au-dessus du canapé, qui était accroché là à notre arrivée dans la maison.

– Il a quelques disques, a répondu Berner en parlant de notre père.

– J'aimerais bien en mettre un », a dit Rudy. Il a posé les mains sur ses hanches, comme le général Patton sur les photos du *World Book*.

Berner est allée jusqu'au tourne-disque, elle a sorti un 78 tours de notre père et elle l'a déposé sur le plateau, choses que je n'avais vu faire que par lui.

Aussitôt, l'orchestre de Glenn Miller s'est mis à jouer un des airs préférés de notre père, *The Little Brown Jug*. Notre père avait le plus grand respect pour Glenn Miller, tombé au champ d'honneur.

Rudy a commencé à danser tout seul. Il plongeait en avant, il faisait des glissades, il souriait, il fléchissait les genoux, il battait des bras et il tournait sur lui-même, bière dans une main, cigarette dans l'autre.

« Il faut que tu danses avec moi », il m'a dit. Il est venu vers moi en dansant, il m'a entouré de ses bras, et il m'a fait me lever du tabouret de piano. Il m'a fait danser à reculons, il m'a fait virevolter, avec des petits gestes du bout des doigts, il me marchait sur les pieds avec ses godillots noirs, il souriait, il sentait le whisky et la cigarette, ses mains égratignées me prenaient par l'épaule, se posaient au creux de mes reins. Je n'avais jamais dansé. Je n'étais pas sûr d'être en train de danser, d'ailleurs. Dans mon souvenir, notre père et notre mère dansaient, mais ça remontait à loin. Leur différence de stature les gênait. Ma mère aimait les ballets russes et détestait les « danses de salon » petites-bourgeoises, où mon père excellait.

Berner fronçait les sourcils, cigarette au bec, en nous regardant virevolter, Rudy et moi ; je m'amusais bien. « Ça suffit de danser avec ton petit ami, maintenant danse avec ta petite amie, elle lui a dit.

– Ça y est, je lui ai filé le grand frisson, au jeune Dell », il a fait, hors d'haleine, avec un sourire un peu fou. Il m'a lâché et il s'est mis à danser de la même façon avec Berner, qui ne dansait pas mieux que moi. J'avais le tournis et mal au cœur. Je me suis assis dans le fauteuil qu'elle venait de quitter, pendant qu'ils dansaient devant moi.

Après *The Little Brown Jug* venait *Stardust*, que mon père passait régulièrement. Berner et Rudy dansaient tout raides, se tenant à bout de bras. Il arborait une expression sérieuse, comme s'il se concentrait sur les pas à exécuter ; Berner avait l'air de s'ennuyer. Et puis ils ont dansé plus serrés, il était clair que ça n'était pas la première fois. Je voyais le visage de Berner sur l'épaule de Rudy, et elle fermait les yeux. Ils étaient presque de la même taille et avaient quelques traits de ressemblance, plus que nous n'en avions, elle et moi. Tous deux avaient des taches de rousseur, tous deux étaient charpentés. Les tennis blanches de Berner glissaient sur le tapis en un rythme décalé avec les godillots de Rudy, chacun sa cigarette à la main, Rudy sa bière en plus. J'ai bu une gorgée de la bouteille d'Evan Williams, qui était sur le plancher, et j'ai éprouvé de nouveau cette brûlure d'estomac, mais cette fois c'est mieux passé et ça m'a détendu instantanément. Je me suis carré dans le fauteuil vert et j'ai regardé Berner et Rudy danser, lui dans l'uniforme de mon père, Berner pendue à son cou. Quelque chose me disait que quelqu'un allait enfoncer la porte, nous trouver en train de fumer, de boire et de faire tout ce qu'il ne fallait pas faire. Mais je m'en fichais ; j'étais content. J'étais content que Berner soit contente. Elle n'était pas facile à satisfaire. En cet instant, j'avais l'impression de regarder nos parents danser et que tout était revenu à la normale.

Ils ont encore dansé sur un autre titre de Glenn Miller, et puis Rudy est devenu tout rouge. Il transpirait, dans la veste de mon père. Il s'est arrêté brusquement, il s'est débarrassé de la veste et l'a jetée sur un fauteuil, pour recommencer à faire le tour du séjour en disant qu'il n'allait pas tarder à y aller. Berner était plantée au milieu de la pièce, elle le regardait. Il a dit qu'il avait un plan pour dégotter de l'argent, mais qu'il valait mieux qu'il ne nous dise pas lequel. (J'en ai déduit qu'il allait le voler.) Il a dit que, s'il était inculpé, il risquait d'être envoyé à la prison de Deer Lodge, vu qu'il avait dix-sept ans. Ici, on le tenait à l'œil, alors qu'en Californie, avec tous ces gens, il ne se ferait pas remarquer comme à Great Falls, ce « bled abominable », comme il disait, ce bled qu'il détestait.

Il a demandé à Berner s'il y avait quelque chose à manger dans la maison. Il n'avait rien dans l'estomac à part les caca-huètes « tirées » chez l'Italien, la bière et le whisky achetés à un Indien avec l'argent du portefeuille de son père ; Berner a dit qu'il y avait des steaks surgelés dans la glacière, ceux que notre père achetait à la base ; elle pouvait lui en faire un. Il a dit que ce serait formidable.

Lui et moi, on est restés à la table de la salle à manger, sous le plafonnier, rideaux tirés pour qu'on ne nous voie pas de l'extérieur. Deux jours plus tôt, on était autour de cette même table en famille. Rudy fumait, il alternait bière et whisky. Berner a mis un steak surgelé direct dans une poêle, pour le faire cuire sur la Westinghouse, comme l'appelait mon père. Je ne l'avais jamais vue faire la cuisine, et je ne l'en croyais pas capable. Moi, je ne l'étais pas. Rudy avait pris un livre sur l'étagère de notre mère, dans le séjour – ses poèmes d'Arthur Rimbaud ; il en a lu un ou deux vers « dans un pays des épices, etc. ». Je me souviens de ça. Je le trouvais toujours sympa, et mystérieux. Avec sa tignasse rousse en bataille et ses bras aux veines saillantes, il ne ressemblait pas à tout le monde. Je ne pensais pas qu'il était plus intelligent que moi. Il ne jouait pas aux échecs – à ma connaissance. Il ne savait rien des autres endroits du globe, et moi si. Il n'avait pas l'intention de faire des études supérieures, mais il avait l'intention de fuguer. J'étais à peu près sûr qu'il n'avait jamais ouvert *Time,* ni *Life*, ni le *National Geographic* – ce qui ne voulait pas dire qu'il n'avait pas une forme d'intelligence bien à lui qui se manifestait dans divers détails : porter un couteau à la ceinture et des bouts ferrés à ses chaussures, boire, fumer, avoir des plans pour se procurer de l'argent, connaître les mormons, sans compter ce qu'il faisait avec Berner dans la voiture de son père, près de l'aéroport municipal. Ce n'était pas rien.

À table, il m'a dit qu'il avait hâte de passer l'hiver sous un autre climat, c'est-à-dire en Californie, où habitait sa vraie mère. Il m'a raconté que son père lui avait dit qu'il aurait mieux valu qu'il ne vienne pas au monde, ou alors chez quelqu'un d'une infinie patience. Il a jeté sa cigarette dans sa bouteille de bière vide et il en a allumé une autre (il n'y avait pas de cendrier chez nous) en prédisant qu'il finirait en prison. Apparemment, il ne se rappelait plus que nos parents y étaient, en prison, à la minute même où il parlait, ni que nous risquions d'être à vif sur ce chapitre. Il a dit que, depuis le temps qu'il habitait Great Falls, il n'avait jamais réussi à se faire d'amis. Et qu'une ville où on ne se faisait pas d'amis avait quelque chose qui clochait. Berner et moi, c'était ce qu'on avait vécu, mais j'avais toujours lié la chose à cette peur qu'avait notre mère de s'intégrer. Il m'a regardé fixement et il s'est souvenu subitement de la terrible situation dans laquelle on était ; il a dit qu'on n'avait rien fait pour mériter ça. Je n'avais d'ailleurs rien pensé de tel. Je me disais déjà que si nos parents avaient commis un hold-up – quelles qu'en aient été les raisons –, ils étaient les seuls coupables. C'était tout à fait clair. Rudy n'a pas reparlé de s'engager dans les Marines ou de se marier avec Berner, comme il en avait été question.

Berner est arrivée de la cuisine avec le steak de Rudy sur une assiette blanche qu'elle a posée devant lui, avec une fourchette et un couteau dessus, et puis rien d'autre. La viande semblait dure comme du bois et elle était recroquevillée sur le pourtour, au niveau du gras. Elle n'avait pas l'air mangeable. Mains à la taille, Berner a fait saillir sa hanche, et elle a considéré le steak en fronçant les sourcils comme si elle lui trouvait une sale tête. « C'est la première fois que je fais autre chose que de la soupe », elle a dit. Elle a tiré une chaise, s'est assise en face de Rudy sans cesser de froncer les sourcils sur la viande. Même avec la ventilation, il faisait chaud dans la maison. Berner avait des gouttes de transpiration sous le nez. Rudy suait, lui aussi. L'odeur du steak brûlé planait dans l'air ambiant.

« Ça a l'air fameux », a déclaré Rudy. Il avait encore la cigarette au bec. J'ai cru qu'il allait fumer en mangeant. Il a attaqué le steak, mais il n'a pas pu aller très loin. On le fixait tous deux. Il a reposé son couteau de table, il a sorti de l'étui son petit couteau à manche rouge, et cette fois, il a pu couper le steak facilement.

« C'est parfait », il a dit en en mangeant un morceau dont on voyait bien que l'intérieur était encore congelé. Il a mâché vigoureusement en posant sa cigarette sur le bord de son assiette. Pendant qu'il mâchait, deux tuyaux de fumée lui sortaient des narines. Il a bu une gorgée de bière. Il s'est coupé encore un morceau, mais il s'est retourné sur sa chaise avant de le manger pour jeter un coup d'œil autour de cette pièce où nous avions dansé et bu du whisky. La veste de mon père était sur le fauteuil, le puzzle des chutes du Niagara sur la table à jeux, couvert de coques de cacahuètes. La taie d'oreiller contenant mes affaires et la valise de ma mère étaient restées là où elles avaient été toute la journée, depuis que la police était venue. On aurait dit que Rudy voulait vérifier que rien n'avait bougé.

Il est revenu à son steak sous notre regard, à Berner et à moi, et il a coupé son morceau en deux. Ses godillots raclaient le plancher, comme si manger exigeait un effort. Il a tiré une bouffée de sa cigarette, levé le menton, soufflé la fumée par les narines, et puis il a enfourné le petit morceau de steak dans sa bouche et l'a mâché, le tout avec le sourire. « D'après moi – il s'est éclairci la voix et il a avalé –, on se débrouillerait aussi bien tout seuls à la cloche, voilà ce que je pense. » Je ne savais pas ce qu'il avait en tête. Je ne savais pas ce que voulait dire « à la cloche ».

« Tes parents, ils te croient où en ce moment ? Ils pensent que tu as fugué ? a demandé Berner.

– Sans doute, a dit Rudy en mâchant énergiquement. De toute façon, si on venait à repêcher mon corps dans le Missouri, ils se dérangeraient même pas pour venir le voir. » Cette formule a eu l'air de le mettre en ébullition ; il s'est levé de sa chaise, le couteau dans une main, la cigarette dans l'autre. Il a porté plusieurs coups de couteau dans le vide, au-dessus de la table. À chaque coup, il criait « Aaah » et plissait les paupières comme s'il frappait quelqu'un qu'il détestait. Ça ne m'a pas impressionné.

Il s'est rassis, il a coupé un nouveau morceau de steak et il l'a mangé ; on l'entendait respirer. Il m'a souri. Il avait un sourire chaleureux. « Tu en veux, Dell ? C'est vraiment bon. » Il a poussé son assiette et ses couverts dans ma direction, en gardant son couteau de chasse devant lui, pour le cas où il lui faudrait encore poignarder quelque chose.

« Je n'ai pas faim », j'ai dit. Et j'avais faim, pourtant.

Il a rangé le couteau dans son étui, sans en essuyer la graisse de viande. « Je suis repu », il a dit. Il en avait mangé deux morceaux et demi. Il s'est essuyé la bouche d'un revers de main, a éteint son mégot sur la semelle de sa chaussure, l'a léché et mis dans sa poche de chemise. Il a toussé pour couvrir un renvoi. « Je tombe de sommeil », il a dit. Il a de nouveau mis sa main devant sa bouche. « Mais faut que je me procure du fric.

– Où tu vas aller t'en procurer ? » a demandé Berner. Elle n'avait pas dit grand-chose jusque-là. On avait regardé Rudy comme un fauve en cage.

« Si je vous le disais, ça ferait de vous mes complices, et vous risqueriez la prison. » Il s'est levé et il est retourné dans le séjour en se tapant sur le ventre comme s'il venait d'engloutir un repas complet au lieu d'un bout de steak congelé. Il a mis une cigarette entre ses lèvres et l'a allumée avec une allumette extraite de la même poche. On aurait dit qu'il cherchait quelque chose. Il me faisait penser à mon père au retour de son voyage d'affaires. Berner et moi, on était toujours à table et on l'observait en spectateurs. Il est probable que Rudy avait bon cœur et qu'il souffrait que ses parents ne l'aiment pas. Il n'aurait sans doute pas fait de mal à une mouche. Mais il avait l'air peu recommandable, déjanté. Quand il ne souriait pas, sa bouche rentrait dans ses petites dents ; ça lui donnait un air fourbe, celui de quelqu'un que nous ferions mieux de ne pas connaître, même si nous n'étions pas ses complices. Rudy était un garçon que j'imaginais très bien abandonné par sa famille derrière les barbelés d'un grand terrain vague balayé par les vents, où des choses épouvantables allaient lui arriver, et d'où il lui serait impossible de s'échapper. Je portais toujours la chevalière de lycée de mon père, avec les deux mustangs qui se cabraient. J'aurais bien aimé qu'elle le fasse reparaître comme par enchantement pour prendre en main notre situation, à Berner et à moi. Car enfin, il était la cause de tout.

« Tu veux coucher ici ce soir, ou pas ? » a demandé Berner d'un ton effronté – c'était parfaitement incongru. On ne dit pas ces choses-là.

« C'est pas une bonne idée, j'ai dit.

– Non, je pense pas, moi non plus. » Rudy continuait d'inspecter le séjour, sans faire cas de l'invite de Berner. À tous les coups, il cherchait quelque chose qu'il aurait pu vendre à la boutique de prêt sur gages, devant la base. Mais il n'y avait rien à vendre, chez nous. La veste de mon père ; les disques de Glenn Miller ; le métronome, dont il ne connaissait pas l'usage, sans doute. Il aurait pu chercher de l'argent, sauf qu'il n'était pas au courant qu'il y en avait. « Si jamais on partait à ma recherche, ce serait pas bon qu'on me trouve ici. » Il m'a regardé en fronçant les sourcils, comme si nous étions d'accord là-dessus, et il a glissé ses pouces sous sa ceinture.

« T'es bien là en ce moment, qu'est-ce que ça change ? a dit Berner, agacée.

– Ça change que personne n'est venu. » Il s'était remis à étudier la démobilisation de notre père, encadrée à côté de la photo du président Roosevelt, comme le policier l'avait fait avant lui. S'il les voulait, il pouvait les emporter. Tout ce que je voulais, moi, c'est qu'il décampe avant qu'il arrive du monde.

« Mon vieux à moi, il peut pas sentir Roosevelt. » Il a jeté un œil vers moi comme pour quêter mon opinion. « Il a bradé le pays à des malpropres, qu'il dit. Sa femme est une coco qui plaint tout le monde et surtout les nègres. » Ce mot-là, je ne l'avais pas entendu souvent. Un élève de l'école dont le père était médecin l'employait. Notre père, jamais. Il n'avait pas de haine contre les gens, et nous non plus.

« Tu restes ou tu pars ? » a dit Berner d'un ton agressif. Elle s'était levée de table et avait pris l'assiette de Rudy.

« Je suis dans l'équipe de nuit, ce soir », il a répondu, comme pour faire passer les choses en douceur. J'ai cru qu'il allait décrocher la photo du président Roosevelt et l'emporter. Il s'est approché de la table au bout du canapé. Il a pris son sachet en papier avec les bières qui restaient, et il est allé jusqu'à la porte. Une voiture est passée devant la maison et elle a klaxonné. Il était plus de onze heures. Quelqu'un a crié dans la tiédeur de la nuit : « Hou, hou, les taulards. Vous êtes des taulards, des taulards, des taulards ! » La voiture a klaxonné de nouveau. On a entendu un rire. Et puis la voiture a accéléré et elle a disparu dans un crissement de pneus.

« On te reverra jamais, c'est ça ? » Berner a froncé les sourcils, l'assiette de Rudy à la main. « Ça m'est bien égal.

– Je vais revenir et tu le sais », a répondu Rudy. Il voulait nous la jouer adulte. Comme je l'ai dit, sa tignasse rousse, ses cigarettes et ses jointures égratignées œuvraient en sa faveur. « Toi et moi, on va se tirer d'ici pour de bon. Je suis un homme de parole.

– T'es pas un homme, a dit Berner. T'as que seize ans.

– Je les aurais plus la semaine prochaine. T'auras pas long-temps à attendre pour tout savoir. » Il avait perdu son grand sourire. Il restait là, main posée sur la poignée de porte, comme s'il s'excusait, comme si nous étions en train de le juger. Et nous l'étions, d'ailleurs. « Un peu de patience, c'est tout.

– Pour ce que ça m'a rapporté, jusqu'ici », a fait Berner. Elle s'est dirigée vers la cuisine.

« Ne laisse entrer personne d'autre, Dell, il a dit, en l'igno-rant. Ils vont venir vous prendre, s'ils peuvent.

– Ma mère nous l'a déjà dit. »

Rudy a retiré sa cigarette de la bouche, il s'est éclairci la gorge, a soufflé la fumée dans la pièce, jeté un coup d'œil circulaire sur tout ce qu'il avait décidé de ne pas emporter, et puis il a franchi la porte et l'a refermée avec force. Berner avait déjà commencé à faire la vaisselle dans l'évier. Je me disais que c'était la dernière fois qu'on voyait Rudy Patterson et j'étais content. Il n'avait en rien arrangé nos affaires. Et même si je n'avais aucun moyen d'en être sûr, l'avenir a prouvé que c'était vrai.

## 34

Cette nuit-là, celle du dimanche, Berner et moi, on a remis la maison d'équerre, fait la vaisselle, jeté les mégots et les coques de cacahuètes, les bouteilles de bière, les mottes de boue laissées par la police – tout ce qui faisait sale. On a rangé le puzzle des chutes du Niagara et la table à jeux, on a remis mon globe terrestre sur la commode, raccroché la veste de mon père dans la penderie, remis la valise de ma mère et la mallette de Berner à leur place, et ma taie d'oreiller dans ma chambre.

Nous ne parlions pas beaucoup. Berner était arrivée à la conclusion qu'elle ne reverrait jamais Rudy et que, heureusement, les gens comme lui sortaient de votre vie, du moins dans son expérience – qui était nulle. Il ne l'aimait pas, et d'ailleurs, elle n'était pas amoureuse de lui non plus. J'ai dit que moi, je le trouvais plutôt sympa, mais qu'au lieu de s'enfuir, il valait mieux qu'elle attende le retour de nos parents. J'essayais de m'affirmer comme l'homme de la maison, celui qui gérait la situation que personne ne contrôlait plus.

Il faisait frisquet, dans ma chambre, à présent que le soleil ne tapait plus sur le toit. J'ai éteint la ventilation et je suis resté allongé dans le clair de lune fractionné, en réfléchissant à mes parents. Je voulais que mon cœur se calme. Toute la journée il avait battu fort, comme si je n'arrêtais pas de faire des tours de piste.

Nos parents se métamorphosaient encore, à mesure que je

pensais à eux ; ils se superposaient, non pas comme s'ils avaient retrouvé leur amour passé, mais comme s'ils ne faisaient plus qu'un, s'étant défaussé de tout détail qui les distingue. Il n'en était rien ; ils demeuraient eux-mêmes. Et si la journée m'avait apporté son lot de chocs et de confusion, elle avait dû être bien pire pour eux. Pourtant, penser qu'ils étaient moins distincts me soulageait. Comme je l'ai dit, j'avais peut-être en partie perdu la tête, ce jour-là. Perdre la tête, ça ne se manifeste sans doute jamais comme on croit.

Que faire le lendemain matin, ou plus tard dans la journée, je n'en étais pas sûr. Si quelqu'un venait, on se contenterait de ne pas sortir de la maison. Si Mildred Remlinger passait, elle nous dirait ce qui était convenu. Plusieurs fois, le téléphone a sonné pendant que j'étais couché. La première fois, Berner est sortie de sa chambre, pour le cas où ça aurait été Rudy. Mais j'ai bien compris qu'elle n'avait trouvé personne au bout du fil quand elle a dit « Allô ». Après, elle n'a plus répondu.

À un moment donné, j'étais sur le point de m'endormir, le cœur bizarrement battant. Et puis je me suis aperçu que Berner était entrée dans ma chambre et s'était glissée dans mon lit, pour la deuxième fois de la semaine. Comme je l'ai dit, on ne couchait plus dans le même lit depuis notre installation à Great Falls. Mais elle m'avait manqué quand nos parents lui avaient fait une chambre à elle, et j'étais content qu'elle soit revenue. Je ne serais jamais monté dans son lit, moi. Elle aurait piqué une crise, ou bien elle se serait moquée de moi. Mais j'étais content de ne pas rester tout seul.

Elle avait pleuré ; elle sentait les larmes et la cigarette. Elle n'avait rien sur elle, ça m'a fait un choc. Sa peau était froide, et elle s'est collée contre moi, dans mon pyjama. Pleurer l'avait refroidie. Elle a pris ma main et l'a posée sur son ventre. « Réchauffe-moi, elle a dit, j'arrive pas à dormir. » Elle a reniflé et poussé un soupir. « C'est d'avoir bu ce whisky, ça empêche de dormir. » Elle s'est serrée encore plus contre moi. Je sentais le savon sur sa peau, les pastilles Vicks, le dentifrice, la fumée dans ses cheveux. Elle a logé son visage acnéique contre mon cou ; ses joues étaient humides et fraîches ; elle avait le nez bouché.

« Je dormais, ai-je menti.

— Rendors-toi, je te dérangerai pas », elle a dit. Un train a sifflé dans la nuit. J'avais les bras croisés. Elle a saisi ma main.

« Je vais fuguer toute seule », elle a chuchoté à mon oreille. Elle s'est éclairci la gorge, elle a dégluti, ravalé ce qu'elle avait dans le nez. « Je suis folle, je fais n'importe quoi. »

Pendant un temps, elle n'a plus rien dit. J'étais allongé auprès d'elle, je respirais. Et puis, soudain, elle m'a embrassé brutalement, dans le cou, sous l'oreille, et elle s'est rapprochée de moi d'un mouvement brusque. Je n'étais pas fâché qu'elle m'embrasse ; ça me rassurait. Elle a lâché ma main et a baladé la sienne, qui était rêche et osseuse. « Je voulais le faire ce soir avec Rudy, elle a dit, mais je vais le faire avec toi.

— D'accord », j'ai dit. Je voulais bien. Ça m'était égal.

« Ce ne sera pas long. On l'a déjà fait dans sa voiture. Il faut que tu saches ce que c'est, de toute façon.

— J'en ai aucune idée.

— Encore mieux. Ça ne comptera pas. Tu oublieras.

— D'accord.

— Je te promets, elle a dit, ça n'a pas la moindre importance. »

Et il n'y a rien à ajouter. Ça ne se répète pas. Ça ne voulait pas dire grand-chose, ce qu'on a fait, sauf pour nous, sauf sur le moment. Plus tard, dans la nuit, Berner s'est réveillée, elle s'est assise dans le lit et elle m'a dit, parce que j'étais réveillé : « T'es pas Rudy.

— Non, je suis Dell.

— Eh ben, je voulais juste te dire au revoir.

— Au revoir. Où tu vas ? » Elle m'a souri, ma sœur, et puis elle s'est rendormie mes bras autour d'elle, au cas où elle aurait peur, ou froid.

# 35

Ça nous a fait drôle de nous réveiller dans la maison sans nos parents. On s'était déjà réveillés sans eux, il n'y avait pas si longtemps, le jour où ils étaient allés braquer la banque, mais cette fois, on était lundi, ça n'était pas du tout la même chose. Ils étaient en prison, enfin c'était ce qu'on croyait, et on n'avait aucune idée de ce qui allait nous arriver à nous.

J'ai dormi d'une traite jusqu'à huit heures du matin, ma chambre fumait sous le soleil, et je me suis réveillé en nage. Le ventilateur de l'entrée était reparti. Berner n'était plus dans mon lit. Les draps, à mes côtés, étaient froids, comme si elle s'était levée depuis un certain temps déjà. À travers les murs, la circulation bourdonnait sur Central Avenue ; un avion a décollé de l'aéroport, au-dessus de la colline. Je me suis dit que Berner était partie et qu'il faudrait que je traverse la journée tout seul.

Elle était dans la cuisine, pourtant, quand je me suis habillé. Elle avait refait cuire le steak de la veille, elle en avait mangé un morceau, et en avait laissé un carré sur une assiette pour moi. Je l'ai mangé, accompagné de lait froid. La maison sentait toujours la bière et les cigarettes. Je me suis dit qu'il faudrait sortir la poubelle avant que la chaleur monte.

Berner avait mis son bermuda, qu'elle ne portait presque jamais et qui découvrait ses jambes sans poils, couvertes de taches de rousseur, et ses longs pieds. Elle avait mis des tennis, un T-shirt marin, et elle avait pris une douche. Elle avait tiré ses cheveux en queue-de-cheval, avec un élastique rouge. Il n'a pas été question de ce qui s'était passé pendant la nuit. Elle n'avait pas l'air de le regretter, et moi non plus. Nous n'étions plus les mêmes ; je trouvais ça bien.

« Il faut qu'on aille les voir », a dit Berner, en lavant son assiette et la mienne dans l'évier, les yeux fixés sur la cour – le filet de badminton, le pavillon des voisins, un piquet de la corde à linge. « Si on n'y va pas, ils vont les transférer et on ne les reverra jamais. » De ses doigts mouillés, elle a attrapé un journal sur le plan de travail et l'a laissé tomber sur la table à laquelle j'étais assis. « On nous a laissé un joli cadeau, sous la porte d'entrée. »

C'était la *Tribune* du jour, et elle était pliée de façon à montrer les photos de nos parents, deux photos en regard – prises en prison ; chacun tenait un panonceau blanc qui disait « Prison du comté de Cascade » avec un numéro matricule au-dessous. Les cheveux noirs de notre père étaient décoiffés, mais il souriait. Notre mère avait les lèvres serrées, leurs coins retombaient, lui donnant une expression que je ne lui avais jamais vue ; elle avait ses lunettes sur le nez, et ses yeux étaient rapprochés, grands ouverts, fixes, comme si elle regardait une scène terrible. La manchette disait « Les braqueurs de la banque du DN ». La personne qui avait déposé le journal y avait fixé un billet avec une épingle, en haut de la page : « Je me suis dit que vous seriez contents de lire ça. Il y a de quoi être fiers. »

Ça m'a étonné qu'on ait laissé ça pour nous. J'en avais les mains qui tremblaient. Nos parents avaient dévalisé l'Agricultural National Bank à Creekmore, dans le Dakota du Nord, vendredi dernier au matin, disait l'article. À main armée, apparemment. Une somme de deux mille cinq cents dollars avait été dérobée. Nos parents s'étaient enfuis, ils avaient regagné Great Falls, où ils avaient été arrêtés à leur domicile, une maison de location dans la partie ouest de la ville. Notre père, dont le prénom apparaissait entre guillemets, « Beverly », de même que celui de notre mère, « Neeva », était décrit comme un natif de l'Alabama, ancien de l'Air Force ; la police de Great Falls l'avait dans le collimateur depuis quelque temps car elle le soupçonnait de trafics impliquant des Indiens de la réserve de Rocky Boy. Notre mère était décrite comme originaire de l'État de Washington et institutrice à Fort Shaw, inconnue des services de police, mais on faisait une enquête sur sa citoyenneté. On allait les extrader vers le Dakota du Nord dans la semaine. Aucune mention d'enfants.

Berner laissait l'évier se vider. « C'est rien que des menteurs. Comme tout les autres », elle a dit.

Je n'avais pas souvenir qu'ils nous aient menti. Et puis j'ai pensé au pistolet. Ça m'avait fait un coup terrible de lire cette information dans le journal – c'était presque aussi dur que de l'apprendre. « Extrader », c'était un mot que j'avais appris à la télévision. Ça voulait dire qu'ils ne reviendraient pas. La liasse de billets représentait sans doute leur butin ; il ne fallait pas la garder.

« Si on va à la prison, on va se faire choper », a dit Berner posément. Elle est allée à la fenêtre qui donnait sur la rue et le parc. Le soleil du matin tapait sur le toit d'une voiture garée devant l'église luthérienne. Des nuages vaporeux couraient au-dessus des arbres, sur un fond de ciel parfait. « Il faut quand même qu'on y aille, bien sûr, même si c'est rien que des menteurs.

– Oui, j'ai dit. Je veux y aller. » Je n'avais aucune envie d'être remis à la Protection des mineurs, mais nous n'avions pas le choix. Impossible de ne pas aller les voir. « Et qu'est-ce qu'on va faire après ? » Je voulais que Berner soit sûre qu'on s'en sortirait.

« On ira déjeuner au Rainbow Hotel, on invitera tous nos potes et on fera la fiesta. »

Berner ne blaguait jamais. Elle était comme notre mère, disait notre père. Elle n'avait pas la « bosse de l'humour », d'après lui. Mais ce qu'elle venait de dire sur le Rainbow Hotel et la fiesta m'a fait penser qu'elle racontait tout le temps des blagues, au contraire, sans que personne s'en aperçoive. Rien n'était simple, chez Berner. Elle s'est retournée vers moi, elle a croisé les bras et fixé mon front comme quand elle voulait me dire que je n'étais pas très malin. Et puis elle a souri. « Je ne sais pas ce qu'on va faire. On va faire ce que font les enfants qui ont leurs parents en prison. On va attendre qu'une tuile nous tombe dessus.

— J'espère que ce ne sera pas la cas.

— Les ennuis, on n'a pas besoin de les chercher, a dit Berner. Tu as beau te cacher, ils te trouvent. »

Peut-être bien qu'il y a des gens qui savent des choses à la naissance. Berner avait déjà compris que tout ce qui était arrivé la veille et pendant la nuit n'était pas arrivé à nos seuls parents, mais à nous quatre. J'aurais dû le savoir, moi aussi. J'étais tellement plus jeune qu'elle, quoique du même âge. Avec les années, je ne connaîtrais jamais le monde aussi bien qu'elle le connaissait – ce qui est positif à plus d'un titre. Mais à tant d'autres, pas du tout.

# 36

La prison se trouvait à l'arrière du tribunal du comté de Cascade, dans Second Avenue North. Nous étions passés devant deux jours plus tôt avec notre père. Je l'avais longée à bicyclette en allant à la boutique de loisirs. C'était un vaste édifice de pierre à deux étages, avec une large pelouse et un perron en béton, un drapeau, et le numéro 1903 gravé au-dessus de l'entrée. De vieux chênes projetaient leur ombre sur l'herbe, et là-haut sur le toit, il y avait une statue de femme tenant une balance, dont je savais qu'elle avait à voir avec la justice. Devant le tribunal, on voyait parfois des voitures de shérifs, et des officiers de police entrer ou sortir, escortant des gens menottés.

Berner et moi, nous avons fait le tour complet du pâté de maisons pour voir si les fenêtres des cellules donnaient sur la rue, mais non. Quand nous sommes entrés dans le vestibule sonore, nous nous sommes retrouvés devant un panneau qui disait PRISON AU SOUS-SOL. DÉFENSE DE FUMER. Il n'y avait personne dans le vestibule. Nous avons descendu une volée d'escaliers dans la pénombre pour arriver devant une porte métallique portant l'inscription PRISON peinte en rouge. Cette porte franchie, nous avons débouché dans un couloir avec un bureau éclairé au bout, derrière un guichet vitré. Un shérif adjoint en tenue était assis au bureau, de l'autre côté de la vitre, il lisait un magazine. Derrière lui, chose inattendue, une porte à barreaux ouvrait sur un corridor en béton desservant une rangée de cellules. Face à elles, il y avait un long mur percé dans sa partie supérieure de soupiraux laissant passer une faible lumière, fraîche et agréable à l'œil, même s'il ne faisait pas bon atterrir ici. C'est là que nos parents devaient être.

Quand nous avions quitté la maison, traversé le pont de Central Avenue, longé le dépôt de Milwaukee Road pour entrer en ville, le matin était clair et chaud, avec les mêmes nuages floconneux qui s'aplatissaient à l'ouest sur les montagnes et filaient vers les plaines à l'est. La rivière avait une odeur suave dans la brise matinale attiédie. Une fois de plus, des gens y faisaient du canoë, profitant des derniers jours de l'été. Nous apportions deux sachets en papier contenant des affaires de toilette dont nous supposions que nos parents auraient besoin en prison. Le rasoir de sécurité de mon père ; une savonnette ; un tube de dentifrice et une brosse à dents ; un tube de Barbasol ; le flacon de Wildroot ; un peigne et une brosse. Berner apportait d'autres articles pour notre mère.

Quand nous avions franchi le Missouri, la circulation était dense, ce lundi matin. Deux fois j'avais cru voir une voiture avec un garçon de mon école dedans. Berner et moi, nous n'attirions pas l'attention, deux jeunes sur le pont avec leurs sachets en papier. Des invisibles. Mais je le répète, si j'avais pensé que quelqu'un puisse me reconnaître et se douter que j'allais à la prison visiter mes parents qui y étaient bouclés, ça aurait été au-dessus de mes forces. Je me serais peut-être jeté dans la rivière pour me noyer. L'adjoint, derrière son guichet, était un costaud souriant, avec des cheveux noirs coupés court et une raie impeccable. Il avait l'air content de nous voir. Berner lui a parlé dans l'hygiaphone, elle lui a dit qui nous étions, que nous pensions que nos parents étaient incarcérés ici et que nous aimerions leur faire une visite. Du coup, le sourire de l'adjoint s'est fait plus large encore. Il est sorti de son bureau par une porte métallique, à côté du guichet, pour nous rejoindre dans la pièce où nous nous trouvions, laquelle avait des sièges en plastique vissés au sol peint en marron. Ça sentait le désinfectant au pin, mêlé d'un relent douceâtre, comme celui du chewing-gum. La prison, on l'appréhendait avant tout par les narines.

L'adjoint a dit qu'il lui fallait jeter un coup d'œil sur ce qu'on avait dans nos « fouilles », mot qu'employait parfois notre père. On lui a fait voir nos sachets. Il s'est mis à rire : c'était gentil à nous d'avoir apporté ces articles, mais nos parents n'en avaient pas besoin, et le règlement de la prison interdisait les cadeaux. Il allait nous les garder, et on les remporterait en partant. C'était un homme à la face lunaire, corpulent, qui tenait tout juste dans son uniforme marron. Il boitait très bas, au point de se toucher la jambe au-dessus du genou à chaque pas, une jambe qui émettait un léger cliquetis : elle devait être artificielle. Blessure de guerre. Je connaissais. Il n'avait pu accéder au grade de shérif adjoint qu'à la condition de prendre ce poste de gardien. J'avais cru qu'on verrait Bishop et l'autre policier au visage rougeaud qui avaient arrêté nos parents, qu'ils nous reconnaîtraient et nous parleraient. Mais ils n'étaient pas là, ce qui ajoutait à l'étrangeté de la situation.

Une fois que le gardien, qui ne nous a pas dit son nom, eut pris nos sachets, nous eut fait vider nos poches et montrer l'intérieur de nos chaussures, il est retourné dans son bureau, pour en revenir avec une grosse clef de métal. Avec une autre, plus petite, il a rouvert la porte par laquelle il était passé et qui portait l'inscription BLOC CELLULAIRE ; il nous a fait entrer. De l'autre côté de la porte métallique, le sol était peint en jaune, il était plus dur et plus froid que chez nous. J'avais l'impression qu'il me collait aux semelles. Tous ceux qui étaient incarcérés éprouvaient la même chose, la prison c'est le contraire de la maison et c'est bien pour ça qu'elle existe.

En chemin, nous avions discuté de ce que nous allions dire à nos parents. Mais une fois dedans, une fois la porte à barreaux ouverte avec la grosse clef, on n'a plus parlé. Berner s'est raclé la gorge plusieurs fois et elle s'est passé la langue sur les lèvres. Je me suis dit qu'elle regrettait d'être venue.

Derrière cette première porte, il y avait un sas à peine assez grand pour qu'on y tienne à trois, puis une autre porte à barreaux, qui interdisait toute évasion. Là, ça sentait toujours le désinfectant au pin, mais avec des odeurs de nourriture en plus, et peut-être d'urine, comme dans les toilettes des garçons, à l'école. Le bruit de la porte qui s'ouvrait s'est répercuté sur le béton brut, humide et luisant.

On ne voyait personne dans cette rangée de cellules. Une voix d'homme, qui n'était pas celle de mon père, parlait au téléphone, quelque part. De l'autre côté des cellules, derrière les hautes fenêtres à barreaux, un piétinement saccadé disait que quelqu'un marquait des paniers ; on entendait un rire, un rire d'homme, et le ballon rebondissait sur une plaque de métal, tout comme dans le parc où Rudy et moi, on avait joué au début de l'été. À part la lumière d'aquarium qui filtrait du dehors, la seule clarté provenait d'ampoules dans le plafond de béton, protégées par des coupelles grillagées, qui la laissaient tout juste parvenir jusqu'au sol. On se serait cru dans l'obscurité d'une caverne. Ça m'aurait vraiment mis en joie, sauf que nos parents étaient dedans.

« On n'a pas beaucoup de monde, aujourd'hui », nous a dit l'adjoint infirme en nous faisant passer la deuxième porte, qu'il a refermée derrière lui. Il ne portait pas d'arme. « Ils sortent de bonne heure, le lundi. Ils en ont assez de notre hospitalité. Et pourtant, en général, on les voit revenir. » Il était jovial. Il y avait un minuscule transistor rouge posé sur son bureau, j'entendais Elvis Presley chanter en sourdine. « On s'occupe tout particulièrement de votre maman, a dit l'adjoint. Votre père, lui, c'est un vrai cador. » Il s'est engagé devant nous dans le corridor de béton, entre lumière verte et pénombre. Les premières cellules étaient vides ; il y faisait noir. « Vos parents, ils ne vont pas rester longtemps chez nous, en principe », il a dit, sa jambe faisant clic-clac. Il portait un sonotone qui lui remplissait l'oreille gauche. « Ils vont partir dans le Dakota du Nord, mercredi ou jeudi. »

Et puis, tout d'un coup, nous nous sommes trouvés devant une cellule occupée, et c'est là qu'était notre père, assis dans une obscurité partielle, sur une couchette métallique, garnie d'un matelas dont la bourre blanche tombait en flocons sur le béton. Quelque chose me disait qu'il avait dû le lacérer lui-même.

« C'est pas un endroit pour vous, les enfants », a-t-il dit à haute voix, comme s'il s'attendait à notre visite. Il s'est levé de sa couchette. Je ne le distinguais pas très bien, son visage, en particulier, mais je l'ai vu se passer la langue sur les lèvres, comme si elles étaient sèches. Il avait les yeux plus écarquillés qu'à l'ordinaire. Berner avait continué sur sa lancée, elle ne l'avait pas vu. Mais quand elle a entendu sa voix, elle a dit « Oh, pardon ! », elle s'est arrêtée et elle l'a vu à son tour.

« J'ai trop fait confiance à l'État, c'est mon gros problème », il a dit, comme s'il l'avait déjà dit à quelqu'un d'autre. Il ne s'est pas approché des barreaux. Je ne comprenais pas ce qu'il voulait dire. Son visage avait pris une expression inquiète, épuisée. Il semblait avoir maigri, alors que la veille encore, nous étions tous à la maison. Ses yeux étaient rouges, ils se déplaçaient sans cesse, comme quand il cherchait quelqu'un à charmer. Son accent du Sud était plus marqué qu'avant. « Je n'ai jamais pensé tuer personne, si jamais la question se pose. Mais enfin, j'aurais pu. » Il nous a regardés, et puis il s'est rassis sur sa couchette et il a fourré les deux poings entre ses genoux, comme pour exprimer sa patience. Il était resté habillé tel qu'au moment de l'arrestation, en jean et chemise blanche. On lui avait retiré sa ceinture en serpent et ses bottes. Il était donc en chaussettes, des chaussettes sales, ni peigné ni rasé, le teint gris comme sur la photo du journal.

Un calme est descendu sur moi. Contre toute attente. Je me

sentais en sécurité avec lui, là où il était. J'avais l'intention de lui parler de l'argent. De lui demander d'où il venait.

« On vous avait apporté des affaires de toilette, mais ils n'ont pas voulu qu'on vous les donne », a dit Berner d'une voix contrainte, haut perchée, qui n'était pas la sienne. Elle gardait les mains derrière le dos. Elle ne voulait pas toucher les barreaux.

« J'ai tout ce qu'il me faut pour la toilette », a répondu mon père en coulant un regard de côté à un seau hygiénique sans couvercle, infect, et qui sentait mauvais. Il s'est frotté un poignet, puis l'autre, et s'est passé la langue sur les lèvres comme s'il ne se rendait pas compte de ce qu'il faisait. Il s'est frotté les joues à pleines mains, il a serré les paupières, puis il a rouvert les yeux.

« Quand est-ce qu'ils vont vous laisser sortir ? » j'ai demandé. Je repensais à ce qu'avait dit Berner, qu'ils étaient des menteurs, et d'autres détails me revenaient : le Dakota du Nord, la combinaison d'aviateur.

« Quoi, mon fils ? » Il me souriait faiblement.

« Quand est-ce qu'ils vont vous permettre de rentrer ? j'ai dit tout fort.

— Un de ces jours, sûrement », il a dit. Il avait l'air de s'en fiche. Il s'est passé la main dans les cheveux, comme samedi dans la voiture. « N'allez pas vous en faire pour ça. Ça n'est pas la veille de la rentrée ?

— Si », j'ai dit. Il donnait l'impression de croire qu'il était en prison depuis plus longtemps qu'en réalité. Il la connaissait pourtant, la date de la rentrée.

« Vous avez joué aux échecs, Berner et toi ? » Il ne s'était pas encore adressé à elle.

« Où est maman ? » elle a demandé subitement. On avait cru qu'ils seraient dans la même cellule. Et puis elle a dit : « C'est vrai que vous avez braqué une banque ?

— Elle est quelque part par ici. » Notre père désignait du pouce le mur de sa cellule, comme si notre mère se trouvait derrière. « Elle ne me parle plus. Je ne peux pas le lui reprocher. » Il a secoué la tête. « Je ne peux pas dire que j'aie été à la hauteur. J'espère bien que tout ça ne vous paraît pas normal, à vous deux. » Il n'avait pas répondu à la question de Berner quant au hold-up. J'aurais voulu qu'il le fasse parce que je me rappelais qu'il avait dit, des années plus tôt : « Ça me tenterait. »

« Non », a répondu Berner.

Il nous a souri, depuis la clarté obscure. On pourrait croire que lorsqu'on rend visite à son père en prison, on a beaucoup à dire. Berner avait prévu de demander s'ils avaient besoin de quelque chose, s'il voulait qu'on appelle quelqu'un de sa famille à lui, un avocat, l'école de notre mère. La prison donne un coup d'arrêt à tout. C'est fait pour.

« On devrait avancer un peu pour voir votre mère, à présent », a dit le gardien, dans notre dos. Sa radio jouait toujours, au bout du couloir des cellules. Il avait vu qu'on n'avait plus rien à se dire et qu'on ne voulait pas déranger. Quelqu'un s'était mis à parler derrière les hautes fenêtres à barreaux. On a entendu le ballon de basket rebondir une fois. « Y a un satellite tout là-haut là-haut », a dit une voix. « Comment tu le sais ? » a répondu une autre. Et le ballon a de nouveau rebondi.

« La prison n'est pas un endroit pour vous, les enfants », a redit notre père en levant les yeux vers nous avec une expression inquiète. Une veine saillait sur son front.

« C'est vrai, a dit l'adjoint. Mais ils vous aiment.

– Je le sais bien. Et moi aussi, je les aime, a répondu notre père comme si nous n'étions pas là.

– Tu veux qu'on appelle quelqu'un ? » a demandé Berner.

Mon père a fait non de la tête. « Ça peut attendre. Je m'entretiens avec un avocat. Nous allons partir pour le Dakota du Nord très bientôt. »

Berner n'a rien répondu, et moi non plus. Je portais toujours sa chevalière du lycée au pouce, mais j'avais mis cette main derrière mon dos pour éviter qu'on en parle.

« Je voudrais tant vous faire plaisir, les enfants. » Notre père a croisé les doigts et serré les mains. « Qu'est-ce que je peux faire pour arranger vos affaires ?

– Ils le savent, Bev », a dit le gardien.

J'aurais dû lui parler de l'argent à ce moment-là, mais j'ai oublié.

Un téléphone a sonné, sa sonnerie stridente s'est répercutée dans le couloir des cellules. Berner et moi, on est restés là encore quelques secondes. On ne voyait pas ce qu'il fallait dire de plus. Il fallait juste qu'on vienne, c'était tout.

Le shérif adjoint a posé une main sur mon bras, et l'autre sur celui de Berner, et il nous a entraînés plus loin. Il connaissait tout ça par cœur, lui.

« Au revoir, a dit Berner.

– C'est ça », a répondu mon père. Il ne s'est pas levé.

« Au revoir, j'ai dit.

– C'est ça, Dell, mon fils. » Il n'avait pas répondu, pour la banque.

# 37

La cellule de notre mère se situait tout au bout d'une série qui n'était pas allumée, et elle n'était pas différente de celle de notre père, à ceci près qu'un panneau métallique blanc était accroché aux barreaux par une fine chaîne de métal. Le panneau indiquait SUICIDE, en lettres rouges. Tout en avançant, le shérif adjoint nous avait dit qu'il n'y avait pas de quartier spécifique « pour les filles ». Le mieux que le comté pouvait faire était de leur ménager un peu d'intimité.

Notre mère était assise sur une couchette semblable à celle de notre père, mais qui n'était pas lacérée, ni hérissée de touffes de bourre. Elle se trouvait auprès d'une autre femme, avec laquelle elle bavardait à mi-voix. Il y avait une seconde couchette dans la cellule. Leur seau n'était pas souillé et infect, comme celui de notre père.

« Voici vos enfants qui sont venus vous voir, Neeva », a dit l'adjoint d'une voix enjouée. Il nous a poussés devant lui, et puis il s'est reculé en s'adossant au mur, pour qu'on soit presque seuls avec elle. « Allez-y, il a dit. Elle est contente de vous voir.

– Oh là là ! » a dit ma mère, qui s'est levée aussitôt. Elle avait ses lunettes à la main ; elle les a mises et elle s'est approchée des barreaux. Elle paraissait toute petite. Sa peau était marbrée de taches ; elle avait le bout du nez rouge. Elle portait des tennis blanches sans lacets, et une robe vague, vert foncé, fermée devant par des boutons blancs, sans ceinture. On aurait dit qu'elle n'avait pas de poitrine, dessous. Derrière ses lunettes, elle ouvrait tout grands des yeux scrutateurs. Elle nous a souri, comme si elle peinait à nous reconnaître. Mes yeux se sont naturellement posés sur le panneau SUICIDE, que je croyais concerner l'autre femme. « Comment avez-vous fait pour venir jusqu'ici ? elle a dit. Je vous avais demandé d'attendre Mildred.

– On savait pas où aller sinon, a répondu Berner. On est venus, voilà tout. On a vu papa, il nous a pas dit grand-chose. »

Notre mère a passé les mains entre les barreaux. Je ne lui avais pas encore dit bonjour, mais j'ai pris sa main droite et Berner la gauche. Elle a serré les nôtres. Elle m'a semblé plus fatiguée encore que l'avant-veille, quand elle était venue me parler dans ma chambre. J'ai senti qu'elle avait retiré son alliance, et ça m'a fait un choc. L'autre femme portait une robe verte et des tennis blanches, elle aussi. Elle était grande et massive : même assise, ça se voyait. Elle s'est levée de la couchette et elle est allée s'allonger sur l'autre, visage tourné vers le mur. Elle geignait en cherchant à s'installer au mieux.

« On vous avait apporté des affaires de toilette, a dit Berner, mais ils veulent pas qu'on vous les donne. On avait cru que vous seriez dans la même cellule, avec papa.

– D'accord », a dit notre mère sans lâcher nos mains. Elle nous regardait en souriant, elle ne parlait pas très fort. « Je me sens très légère, ici. C'est drôle, hein ?

– Oui, mère », j'ai dit. Elle parlait d'une voix normale, comme si elle pouvait sortir de sa cellule et venir faire un tour avec nous en bavardant, si bon lui semblait. La voir m'a fait un choc plus grand, pire que de voir notre père, qui ne paraissait pas déplacé en prison. Je me sentais exclu, n'empêche, et tout sauf léger par rapport à cette situation. Je me demandais où était passée son alliance, mais je n'ai pas voulu lui poser la question.

« Quand est-ce que tu sors ? » a demandé Berner sur un ton définitif. Elle pleurait et ravalait ses larmes comme elle pouvait.

« Je crois que j'ai eu un petit passage à vide, a répondu notre mère. On en parlait justement, avec mon amie. » Elle a regardé la grande femme massive tournée vers le mur, qui respirait profondément, pieds croisés. « J'ai essayé de vous appeler, mes enfants. Je n'avais droit qu'à un seul appel. Vous n'avez pas décroché. Vous deviez être sortis. » Elle a cligné des yeux derrière ses lunettes ; elle dégageait une odeur de transpiration. Son odeur de toujours. Il flottait aussi une odeur de propre et d'amidon venant de son uniforme.

« Qu'est-ce qu'on va devenir, à présent ? » a dit Berner, les joues ruisselantes de larmes, lèvres serrées, menton tremblant. Dehors, des voitures passaient dans la rue. Un klaxon a retenti. Dehors, c'était si près. J'aurais voulu que Berner pleure pas. Ça n'allait pas arranger les choses.

« Où on va ? » j'ai dit. Je pensais à Miss Remlinger, qui viendrait nous chercher à la maison.

« Vous verrez, c'est une surprise Ça va être formidable. » Notre mère souriait derrière les barreaux et elle hochait la tête. « Je vous sauve tous les deux. Mildred va venir. Je m'étonne qu'elle ne soit pas encore passée. »

Un homme jeune, en costume beige, portant une serviette, est entré dans le couloir des cellules, guidé par un autre surveillant. Il est venu dans notre direction et s'est arrêté devant la cellule de notre père. La main de celui-ci s'est tendue à travers les barreaux ; l'homme l'a saisie et serrée. Mon père a ri et il a dit : « OK, OK. » En voyant cet inconnu parler à mon père, j'ai réalisé que le sort de mes parents n'était plus indissociable. C'était peut-être pourquoi ma mère se sentait si légère. Quelque chose s'était détaché d'elle ; un poids.

« Vous devriez rentrer à la maison, les enfants, vous ne croyez pas ? » a dit notre mère, entre les barreaux. Un rayon de soleil de fin de matinée pénétrait dans sa cellule. Elle a lâché nos mains et elle a souri. Nous n'étions pas arrivés depuis deux minutes. Nous n'avions rien dit de décisif. Je me demande ce que nous nous étions figuré.

« Tu nous aimes plus », a dit Berner en refoulant ses larmes.

J'ai regardé ma sœur et je lui ai pris la main. Elle me paraissait au fond du désespoir.

« Bien sûr que si, a répondu notre mère. Il ne faut pas vous inquiéter pour ça. Vous pouvez compter là-dessus. » Elle a tendu sa petite main pour caresser le visage de Berner, mais Berner ne s'est pas approchée. Notre mère a laissé sa main en suspens un instant.

« Tu veux te suicider ? » j'ai demandé. Le panneau me crevait les yeux, je ne pouvais pas faire semblant de ne pas le voir. C'était la première fois que je prononçais ce mot-là, et c'est à ma mère que je le disais.

« Bien sûr que non. » Elle a secoué la tête. Elle a levé les yeux vers les fenêtres du couloir, derrière nous. Elle mentait. Elle l'a bel et bien fait dans le pénitencier du Dakota du Nord, et elle avait sans doute déjà annoncé la couleur ce jour-là. « Je vous l'ai dit, j'ai eu un passage à vide. »

L'homme au complet beige qui parlait avec notre père a dit : « Très bien, attendez-moi sagement. Je vais aller dire un mot à votre tendre moitié, à présent. » Il a refermé sa serviette avec un claquement. Il lui avait présenté des papiers, qu'il lui avait fait signer.

« Elle veut me traîner devant les tribunaux fédéraux. » La voix de notre père résonnait dans le couloir des cellules.

« Ça ne m'étonne pas. Elle n'est pas la seule… » Le jeune homme a ri, puis il s'est avancé vers nous, ses chaussures martelant le béton.

Le shérif adjoint a fait un pas en avant et il nous a dit : « C'est l'avocat de vos parents, les jeunes. Il vaudrait mieux qu'on le laisse échanger quelques mots avec votre mère en tête à tête. Revenez les voir plus tard, je vous laisserai entrer. »

Berner a regardé l'homme qui s'approchait et, aussitôt, elle a cessé de pleurer. Notre mère nous a souri. Elle avait les larmes aux yeux, ça je l'ai vu.

« J'ai décidé d'écrire quelque chose. » Elle m'a adressé un signe de tête, comme si cette nouvelle devait me faire plaisir.

« Qu'est-ce que ce sera ? » j'ai demandé. Le shérif adjoint avait posé la main sur mon épaule, il m'entraînait déjà.

« Je n'en suis pas encore tout à fait sûre. Ce sera une tragi-comédie, en tout cas. Il faudra que tu me dises ce que tu en penses ; tu es un garçon intelligent.

– C'est vrai que vous avez braqué une banque ? » a demandé Berner. Notre mère n'a pas relevé. Le gardien nous a éloignés de sa cellule pour qu'elle puisse parler à son avocat. Elle n'allait plus rester là bien longtemps. Je ne l'ai jamais revue, mais je ne le savais pas à l'époque. Je lui en aurais dit davantage si je l'avais su. J'ai regretté que Berner lui ait parlé de la banque, puisque ça l'avait gênée.

En sortant, on est passés de nouveau devant la cellule de notre père. Il était allongé sur sa couchette déglinguée, en chaussettes, avec une brassée de feuilles entre les mains, qu'il lisait. On a dû lui cacher le jour en passant, parce qu'il s'est retourné, s'est redressé à moitié et nous a regardés, les yeux ronds. « Ça va ? il a dit en agitant sa liasse de papiers dans notre direction. Vous avez vu votre mère ? » Le gardien ne nous a pas laissés nous arrêter.

J'ai dit « oui, père » au passage.

« C'est bien, alors. Je sais que ça lui a fait plaisir. Vous lui avez dit que vous l'aimiez ? »

Je ne le lui avais pas dit, j'aurais dû.

« On lui a dit, a répondu Berner.

– Très bien. »

C'est tout ce que nous avons eu le temps de nous dire. J'y ai repensé bien des fois, puisque je ne l'ai jamais revu, lui non plus. Mais ça valait toujours mieux que de se dire la vérité.

## 38

Personne n'est venu voir ce que nous devenions ni nous chercher pour nous mettre en lieu sûr : voilà bien la mesure de notre insignifiance, et de la ville qu'était Great Falls. Pas de Protection des mineurs, pas de police, pas de tuteurs pour nous prendre en charge. Personne n'est venu fouiller la maison pendant que je m'y trouvais. Et quand ça se passe de cette façon, que personne ne vous remarque, les gens et les choses s'oublient vite, on s'en détache. Et c'est ce qui est arrivé. Mon père se trompait souvent, mais pas sur Great Falls. Les gens ne voulaient rien savoir de nous. Ils étaient tout disposés à nous laisser disparaître si on en avait envie.

Berner et moi, on est rentrés à la maison par un autre chemin. On n'était plus les mêmes, à présent ; plus libres, peut-être, chacun à sa manière. On a rejoint Central Avenue en passant devant la poste, et puis on a pris vers la rivière, en longeant les bars et les boutiques de prêt sur gages, le bowling, le Rexall et la boutique de loisirs où j'avais acheté mon jeu d'échecs et mes magazines sur les abeilles. La rue grouillait de monde, la circulation bruissait. Mais, une fois de plus, je n'avais pas l'impression qu'on nous regardait. L'école n'avait pas repris. Notre présence n'avait rien d'incongru. Un garçon et sa sœur, qui traversent le pont pour rentrer chez eux, dans la brise ensoleillée, la rivière et son odeur douceâtre et croupie, en une fin de matinée d'août, personne n'irait penser : Voilà les jeunes dont les parents sont en prison. Il faut veiller sur eux et les protéger.

On s'est arrêtés au milieu du pont, appuyés à la rambarde. On a regardé les pélicans glisser et prendre leur essor au-dessus du courant. Des cygnes voguaient le long de la rive la plus proche, là où une nappe d'écume jaune dansait à la surface. On a regardé deux personnes dans un canoë, qui descendaient le courant vers les hauts-fourneaux et le pont de Fifteenth Street. Jusque-là, Berner s'était tue derrière ses lunettes noires. On n'avait pas parlé de notre père ni de notre mère. Au bord du pont, au-dessus du Missouri, ses cheveux se soulevaient de temps à autre dans le vent sec, ses mains s'agrippaient au fer du garde-corps, comme si le pont allait se changer en train et démarrer. Elle me paraissait jeune, trop jeune pour fuguer et se retrouver seule. Nous avions quinze ans. Mais là n'était pas la question. Devant la réalité des faits qu'il nous fallait affronter, l'âge n'entrait pas en ligne de compte.

C'est bizarre, tout de même, ce qui fait réfléchir à la vérité. Cette question intervient si rarement dans les événements d'une vie. J'ai arrêté de réfléchir à la vérité pendant un moment, du coup. Ses subtilités me semblaient impossibles à démêler parmi les faits. S'il y avait un dessein caché, le vécu ne l'éclairait presque jamais. Le jeu d'échecs était bien plus facile à comprendre – les pièces demeuraient fidèles à leur nature, puisqu'une force supérieure dictait tous leurs mouvements. Je me suis demandé, en cet instant-là seulement, si nous, je veux dire Berner et moi, étions comme elles des figurines figées, manipulées par une force supérieure. J'ai décidé que non. Que cela nous plaise ou non, que nous le sachions ou non, nous étions notre propre maître et ne devions rien à un grand dessein. Si notre nature était un destin, il faudrait qu'elle se révèle plus tard.

Avec les années, j'ai tendance à croire que toute situation humaine se retourne comme un gant. Tout ce que tel ou tel m'assure être vrai peut ne pas l'être. Tout article de foi est susceptible de voler en éclats dans ce monde. Il est rare que les choses demeurent très longtemps en l'état. Le comprendre ne m'a pas rendu cynique pour autant. Est cynique celui qui ne croit pas le bien possible. Alors que moi, j'ai la certitude qu'il l'est. Simplement, je ne tiens rien pour acquis et j'essaie d'être toujours paré au changement qui s'annonce.

Et à ce moment-là, j'étais en bonne voie d'apprendre à subordonner les choses les unes aux autres. C'est l'un des enseignements des échecs, et il est presque immédiat. Les événements qui ont radicalement changé la vie de nos parents sont devenus secondaires par rapport à ceux qui m'ont porté vers l'avenir, à compter de ce jour d'août. Parvenir à ce constat rien moins qu'évident, c'est à quoi a tendu ce récit jusqu'ici – et à y voir plus clair sur nos parents également. Je crois que c'est pourquoi je me suis senti libéré quand Berner et moi, on était sur le pont, ce jour-là, et pourquoi aussi mon cœur cognait d'allégresse. C'était peut-être dû à cette vérité insaisissable, et ce qui a fait que j'ai laissé tomber la chevalière de mon père dans la rivière, sans en penser plus long par la suite.

Pour bien faire, il faut nous laisser sur le pont, ce matin-là. Ça vaudra mieux que de m'imaginer chez moi, un peu plus tard, sur le perron, en train de regarder Berner s'en aller sous les ombrages de notre rue et suivre le cours inconnu de sa vie. Se focaliser sur la silhouette de Berner qui s'en va ferait de toute cette histoire un récit de la perte et du deuil, et ce n'est pas l'idée que j'en ai, aujourd'hui encore. Je crois au contraire qu'elle raconte une progression, un cheminement vers l'avenir, notions qui ne sont pas toujours faciles à appréhender quand on a le nez dessus.

# Deuxième partie

# 39

Ce qui s'est passé, c'est que Mildred Remlinger est arrivée dans sa vieille Ford marron cabossée, qu'elle a remonté l'allée, grimpé les marches du perron et frappé à la porte, derrière laquelle j'attendais tout seul. Elle est entrée tout de suite et m'a dit de faire ma valise, valise que je ne possédais pas, bien sûr, puisque je n'avais que ma taie d'oreiller avec mes quelques affaires. Elle m'a demandé où était ma sœur Berner. Je lui ai dit qu'elle était partie la veille. Son regard a fait le tour du séjour, et elle m'a dit : « Libre à elle, alors », parce qu'on n'avait pas le temps de se lancer à sa recherche. La Protection des mineurs du Montana ne tarderait pas à débarquer pour nous prendre sous sa tutelle, c'était un miracle qu'elle ne l'ait pas déjà fait.

Puis, avec moi sur le siège passager, Mildred a quitté Great Falls, en cette fin de matinée du 30 août 1960, et elle a roulé droit vers le nord par la highway 87, dans la direction où notre père nous avait emmenés, Berner et moi, il n'y avait pas si longtemps, le jour où on avait vu les maisons des Indiens et le semi-remorque où le bœuf avait été abattu, ce jour où il avait peut-être perçu les signes avant-coureurs que lui et ma mère allaient au-devant d'ennuis.

Mildred n'a pas dit grand-chose, au début, pendant qu'on laissait Great Falls derrière nous s'inscrire dans le paysage. Elle devait considérer que je comprenais parfaitement ce qui était en train de m'arriver et que, dans le cas contraire, comme il était impossible de me l'expliquer, mieux valait se taire, je n'attirerais d'ennuis à personne.

Là-haut dans le *benchland,* au nord et à l'ouest des Highwoods, il n'y avait plus que la chaleur des blés jaunes, les sauterelles et les vipères qui traversaient la route, le haut ciel bleu, et les Bear Paw's Mountains là-bas devant, bleues et voilées, une neige lumineuse sur leurs cimes. Au nord, la prochaine ville était Havre. Notre père y avait livré une Dodge neuve, un peu plus tôt dans l'été, et il était rentré à Great Falls par l'Intermountain. Il nous avait décrit la ville comme un endroit désolé, au fond d'une cuvette, « loin de tout et du reste », où il avait « croisé le vaisseau amiral de la flotte polonaise », une de ses vannes ringardes. Je ne voyais pas du tout pourquoi Mildred nous emmenait là. Sur la carte, Havre était à peu près le point le plus au nord du Montana, et du pays en général. Au-dessus, il n'y avait plus que le Canada. Mais je continuais à fonctionner selon le postulat que les comportements bizarres des adultes finissaient souvent par se justifier et déboucher sur une prise en charge. C'est une idée délirante, qui aurait dû me paraître délirante, vu ce qui s'était passé chez moi. Mais j'avais le sentiment de me conformer aux dispositions que ma mère avait prises pour moi, et pour Berner aussi. Étant donné ma nature, je n'avais pas besoin de chercher plus loin.

Une fois dans Havre – qui s'étendait au pied d'une colline tout en longueur, avec la gare de triage de la Great Northern, une rivière brune et étroite, et une ligne de falaises sur la rive nord de la highway –, Mildred m'a regardé de côté. Elle m'a dit que j'étais trop maigre, que j'avais mauvaise mine et que je faisais peut-être de l'anémie ; il allait falloir que je mange un morceau maintenant, parce que je risquais de ne pas trouver grand-chose d'autre d'ici ce soir. Mildred était une grande femme autoritaire, aux hanches carrées, avec des cheveux noirs frisés, coupés court, des petits yeux noirs et vifs, un rouge à lèvres rouge, un cou charnu, et de la poudre sur le visage, qui cachait – pas très bien – sa vilaine peau. Elle et sa voiture sentaient la cigarette et le chewing-gum, et son cendrier était plein de mégots maculés de rouge à lèvres et de papiers de chewing-gums à la menthe, mais elle n'avait pas fumé sur le trajet. Ma mère m'avait dit qu'elle avait connu des déboires conjugaux et qu'elle vivait seule à présent. J'avais du mal à imaginer qu'un homme veuille l'épouser, mais il m'était arrivé de penser la même chose de ma mère. Elle était grande et forte, pas jolie du tout, un vrai gendarme. Dans cette robe de soie verte imprimée de triangles rouges, avec ces grosses perles rouges aussi, cette gaine rigide et ces souliers noirs, elle n'avait pas l'air à son aise. Elle devait être bien plus naturelle dans son uniforme d'infirmière, blouse blanche et calot, accroché au-dessus de la portière, derrière elle, sur un cintre métallique.

Une fois dans Havre, on a redescendu la côte pour gagner le centre-ville par First Street, qui était aussi la rue principale. On a trouvé une sandwicherie en face de la banque et du dépôt de la Great Northern. On s'est assis au comptoir, et j'ai mangé une tranche de pain de viande, un petit pain avec du beurre, des cornichons, le tout arrosé d'une citronnade. Je me sentais déjà mieux. Pendant que je mangeais, Mildred fumait, elle me regardait, elle se raclait la gorge, elle m'a parlé de son enfance dans une ferme du Michigan où on cultivait de la betterave, de ses parents qui étaient des adventistes du Septième Jour, de son frère qui avait fait Harvard (j'en avais entendu parler) ; elle a raconté comment elle s'était fait la belle avec un soldat de l'Air Force, pour « atterrir » dans le Montana. Le gars avait fini par être transféré, elle, elle était restée à Great Falls et était entrée dans une école d'infirmières, et c'est comme ça qu'elle s'était remariée avant de s'apercevoir que le mariage n'était pas pour elle. Voilà pourquoi elle avait repris le nom de Remlinger, qui était son nom de jeune fille. Elle a dit qu'elle avait quarante-trois ans, je trouvais qu'elle en faisait au moins soixante. À un moment donné, elle a pivoté sur son tabouret, m'a pincé le lobe de l'oreille et m'a demandé si j'avais la fièvre ou si je couvais quelque chose. Je ne couvais rien, mais j'étais inquiet de notre destination. Elle m'a dit qu'il faudrait que je m'étende à l'arrière pour faire la sieste, après déjeuner, et c'est comme ça que j'ai compris que Havre n'était pas notre destination du jour et qu'on allait continuer.

Après Havre, on a roulé vers le nord en passant un pont de chemin de fer en bois, qui surplombait les voies et la rivière boueuse, puis on a pris une route étroite qui longeait la falaise, assez haut pour que j'aperçoive en me retournant la ville plate et morne, sinistre sous la fournaise. Je n'étais jamais monté aussi loin au nord et je ressentais une stérilité, un isolement, l'impression d'être à la dérive, coupé de tout. Berner pouvait bien être où elle voulait, c'était toujours mieux que là ; mais je ne pouvais me résoudre à poser des questions, parce que je me rendais compte que les réponses risquaient de ne pas me plaire et qu'après, comme je ne saurais plus que dire ni que faire de ma vie, je devrais bien m'avouer que j'avais commis une erreur en restant au lieu de partir avec ma sœur (qui ne me l'avait pas proposé, soit dit en passant).

Au nord de Havre, les terres étaient les mêmes que celles que nous avions traversées avant ; des cultures monotones, une mer de blés d'or en fusion sous le ciel brûlant parfaitement uni, seulement traversé par des fils électriques, alors même que très peu de maisons et de bâtiments indiquaient une présence humaine, avec des besoins en électricité. Des collines vertes, peu élevées, s'esquissaient devant nous, à l'horizon scintillant. Il était peu probable qu'on aille par là, puisque, selon mes estimations, ces collines devaient se trouver au Canada, seul pays devant nous si j'avais bonne mémoire de mon globe terrestre.

Mildred était, je l'ai dit, peu causante ; elle roulait. Elle a bien allumé une cigarette, mais elle lui a trouvé mauvais goût et l'a balancée par le déflecteur. Des busards planaient dans le ciel, ailes courbes, immobiles. Je me disais que si quelqu'un venait à se perdre ici, on pourrait le retrouver grâce aux busards, mais pas vivant.

À un moment donné, Mildred a inspiré un bout coup et soufflé lentement, comme si elle venait de décider quelque chose dont elle n'avait rien dit jusque-là. Elle s'est passé la langue sur les lèvres, s'est pincé le nez et raclé la gorge une fois de plus.

« Il y a quand même des choses qu'il faut que je te dise, à présent, Dell », elle a annoncé, les deux mains sur le volant, pieds déchaussés sur les pédales, souliers noirs posés à côté. Elle regardait droit devant elle. Nous n'avions croisé que deux voitures depuis Havre. Aucune destination plausible en vue. « Je t'emmène dans le Saskatchewan vivre quelque temps avec mon frère Arthur. » Elle a dit ça brusquement, comme si c'était désagréable à dire. « C'est un arrangement qui n'a pas vocation à durer indéfiniment ; mais pour l'instant, c'est comme ça, je suis désolée. » Elle s'est de nouveau passé la langue sur les lèvres. « C'est ce que veut ta mère. Tu n'y es pour rien. Je regrette que ta sœur se soit sauvée. Vous auriez pu faire une bonne équipe, tous les deux. »

Elle a jeté un œil dans ma direction avec une ombre de sourire, ses cheveux courts se soulevant au vent torride de la vitesse. Ses dents n'étaient pas tout ce qu'il y a de régulier, alors elle ne souriait pas souvent. J'avais l'impression que Berner était à mes côtés et qu'elle s'adressait à nous deux.

« Je ne veux pas y aller », j'ai dit, catégorique. Le frère de Mildred, le Canada. Je n'étais sûrement pas obligé d'en passer par là. J'avais mon mot à dire.

Mildred a roulé un moment sans parler, en laissant la route filer sous nos roues. Peut-être qu'elle réfléchissait, mais il est plus probable qu'elle attendait, tout simplement. Elle a fini par expliquer : « Bon, mais s'il faut que je te ramène, on va m'arrêter pour enlèvement et me mettre en prison. Et alors, la seule personne au monde susceptible de t'aider et qui n'est pas une criminelle endurcie, mais qui cherche à rendre un dernier service à ta pauvre mère, sera coupée de toi. Ils vous recherchent pour vous mettre dans un orphelinat. Tu ferais bien d'y réfléchir. J'essaie de te sauver la mise, moi. J'aurais sauvé ta sœur, aussi, si elle avait été plus maligne. »

Ma gorge se serrait déjà, et cette constriction gagnait ma poitrine à me faire mal. Tout à coup, l'air m'a manqué, alors qu'on faisait du cent à l'heure et que la fragrance chaude du blé nous entrait en bourrasques par les vitres baissées. J'ai ressenti la tentation d'ouvrir ma portière d'un coup d'épaule et de me jeter sur la chaussée qui se déroulait à toute allure. Ce qui ne me ressemblait pas du tout. Je n'étais pas un violent, porté aux coups de tête. Mais la route noire me paraissait l'image même de ma vie qui traçait comme une flèche en me laissant sur place, sans personne pour la retenir. Je me disais que si je parvenais à me remettre sur mes pieds, je pourrais marcher jusque chez moi, et même retrouver Berner, où qu'elle soit partie. Mes doigts ont tâté la poignée de la portière, ils l'ont serrée, prêts à tirer dessus. Berner m'avait dit qu'elle détestait nos parents parce qu'ils avaient menti. Moi, j'avais refusé de les détester ; j'étais resté le fils loyal, j'avais patienté gentiment et fait ce que notre mère voulait. Et du coup, c'était à moi que les ennuis arrivaient. Je n'aurais pas pu dire à quoi je m'attendais, ni quelles étaient les dispositions de ma mère pour moi. Elle avait tout expliqué à Mildred, pas à moi. Toujours est-il que je ne m'attendais pas à ça. J'avais l'impression d'avoir été trompé, abandonné, au mépris de ma loyauté ; et voilà que j'étais maintenant avec cette drôle de bonne femme dans un endroit où seuls les busards me trouveraient si je prenais ma vie en main. Être jeune, c'était ça le pire. Je comprenais pourquoi Berner avait fait tant d'efforts pour vieillir et pourquoi elle était partie. C'était pour sauver sa peau.

Cette suffocation dans ma poitrine me faisait mal, comme

quand on boit trop glacé et que ça paralyse. Mais pleurer aurait été le signe d'une déroute plus totale encore. Mildred aurait pensé que j'étais pitoyable. J'ai serré les paupières, je me suis agrippé à la poignée de la portière, et puis je l'ai lâchée en laissant l'air brûlant endiguer mes larmes. Aujourd'hui je ne crois pas que c'était tellement à cause de ce que Mildred avait dit – à savoir qu'elle me conduisait au Canada pour me confier à la garde d'inconnus, c'était plutôt l'accumulation d'événements dans ma vie au cours de la semaine précédente, événements que j'avais tenté de maîtriser, en vain. Mildred voulait seulement me venir en aide, ainsi qu'à ma mère. Ce que j'éprouvais en entendant ce que je venais d'entendre s'apparentait surtout à du chagrin.

« Je ne peux pas t'en vouloir », a fini par dire Mildred. Elle devait se douter que je pleurais. « C'est pas une consolation de savoir qu'on y est pour rien. Tu préférerais probablement y être pour quelque chose. » Elle a mieux installé ses grandes jambes, a levé le menton et s'est penchée en avant comme si elle voyait un objet sur la route. J'avais cessé de pleurer. « C'est ici qu'on passe la frontière canadienne, elle m'a dit en se réadossant. Je vais leur dire que tu es mon neveu et que je t'emmène à Medecine Hat t'habiller pour la rentrée des classes. Si tu veux me dénoncer pour enlèvement, c'est le moment. » Elle a serré les lèvres. « Mais enfin, ce serait mieux qu'on n'aille pas en prison, si possible. »

Devant nous, au loin, là où la route n'était qu'un trait de crayon, deux petites bosses sombres sont apparues à l'horizon, sur fond de ciel bleu sans nuages. Je ne les aurais jamais vues si je n'avais pas suivi le regard de Mildred. Là-bas, c'était le Canada. Impossible à différencier. Même ciel, même lumière, même air. Mais autre. Comment se faisait-il que je sois en train d'y aller ?

Tout en roulant, Mildred farfouillait dans le grand sac de cuir rouge sous ses pieds. Les bosses sombres se sont bientôt transformées en deux cubes, qui étaient des bâtiments situés côte à côte, sur un talus, dans la Prairie. Une voiture était garée devant chacun d'eux. Là commençait sans doute la frontière. Je ne savais pas ce qui nous attendait. Peut-être qu'on allait me mettre en garde à vue, me passer les menottes et m'envoyer à l'orphelinat, ou me renvoyer chez moi, où je ne trouverais qu'une maison vide.

« À quoi tu penses ? » m'a demandé Mildred.

J'ai levé les yeux vers le ciel, au-dessus du Canada. Personne ne m'avait jamais posé cette question de but en blanc. Ça n'avait pas d'importance ce à quoi on pensait, Berner et moi, dans notre famille, et pourtant on pensait tout le temps. *Qu'est-ce que j'ai à perdre ?* Voilà les mots qui me venaient en silence, voilà ce à quoi je pensais justement, mais seulement parce que ces mots-là, je les avais déjà entendus, au club d'échecs en l'occurrence. Je ne les aurais pas dits à Mildred, mais à mon corps défendant, je sentais qu'ils étaient vrais. J'ai donc demandé : « Comment peut-on être sûr de ce qui nous arrive vraiment ? » C'était la phrase que j'avais réussi à formuler.

« Oh, on n'en est jamais sûr. » Mildred avait son permis de conduire dans la main qui tenait le volant. Nous approchions déjà de ce qui était finalement deux cabanes en bois. Derrière, la route se divisait en deux. « Dans ce monde, il y a deux sortes de gens, a dit Mildred. Oui, enfin, il y en a de toutes sortes. Mais au moins deux : ceux qui comprennent qu'on ne sait jamais ; et puis ceux qui pensent qu'on sait toujours. Moi, j'appartiens au premier groupe. C'est plus sûr. »

Un homme corpulent en uniforme bleu est sorti de la cabane droite à notre approche. Il a ajusté son képi de policier sur la tête et nous a fait signe d'avancer. Un drapeau rouge que je ne connaissais pas, mais qui comportait un petit drapeau anglais dans le coin gauche, flottait sur sa hampe au-dessus du toit. Au pied, un panneau disait : VOUS ENTREZ AU CANADA. POSTE FRONTALIER DE WILLOW CREEK, SASKATCHEWAN.

L'autre cabane était celle des États-Unis. La bannière étoilée flottait au-dessus – mais je soupçonne qu'il devait lui manquer la cinquantième étoile, celle de Hawaii. Une frontière, deux gestes : entrer et sortir. Moi je sortais, c'était lourd de sens. Un petit homme tête nue, dans un uniforme d'un autre bleu, avec un insigne et un pistolet au côté, est sorti de la cabane américaine dans la brise. Il a regardé Mildred s'arrêter. Peut-être qu'il était au courant, pour moi, et qu'il se préparait à nous coffrer tous les deux. J'ai regardé droit devant moi, sans bouger. Pour une raison que je n'aurais pas su expliquer, je voulais la passer, cette frontière. Ça m'exaltait, j'avais peur qu'on nous en empêche. Des deux types de gens dont parlait Mildred, j'appartenais au premier, moi aussi. Sinon, qu'est-ce que j'aurais fait là, alors que tout ce que j'avais compris dans ma vie s'évanouissait derrière moi ? Ce n'était pas ce que je m'attendais à ressentir. Je m'étais réveillé tout seul dans mon lit, j'avais vu ma sœur sortir de ma vie, pour toujours peut-être. Mes parents étaient en prison. Je n'avais personne qui veille sur moi, qui s'occupe de moi. *Qu'est-ce que j'ai à perdre ?* C'était sans doute la question pertinente, en effet. La réponse m'a semblé être : *très peu de chose.*

## 40

La highway qui pénétrait au Canada traversait d'autres terres cultivées, infinies, en rien différentes à mes yeux de celles d'avant la frontière, avec encore des habitations, des granges, des éoliennes et des signes de présence humaine. Les collines vertes aperçues depuis le nord de Havre, c'étaient les Cypress, m'a dit Mildred. Elles étaient comme les Alpes, elles se dressaient au milieu de la Prairie, anomalie qui datait du temps où les glaciers couvraient les plaines. Elles avaient leur forêt et leur faune distinctes. Leurs habitants n'aimaient pas les étrangers. Les villes que nous avons traversées, malgré tout, Govenlock, Consul, Ravencrag, Robsart, ressemblaient à n'importe quelle ville du Montana. Mais je me disais que si on grandissait dans une ville qui portait un nom aussi bizarre que ceux-là – comme l'était aussi le nom Saskatchewan, d'ailleurs, que j'avais rarement entendu prononcer jusque-là –, un sentiment d'étrangeté devait vous coller à la peau. Plus tard dans la vie, rien ne pouvait être aussi parfaitement normal que pour moi qui avais vécu à Great Falls.

Cap au nord dans la lumière rasante de fin d'après-midi, Mildred me récitait ce qu'elle savait sur le Canada et qu'elle pensait pouvoir m'être utile. Le Canada était une possession anglaise ; il était divisé en provinces et non en États – enfin, ça revenait presque au même, à ceci près que le Canada en avait dix. En général, les gens parlaient anglais, mais un anglais différent, sans qu'elle puisse dire en quoi ; je m'en rendrais compte et j'apprendrais, si je voulais. Elle a dit qu'ils avaient leur propre Thanksgiving, qui ne tombait ni un jeudi, ni en novembre. Le Canada avait combattu aux côtés des États-Unis dans la guerre que mon père avait faite, mais il s'y était engagé avant nous, étant donné son allégeance à la Couronne d'Angleterre ; du reste, son aviation était aussi bonne que la nôtre. Elle m'a dit que le Canada n'était pas un vieux pays comme le nôtre et qu'on y sentait encore l'esprit des pionniers ; personne ne le voyait comme un pays ; d'ailleurs, dans certaines régions, les gens parlaient français ; la capitale était située tout à fait à l'est, et personne n'avait pour elle le respect que nous avions pour Washington DC. Elle a dit que la monnaie canadienne était le dollar, mais un dollar de couleur différente qui, pour des raisons mystérieuses, valait parfois plus que le nôtre. Elle a dit que le Canada avait ses propres Indiens, qu'il avait plutôt mieux traités que nous les nôtres, et qu'il était plus grand que les États-Unis, mais aux trois quarts inhabité, inhospitalier et couvert de glace une bonne partie de l'année.

Tout en roulant, je ruminais ces détails et je me demandais comment ils pouvaient devenir vrais rien qu'en passant deux cahutes échouées au milieu de nulle part. Je me sentais mieux qu'au début de la journée, quand je ne savais pas où j'allais. On aurait dit que la crise était passée, ou que je l'avais surmontée. Ce que j'éprouvais, c'était du soulagement. Je n'avais qu'un regret : que ma sœur Berner ne soit pas là pour voir ça avec moi.

Des champs de blé défilaient encore et toujours, l'air de l'après-midi était suave et frais. J'apercevais des torrents de poussière, là où les fermiers manœuvraient leurs moissonneuses-batteuses, au loin. Les camions céréaliers étaient garés dans les champs moissonnés, en attente du blé à emporter. De minuscules silhouettes évoluaient autour d'eux, et une fois chargés, les camions s'ébranlaient. Sitôt qu'on est sortis des collines, plus aucun point de repère. Ni montagnes ni rivières

– comme les Highwoods, ou les Bear's Paws, ou le Missouri –
qui permettent de se situer. Et encore moins d'arbres. Une
maison isolée, basse, blanche, avec une plantation brise-vent,
une grange et un tracteur, apparaissait au loin, puis, plus tard,
une autre. C'était à la course du soleil qu'il fallait s'orienter,
et puis en prenant ses marques habituelles : une route, une
clôture, la direction régulière du vent. Les collines disparues
derrière nous, on ne devinait plus de centre par rapport auquel
d'autres points se définiraient. Il y avait de quoi se perdre, ou
perdre la raison, puisque le centre était partout, et que tout
point pouvait faire centre.

Mildred m'a raconté deux trois choses sur son frère, Arthur
Remlinger. Il était américain, il avait trente-huit ans et vivait
au Canada depuis plusieurs années par choix personnel. Il
était le seul de la famille à avoir fait des études supérieures,
il se destinait au barreau, mais pour diverses raisons, n'avait
pas fini ses études, c'était un déçu des États-Unis. Il vivait
au nord d'où nous étions actuellement, dans la petite ville de
Fort Royal, Saskatchewan, où il tenait un hôtel. C'était tout à
fait par hasard qu'il n'y avait qu'une frontière entre eux. Elle
ne le voyait pas souvent, ce qui n'était pas grave à ses yeux.
Elle l'aimait beaucoup. S'il acceptait de me prendre en charge,
c'était parce que j'étais américain et n'avais nulle part où aller,
et puis pour lui faire plaisir, à elle. Il allait me trouver des
occupations. Il n'avait pas d'enfants, il s'intéresserait à moi,
comme il se serait intéressé à Berner si elle n'avait pas fugué.
C'était un homme qui sortait de l'ordinaire, je m'en rendrais
compte. Il était cultivé et intelligent. J'apprendrais beaucoup
à son contact, il me plairait.

Mildred a décidé de s'accorder une autre cigarette, et elle a
exhalé la fumée par ses larges narines à travers la vitre baissée.
Elle conduisait depuis des heures – dans le seul but de me
tirer du danger. Il était normal qu'elle soit fatiguée. J'ai essayé
de me représenter l'endroit où on allait : Fort Royal, dans le

Saskatchewan ! Le nom avait une consonance étrangère, et hostile parce que étrangère. Je ne pouvais imaginer que la même prairie tout autour de nous, sans la moindre place pour moi.

« Combien de temps je vais rester avec votre frère ? » J'ai dit ça pour m'obliger à dire quelque chose.

Mildred s'est redressée et elle a serré le volant des deux mains. « Je ne sais pas, il faudra qu'on voie. Mais ne va pas te bourrer le mou, surtout. » Sa cigarette était dans un coin de sa bouche, et elle parlait de l'autre. « Ta vie sera passionnante de tas de façons différentes, d'ici que tu meures. Alors, ne t'occupe que du présent. N'exclus rien et fais en sorte d'avoir toujours quelque chose dont tu puisses te passer sans douleur. C'est important. » Cet avis n'était guère différent de celui que mon père nous avait donné, à Berner et à moi, le jour où nous n'étions pas allés à la foire. J'ai compris que c'était ce que pensaient les adultes, tout le contraire de la manière de voir de ma mère, cependant. Elle avait toujours exclu des tas de choses et ne comprenait le monde que dans ses termes à elle. Mildred a gonflé les joues et s'est éventée avec la main ; ça voulait dire qu'elle avait chaud dans sa robe de soie verte. « Ça te parle, ce que je te dis ? » Elle a tendu la main au-dessus du siège et elle a tapé de son poing lisse contre mon genou, comme on frapperait à une porte : « Toc, toc ! Ça te parle ?

– Oui, je crois », j'ai dit. Mais enfin ça n'avait pas l'air de compter beaucoup, que je sois d'accord sur ceci ou cela. C'était la dernière fois que Mildred et moi, on parlait de mon avenir.

# 41

Charley Quarters est descendu du capot de son camion avec un genre de mug métallique à la main, dont j'ai découvert un peu plus tard qu'il contenait de la bière avec des glaçons. Il nous attendait dans la ville de Maple Creek, Saskatchewan, pour nous conduire, Berner et moi, jusque chez le frère de Mildred. C'était l'homme à tout faire de son frère, m'a expliqué Mildred, elle ne l'aimait pas. Il était métis, c'était un type glauque. Une fois qu'elle m'aurait remis entre ses mains, elle rentrerait à Great Falls par Lethbridge, dans l'Alberta, pour ne pas attirer l'attention en refranchissant la frontière au même endroit. Le policier américain nous avait bien regardés au passage. Il s'étonnerait de la revoir seule.

Charley Quarters a posé son mug sur le capot de son pick-up, il s'est approché de la portière de Mildred et s'est accoudé à la vitre. Il me regardait, la bouche largement fendue d'un sourire mauvais. Moi, je contemplais les cirrus à l'ouest – le ciel derrière eux était pourpre, doré, vert cru, virant au bleu dans les hauteurs. J'essayais de ne pas montrer que j'avais peur, or j'avais peur.

Mildred l'a repoussé du plat de la main. Il dégageait une drôle d'odeur aigre-douce qui me remontait dans les narines – ses habits, ou peut-être ses cheveux. Il était petit, tout en torse, compact et musclé, avec une tête trop grosse pour son corps. Son pantalon de toile marron était sale, glissé dans ses bottes en caoutchouc noir, et sa chemise en flanelle violette était en lambeaux, trouée au coude, la poche déchirée. Ses cheveux noirs graisseux étaient retenus sur la nuque par une barrette de femme en strass ; il avait des yeux bleus bridés et de grandes oreilles. Ses dents, quand il souriait de son sourire antipathique, étaient grandes, jaunes et toutes visibles. On aurait dit un nain. J'en avais vu des photos dans mon *World Book* (laissé à Great Falls). Mais il était plus grand qu'un nain, malgré ses jambes arquées. Il m'avait l'air arrogant et pas commode, comme je l'avais entendu dire de certains nains.

Il a plongé la main dans la voiture de Mildred, pour prendre une Tareyton dans le paquet posé sur le tableau de bord, et il se l'est mise sur l'oreille.

« Il devait pas y avoir deux colis, dans la cargaison ? » De nouveau, il m'a reluqué d'un œil ironique, comme s'il devinait que je n'aimerais pas être traité de cargaison. Il parlait par giclées.

Mildred lui a répondu vertement : « Tâche déjà de t'occuper de celui-là comme il faut, sinon c'est moi qui reviens m'occuper de toi ! »

Charley continuait à ricaner, il a fallu qu'elle le repousse encore. Je me demandais si les Canadiens parlaient de cette façon, par à-coups. « Faut que ça mange ? il a demandé.

– Non, a dit Mildred. Tu l'emmènes là-haut et tu veilles à ce qu'on le mette au lit. »

Deux grands costauds en salopette et chapeau de paille paysan sont sortis de l'hôtel, sur le trottoir d'en face. La ville était déserte, et la rue gagnée par l'ombre du soir. L'enseigne au-dessus de l'hôtel disait THE COMMERCIAL. Des loupiotes luisaient à l'intérieur, quand la porte s'est ouverte. Les deux hommes sont restés sur le trottoir à bavarder, tout en nous regardant. L'un des deux s'est mis à rire de quelque chose, et puis ils sont allés vers leurs pick-up respectifs, ils ont fait marche arrière le long du trottoir et ils sont partis lentement dans des directions opposées. Des Canadiens, eux aussi.

« Il a quelque chose qui va pas ? a dit Charley en souriant, comme si je l'amusais.

— Il va très bien, a répondu Mildred en tendant la main vers moi pour me serrer le bras et me regarder. Il est pareil que nous, hein, Dell ?

— Il est orphelin ? » a demandé Charley Quarters en scrutant l'uniforme blanc de Mildred, pendu au-dessus de la portière. Il a tendu la main pour le toucher.

Moi, je fixais droit devant, à travers le pare-brise, quatre hauts silos à grain, à moitié mangés par l'ombre, qui se découpaient sur le ciel encore clair. Des hirondelles zigzaguaient dans le crépuscule. Une unique ampoule allumée se balançait au bout de l'entonnoir du silo le plus proche, éclairant un tas de grain sur le sol. Je n'avais pas fait le rapprochement entre le mot d'orphelin et celui d'orphelinat jusque-là.

Mildred a regardé bien en face le visage goguenard de Charley : « Il a un père et une mère, contrairement à toi. Ils l'aiment. Tu n'as pas besoin d'en savoir davantage.

— Y l'étouffent d'amour », a dit Charley. Il s'est redressé, puis il a reculé dans la rue et il a regardé le ciel, bleu à l'ouest, noir à l'est. Les cirrus s'étaient déjà estompés, de pâles étoiles paraissaient. Tel était l'homme avec lequel je m'en allais. Je risquais fort de me retrouver seul et abandonné.

« Maintenant, voilà ce que je vais faire, a dit Mildred en s'adressant à moi. Je vais t'écrire aux bons soins de mon frère. Je vais tâcher de savoir ce que deviennent tes parents et je te tiendrai au courant. N'oublie pas ce que je t'ai dit, n'exclus rien. Tu vas t'en sortir, je te le promets. » Tout à coup elle s'est penchée vers moi et elle a attiré mon visage vers sa bouche, m'a pris par le cou et embrassé en plein sur le maxillaire. Comme je ne lui rendais pas son baiser, elle m'a serré très fort. Son odeur mélangée : cigarette, remugle fruité de son sac, poudre compact, chewing-gum à la menthe. Ses épaules spongieuses contre mon oreille. « Tu as vécu de sales moments, elle a chuchoté. Mais c'est pas parce qu'ils ont gâché leur vie que tu vas gâcher la tienne. Tu vas te lancer. Ta sœur l'a déjà fait.

– Je ne veux pas me lancer », j'ai dit, la gorge brusquement nouée, une fois de plus. Je lui en voulais d'avoir dit ça.

« On choisit pas toujours son moment. » Elle a tendu la main pour soulever le loquet de ma portière et m'a poussé dehors d'un même mouvement. « À présent, vas-y, sinon c'est reculer pour mieux sauter. C'est une aventure qui commence. N'aie pas peur. Tu vas bien t'en sortir, je te dis. »

Je ne pensais pas devoir ajouter quoi que ce soit, même si j'avais pu. Ma taie d'oreiller avec toutes mes affaires pour Seattle se trouvait au pied de la banquette arrière. Je l'ai attrapée, je suis sorti et j'ai refermé la portière. Sa promesse à ma mère, Mildred venait de s'en acquitter. Mais moi, ce que j'aurais voulu, c'était remonter dans la voiture et qu'elle nous conduise le plus loin possible. Sauf que ce n'était pas ce qu'avait prévu ma mère du temps où elle pouvait encore prévoir à ma place. Alors j'ai fait ce qu'on me disait, autant pour ma mère que pour n'importe quelle autre raison. Bon fils, jusqu'au bout.

## 42

« Alors, on t'a tout raconté sur moi ? » a dit Charley Quarters. On fendait la nuit dans le bruit de ferraille de son vieil International Harvester. Je ne voyais que le gravier clair de la chaussée dans les phares, l'accotement poussiéreux qui filait comme une flèche, et les blés drus plantés au ras de la route. Il faisait froid, le soleil couché. L'air de la nuit sentait le pain frais. On a croisé un car scolaire vide qui tanguait sur la route. Nos phares ont balayé les rangées de sièges d'écoliers inoccupés. Loin là-bas dans les champs, la moisson continuait à la nuit close. Phares d'engins luisant faiblement, tourbillons de poussière. Les étoiles avaient pris tout le ciel.

J'ai dit qu'on ne m'avait rien raconté sur lui.

« Peu importe », il a répondu. Un fusil à levier reposait crosse en l'air sur le siège, entre nous, le long de sa jambe. Son camion puait la bière, l'essence, et cette même odeur aigre-douce que je n'identifiais toujours pas. Il y avait une carcasse d'animal dans la benne, mais je n'aurais pas su dire ce que c'était. « Voilà comment ça va se passer, a dit Charley. Tu es sous ma responsabilité, mais tu vas te débrouiller tout seul, sauf quand j'aurai besoin de toi. Tu as du boulot tous les jours. Tu couches à l'annexe, à côté de ma caravane. Tu manges à l'hôtel. C'est A.R. le proprio. Pour y aller et en revenir, tu t'arranges, sauf les fois où je t'emmène dans cette Rolls. Et tu me compliques pas la vie. »

Charley avait tellement reculé le siège qu'il touchait tout juste les pédales ; il conduisait d'une main et il fumait la cigarette de

Mildred qu'il s'était mise sur l'oreille un peu plus tôt. Il buvait une autre bière, en cannette ordinaire cette fois. Un chevreuil s'est dressé sur le bord de la route, enfoncé dans les blés jusqu'au poitrail, ses yeux verts luisant dans les phares. Charley a donné un grand coup de volant pour foncer dessus, mais la bête s'est poussée du chemin sans effort. « Bon Dieu de merde, il s'est écrié. J'aurais pu l'avoir ! » Il me regardait d'un air narquois, comme s'il avait cherché à me faire peur pour s'amuser. « Quel âge j'ai, à ton avis ? il a demandé, cigarette serrée entre les dents.

– Je sais pas », j'ai dit. Je n'avais pas réagi sur les tâches qui me seraient imposées. Je ne m'attendais pas à en avoir. Je n'avais pas la moindre idée de ce que je découvrirais au lever du soleil.

« T'en as rien à foutre ?

– Non.

– Cinquante ans ! Mais je les fais pas. » Il parlait par saccades. « Tu me prends pour un Indien, ça j'en suis sûr.

– Je sais pas.

– J'suis maytee, il a dit. Tu sais foutre pas ce que ça veut dire, hein ?

– Non », j'ai dit. Mildred avait prononcé le mot *métis*, mais je ne savais pas ce que c'était, ni comment ça s'écrivait.

« C'est la lignée des anciens rois. » Charley a levé son menton aux contours indécis, et il a rejeté la fumée par les coins de sa bouche tout en continuant à parler. « Cuthbert Grant, ça remonte jusqu'à lui. C'est la lignée des martyrs. » Il a reniflé dans l'air froid. « Les Indiens, ça n'a rien à voir. Y a beaucoup de maladies mentales chez eux. À force de boire, et de se marier entre eux. Ils nous acceptent pas. Y voudraient bien tuer les métis, s'y pouvaient. »

Subitement, il a écrasé le frein. J'ai à peine eu le temps de mettre les mains en avant. Mais j'ai quand même giclé de mon siège et je me suis retrouvé à genoux, cœur battant. On venait de s'arrêter sur la claire chaussée de gravier, entre les champs de blé. « Faut que j'y aille. Pas toi ? » Il avait coupé les gaz avant que j'aie pu répondre, et il était descendu du camion, jambes écartées en plein dans le faisceau des phares. Il avait déjà sorti son sexe dans une position où je pouvais le voir, et il pissait un jet dru sur la terre battue, avec une concentration farouche. Moi j'y serais bien allé aussi. Je n'avais pas osé demander à Mildred, qui en avait pourtant vu d'autres, étant infirmière. Mais je ne me croyais pas capable de faire devant Charley, sur la route. Avec mon père, j'aurais pu. Moi, j'étais un garçon de la ville. Alors je suis resté dans le camion qui faisait tic tac, les phares éclairant Charley et le cercle d'urine qui s'agrandissait sur le sol, avec la poussière de la route qui entrait par la portière ouverte et rabattait l'odeur citronnée de la pisse. « Qu'est-ce qui t'est arrivé ? » il a demandé depuis la route. Il a fini de pisser avec un petit soupir. « Tu t'es fait virer de là-bas ? T'as commis un délit ? »

Ça me dégoûtait de le regarder comme ça fixement, et de voir ses parties intimes. J'ai dit non. Je n'avais pas envie de dire : Mes parents se sont fait coffrer à Great Falls. Ma mère n'a pas voulu que j'aille à l'orphelinat. Elle veut que je vive ici, au Canada.

Charley a craché dans son rond d'urine, puis il a ravalé ce qu'il avait dans le nez. « C'est très bien les secrets, il a dit en remontant sa fermeture Éclair. Ici, c'est une bonne planque. » Une trame de moustiques et de moucherons se déployait au-dessus des blés, dans la chaleur des phares. Il en pénétrait dans le camion ouvert où je me trouvais. Tout d'un coup, battement d'ailes, plongée dans la lumière, torsion vers le ciel, et puis plus rien. Un faucon, un aigle, attiré par les insectes. Mon cœur en a cogné plus fort. Charley n'avait rien vu. « Tu sais quelque chose sur A.R. ? » Il était toujours sur la route, il parlait, il fixait la nuit par-dessus le cône de lumière des phares. J'ai supposé qu'il parlait du frère de Mildred.

« Mildred m'a dit que c'était son frère. » Je ne pensais pas qu'il pouvait m'entendre.

Il a fait quelques pas en raclant ses bottes en caoutchouc noir contre le gravier. « Tu vas le trouver bizarre. » Il s'était immobilisé, semblait-il. « Comment tu veux qu'on t'appelle ?

– Dell.

– Tu as combien d'années, Dell ? »

J'ai deviné ce qu'il me demandait. « Quinze ans, j'ai dit. Presque seize. »

Il est revenu à sa portière et il est monté sur le siège conducteur, toujours accompagné de son effluve animal. « Tu te sens seul ? » Il a embrayé dans un rugissement du moteur. Les phares ont baissé, puis monté en puissance

« Mes parents me manquent, j'ai dit. Et ma sœur.

– Et elle, au fait, où elle est ? À l'orphelinat ? » Il a fermé la portière et remonté la vitre. Des moustiques chantonnaient autour de nous.

« Elle s'est sauvée.

– Elle a bien fait ! » Il s'est tu, mains sur le volant. « Tu sais rien de rien, toi, hein ?

– Non.

– Qu'est-ce que tu veux que je t'explique ?

– Pourquoi on voudrait s'occuper de moi, ici ? » Une fois de plus, j'ai dit ce que je pensais, comme avec Mildred, un peu plus tôt.

L'objet qui avait fait irruption dans le faisceau des phares un instant plus tôt s'y est inscrit de nouveau, dans son entier cette fois. C'était un hibou à face blanche et ronde, ailes déployées, serres crochues, l'œil fixé au-delà du faisceau lumineux. Il a disparu. C'était la première fois que je voyais un hibou. Je n'avais fait qu'en entendre quand j'étais dans ma chambre, la nuit, à Great Falls. Mais je savais ce que c'était. Là encore, Charley n'a pas eu l'air de s'apercevoir de quoi que ce soit.

« A.R., il est un peu spécial. Il est américain, a-t-il dit. Ça fait longtemps qu'il est là. Peut-être que c'est lui qui se sent seul et qui a besoin de compagnie. Je sais pas. Donne voir ta main, que je la tâte. »

Sa main dure et rêche, incroyablement grosse, a trouvé la mienne et l'a emprisonnée pour la serrer quatre, cinq ou six fois de suite. C'était une main épaisse, aux doigts courts, aux ongles arrondis, granuleuse au contact comme son pantalon de toile. J'essayais de retirer la mienne, mais il me tenait, il a même serré plus fort. « Elle a essayé de baiser avec toi, la vieille infirmière ? » il a demandé comme s'il allait rigoler.

Je n'ai pas pu le regarder. J'ai dit : « Non.

– Elle en avait bien envie. Ça se voyait. Et de baiser avec moi, aussi. On aurait pu y aller tous les deux. Mais faut pas que tu te laisses faire comme ça. Attends une fille mignonne. Moi, on m'a fait voir ces choses-là trop tôt. Et voilà où j'en suis. » En me débattant, j'ai libéré ma main et je l'ai passée sous ma jambe pour qu'il ne l'attrape pas. Il me faisait peur. « Eh ben voilà, Dell. » Il a démarré dans un boucan abominable. Les phares ont éclairé la route. Des nuées d'insectes s'élevaient.

« Tu t'intéresses pas à Hitler, je suppose ?

– Non. » Tout ce que je savais d'Hitler, c'était ce que mon père m'en avait raconté. « Schicklegruber », il l'appelait. « Petit Adolf, le poseur de papier peint ». Il le détestait, mon père.

Charley a débrayé. « Moi, il m'intéresse, il a dit. On lui a mis des bâtons dans les roues. C'est comme moi, je suis incompris, la plupart du temps. » Il a passé sous son nez deux doigts réduits à une phalange. Tout à coup, il a pris un air hagard. Il s'est tourné vers moi, les yeux exorbités. « R'garde-moi un peu, tu vois ? Il ressemble à ça. Il a sa mignonne petite moustache. *Nein, nein, nein ! Achtung, achtung, achtung !* »

Mon père m'avait raconté qu'Hitler était mort, et sa femme aussi. Double suicide.

« C'était un bon artiste, tu sais, a déclaré Charley en poussant le moteur. Moi, j'ai des prétentions à la poésie. Mais on n'est pas obligés de parler de ça tout de suite. » Il a écrasé l'accélérateur et on s'est élancés dans le noir. C'était le Canada, le pays où je me trouvais aujourd'hui. C'était le plan de ma mère.

# 43

Les événements qui vous changent une vie ne se présentent pas toujours comme tels.

Des voix m'ont réveillé. Une voix d'homme qui riait, puis le son indistinct d'une autre, et le bang métallique d'un capot qu'on refermait. Et puis encore un rire : « Je voudrais juste qu'une femme m'apprenne quelque chose que je sache pas déjà », a dit une voix qui m'a semblé être celle de Charley Quarters. Ces voix parlaient quelque part à l'extérieur de la chambre, une chambre où j'avais dormi et où je me rappelais être entré, mais que je ne reconnaissais pas. L'odeur fraîche de la terre, avec quelque chose d'astringent, de métallique et d'acide, épaississait l'air. On avait punaisé un fin torchon de coton gris bordé de blanc à la fenêtre, au chevet de mon lit, simple lit de camp. Il tamisait une lumière qui devait être celle du matin – mais lumière du matin où ça, je n'en savais rien, ni si nous avions roulé longtemps la veille au soir, pas même si j'étais arrivé à destination.

Je me suis assis dans le lit. La pièce était petite, basse de plafond, plongée dans une pénombre verte, comme si de l'eau venait danser derrière le rideau. J'avais la tête dans un étau, mal au dos, mal aux jambes. J'étais en slip, mes vêtements empilés par terre sur le lino, au bout du lit. J'avais la mémoire en pièces détachées : les phares d'un pick-up qui balayaient un petit bâtiment blanc ; une porte qui s'ouvrait ; une torche électrique qui tremblotait sur une pièce contenant un lit de camp ; Charley Quarters qui pissait sur le gravier éclairé, les yeux rivés au sol ; la face de peluche d'un hibou, comme dans un rêve ; des allusions à Hitler et aux filles des Philippines ; moi qui luttais contre le sommeil, en vain.

J'ai tiré le torchon et regardé par la fenêtre poussiéreuse. L'un de ses carreaux était fêlé sur toute la diagonale, le verre s'effritait sur le rebord. Dehors, il y avait un lilas, et derrière, un carré d'herbe où la rosée étincelait encore. Au-delà, une rue goudronnée étroite, pleine de bosses et de nids-de-poule, un trottoir en ciment bosselé, où poussaient des herbes folles, un pan de ciel d'un bleu parfait, telle une barrière.

Une vieille caravane sur des roues en caoutchouc reposait en travers de la rue défoncée. C'était une caravane rectangulaire à toit plat, habitée, avec une antenne de télé sur le flanc. À côté se trouvait un Quonset, un hangar de forme cylindrique, gueule ouverte, une manche à air flottant au-dessus. Et derrière tout ça, un haut silo à grain en bois, avec un toit en clocher et des lettres qui s'effaçaient, tout en haut du réservoir. Ça disait SILO DU SASKATCHEWAN, et au-dessus PARTREAU.

L'International cabossé de Charley Quarters flanquait la caravane, Charley lui-même était devant, il parlait à un homme en chemise bleu clair qui avait un chapeau de paille à la main et une veste beige sur le bras. Charley était habillé comme la veille, pantalon rentré dans ses bottes en caoutchouc noires, même chemise de flanelle. Tout autour de la caravane, le sol était jonché de divers objets métalliques rouillés, sans compter des pneus, des tonneaux vides, des bicyclettes, des cages d'animaux, une vieille moto, et une Studebaker verte montée sur cales de bois, les vitres défoncées. Des bouts de ferraille de récupération avaient été vissés ou soudés ensemble pour fabriquer des formes bizarres, abandonnées au milieu des herbes folles. Une roue de bicyclette avec une lieuse ; une botteleuse équipée d'un volant et d'un rétroviseur ; un cadran solaire fabriqué à partir d'une jante. Des moulins à vent brillants et des girouettes scintillantes avaient été plantés sur des piquets dans ce capharnaüm, et renvoyaient des éclats de soleil. Une hampe de bois bricolée, au bout de laquelle flottait le même drapeau qu'à la frontière, était posée contre la caravane.

Charley s'est retourné, ses bras courts et puissants gesticulant avec animation en direction de la caravane d'abord, puis de la fenêtre à laquelle je m'étais mis. J'ai pensé qu'il parlait de moi et que l'homme en chemise bleue qui l'écoutait était Arthur Remlinger. Le frère de Mildred. J'ai entendu Charley crier, comme pour se faire entendre d'autres personnes : « On n'est jamais à l'abri d'une connerie avec moi. » Il a reculé et s'est mis à rire. L'autre homme a regardé le bâtiment où je me trouvais, il a posé une main sur sa hanche, dit quelque chose et hoché la tête. Charley lui a tourné le dos et il a franchi le carré d'herbe pour venir vers moi.

J'ai vite glissé dans mon pantalon et mon T-shirt. Je ne voulais pas qu'il me trouve en slip s'il venait me chercher. J'ai enfilé mes chaussures en forçant, sans prendre le temps de mettre mes chaussettes. J'ai cherché la porte pour sortir. Il y avait un second lit de camp dans la chambre. Des cartons s'amoncelaient dans la pénombre, laissant tout juste la place pour les lits. Pas de lampe. J'ai entendu la voix de Charley qui disait, dehors : « À qui vous iriez imposer votre présence… Je vous le demande… » Je ne savais pas à qui il parlait.

Je me suis précipité par une porte basse dans une cuisine – minuscule, sans air et encombrée. Là aussi il y avait des cartons, plus une cuisinière en fonte, une vieille télé à l'écran fêlé, et un genre de chien ou de coyote empaillé posé sur une glacière en chêne aux ferrures rouillées. J'ai fourré mon T-shirt dans mon pantalon et j'ai débouché dans un tout petit vestibule au sol de terre battue, avec une porte, vitrée dans sa partie supérieure, et je suis sorti sous le soleil insolent qui m'a étourdi, fait mal aux yeux, m'a obligé à les fermer, au moment où Charley tournait le coin de la maison. Des taches vertes, argentées puis rouges se sont mises à danser devant moi. J'ai senti mon cuir chevelu se tendre sur mon crâne. Je ne savais pas ce qui allait arriver, mais je me disais que c'était important. J'étais bien loin de Great Falls.

« C'est bon, il est là », a crié Charley. J'ai forcé mes yeux à s'ouvrir. Le bâtiment de stuc blanc où j'avais dormi était celui de mon rêve, balayé par les phares de voiture. Il était comme posé à plat sur le sol, des croûtes de stuc s'écaillant sur ses murs, les lattes de la charpente et les plâtres intérieurs désormais à nu. J'ai remonté ma braguette. Je n'avais pas lacé mes chaussures. J'ai mis ma main en visière, fait la grimace. « A.R. est là. » Charley découvrait ses grandes dents carrées, avec un sourire mauvais, comme si la chose devait m'être désagréable et que ça l'amusait. « Allez viens. Il veut te voir. » Il a fait demi-tour, et je l'ai suivi dans les herbes, nous avons traversé cette rue qui s'effritait pour nous approcher de la caravane et du Quonset, où l'homme en chemise bleue penché à la vitre d'une Buick « à trois ouïes » d'un marron brillant, que je n'avais pas vue jusque-là, était en train de parler à quelqu'un.

J'en ai profité pour regarder autour de moi. C'était une petite ville, mais des comme ça, je n'en avais jamais vu – même la fois où notre père nous avait emmenés dans la réserve indienne de Box Elder, et que nous avions découvert leurs habitations. Quelques maisons de bois grises s'éparpillaient le long des vestiges de rues. D'autres n'avaient laissé que leur empreinte – des carrés de briques à l'emplacement des fondations, des dépendances qui s'écroulaient, une cheminée encore debout, et un terrain vague où il y avait eu quelque chose d'aujourd'hui disparu. Les cinq ou six maisons qui tenaient encore debout paraissaient vides, leurs portes d'entrée béant sur leurs gonds, leurs cours envahies par les herbes. Certaines n'avaient plus de toit, d'autres en avaient un rafistolé avec des planches, leurs cheminées s'étaient écroulées, leurs perrons affaissés. Plus aucun fil électrique n'alimentait quoi que ce soit, sinon la caravane et le Quonset, ainsi que la maison où je venais de dormir, et une seule autre, où un trou dans le toit devait laisser entrer la pluie. Une grande femme vêtue d'une robe grise informe se tenait sur les marches à l'arrière de sa maison, et elle nous observait à distance. Une corde à linge circulaire était tendue dans la cour, derrière. Des draps blancs et des dessous féminins se gonflaient dans la brise sèche.

Là-bas, du côté de ce qui paraissait être une route empierrée, deux gros camions céréaliers, bâche claquant au vent, sont passés en grondant devant une rangée d'immeubles commerciaux délabrés à toit plat, face au silo à grain. Ces bâtiments semblaient abandonnés aussi, ils n'avaient plus ni vitres ni portes. On n'y voyait pas âme qui vive. Aux confins de la ville, qui entraient dans mon champ visuel à mesure que j'avançais vers le Quonset, on avait planté une bordure d'érables et de peupliers de Lombardie (je les reconnaissais parce que j'en avais vu dans le Montana) pour faire obstacle au vent, mais ils avaient crevé. Au-delà de ces arbres et des confins de la ville, des champs moissonnés, parsemés de balles de paille, et à mi-distance, une éolienne sans pales, ainsi qu'une pompe à pétrole noire, qui plongeait la tête régulièrement, patiemment. Plus loin, la terre s'étendait, non pas plate, mais à peine vallonnée, sans montagnes ni collines, et presque sans arbres, à perte de vue. Seul l'horizon bornait la ligne de vision, très très loin.

« C'est bon, il est là », criait encore Charley. J'ai traversé le carré d'herbe sur ses talons, et je suis arrivé devant le hangar où était garée la Buick qui avait l'air toute neuve. Le Quonset, je l'ai vu, abritait dans ses profondeurs obscures une Jeep à toit de bâche, et une remorque plate, à essieu unique, remplie de ce qu'on aurait pu prendre pour des oies, mais qui n'était que des canards de bois, ainsi qu'un tas de pelles. « J'ai réveillé bébé, a continué Charley. Il a l'habitude d'être chouchouté, là-bas aux États-Unis. Il va pas survivre, ici. » Il s'est retourné pour me regarder. Il était encore plus bizarre, au jour – sa tête bosselée était plus grosse, ses épaules anormalement étroites, ses jambes arquées au genou, où s'arrêtaient ses bottes, ses cheveux noirs retenus en arrière par la barrette en strass. De l'extérieur, il avait quelque chose de perturbant.

J'ai fourré mes mains dans mes poches pour me retenir de les mettre en visière. Le soleil me faisait mal aux yeux. Des sauterelles surgissaient dans les herbes fleuries et filaient sur le sol, à mes pieds, en sifflant comme des vipères – ça me rendait nerveux. De tout petits oiseaux marron voletaient parmi les moulins à vent, les girouettes et les sculptures métalliques. Le soleil me chauffait les cheveux et les épaules, il me piquait les yeux, et pourtant les poils de mes bras étaient froids et me grattaient. Je commençais à transpirer au ras du cuir chevelu.

L'homme qui tenait une veste beige et un chapeau de paille, et qui se penchait par la vitre de la Buick pour parler à une femme restée à l'intérieur – on l'apercevait sur le siège passager, elle riait de ce qu'elle venait d'entendre –, cet homme s'est relevé et il est venu dans ma direction.

« Il a fallu que je l'extirpe du lit, a dit Charley, toujours très fort. Voilà Mr Remlinger. Tu lui diras "monsieur". »

J'ai mis ma main en visière. Le soleil brillait derrière la tête de l'homme. J'étais tendu. C'était lui qui serait responsable de moi. Arthur Remlinger.

« On est venus te saluer », a-t-il dit. J'ai levé les yeux pour voir son visage. Il était grand, bel homme, il avait des cheveux fins, avec une raie sur le côté opposé à la mienne. Il ne souriait pas, mais il avait l'air intéressé. Je n'ai rien répondu. « Dis-nous ton nom, si tu veux bien…

– Dell Parsons », j'ai dit. Ça m'a fait drôle d'entendre mon nom ici.

L'homme a regardé Charley Quarters et il a souri. « Dell ? Ça n'est pas courant, c'est un diminutif ?

– Non, monsieur.

– Vas-y, parle, m'a dit Charley Quarters.

– Vous ne deviez pas être deux ? » L'homme a fait un pas vers moi, comme pour mieux me voir. Il portait des lunettes à monture métallique en sautoir. Ses grandes mains étaient noueuses et manucurées. Il avait une expression amusée.

« L'autre s'est fait la malle, a répondu Charley.

– Ah bon, dommage, a fait Arthur Remlinger. Tu as l'air fatigué, tu es crevé, c'est ça ? » Il s'éventait avec son chapeau.

« Oui, monsieur. » Il ne s'était pas présenté par son nom. Arthur Remlinger, ça ne lui allait pas. Il était trop jeune pour porter un nom pareil.

« Et tu es recherché, c'est bien ça, l'histoire ? » Ses yeux passaient de moi à Charley et de Charley à moi. Il aurait voulu que j'en dise plus, mais je n'étais pas à l'aise.

« Je n'en sais rien. » Le vent tiède faisait tourner les girouettes du jardin envahi par les herbes, manège ailé, cliquetis ténu.

« Il est pas causant », a dit Charley. Il s'est tourné vers ses mobiles. Il avait du bonheur à les voir, on aurait dit.

« Bon. Si jamais les gars de la GRC[1] débarquent, tu n'auras qu'à leur dire que tu es mon neveu et que tu viens de l'Est. De toute façon, ils ne savent même pas où est Toronto. Tu aimerais que je te trouve un nom canadien ?

– Non, monsieur », j'ai dit.

Il a souri, et puis son sourire s'est évanoui, comme s'il lui venait un doute me concernant. Il avait une fossette au milieu du menton qui se creusait quand il souriait. Son teint était uni et pâle. Un physique pas ordinaire. « Ça n'existe pas, d'ailleurs », il a dit en se mettant à faire tourner son chapeau entre ses doigts, avec l'air de m'évaluer. Son regard est passé par-dessus mon épaule pour se poser sur la bicoque en stuc où j'avais dormi.

« Tu es bien installé, là-dedans, dans ta petite maison ? » Il parlait de cette façon, on aurait dit qu'il choisissait chaque mot avec soin.

1. Gendarmerie royale du Canada.

Je transpirais le long des joues. Je me suis retourné vers cette infâme bicoque. Derrière, il y avait une cabane en planches, au milieu des herbes folles. Je savais que c'étaient des cabinets. Un gros chien était posté devant, il remuait la queue. Une girouette argentée avait été plantée à côté, ce qui voulait dire que Charley se servait de ces cabinets. Mon père racontait des tas de blagues et d'anecdotes sur ces cabinets-là. Ça puait, il fallait se torcher avec des annuaires, pas la moindre intimité. Je n'aurais jamais cru devoir en utiliser. Je ne voulais pas retourner dans la bicoque en stuc. « Je ne sais pas, j'ai dit, je…

— Tu peux installer les choses comme tu veux. Il y a des cartons à moi, là-dedans, a dit Arthur Remlinger, qui continuait à faire tourner son chapeau. Tu ne seras pas facile à trouver, ici, si c'est le but. Personne ne viendra t'embêter. » Il s'est frotté l'oreille, qu'il avait grande, avec la paume de la main. Il paraissait mal à l'aise, à présent. « Moi, j'habite Fort Royal, à six kilomètres sur cette route. » Il s'est tourné vers elle. « C'est-à-dire à l'est. On va te chercher quelque chose à faire à l'hôtel. Tu t'es déjà trouvé tout seul ?

— Non, monsieur.

— C'est bien ce que je pensais. Mais tu as déjà travaillé ?

— Non, monsieur. » Je ne savais pas ce qu'Arthur Remlinger savait de moi, mais je me figurais qu'il devait être au courant de tout ou presque. Sauf peut-être de mon goût pour les échecs et de mon intérêt pour les abeilles, ou encore du fait que je n'avais jamais travaillé parce que ma mère s'y opposait pour des raisons qui lui appartenaient.

« Ça te fait bizarre d'être ici ? » On aurait dit qu'une idée venait de lui traverser l'esprit. Ses sourcils se sont froncés. Je n'avais jamais rencontré quelqu'un qui lui ressemble. Mildred m'avait dit qu'il avait trente-huit ans, mais il avait le visage d'un beau jeune homme, et en même temps, il faisait plus âgé à cause de la façon dont il était habillé. Il n'était pas cohérent, comme les gens d'habitude.

« Oui, monsieur. »

Il a fait tourner son chapeau centimètre par centimètre entre ses longs doigts, dont l'un portait un anneau d'or. « Bah, il nous arrive parfois des choses regrettables, Dell. On n'y peut rien. » De nouveau, il a regardé par-dessus mon épaule la maison de stuc. « Quand j'ai débarqué ici… » Il s'est interrompu, les yeux toujours sur la maison, puis il a repris : « Je vivais dans ta petite maison. Je sortais dans l'herbe et je regardais le ciel en imaginant que j'y voyais des oiseaux aux couleurs éclatantes et que j'étais en Afrique, avec les nuages pour montagnes. » Sa chemise bleue, qui m'avait l'air d'une belle chemise, était transpercée par la sueur en plusieurs endroits, sur le devant. Il gardait sa jolie veste beige sur le bras.

« Il est américain, comme toi. Donc bizarre », s'est écrié tout à coup Charley dans un rire. C'est d'Arthur Remlinger qu'il parlait. Charley était resté à observer les oiseaux marron qui voletaient dans son jardin aux moulins à vent, mais pendant ce temps-là, il nous avait écoutés sans en avoir l'air. Il s'est dirigé vers la caravane, où une caisse de bois était placée sous la porte en guise de perron, foulant l'herbe de ses bottes en caoutchouc qui faisaient bondir les sauterelles et les petits oiseaux. « Vous êtes de la même espèce, tous les deux », il a dit.

« Qu'est-ce que tu aimes faire, Dell ? » Arthur Remlinger avait des yeux d'un bleu délavé. Il a penché la tête sur le côté et mis gauchement une main dans sa poche, comme si, maintenant, nous allions causer tous les deux. On aurait dit qu'il avait envie de me parler, mais sans savoir quoi dire. Mildred m'avait prévenu qu'il n'était pas banal, et il ne l'était pas.

« J'aime bien lire », j'ai dit.

Il a serré les lèvres et battu des paupières. Ça semblait l'intéresser. « Tu as l'intention de t'inscrire dans une bonne fac, plus tard ?

– Oui, monsieur. »

Il portait des chaussures montantes en daim souple, où il

avait rentré une de ses jambes de pantalon. Elles avaient l'air de coûter cher, ces chaussures. Il était habillé de vêtements luxueux, ce qui le faisait paraître encore plus déplacé ici. Il a frotté le bout de sa chaussure dans la poussière du sol, et puis il s'est tourné vers la voiture. La passagère nous regardait. Elle a fait un signe de la main, mais je ne lui ai pas répondu. « Toi et Florence, vous allez sans doute bien vous entendre. Elle est peintre. C'est une adepte de l'école "American Nighthawk". Elle est très artiste. » Arthur Remlinger a hoché la tête. Ça avait l'air de l'amuser. « J'ai un de ses tableaux dans mon appartement, à l'hôtel. Je te le montrerai quand on se reverra. » Il a jeté un regard circulaire sur les herbes folles chauffées par le soleil, le Quonset, la caravane déglinguée, les vestiges de la ville où plus personne n'habitait. « Là d'où je viens, on aurait brûlé ce qui reste de cet endroit.

– Pourquoi ? » j'ai dit.

Ma question a failli le faire rire, le creux est apparu au milieu de son menton lisse. Mais il n'a pas ri. « Oh, ils seraient horrifiés de voir ça, les Américains », il a dit. Et puis il a souri. « Plus aucun avenir. C'est leur grande peur. Ils ont un rapport faussé à l'histoire, en bas.

– Combien de temps il va falloir que je reste ici ? » j'ai demandé. C'était la chose qui m'importait le plus, il fallait bien que je pose la question. Personne n'avait abordé le sujet de mon retour à Great Falls. Arthur Remlinger n'avait pas parlé de mes parents, comme s'il n'était pas au courant de leur histoire, ou comme s'ils ne comptaient pas.

« Bah, tu peux rester tant que tu veux. » Il a coiffé son chapeau de paille. Il était prêt à partir. Le chapeau avait un lien de cuir partant du bord, qu'il a glissé sous le menton. Ça le changeait du tout au tout et lui donnait l'air un peu bête. « Tu vas peut-être te plaire, ici, apprendre quelque chose.

– Je crois pas que je vais me plaire », j'ai dit. Ça pouvait paraître impoli et ingrat, mais c'était vrai.

« Eh bien alors, je présume que tu trouveras moyen de t'en aller. Ça te fera un but. » Il s'est dirigé vers la Buick. « Je suis ravi que tu sois là, Dell. À bientôt, il a ajouté sans se retourner. Charley t'expliquera ce que tu as à faire.

– D'accord. » Je n'étais pas sûr qu'il m'ait entendu, alors j'ai répété : « D'accord. »

Voilà, ma première rencontre avec Arthur Remlinger, ça s'est résumé à ça. Comme quoi, les événements qui vous changent une vie ne se présentent pas toujours comme tels.

# 44

Dans « Chronique d'un crime commis par une personne faible », notre mère écrivait comme si Berner et moi étions présents et pouvions suivre ses idées à mesure, comme si nous étions ses confidents et que nous allions en tirer les leçons. Sa Chronique représente pour moi sa voix la plus vraie, celle qu'elle aurait prise pour dire le fond de sa pensée si elle avait pu, sans les limites qu'elle s'imposait dans la vie. Il doit en aller de même pour tous les parents et leurs enfants. Nous n'accédons qu'à une part les uns des autres. Notre mère n'a pas survécu longtemps dans la prison du Dakota du Nord. Et on comprend très bien – qu'on y entende les accents de la vérité ou pas – qu'au moment où elle écrivait ces lignes, elle se brisait déjà.

*Mes chéris,*

*Vous avez traversé la frontière à présent, ce qui n'est tout de même pas comme d'aller au bout de la rue, vous savez. C'est un nouveau départ, quoique, naturellement, repartir de zéro ne veuille rien dire.* [Manifestement, elle et Mildred avaient discuté la question.] *Ce n'est jamais que l'ancien départ, sous un nouveau jour. Tout cela, je le sais. Mais vous aurez une chance, ensemble, au Canada, vous n'y porterez plus les stigmates de votre père et de votre mère. Personne ne se préoccupera de savoir d'où vous venez*

*ni de ce que nous avons fait. Vous vous fondrez dans la
masse. Je n'y suis jamais allée, mais ça ressemble tellement
aux États-Unis, apparemment. Ce qui est une bonne chose.
Je me rappelle les chutes du Niagara – j'avais regardé la
rive d'en face, petite fille, avec mes parents. Vous l'avez
vue, cette photo. Quelle que soit la nature de ce qui sépare
les gens, les chutes soulignaient ce phénomène (à mes yeux,
en tout cas). Nous ne savons pas établir de nuances assez
fines, voyez-vous, entre des choses qui sont pareilles en
apparence, mais différentes en réalité. Il faut toujours les
établir. Enfin, vous aurez tous les matins du monde pour
y réfléchir. Personne ne va vous dicter vos impressions. Tu
imagines tout et le contraire de tout, Dell, tu me l'as dit.
C'est ta force. Tu penses à rebours. Et toi, Berner, tu as le
goût de l'unique, tu t'en sortiras. Mon père a franchi bien
des frontières depuis la Pologne, avant d'arriver à Tacoma
dans l'État de Washington. Il se fondait toujours sur le
présent. Sans la moindre hésitation.
J'ai découvert une froideur toute nouvelle en moi. Ça ne
fait pas de mal de se trouver un coin froid au cœur. Les
artistes le font. Peut-être que ça porte d'autres noms : la
force ? l'intelligence ? Autrefois, je me l'interdisais. Par
égard pour votre père. Je m'y suis efforcée, du moins.
J'essaie seulement de vous aider à distance, mais je suis
désavantagée. Je suis sûre que vous comprenez…*

J'ai lu cette « lettre » bien des fois. Chaque fois, je m'aperçois
que notre mère n'avait pas le moindre espoir de nous revoir,
Berner et moi. Elle savait très bien que c'était la fin de notre
famille, pour tout le monde. C'est pire que triste.

# 45

La solitude, ai-je lu quelque part, c'est comme se trouver dans une longue file d'attente, dans le but de parvenir à la première place, celle où l'on vous a dit qu'il vous arriverait quelque chose de bien. Sauf que cette file n'avance pas et que de nouveaux venus ne cessent de vous passer devant, de sorte que la première place s'éloigne de plus en plus, au point qu'on cesse de croire qu'elle ait quelque chose à offrir.

Les jours qui ont suivi ma rencontre avec Arthur Remlinger – le 31 août 1960 – n'ont pas dû être solitaires, dans ce cas. Si ce n'était l'issue catastrophique, on pourrait y voir une période riche et dense pour un garçon dans ma situation – abandonné, tous repères perdus, sans autres perspectives qu'immédiates.

Au début, avant l'arrivée des Fusils et l'ouverture de la chasse à l'oie, mes tâches ne m'appelaient qu'à Fort Royal, au Leonard Hotel, dont Arthur Remlinger était propriétaire. Il habitait lui-même le second et dernier étage, un appartement qui donnait sur la Prairie, et d'où l'on voyait (ainsi l'imaginais-je) à des centaines de kilomètres au nord et à l'ouest. Il était attendu que je vienne travailler à pied tous les jours, ou que je prenne l'une des J.C. Higgins déglinguées de Charley pour rouler sur la highway bordée d'un tapis d'or par les camions céréaliers d'où s'échappait la balle du blé ; route au-delà de laquelle les voies de la Canadian

Pacific[1] filaient parallèles, desservant les silos depuis Leader jusqu'à Swift Current. Certains jours, Charley m'emmenait dans son pick-up, souvent avec la seule autre habitante de Partreau, Mrs Gedins, la Suédoise, qui regardait par la vitre sans rien dire. Il me déposait au Leonard, où mon travail consistait à lessiver les chambres et les salles de bains, le tout pour trois dollars par jour, nourri. Mrs Gedins travaillait aux cuisines ; c'était elle qui préparait les repas servis à la salle à manger. J'avais la moitié de mes après-midi pour moi et je pouvais rentrer à bicyclette à Partreau – où il n'y avait rien à faire – ou bien rester sur place et dîner de bonne heure avec les moissonneurs et les cheminots dans la salle à manger mal éclairée, pour rentrer après le coucher du soleil. Charley m'avait expressément défendu de faire de l'auto-stop. Les Canadiens y étaient réfractaires, ils me prendraient pour un délinquant, ou un Indien, ils seraient fichus d'essayer de m'écraser. Je me ferais remarquer, j'attirerais les soupçons et je me signalerais à la GRC, ce qui n'arrangerait personne. On aurait dit que Charley avait quelque chose à cacher à titre personnel, qui ne résisterait pas à une inspection pointilleuse.

Moi qui n'avais jamais rien lessivé, sinon pour aider au ménage quand notre mère l'exigeait, j'ai découvert que j'y arrivais. Charley m'avait montré des astuces pour gagner du temps et finir à l'heure les chambres qui m'étaient assignées – seize, en l'occurrence, plus les deux salles de bains collectives par étage qu'utilisaient les pensionnaires, des voyous employés sur les puits de pétrole, des bandes de cheminots, des commis voyageurs et des moissonneurs saisonniers venus des provinces maritimes, qui traversaient la Prairie chaque automne. Souvent, ils étaient jeunes, à peine plus âgés que moi. Souvent ils souffraient de solitude et du mal du pays. Parfois ils étaient violents, ils aimaient boire

---

1. *Canadian Pacific Railway* : compagnie de chemin de fer canadienne, qui va de New York à Vancouver.

et se battre. Jamais ils ne faisaient attention à l'état dans lequel ils laissaient leur chambre, la salle de bains et les toilettes qu'ils avaient utilisées. Leurs chambres minuscules dégageaient une odeur putride où se mêlaient la sueur et la crasse, le graillon et le whisky, la boue de gumbo[1], les liniments et le tabac. Au fond du couloir, les salles de bains étaient humides, moisies, savonneuses et maculées de taches dues à certaines habitudes intimes, taches qu'ils ne prenaient jamais la peine de nettoyer non plus, comme ils l'auraient fait chez leur mère. Parfois, je poussais une porte avec mon seau, ma serpillière, mon balai, mes chiffons et mes détergents, et je surprenais l'un des garçons resté tout seul dans une chambre de plusieurs lits, en train de fumer ou de regarder par la fenêtre, de lire la Bible ou un magazine. Ou encore une Philippine assise sur le matelas, une ou deux fois sans rien sur elle, et plus souvent couchée avec l'un des voyous, ou bien un commis voyageur, voire une autre fille en train de faire la grasse matinée. Dans ces cas-là, je ne disais rien, je refermais la porte avec précaution et je laissais la chambre jusqu'au lendemain. Bien entendu, les petites Philippines n'avaient de philippin que le nom. C'étaient des Pieds Noirs et des Gros Ventres qu'Arthur Remlinger faisait venir en taxi depuis Swift Current ou Medecine Hat, m'avait expliqué Charley. Elles travaillaient au bar, histoire d'animer les soirées et d'attirer le chaland au Leonard, où les femmes n'étaient pas admises par ailleurs. Souvent, lorsque j'arrivais au travail, le matin, je voyais un taxi garé dans la ruelle qui flanquait l'hôtel, son chauffeur endormi ou en train de lire un livre, attendant que les filles sortent par la porte de service pour les ramener chez elles. Charley m'avait dit que l'une de ces Philippines était en fait une huttérite qui avait un bébé et pas de mari. Mais cette fille-là, je ne l'ai jamais vue au Leonard, et je doute que

---

1. Terre vaseuse qui devient collante quand elle est détrempée, que l'on utilisait comme revêtement des rues dans les années soixante.

les huttérites se seraient abaissées à ça ou que leurs parents les auraient laissées faire.

N'allez surtout pas croire que j'aie instantanément et impeccablement trouvé ma place dans la vie de Fort Royal. Loin de là. Je savais bien que mes parents étaient en prison, ma sœur en fugue, et que, selon toute probabilité, on m'avait abandonné pour de bon à des inconnus. Mais il m'était plus facile, et plus facile qu'on pourrait le croire, de penser à autre chose et de vivre dans le présent, comme avait dit Mildred, de vivre chaque jour comme une micro-existence en soi.

La petite ville de Fort Royal était animée en ce début d'automne, sans comparaison avec Partreau où j'étais forcé d'habiter, à six kilomètres, résidence étrange, fantomatique, sans âme qui vive, à l'exception de Charley dans sa caravane, et de Mrs Gedins, laquelle prenait rarement acte de ma présence. Fort Royal était une petite communauté affairée de la Prairie, située sur la ligne de chemin de fer et sur la highway 32, entre Leader et Swift Current. Elle ne devait pas être très différente de la ville dont mon père avait dévalisé la banque, dans le Dakota du Nord.

Le Leonard dominait l'extrémité ouest de la grand-rue, c'était un parfait cube de bois peint en blanc, deux étages, toit plat, des rangées de fenêtres nues sans ornements. On y entrait par une petite porte qui donnait accès à une réception obscure, une salle à manger sans fenêtres, et un bar également aveugle et sombre, pris sur un couloir étroit, au fond. Le Leonard avait une enseigne sur le toit, invisible en ville, mais qui m'apparaissait lors de mes trajets à vélo. Son néon rouge disait LEONARD HOTEL, en lettres carrées et trapues, à côté desquelles une silhouette de maître d'hôtel, également en néon, présentait un plateau rond avec un verre de Martini dessus. (Je ne savais pas encore ce que c'était qu'un Martini.) L'image était curieuse en rase campagne, mais j'aimais la voir pendant mes allées et venues. Elle renvoyait à un monde bien loin d'elle, et de moi, et pourtant elle surgissait devant mes yeux chaque jour, tel un mirage ou un rêve.

Pour tout dire, le Leonard aurait fait piètre figure comparé au Rainbow de Great Falls, ou aux beaux hôtels que j'ai vus depuis. Il entretenait peu de rapports avec la ville. Les rares riverains qui le fréquentaient étaient des buveurs ou des bons à rien, ainsi que quelques fermiers colériques, à qui Arthur Remlinger louait les terres pour la chasse à l'oie, et qui venaient boire gratis. Le Leonard était frappé d'anathème à Fort Royal, jadis championne de la tempérance. On y trouvait des jeux d'argent et des filles, la plupart des gens convenables n'y mettaient jamais les pieds.

J'avais presque toujours fini ma journée vers deux heures. Si je restais jusqu'au dîner à six heures, souvent je croisais Arthur Remlinger, toujours bien mis, avec son amie Florence La Blanc. Il causait, il plaisantait et se faisait convivial auprès des clients payants. Charley m'avait précisé que je n'étais pas censé entrer en conversation avec lui, malgré notre première entrevue cordiale. Je n'étais pas censé lui poser de questions, ni me faire remarquer, ni même me montrer aimable, comme s'il se mouvait dans une bulle où personne n'avait accès. Moi, j'étais de passage ici, il fallait que je comprenne que je n'avais ni statut particulier ni privilèges. De temps en temps, je le croisais à la petite réception, ou dans l'escalier, quand je balayais ou lessivais, ou bien à la cuisine, quand j'y mangeais. « Ah te voilà, Dell, très bien, disait-il comme si je m'étais caché de lui. Tu te débrouilles, dans ton cantonnement ? » (Des phrases dans ce genre ; je savais ce que « cantonnement » voulait dire, par mon père.) « Oui, monsieur », je répondais. « N'hésite pas à nous le dire, si ça n'allait pas », ajoutait-il. « Je m'en sors très bien », répondais-je. « Tant mieux, alors, tant mieux », concluait-il en poursuivant son chemin. Sur quoi je ne le voyais plus pendant plusieurs jours.

C'était quand même un mystère pour moi, à dire vrai, que cet homme qui avait accepté de me prendre en charge et de pourvoir à mes besoins ne semble avoir nul désir de me connaître – chose importante pour un garçon de mon âge. Il m'avait paru agréable, mais singulier, lors de notre premier contact – comme distrait par quelque chose. Mais il me semblait plus singulier encore à présent, ce que je tenais pour normal quand on fait de nouvelles connaissances.

Les jours où je restais sur place à tuer le temps jusqu'au dîner (pour rentrer ensuite en pédalant vaillamment malgré la fatigue, avant l'arrivée de la nuit où la route devenait dangereuse à cause des camions céréaliers et des ouvriers agricoles qui avaient fait le plein de bière), j'allais me balader dans Fort Royal, histoire de procéder à l'inventaire de ses ressources. Je faisais ça à la fois parce qu'il était nouveau pour moi de me retrouver seul sans personne pour s'occuper de moi, et aussi parce que le peu qu'il y avait en ville n'en ressortait que mieux à mes yeux ; et puis j'en étais arrivé à penser que pour ne pas me sentir abandonné, en proie aux idées noires, il fallait que je me lance dans des investigations et que je m'intéresse aux choses à la façon d'un rédacteur du *World Book*. Mais, par ailleurs, et ceci est lié à l'essence même de ces patelins solitaires de la Prairie, je faisais ces virées parce qu'il n'y avait rien d'autre à faire et que choisir le rôle de l'enquêteur me conférait une petite liberté jusque-là inconnue de moi, qui avais vécu entre ma sœur et mes parents. Et puis enfin, je le faisais parce que c'était le Canada et que je ne savais rien de ce pays, en quoi il différait des États-Unis et en quoi il lui ressemblait. Deux choses que je voulais savoir.

Je prenais la chaussée en dur de la grand-rue, dans ma salopette neuve et mes Thom McAns d'occasion, avec l'impression que personne ne s'apercevait de ma présence. Je ne connaissais pas le nombre d'habitants de Fort Royal, ni la raison pour laquelle il y avait là une ville, avec des gens pour l'habiter, ni même pourquoi elle s'appelait Fort Royal – sauf à penser qu'un avant-poste de l'armée avait pu s'y installer au temps des pionniers.

Des commerces bordaient les deux côtés de la grand-rue, qui n'était qu'un segment de la highway, et il me semblait qu'il s'y trouvait un peu de tout ce qu'il faut pour faire une ville. Il y avait un coiffeur, un commerce mixte laverie restaurant tenu par des Chinois, une salle de billard, une poste avec une photo de la reine au mur, un foyer communal, deux petits cabinets médicaux, un Sons of Norway, un Woolworth, un bazar, un cinéma, six églises (dont une église morave, une catholique et une luthérienne Bethel), une bibliothèque qui avait fermé, un abattoir et une station Esso. Il y avait une coopérative où Charley Quarters m'avait acheté mon pantalon, des slips, des chaussures et une veste. Il y avait la Royal Bank, un poste de pompiers, un bijoutier, un réparateur de tracteurs, et un hôtel plus petit, le Queen of Snows, avec un bar qui servait de l'alcool. Il n'y avait pas d'école pour les enfants, mais il y en avait eu une, sa carcasse de bois blanche et carrée se dressait au milieu d'un parc minuscule et sans arbres, doté d'un monument aux morts, aux noms gravés dans la pierre, ainsi que d'un drapeau sur une hampe. Il y avait dix rues tirées au cordeau, sans pavage, bordées de maisons blanches modestes où vivaient les habitants de Fort Royal. Ces maisons avaient des pelouses bien tenues, souvent avec un pin unique au milieu et un carré de jardin, où fleurissaient les derniers pétunias, et parfois avec un drapeau anglais dressé dans un cercle de galets peints en blanc, ou une crèche catholique que je reconnaissais pour en avoir vu dans le Montana. Il y avait encore un terrain de base-ball, une patinoire pour jouer au curling et au hockey, l'hiver venu, un court de tennis sans filet où poussaient les mauvaises herbes, et un cimetière, côté sud, là où finissait la ville et commençaient les champs.

Lors de mes virées, j'observais avec le plus grand soin, dans la vitrine du bijoutier, les Bulova, les Longines et les Elgin, ainsi que les minuscules diamants de fiançailles, les sonotones et les plateaux de boucles d'oreilles brillantes. J'étais entré dans la pénombre du bazar et j'y avais acheté un petit réveil parce que je devais me lever tôt, j'avais inhalé le parfum des femmes, le savon et la limonade, les odeurs caractéristiques des produits chimiques de l'arrière-boutique et du comptoir. Un après-midi, je m'étais arrêté chez le concessionnaire Chevrolet et j'avais détaillé leur dernier modèle, une Impala berline rouge brillante qui aurait emballé mon père. Je m'étais installé un moment sur le siège du conducteur et m'étais imaginé en train de la conduire à toute allure dans la Prairie sans bornes, tout comme je l'avais fait quand mon père avait ramené une DeSoto neuve et l'avait garée devant la maison, du temps où Berner et moi, nous menions une vie sans histoires. Un vendeur au nœud papillon jaune était venu et s'était penché à la vitre en me précisant que je pouvais rentrer chez moi avec, si je voulais. Là-dessus il s'était mis à rire et m'avait demandé d'où j'étais. Je lui avais dit que j'étais américain, en visite chez mon oncle au Leonard, et que mon père vendait des voitures aux States (expression nouvelle pour moi). Du coup, je ne l'intéressais plus, et il s'était éloigné.

Un autre jour, j'étais allé jusqu'à la bibliothèque fermée et j'avais regardé à travers la porte au verre épais les rangées d'étagères vides et les chaises renversées, le bureau du bibliothécaire tourné de trois quarts, dans les ténèbres. J'avais lu l'inscription sur la marquise du cinéma, qui n'ouvrait que le week-end et passait souvent des westerns de série B. J'avais exploré les petites rues de terre battue aux arrières de la ville, en direction de la gare de triage, j'avais observé les wagons céréaliers, les wagons-citernes aiguillés vers l'est et vers l'ouest – comme je le faisais à Great Falls –, les mêmes clochards du rail efflanqués me lorgnant au passage depuis les wagons de marchandises, comme s'ils me reconnaissaient. Je longeais les abattoirs où le jour d'abattage était le mardi, selon un panneau manuscrit, et où une vache condamnée attendait l'heure fatale dans un enclos, à l'arrière. Je passais devant le réparateur de

Massey Harris, où les hommes travaillaient dans l'atelier obscur à souder des machines agricoles avec des masques et des chalumeaux. Le cimetière était en dehors de la ville, je n'y allais pas. Je n'étais jamais entré dans un cimetière, mais je présumais qu'ils n'étaient pas différents au Canada.

Bien sûr, c'est une chose de marcher dans une ville quand on a sa famille à retrouver chez soi, à deux pas, et une tout autre chose quand il n'y a personne qui vous attend, pense à vous, se demande ce que vous faites ou si vous allez bien. J'ai entrepris ces virées bien plus d'une fois en ce début de septembre, alors que le temps changeait en un clin d'œil, comme il change là-bas, que l'été auquel j'avais survécu s'enfuyait et que la perspective de l'hiver s'imposait à moi comme aux autres. Très peu de gens me parlaient, même si personne ne semblait non plus s'en abstenir exprès. Je croisais le regard de presque tous les passants, dans la rue, ils prenaient acte ainsi de mon existence, attestant, croyais-je, qu'elle s'était gravée dans leur mémoire personnelle et que je devais le savoir. Et s'il ne se produisait rien de spécial, à Fort Royal, moi j'étais spécial parmi ces gens qui se connaissaient tous et en tiraient leur assurance. (Il y a là un élément crucial qui avait échappé à mon père et l'avait fait prendre après son hold-up dans le Dakota du Nord.) On pourrait dire que je me baladais comme n'importe qui dans un lieu inconnu. Mais c'était un lieu étrange en ceci qu'il était situé dans un pays distinct et qui pourtant ne me faisait pas un effet différent de ce que je connaissais déjà. À la limite, sa similitude avec les États-Unis rendait son exotisme plus profond, et il m'attirait, ce lieu, en sorte que j'ai même fini par l'aimer.

Une femme et sa fille m'ont dépassé, un jour que je m'étais arrêté au niveau du bazar, bouche bée devant les vases, les pichets, les poudres, les mortiers, les pilons et les balances de laiton en devanture, articles que le Rexall de Great Falls n'avait pas en magasin et qui donnaient un air plus sérieux à la boutique de Fort Royal. La femme a effectué un demi-tour sur le trottoir pour me dire : « Je peux faire quelque chose pour vous ? » Elle était vêtue d'une robe à fleurs rouges et blanches, avec une ceinture en cuir blanc et des chaussures assorties. Elle n'avait pas d'accent. Je dressais l'oreille depuis les allusions de Mildred aux différences d'anglais. Elle voulait seulement être aimable, peut-être m'avait-elle déjà vu et savait-elle que je n'étais pas du coin. On ne m'avait jamais parlé de cette façon – comme à un parfait étranger. Toute ma vie, jusque-là, les adultes étaient toujours fort bien renseignés sur mon compte.

« Non, merci », j'ai dit. J'étais conscient que si elle n'avait pas d'accent, à mon oreille du moins, il était possible que j'en aie un à la sienne. Peut-être que ma physionomie me singularisait aussi, mais ça m'aurait étonné.

« Vous êtes de passage ? » Elle souriait, mais je lui inspirais une certaine perplexité. À ses côtés, sa fille, qui avait mon âge, des bouclettes blondes et de jolis petits yeux bleus légèrement globuleux, me regardait calmement.

« Je suis venu voir mon oncle.

– Et qui est-ce, votre oncle ? » Ses yeux bleus, assortis à ceux de sa fille, brillaient de curiosité.

« C'est Mr Remlinger. Le propriétaire du Leonard. »

Les sourcils bruns de la femme se sont rapprochés, et elle a eu l'air ennuyée. Elle s'est raidie, comme si j'étais devenu quelqu'un d'autre du seul fait d'avoir prononcé le nom d'Arthur Remlinger. « Il va vous inscrire au lycée de Leader ? elle a demandé, comme si la perspective l'inquiétait.

– Non, j'habite le Montana avec mes parents. Je vais bientôt y redescendre, et je suis inscrit au lycée là-bas. » J'étais heureux d'éprouver que tout ce que je disais restait vrai.

« On est allés à la foire de Great Falls, dans le temps. C'était bien, mais il y avait beaucoup de monde. » Son sourire s'est élargi, elle a pris sa fille par l'épaule, qui a souri à son tour. « Nous sommes membres de l'Église des Saints des Derniers Jours, si vous avez envie de venir à nos offices. »

– Merci », j'ai dit. Je savais que SDJ voulait dire mormons, à cause de certaines choses bizarres que mon père m'avait racontées, et puis aussi de Rudy, qui prétendait qu'ils parlaient aux anges et n'aimaient pas les Noirs. J'ai cru que cette femme allait dire autre chose, me poser des questions sur moi, mais non. Elles sont reparties toutes les deux, me laissant à la devanture du bazar.

Les après-midi où je ne restais pas à Fort Royal pour me livrer à mes investigations et m'occuper comme je pouvais, j'enfourchais la J.C. Higgins et rentrais à Partreau avec une petite gamelle contenant un repas froid dans mon panier. Je mangeais dans ma maison en ruine tant qu'il restait du jour. C'était triste de manger tout seul dans l'une ou l'autre des deux pièces froides et sans lumière de cette bicoque, parce qu'elles étaient encombrées jusqu'au plafond de cartons qui sentaient le moisi, et des vestiges des années passées à servir d'annexe aux chasseurs qui venaient à l'automne et n'allaient d'ailleurs plus tard. Je n'avais presque pas de place, sinon le lit de camp sur lequel je dormais et celui qu'on avait réservé à Berner, et la « pièce cuisine » au lino rouge gondolé et à l'anneau de néon au plafond, avec une plaque chauffante à deux brûleurs où je faisais bouillir dans une casserole, le soir, une eau tirée à la pompe et puant le goudron, pour prendre mon bain. Tout dans cette maison sentait la vieille fumée et les aliments gâtés depuis longtemps, les cabinets et d'autres âcres odeurs humaines, que je ne pouvais éliminer faute d'en trouver la source, mais qui laissaient leur goût dans ma bouche et collaient à ma peau et mes vêtements quand je partais travailler, au point de me faire honte. Le matin, je me lavais les dents à la pompe extérieure et je me débarbouillais avec une savonnette Palmolive achetée au bazar. Mais le froid venant, le vent me mordait aux bras et aux joues, il raidissait mes muscles à me faire mal. Si Berner avait été là, j'étais sûr qu'elle aurait perdu courage et qu'elle aurait fugué de nouveau – et cette fois, je l'aurais suivie.

Mais rapporter mon repas et attendre la nuit pour le manger sous l'anneau du plafonnier sinistre me renvoyait tout droit dans mon lit, où je m'allongeais, malheureux comme les pierres, tentant de lire mes magazines d'échecs sous cet éclairage défectueux, regrettant de ne même pas pouvoir regarder la télé cassée tout en écoutant les pigeons sous la tôle du toit et le vent qui travaillait les bardeaux du silo, de l'autre côté de la route, les rares camions et voitures qui passaient la nuit, et parfois Charley Quarters lui-même, quand il rentrait tard du bar de l'hôtel et se plantait dans les herbes folles, devant sa caravane, en parlant tout seul. (Depuis, j'avais cherché le mot *métis* dans le tome M de mon *World Book*, et découvert qu'il désignait les gens croisés d'Indiens et de Français.)

Tout cela conspirait contre moi au fil des soirs et m'entraînait dans une spirale de découragement, je pensais à mes parents et à Berner, j'avais la certitude que j'aurais été en de meilleures mains avec la Protection des mineurs, qui m'aurait du moins envoyé à l'école, même derrière des barreaux. J'aurais eu des gens avec qui parler, et tant pis si ça avait été des garçons de ferme coriaces ou des Indiens pervers. Alors qu'ici, si je tombais malade, comme cela m'arrivait parfois en automne, personne ne s'occuperait de moi, personne ne m'emmènerait chez le médecin. J'étais laissé pour compte, pendant que le reste du monde avançait, loin devant moi. Il n'avait pas été question – puisque personne ne me parlait, sauf Charley, que je n'aimais pas et qui ne faisait pas attention à moi, et puisque je n'étais pas invité à parler à qui que ce soit et que, par conséquent, j'ignorais tout de mon avenir –, il n'avait pas été question que je retourne à mon environnement familier, ou que je revoie mes parents, ou qu'ils viennent me chercher. Par conséquent, naufragé ici, dans le noir, à Partreau, il me semblait que je n'étais plus tout à fait le garçon d'hier, qui ne manquait de rien, peut-être destiné à une bonne fac, avec des parents et une sœur derrière lui. J'étais désormais plus chétif aux yeux du monde, insignifiant, invisible peut-être. Toutes considérations plus morbides que vitales – ce qui n'est guère un état d'esprit convenable pour un garçon de quinze ans. J'avais l'impression qu'en étant où j'étais, la chance m'abandonnait, sans espoir de retour, moi qui m'étais toujours considéré comme heureux. Ma bicoque de Partreau était à vrai dire l'image même de l'infortune. Si j'avais pu pleurer, ces nuits-là, je l'aurais fait. Mais je n'avais personne sur l'épaule de qui pleurer, et puis, de toute façon, j'avais horreur de pleurer et je ne voulais pas être un lâche.

Et pourtant, si je parvenais à ne pas couler à pic chaque soir, avec un sentiment d'amertume et d'abandon qui empoisonnait toute la journée du lendemain, si je me contentais de rentrer à vélo et de manger mon repas froid vers cinq heures plutôt qu'à la nuit, ça me laissait le temps de me fixer un nouveau centre d'intérêt accessible, en observant ce qui m'entourait à Partreau – c'est-à-dire une fois encore sans rien exclure, comme me l'avait conseillé Mildred –, et alors, alors seulement, ma situation m'apparaissait sous un meilleur jour, et je sentais que je pourrais tenir le coup, et la distance.

Car après tout, je n'avais pas intérêt à me laisser couler. Même si, tous les soirs, j'étais en proie à un sentiment de vide, du fait de ne pas savoir qui j'étais ni où j'étais dans ce monde, ni comment les choses se passaient, ni comment elles pourraient se passer pour moi en particulier, j'avais connu pire ! Telles étaient la vérité que Berner avait comprise, et la raison pour laquelle elle s'était sauvée et ne reviendrait sans doute jamais. Elle avait perçu que tout valait mieux que d'être les enfants abandonnés de deux braqueurs de banque. Charley Quarters m'avait dit qu'on traversait des frontières pour échapper aux choses, et peut-être pour se cacher. Sous ce rapport, à son avis, le Canada était une bonne planque. (Même si le passage de la frontière ne m'avait fait aucune impression, on devenait quelqu'un d'autre au cours de l'opération – c'était en train de m'arriver, il fallait bien que je l'accepte.)

Et c'est ainsi que lors de ces longs après-midi fraîchissants sous un ciel très haut, où l'on pouvait voir la lune en plein jour, avant ou après mon dîner (une table de pique-nique déglinguée avait été jetée dans les chardons, j'avais sorti une chaise cassée de ma bicoque et avais placé l'une et l'autre devant la fenêtre, à côté du lilas, pour avoir la vue vers le nord), je faisais une deuxième virée, dans Partreau cette fois. Mes investigations me semblaient alors d'une tout autre nature. S'il s'agissait à Fort Royal de traquer les différences avec la vie que j'avais connue et de tenter de me réconcilier avec la nouvelle, à Partreau, qui n'était qu'à six kilomètres, je visitais un musée de la défaite, celle d'une civilisation balayée de la carte pour prospérer ailleurs – ou peut-être nulle part.

Il n'y avait que huit rues en ruine dans le sens nord-sud et six dans le sens est-ouest. Et, en tout et pour tout, dix-huit maisons vides et sinistrées, leurs carreaux cassés, leurs portes arrachées, leurs rideaux battant au vent, chacune avec son numéro, les rues avec leurs panneaux, même si peu de noms demeuraient lisibles. South Ontario, South Alberta (celle de ma bicoque), South Manitoba, où se situaient un minuscule bureau de poste désaffecté et la maison de Mrs Gedins. Et South Labrador Street, à la limite de la ville et des champs moissonnés, qui passait devant une plantation en U d'arbres morts, oliviers de Russie, peupliers de Lombardie, caraganiers de Sibérie et sureaux ; la tétra de la Prairie se perchait dans leurs branches pour observer la highway, et les pies se chamaillaient en fouillant la broussaille en quête d'insectes.

Il y avait eu jadis plus de cinquante maisons, je l'avais calculé en arpentant chaque rue et en comptant les intervalles entre les carrés des fondations. Dans le fouillis des herbes folles et sur les seuils, on voyait des épaves de voitures rouillées, calcinées, des carcasses d'appareils divers ; il y avait des décharges pleines de buffets, de miroirs cassés, de fioles de médicaments, de lits-cages, de tricycles, de planches à repasser, d'ustensiles de cuisine, de bassinets, de bouillottes, de réveille-matin, le tout à moitié enterré et oublié. À l'arrière de la ville, côté sud, à l'aplomb des champs et des rangées d'oliviers, on trouvait les vestiges d'un verger qui avait périclité, une pommeraie peut-être. Les troncs desséchés étaient empilés, écorce contre écorce, comme si on avait voulu y mettre le feu, ou les conserver en guise de bois d'allumage, pour les oublier ensuite. En outre, c'est là que j'ai découvert les vestiges rouillés et désarticulés d'attractions diverses, les sièges à bâche rouge d'une chenille, la capsule grillagée d'un stand de tir, trois autos tamponneuses, et une nacelle de grande roue, le tout éparpillé, réduit à l'état d'épave, avec des rouleaux de chaînes d'engrenage et des poulies ensevelies dans les herbes, ainsi qu'un guichet jadis peint en rouge et vert, couché sur le flanc, des bandes entières de tickets jaunes à l'intérieur. De cimetière, je n'en ai jamais vu.

Je me suis brièvement intéressé à deux ruches blanches, posées, solennelles, dans le blé spontané, devant la rangée d'arbres où le soleil soulignait leurs arêtes. Elles devaient appartenir à Charley, présumais-je, qui avait dû s'en être occupé autrefois. Mais les ruches, reposant sur des briques et dépourvues de leurs chapeaux plats, étaient vides de leurs abeilles. Les panneaux de bois étaient sortis de leurs joints, la pourriture les rongeait par le bas. Sous les intempéries, leur mince couche de peinture s'écaillait, leurs cadres de cire (j'en savais long sur ce chapitre) gisaient dans l'herbe, auprès d'une paire de gants moisis. Les sauterelles crissaient tout autour, dans la poussière.

Plus loin, à quelques centaines de mètres dans le champ, par-delà une mare asséchée, j'allais examiner la pompe à pétrole solitaire dont le moteur bourdonnait au vent de l'après-midi, et qui dégageait une âcre odeur d'essence en pistonnant, au milieu d'une étendue de terre tassée, saturée, noire du pétrole extrait et répandu. Deux grosses jauges à cadran blanc fixées au mécanisme électrique mesuraient quelque chose, mais quoi ? Un jour, depuis ma bicoque, j'avais vu un homme solitaire traverser la ville dans son pick-up et s'arrêter à la pompe. Il était sorti de son véhicule, s'était affairé, consultant les jauges, inspectant les diverses pièces du mécanisme et consignant des notes dans un bloc. Après quoi il était reparti vers Leader et n'était jamais (que je sache) revenu.

D'autres jours, je me rendais simplement dans la partie commerçante et longeais ces magasins autrefois prospères qui bordaient la highway, de l'autre côté du silo et des voies de la Canadian Pacific. De mon lit, j'entendais souvent les trains de marchandises, le soir tard, les gros diesels qui montaient en puissance comme des vagues, les amortisseurs qui couinaient, les freins et les patins qui criaient. C'était tout à fait ce que j'avais connu dans ma chambre, à Great Falls. Les trains ne s'arrêtaient pas à Partreau. Le silo était vide depuis longtemps. Pourtant, il m'arrivait d'être réveillé en sursaut et de sortir dans la nuit froide, sous la lune, pieds nus, en slip. J'espérais voir se lever une aurore boréale : mon père m'en avait parlé mais je n'en avais jamais vu à Great Falls, et n'en ai jamais vu à Partreau. La silhouette massive des wagons céréaliers et des wagons-citernes, ainsi que des wagons-trémies, brimbalait et cahotait, les freins jetaient des étincelles, les phares luisaient jaunes au bout du fourgon de queue. Souvent, un homme se tenait sur la plate-forme arrière – comme sur ces photos d'hommes politiques haranguant des foules immenses –, venu contempler le silence qui se refermait sur lui, visage à demi éclairé par la lanterne rouge, loin de se douter que quelqu'un le regardait.

Mais quand j'inspectais les petites devantures – une banque désaffectée, grande comme un mouchoir de poche, un immeuble en pierre de taille qui datait de 1909, le chausseur Atlas, avec son stock de souliers éparpillés à l'intérieur, une salle de billard obscure, une station d'essence avec des pompes rouillées coiffées d'un globe de verre, un cabinet d'assurances, un coiffeur avec deux séchoirs chromés renversés et cassés, les planchers jonchés de briques, de meubles et d'étagères en miettes, la lumière morte et froide, les portes de derrière défoncées qui laissaient entrer les intempéries ravageuses, tous ces établissements vidés de leurs usages humains –, je m'apercevais que je pensais toujours à la vie qui y avait eu cours, et pas à celle qu'on y avait abandonnée. Contrairement à ce que j'avais cru tout d'abord, il ne s'agissait pas d'un musée. J'en avais une perception plus positive, à présent. J'en concluais, sans qu'on me l'ait appris, qu'on pouvait s'assimiler à son insu. C'était ce que je faisais, désormais. On faisait ça tout seul, et non pas avec les autres ou pour eux. Et ce n'était peut-être pas si difficile, de s'assimiler, pas si risqué, pas nécessairement permanent, d'ailleurs. Cet état d'esprit m'assurait une liberté inédite, c'était comme une nouvelle vie qui commençait, ou comme de devenir quelqu'un d'autre, mais pas quelqu'un au point mort, quelqu'un en mouvement – et donc en phase avec les affaires de ce monde. Que ça me plaise ou non, et quoi que j'en pense, le monde autour de moi allait changer.

## 46

À mesure que l'été cédait à l'automne, mes tâches quotidiennes faisaient place à de nouvelles occupations. Le vent forcissait, il s'orientait au nord et soulevait la poussière dans les champs. Des nuages plus vastes et plus volumineux accouraient et une pluie grise balayait la Prairie vers l'est. Je voyais plus souvent Charley Quarters. Il m'amenait plus régulièrement au travail avec Mrs Gedins. Et l'après-midi, il m'emmenait dans son pick-up au long des routes secondaires, et je partageais ses activités, qui consistaient surtout à chasser les coyotes – il les repérait d'abord de très loin à la jumelle, puis les interceptait entre deux montagnes russes, là où il jugeait à l'estime qu'ils allaient traverser. Il lui arrivait aussi de déverser de l'eau dans les galeries pour les débusquer, et puis il posait divers pièges pour attraper lapins, renards, blaireaux et rats musqués, de temps en temps un petit chevreuil et parfois un lynx, un hibou, un faucon ou une oie, qu'il abattait d'un coup de fusil ou expédiait au couteau. Il jetait dans la benne du pick-up le gibier qui, souvent, bougeait encore ou clignait des paupières, pour plus tard l'écorcher, faire sécher la peau, la tendre, et dans certaines occasions la tanner et la conserver dans son Quonset, après quoi il irait la vendre à Kindersley chez Brechtmann, où je n'avais pas la permission de l'accompagner. Il me disait que parfois il apercevait un orignal, dans la Prairie, qui se reposait au milieu des brise-vent ou des dépressions marécageuses ; leurs andouillers se vendaient cher, mais on n'en voyait plus tellement. Il disait pratiquer une « taxidermie sommaire ». Il m'expliquait que le braconnage avait assuré aux métis leur autonomie, mais que le gibier se faisait rare et que les provinces avaient voté des lois contre cette pratique traditionnelle. Il était devenu nécessaire de travailler chez des types comme Arthur Remlinger, pour qui il ne semblait avoir ni sympathie ni estime, mais qui était un élément de sa vie désormais immuable.

Il m'a donc fallu l'accompagner et apprendre à conduire le pick-up, qu'il appelait son demi-tonne, car maintenant que les jours fraîchissaient et que les vols d'oies, de canards sauvages et de grues déferlaient depuis le nord (Lac La Ronge et Reindeer étaient des noms qui revenaient souvent dans les propos de Charley) pour faire halte dans les blés, sur les plaines et dans les mares au-dessous de la Saskatchewan du Sud, à quelques kilomètres de Fort Royal, il comptait bien que je prenne ma part du travail. Ce qui voulait dire connaître les rudiments de la chasse (sans avoir jamais la permission de tirer pour autant) et l'accompagner lui-même dans les champs pour repérer les oies, le soir, afin de savoir où elles se « poseraient » le lendemain, creuser des fosses de tir et installer des leurres avant le jour, assigner une fosse à chaque chasseur, de sorte que, quand la nuit se dissiperait et que le soleil éclairerait les leurres, ils soient à même d'abattre les oies qui s'élèveraient en masse au-dessus de la rivière pour aller chercher leur subsistance dans les champs.

Ma tâche essentielle était de m'installer dans la cabine du pick-up avec une paire de jumelles, à un kilomètre environ des leurres, au moment où le soleil rouge montait imperceptiblement à l'horizon, pendant que Charley était tapi à son poste avec les autres chasseurs – quatre en général, dans quatre fosses. Il appelait les oies sans se servir d'autre appeau que sa voix, qui émettait alors un son étrange, peu naturel, un *ark-aïk* rauque dont il était très fier. Le cri attirait les oies vers les leurres, elles devenaient plus faciles à tirer. Ce cri-là, ça ne s'apprenait pas, m'avait-il dit, il fallait être métis. Depuis le pick-up, avec mes jumelles, j'arrivais à voir jusqu'à trois postes, je regardais tomber les oies abattues et je les comptais, avec celles qui avaient été blessées, pour vérifier qu'on ne dépasse pas la limite de cinq par chasseur. Après les tirs, quand le sol était jonché d'oies mortes ou mourantes, et le soleil assez haut pour que le gibier ne réponde plus aux leurres, Charley et moi ramenions les chasseurs au Leonard dans le pick-up, et nous repartions avec la Jeep et sa remorque récupérer leurres et gibier que nous transportions au Quonset. Là, sur la planche à nettoyer, on tranchait les ailes, les pattes et la tête des oies à la hachette, on les plumait à l'aide d'une machine achetée par Charley, on les vidait, et puis on les enveloppait dans du papier de boucherie pour les rapporter aux chasseurs qui repartaient ce jour-là, ou alors on les stockait dans le congélateur de Charley pour ceux qui rentraient au bercail plus tard, leur bercail étant les États-Unis, en général.

C'était une vie entièrement nouvelle pour moi, qui n'avais connu que les bases de l'Air Force et les villes dont elles dépendaient, les écoles, les maisons de location avec mes parents et ma sœur, pour moi qui n'avais jamais eu d'amis, ne m'étais jamais intégré nulle part, n'avais jamais eu d'astreintes ni vécu d'aventures, qui n'avais jamais passé une journée entière seul dans la Prairie. Et moi qui n'avais jamais travaillé, comme je l'avais avoué avec embarras à Arthur Remlinger, je découvrais que le travail ne me faisait pas peur, que je pouvais m'y appliquer avec persévérance, que ce soit au Leonard ou sur les terrains de chasse. Certes, ma tâche était mineure, mais je pensais qu'elle était respectable. Au Leonard, j'avais souvent observé la conduite des adultes quand ils étaient seuls ou ne se croyaient pas observés – c'était instructif. Et sur les terrains de chasse, j'avais acquis des connaissances spécifiques qu'aucun garçon de mon âge ou qui ait eu ma vie n'aurait pu espérer acquérir, ce qui était mon but depuis toujours. Mais il y avait plus important : chaque jour, quand je m'attelais à mes tâches, mon esprit s'affranchissait de ses ruminations ordinaires – mes parents, leur triste destin, leur crime, ma sœur, sans oublier mon avenir –, si bien qu'à la fin de la journée, quand je me mettais au lit, rompu, souvent courbatu, j'avais la tête vide et je pouvais m'endormir tout de suite. Naturellement, ça ne m'empêchait pas de me réveiller tout seul dans le noir un peu plus tard, et alors ces mêmes pensées m'attendaient au tournant.

Charley Quarters était l'être le plus étrange que j'aurais jamais imaginé rencontrer. Je ne l'aimais pas, je l'ai dit, et je n'avais aucune confiance en lui. Sa présence me procurait une appréhension. Je n'étais pas près d'oublier la façon dont il avait serré ma main dans l'obscurité du pick-up, le premier soir. Je savais qu'il m'observait dès que je sortais de ma bicoque pour manger mon pique-nique dehors, à la table de dînette, ou lorsque je partais me balader, que je m'adaptais au milieu et trouvais moyen de me débrouiller sans rien demander. Parfois, quand nous étions seuls dans le pick-up à bourlinguer sur l'océan des blés, je remarquais qu'il avait mis du rouge à lèvres. Une fois, il s'était aspergé d'un parfum suave. Une autre, il s'était charbonné les yeux. Il arrivait que ses cheveux soient plus noirs que d'habitude, et son front maculé de teinture. Je n'en parlais pas, bien sûr, je faisais semblant de n'avoir rien vu. Mais j'étais persuadé que ça n'échappait pas à Arthur Remlinger et que, peut-être, il s'en fichait. Ils me semblaient l'un comme l'autre aussi bizarres que possible. Je me rendais également compte que, comme nous utilisions tous deux les cabinets situés derrière chez moi, qui comportaient deux trous jumeaux découpés à la scie dans le bois du siège, avec un sac de chaux et une pile de *Commonwealth* édition du Saskatchewan posés à côté, Charley pourrait très bien surgir quand j'occupais les lieux. Il n'y avait ni loquet ni verrou, si bien que j'étais obligé de refermer la porte au moyen d'un clou et d'une ficelle, installés par moi à cet effet, et que je tenais solidement quand je m'installais « sur le trône », une expression de mon père. Ce qui-vive me rendait naturellement méfiant : je n'allais dans ces cabinets que lorsque Charley avait quitté sa caravane, ou à la nuit noire parce que j'avais peur des serpents. Et j'essayais toujours d'aller aux toilettes à l'hôtel, dans la salle de bains du deuxième étage.

Pour tout dire, cependant, ces inquiétudes à l'endroit de Charley (dont le vrai nom, je l'ai appris par la suite, était Charley Quentin) sont demeurées sans objet. C'était surtout qu'il était distrait, en ma présence, comme s'il ruminait des choses qui le tracassaient et étaient sans remède. Je n'ai jamais su lesquelles, et n'ai jamais posé de questions. Il disait fréquemment qu'il ne réussissait pas à dormir et n'avait jamais bien dormi. Lorsque je regardais par la fenêtre, au milieu de la nuit, car le chant des coyotes me réveillait souvent, il y avait toujours de la lumière dans sa caravane et je l'imaginais allongé, incapable de dormir, écoutant ses mobiles tinter au vent. Il m'avait dit un jour avoir eu « une sale infection des boyaux » quand il était gamin ; elle revenait souvent l'empoisonner et l'empêchait de profiter pleinement de la vie. Parfois je le voyais devant sa caravane en train de donner à manger aux oiseaux qui volaient autour de ses sculptures et de ses girouettes argentées, dont il passait son temps à tourner les petites hélices de plastique face au vent. Parfois, il allait chercher une série d'haltères dans son Quonset et il se mettait à faire des flexions, extensions et torsions dans les herbes. Et puis d'autres fois, il en tirait un sac de clubs de golf et un panier de balles, il posait les balles sur des touffes d'herbe et frappait avec raideur chacune d'entre elles vers la route et les voies ferrées, les faisant glisser sur l'asphalte ou percuter à grand bruit les flancs du silo, quand il ne les envoyait pas au diable dans les champs. Il faut croire qu'il avait un stock de balles inépuisable, car je ne l'ai jamais vu aller en récupérer une seule.

Mais surtout il était chargé à son corps défendant de m'apprendre ce qu'il fallait faire avec les chasseurs. Il s'agissait clairement d'un plan conçu par Arthur Remlinger pour m'occuper, le temps qu'il trouve à m'employer autrement. Oui, ça m'intéressait, d'apprendre, puisque je n'apprenais rien d'autre pour le moment et m'en désolais. J'avais demandé à Charley si je pourrais aller à l'école, si j'en aurais la permission, puisqu'un bus scolaire jaune traversait Partreau tous les matins, en direction de l'ouest, les mots LEADER SCHOOL UNIT inscrits sur son flanc, comme n'importe quel bus scolaire américain, et que, tous les après-midi, il rentrait en grondant vers Fort Royal, les élèves nez aux vitres. Il me doublait souvent, au cours de mes navettes vigoureuses sur mon vieux vélo. Aucun élève ne me faisait jamais le moindre signe de la main, ni ne changeait d'expression en me voyant. Une fois, j'avais aperçu la jolie blonde SDJ aux yeux exorbités, dont la mère m'avait adressé la parole dans la rue, mais elle n'avait pas eu l'air de me reconnaître. Et même si je commençais à me sentir mieux dans ma peau, plus adapté au milieu, comme disait Arthur Remlinger, quand le bus me dépassait, j'éprouvais la sensation toujours renouvelée d'être laissé pour compte : il était fort possible que je ne prenne plus jamais place dans une classe, et que je ne reçoive jamais l'instruction ni la formation que j'avais espérées ; il était non moins possible, et c'était le pire, en somme, que j'aie surestimé l'importance de l'école dans le schéma général des choses.

Lorsque j'avais posé la question à Charley, il m'avait ignoré. J'avais appris par Mrs Gedins – c'était l'une des rares choses qu'elle m'ait dites – qu'il existait une maison de redressement catholique pour les filles, dans la ville de Birdtail, Saskatchewan, qui n'était qu'à quelques kilomètres. Je me disais que, peut-être, je pourrais y aller à bicyclette le samedi puisque cette école fonctionnait toute la semaine. Mais quand j'en avais parlé à Charley, il m'avait répondu que les écoles canadiennes étaient réservées aux Canadiens. Et que je serais mal inspiré de vouloir devenir canadien pour quelque raison que ce soit. Ça se passait l'un des derniers jours de chaleur et de ciel bleu, quand une longue file de nuages laiteux qui aurait pu donner le premier orage d'hiver planait sur l'Alberta, à quatre-vingts kilomètres de chez nous. Charley et moi étions installés dans deux de ses transats en alu, sur un piton rocheux, d'où nous observions un grand troupeau d'oies posées dans les orges pour y chercher leur subsistance, le long des rives de la Saskatchewan du Sud. Les oies arrivaient de plus en plus nombreuses, atterrissant après un virage sur l'aile, et prenaient place pour se nourrir. Il ne restait plus qu'une semaine avant l'ouverture de la chasse, nous étions là pour estimer leurs déplacements, repérer les champs où elles se rassemblaient, noter leur nombre, quelles mares étaient en eau, quelles asséchées, et où creuser les fosses pour avoir la position de tir optimale. Même si j'étais mal à l'aise en sa présence, j'étais désireux qu'il m'inculque ce qu'il savait et voudrait bien me transmettre, puisque moi j'ignorais tout de la chasse en général, des chasseurs, et du sport qui consistait à tirer sur des oies.

Charley avait défait ses cheveux noirs, et il portait un maillot de corps qui découvrait ses bras courts aux muscles noueux et faisait paraître ses mains et son torse plus vastes et plus puissants. Il avait des tatouages sur les deux avant-bras ; l'un représentait un visage de femme souriant, avec une chevelure hollywoodienne comme celle de Charley, et les mots *Ma Mère** gravés dessous, l'autre était une tête de bison bleue, avec des yeux rouges qui vous fixaient – le sens en était moins évident. Charley avait son vieux fusil à levier sur les genoux, une cigarette serrée entre les dents, et il ajustait ses jumelles sur le long banc d'oies répandu au loin, au-dessus de la rivière étincelante, et sur deux coyotes qui les observaient depuis une colline et s'approchaient d'elles subrepticement

« Les Canadiens n'ont rien dans le ventre », me dit-il après avoir proclamé que je serais mal inspiré de vouloir le devenir – chose que je n'avais pas envisagée. Moi je voulais seulement aller à l'école et ne pas rester en rade. Je me disais que les écoles canadiennes devaient enseigner les mêmes matières que les écoles américaines. Les enfants du bus me ressemblaient tous. Ils parlaient anglais, ils avaient des parents, ils étaient habillés comme moi. « Les Américains, ils sont pleins, au contraire... pleins de ruse, de traîtrise et de malfaisance. » Il gardait ses jumelles vissées aux yeux, et sa cigarette faisait des volutes dans l'air tiède. « Tes parents sont des braqueurs de banque, c'est ça ? »

Je regrettais qu'il soit au courant. Arthur Remlinger le lui avait manifestement dit. Mais à quoi bon nier ? Je ne pensais pas qu'il disait juste quant aux Américains, malgré tout, même si mes parents étaient bien des braqueurs de banque.

« Oui, j'ai répondu à contrecœur.

– Je trouve pas que ce soit si grave. » Il a abaissé ses jumelles et m'a regardé avec de grands yeux, ça lui faisait une tête grotesque, pommettes énormes, gros sourcils, mâchoire inférieure massive. Il portait un rouge à lèvres rose, ce jour-là, mais ses yeux bleu foncé n'étaient pas fardés. L'un des deux, le gauche, avait une tache injectée de sang dans le blanc. Je n'étais pas sûr qu'il y voyait, de cet œil-là. « Mes parents habitaient une maison au sol en terre à Lac Labiche, dans l'Alberta, et ils sont tous les deux morts de la tuberculose. Dévaliser une banque aurait sacrément arrangé leurs affaires.

– Si, c'est grave, je pense », j'ai dit en parlant du hold-up de mes parents et pas de la mort des siens. Ce qui était arrivé à mes parents me semblait très loin pourtant, alors que quelques semaines plus tôt seulement, nous étions allés les voir à la prison de Great Falls, Berner et moi.

Charley a toussé, craché un truc dans sa main, qu'il a examiné de près avant de le balancer. « Quelque chose rentre en moi quand je descends là-bas, et quelque chose sort de moi quand je remonte ici. Sauf que maintenant, je peux plus redescendre. » Il m'avait dit avoir beaucoup voyagé à travers les États-Unis, dans le temps – il était allé à Las Vegas, en Californie, au Texas –, mais il s'était passé des choses – il n'avait pas dit lesquelles –, si bien qu'il ne pouvait plus y aller. « Les jeux sont faits, ici. Les gens croient que le gouvernement les arnaque, mais c'est pas vrai. Le pays part à vau-l'eau. » Je me disais qu'il parlait de l'endroit précis où nous nous trouvions, et pas de tout le Canada, dont il ne connaissait sans doute rien. Il a mis ses jumelles sur le sol, à côté du transat. L'air, deux cents mètres plus bas, était tout rempli d'oies noires et blanches et de leurs cris aigus. Elles cacardaient, battaient des ailes, se liguaient, se défiaient, prenaient leur vol et se posaient. « Tu aurais intérêt à plus être là dans six semaines, ça c'est sûr, il a dit. Ça va être la Sibérie, par ici. Le nord, c'est pas une direction à prendre, pour ce qui me concerne.

– Pourquoi est-ce que Mr Remlinger ne me parle jamais ? » j'ai demandé, parce que c'était vraiment ce que je voulais savoir.

Charley a pris le fusil sur ses genoux, il l'a épaulé posément, sans quitter son transat. Je croyais qu'il s'en servait seulement pour voir – il le faisait souvent. « Je me mêle pas de ses affaires », il a dit.

Il s'est calé contre les bandes de nylon du transat pour s'équilibrer, et il a braqué la gueule du fusil sur l'un des deux coyotes que nous observions. Il était à cent mètres et descendait au trot un talus aride où l'orge ne poussait pas, se dirigeant vers un autre, qu'il pourrait contourner pour s'approcher des oies sans se faire voir. Le second coyote se tenait plus loin, près d'un tas de pierres amoncelées, qu'on avait dégagées du champ. Celui-là était immobile, il fixait l'autre en silence. Moi, je me suis tu.

Charley a levé son fusil, regardé au loin, inspiré longuement et soufflé, il a mordu son mégot, repositionné le fusil, s'est carré avec assurance dans son transat, a relevé le percuteur, inspiré de nouveau, soufflé par le nez, craché sa cigarette sur le côté, inspiré une fois encore, puis pressé la détente d'un seul coup retentissant. J'étais assis juste à côté.

La balle va s'écraser derrière le premier coyote. Même à cette distance, je vois s'élever un nuage de poussière et de paille. Le second coyote se met à courir aussitôt, ses longues pattes de derrière croisant celles de devant. Il se retourne – on dirait qu'il a la faculté de courir en avant et sur le côté en même temps. En contrebas, la colonie d'oies ne pousse qu'un immense cri d'effroi, assourdissant, un cri de bête saignée qui avale l'air. Voilà les oies qui prennent leur essor sans hâte sur les blés coupés, soulèvement grandiose, mille oiseaux, davantage, des oiseaux innombrables, ailes battantes, s'envolant au loin dans une clameur phénoménale.

Le coyote sur lequel Charley avait tiré s'était arrêté pour voir les oies s'envoler ; il décrivait des cercles. Il a tourné la tête dans notre direction – deux points avec, derrière, le pick-up de Charley à une centaine de mètres. Il n'avait pas fait le rapprochement entre la détonation, la poussière soulevée et l'envol soudain des oies. Il a de nouveau jeté un œil aux immenses spirales qui emplissaient l'air, puis il s'est gratté l'oreille gauche de la patte arrière gauche en penchant la tête de côté pour avoir un meilleur angle. Il s'est ébroué, nous a regardés encore une fois, et puis il est parti en trottant dans la direction où le premier coyote s'était enfui ; et où, à coup sûr, se trouvaient d'autres oies.

« J'le reverrai c'diable de chien, attends un peu… » a dit Charley, comme s'il se fichait pas mal de l'avoir raté, que ce soit un coup pour rien. Il a éjecté la cartouche usagée, tendu la main pour récupérer la cigarette qui fumait toute seule par terre. « On l'a dans le collimateur, moi surtout, il a dit. Il se croit en sécurité, mais sa mort et la mienne se jouent aux dés. C'est marrant. Moi je le sais, et lui pas.

– Et Mr Remlinger ?

– Je me mêle pas de ses affaires, je te l'ai déjà dit. » Il s'est revissé la cigarette au bec, il avait l'air agacé. « Il est bizarre. On est tous incompris par quelqu'un, hein ? »

Je ne comprenais pas ce qu'il voulait dire et je n'ai plus posé la question. Comme je l'ai dit, Charley Quarters me mettait mal à l'aise. Je trouvais que ses liens avec la vie passaient trop par la mort. Ça signifiait sans doute qu'il ne tenait pas à grand-chose. Si je lui avais donné l'occasion de m'en montrer ou de m'en dire davantage (et je m'en gardais bien), il l'aurait fait. Et je n'en aurais pas été plus avancé.

## 47

Les jours où Charley Quarters ne m'emmenait pas dans la Prairie pour faire mon éducation sur les oies, et où, n'étant pas resté à Fort Royal, je pouvais me retrouver tout seul dans ma bicoque sans m'abandonner au désespoir, je commençais même à éprouver l'illusion que ma vie était presque heureuse, qu'on ne m'avait pas lâché, que je menais toujours une existence qui, comme aurait dit mon père, faisait sens.

À vrai dire, le temps stagnait. J'aurais pu être tout seul à Partreau depuis un mois, six mois, voire plus longtemps, ça m'aurait fait le même effet, premier jour, centième jour, j'étais en train de m'installer dans un petit monde d'impermanence. Je savais que je finirais par partir – à l'école, une école canadienne au besoin, ou dans une famille d'accueil, ou que je repasserais la frontière d'une façon ou d'une autre pour faire face à tout cet inconnu qui m'attendait. Je savais que ma vie actuelle, avec son quotidien, ses habitudes et les gens qui la peuplaient, ne durerait pas éternellement, ni même très longtemps. Mais je n'y pensais pas autant qu'on pourrait le croire, j'étais dans un état d'esprit que, comme je l'ai déjà dit, mon père aurait approuvé.

Se substituait au temps du calendrier, jour après jour, le temps du baromètre. Le temps qu'il fait compte plus que le temps qui passe, dans la Prairie ; à lui se mesurent les changements invisibles de l'être. Les jours d'été, chauds, secs, ventés, sous des ciels d'un bleu intense s'enfuyaient, et les nuages de l'automne faisaient une percée. D'abord tavelés, puis marbrés, ils prenaient la forme de cirrus à longs filaments annonciateurs d'un froid acéré. Le soleil sombrait vers le sud, il glissait plus à l'oblique entre les arbres morts de Partreau et illuminait la façade blanche du Leonard. Voilà qu'il pleuvait plusieurs jours de suite. Et après chaque averse – des rideaux de pluie et de vent qui dégringolaient des nuages bas et gris –, l'air refroidissait, se plombait, il transperçait la veste écossaise rouge et noire que Charley m'avait achetée à la coopérative et qui sentait la sueur alors qu'elle était neuve. Les jours tièdes nous étaient comptés. Des vers pelucheux apparaissaient dans l'herbe, des araignées marron et jaunes faisaient leurs nids et leurs toiles pour piéger les mouches dans le châssis vermoulu de mes fenêtres. Il y avait des punaises de lit dans les draps, des serpents noirs et verts inoffensifs aplatis au soleil sur les trottoirs éventrés. J'avais vu deux chats sortir du silo, de l'autre côté de la route ; les souris emménageaient dans mes murs. Les criquets jaunes au corps friable ne crissaient plus parmi les herbes.

À l'intérieur du gros bus scolaire qui me doublait chaque jour, les enfants avaient mis leurs manteaux, leurs bonnets et leurs gants. Les oies, les canards, les grues emplissaient le ciel en longs écheveaux d'argent qui serpentaient dans la lumière rasante du matin et du soir. L'air s'emplissait de leurs cris lointains, même la nuit. Lorsque je m'éveillais, toujours de bonne heure, le givre montait jusqu'à mi-hauteur de mes fenêtres ; autour de ma bicoque, les herbes folles et les chardons rigidifiés scintillaient au soleil. La nuit, les coyotes s'aventuraient plus avant en ville, chassant les souris et les chats, ainsi que les pigeons nichés dans les maisons en ruine et les décharges. Le chien que j'avais vu le premier jour, celui de Mrs Gedins, aboyait souvent, la nuit. Une fois, dans ma chambre, entre mes draps grossiers et mes couvertures, je l'ai entendu grogner, gratter à ma porte en gémissant. Puis des coyotes venus en nombre se sont mis à japper et japper et je me suis dit que je ne le reverrais peut-être pas le lendemain. (Ma mère n'aimant pas les chiens, nous n'en avions jamais eu.) Mais au matin, il était là, dans la rue vide, les vestiges d'une neige nocturne étincelant au soleil, les coyotes disparus.

Pourquoi le changement de ciel et de lumière me mettait-il d'humeur à accepter mon sort, et pourquoi le permettait-il mieux que la conscience du temps qui passait, je ne saurais le dire. Mais je l'ai toujours vérifié au fil des années, depuis l'époque du Saskatchewan. Il se peut qu'être un enfant de la ville (en ville c'est le temps qui passe qui compte le plus) transplanté du jour au lendemain dans un lieu désert inconnu, parmi des gens dont je ne savais pas grand-chose, m'ait assujetti davantage aux forces naturelles qui se faisaient l'écho de mon vécu intime et me le rendaient plus tolérable. Par rapport à ces forces – Terre qui tourne, Soleil qui traverse le ciel plus bas dans sa course, vents gonflés de pluie, arrivée des oies –, le temps du calendrier, invention humaine, passe à l'arrière-plan, et c'est bien ainsi.

Pendant ces premiers jours froids, je voyais parfois Arthur Remlinger dans sa Buick « à trois ouïes », qui roulait à toute vitesse sur la highway, en direction de l'ouest. Vers quelle ville, je n'en avais pas la moindre idée. Il allait quelque part, en tout cas, me disais-je. Souvent j'apercevais la tête de Florence, côté passager. Peut-être allaient-ils à Medecine Hat, cette ville dont le nom me fascinait. D'autres fois, je voyais sa voiture arrêtée à côté de la caravane de Charley, les deux hommes en grand conciliabule, souvent animé. Au bout de quatre semaines, je n'avais toujours pas eu de contact significatif avec Arthur Remlinger, alors que, comme je l'ai dit, j'avais espéré autre chose. Je n'aurais pas voulu qu'il devienne mon meilleur ami, non, il était trop vieux, mais il aurait tout de même pu chercher à me connaître, j'aurais pu savoir deux ou trois choses le concernant ; pourquoi il habitait Fort Royal, ses années de fac, les aventures intéressantes qui lui étaient arrivées – tous ces faits que je connaissais concernant mes parents et qui permettaient d'apprendre le monde, croyais-je. Mildred m'avait assuré que je le trouverais sympathique et que j'apprendrais beaucoup auprès de lui. Mais son nom, qui me semblait plus étrange sur lui que sur elle, était à peu près tout ce que je savais de lui, avec sa façon de s'habiller, de parler – pour le peu qu'il m'avait dit –, ainsi que le fait qu'il était américain, du Michigan.

Résultat, j'éprouvais quelques doutes sur Arthur Remlinger, une inconfortable sensation d'attente qui nous concernait tous deux. Mildred m'avait également dit qu'il fallait que je me mette à observer la vie de près, une fois au Canada. Mais dès qu'on l'observe de près, je vous prie de croire qu'on perçoit des schémas dans les événements quotidiens, et alors l'imagination s'emballe, on invente ce qui n'y est pas. Ce que je commençais à associer au personnage partiel d'Arthur Remlinger, puisque je n'en savais pas plus, c'était qu'il devait y avoir une « entreprise » où il jouait un rôle important mais secret, et qu'on préférait garder tel, d'où sa personnalité aussi peu ordinaire qu'imprévisible – Charley et Mildred m'avaient bien dit tous les deux que je le remarquerais. Je suis certain qu'après avoir vu mes parents jetés en prison, j'étais porté à chercher du louche là où, selon toute apparence, il n'y en avait pas matière.

Il y a bel et bien des gens comme ça, dans le monde – des gens qui ont une tare, qu'ils peuvent déguiser sans toutefois la nier, et qui les domine. En fait d'adultes, je n'avais connu que mes parents. Ce n'étaient en rien des gens exceptionnels ou importants, on les repérait à peine, au contraire : du menu fretin. Et ils avaient des tares. Il fallait être leur fils pour ne pas s'en apercevoir d'emblée. Une fois que je les ai détectées moi-même et que j'ai eu le temps de faire la part des choses, je n'ai jamais exclu la possibilité d'en découvrir où que je regarde. C'est une attitude qui découle de ce que j'appelle la faculté de penser à rebours, et elle ne m'a jamais quitté depuis ma jeunesse, quand il y avait tant de raisons de s'y fier.

Une fois, Mrs Gedins étant occupée aux cuisines, on m'a donné la clef de l'appartement d'Arthur Remlinger et on m'a envoyé au deuxième y faire le ménage – le lit, les toilettes, ramasser les gants et les serviettes-éponges, épousseter la poussière tombée du toit en tôle, que le vent poussait sous le châssis des fenêtres.

Il ne comportait que trois pièces, son appartement ; des pièces étonnamment exiguës pour un homme qui avait tant d'effets personnels et ne rangeait ni ne nettoyait jamais rien avant de sortir de chez lui. Je ne me suis pas retenu d'examiner ce qui me tombait sous les yeux, et me suis même risqué à regarder plus que je n'aurais dû, me disant que, selon toute probabilité, je ne connaîtrais jamais Arthur Remlinger mieux que maintenant. En savoir si peu et vouloir en découvrir davantage m'avait inspiré les doutes que j'ai dits. Or les doutes engendrent la curiosité comme la suspicion.

Les murs en frisette foncée de la chambre d'Arthur Remlinger, son petit salon et sa salle de bains étaient plongés dans l'ombre, stores vénitiens baissés, avec seulement les lampes de table allumées ; y étaient accrochés toutes sortes d'objets inhabituels. Une grande carte jaunie des États-Unis, avec des épingles blanches plantées en divers sites – Detroit et Cleveland dans l'Ohio, Omaha dans le Nebraska, et Seattle dans l'État de Washington – sans qu'on puisse deviner ce qu'ils représentaient. Une peinture à l'huile encadrée et accrochée près de la fenêtre de la chambre, où je reconnaissais le silo à grain de Partreau et la Prairie s'étendant vers le nord. Remlinger m'avait dit que c'était Florence qui l'avait peinte, dans le style de l'école « American Nighthawk », mais je n'avais pas compris de quoi il parlait et je n'avais pas pu chercher, puisque j'avais laissé le tome N du *World Book* à Great Falls. Ailleurs, sur le mur, une photo dans un cadre représentait quatre jeunes gaillards souriants, pleins d'assurance, mains sur les hanches, vêtus de costumes en gros lainage, avec des cravates larges. Ils posaient devant un édifice en brique qui portait le mot EMERSON inscrit au-dessus de ses grandes portes. Il y avait aussi un cliché d'un jeune homme très mince et souriant, au frais visage, avec une tignasse blonde (Arthur Remlinger, des années plus tôt ; ses yeux pâles se reconnaissaient entre tous). Il était debout, son long bras passé autour des épaules d'une jeune fille élancée en pantalon fluide qui souriait comme lui, devant un coupé Ford des années quarante, celui de la casquette de base-ball, aurait dit mon père[1]. Il y avait une photo manifestement ancienne qui ne pouvait être qu'une photo de famille, ses membres tous sagement alignés. Une femme imposante, brune, les cheveux tirés en chignon sévère, vêtue d'une robe large, d'étoffe grossière et de couleur claire, la mine renfrognée, à côté d'un homme grand, avec une grosse tête, des sourcils épais, des yeux enfoncés dans les orbites et des mains énormes, la mine tout aussi renfrognée. À côté d'eux, une jeune fille brune au sourire effronté, de toute évidence l'aînée du grand gamin efflanqué, Arthur Remlinger, là encore, vêtu d'un costume de lainage à quatre boutons, avec un pantalon trop court et des chaussures montantes. La fille devait être Mildred, mais on ne l'aurait jamais reconnue. Ils posaient devant une immense dune de sable, avec, dans l'angle de la photo, un lac, ou peut-être un océan.

Dans le coin de la pièce, qui sentait le renfermé, se trouvait un portant avec des ceintures, des bretelles, des nœuds papillons pendus à des crochets de laiton. Un placard était bourré de vêtements – des costumes de gros lainage, des vestes en tweed, des chemises empesées –, le sol disparaissait sous les chaussures, de grandes chaussures luxueuses, où l'on avait parfois glissé des chaussettes de couleur claire. Il y avait aussi des vêtements de femme, une chemise de nuit, des pantoufles, des robes dont je supposais qu'elles appartenaient à Florence. Dans la salle de bains, à côté de la brosse et du peigne en argent aux initiales

---

1. Une réclame pour ce modèle représentait un conducteur coiffé d'une casquette de base-ball.

d'Arthur Remlinger, de l'huile d'hamamélis et des articles de rasage, on trouvait des pots de cold-cream, une bouillotte en caoutchouc accrochée au mur, ainsi qu'une charlotte pour la douche et une assiette à décor bleu, où étaient posées des épingles à cheveux.

Sur le mur, à la tête du grand lit de bois chantourné, il y avait des étagères de livres, de gros livres bleus, de chimie, physique, latin, des romans reliés de cuir de Kipling, Conrad et Tolstoï, et quelques ouvrages portant simplement un nom propre au dos : Napoléon, César, U.S. Grant, Marc Aurèle. Il y en avait aussi de moins épais dont les titres annonçaient *Free Riders* et *Captive Passengers, The Fundamental Right, Union Bigwigs* et *Masters of Deceit,* par J. Edgar Hoover, dont j'avais entendu le nom à la télévision.

Dans les recoins des deux pièces, des raquettes de tennis et de badminton étaient posées contre le mur. Par terre, il y avait un tourne-disque et une caisse en bois qui contenait, je l'ai découvert, des disques de Wagner, Debussy et Mozart. On avait placé un échiquier de marbre sur le meuble du tourne-disque, les pièces étaient en ivoire noir et blanc, sculptées de motifs compliqués, et lestées quand on les soulevait, ce que j'ai fait. Il me faudrait glisser que je jouais aux échecs la prochaine fois que je verrais Arthur Remlinger ; et si j'arrivais un jour à faire plus ample connaissance avec lui, on jouerait et j'apprendrais de nouvelles stratégies.

Dans le salon minuscule il y avait un canapé massif aux bras arrondis, couvert d'une étoffe rêche, ainsi que deux chaises de part et d'autre d'une table basse sur laquelle étaient posés une bouteille de brandy à moitié vide et deux verres minuscules — sans doute Arthur Remlinger et Florence La Blanc s'y installaient-ils en tête à tête pour boire, écouter de la musique et parler de livres. Dans le coin opposé aux raquettes de tennis et de badminton se dressait un haut perchoir de bois, à côté de la fenêtre au store baissé ; une fine chaîne de laiton s'enroulait autour du barreau horizontal, terminée par un nœud. Mais d'oiseau, point.

Sur le mur, derrière le perchoir, quasi invisible dans la pénombre, une plaque de laiton encadrée disait : « Les tâches que tu choisiras, mets-y tout ton cœur, car nul n'est industrieux, savant, habile ou sage dans la tombe qui t'attend. » Je ne voyais pas le rapport avec tout le reste. À une patère de bois, à côté, était accroché un étui en cuir terminé par un système compliqué de courroies et d'attaches, que j'ai reconnu comme un holster d'épaule pour en avoir vu dans des films de gangsters. Il contenait un revolver en argent à crosse blanche.

Moi, bien sûr, je l'ai aussitôt sorti de son étui. (J'avais pris la précaution de fermer la porte à clef.) Il était curieusement lourd, pour un si petit objet. J'ai regardé par la fente, derrière le barillet, et vu qu'il était chargé d'au moins six balles à douille de laiton. C'était un Smith & Wesson. Je n'aurais pas su en dire le calibre. J'en ai porté la bouche à mes narines, comme je l'avais vu faire dans les films, aussi. Ça sentait le métal et l'huile aromatique dont on se servait pour le graisser. Le petit canon était gras et brillant. Je l'ai braqué par la fenêtre sur les quais de la Canadian Pacific et les wagons de céréales stationnés au soleil. Puis j'ai reculé aussitôt, de peur d'être vu. Ce revolver, pensais-je, était directement lié à l'« entreprise » et au rôle que je prêtais à Arthur Remlinger – plus que n'importe quoi d'autre dans son appartement. Certes, mon père détenait un pistolet lui-même, dont je n'avais pas voulu croire qu'il l'avait perdu, et dont j'étais aujourd'hui convaincu qu'il avait servi au braquage. Mais en elle-même, cette arme ne me paraissait pas lui donner du relief, en faire quelqu'un d'exceptionnel. Après tout, c'était l'Air Force qui lui en avait fait cadeau. Mais en ce qui concernait Arthur Remlinger, c'était autre chose, et j'éprouvais de nouveau le doute ressenti auparavant : l'homme était un inconnu imprévisible. Cette sensation familière me renvoyait à mes parents et à leur hold-up, avec ses effets effroyables sur

Berner et moi. Je n'aurais pas su en dire plus. Mais le revolver me semblait un objet parfaitement défini et dangereux. Je n'aurais jamais imaginé qu'un homme comme Arthur Remlinger en détienne un à titre personnel. Il paraissait trop cultivé – erreur de jugement, sans aucun doute. J'ai essuyé la petite crosse sur ma chemise pour enlever toute empreinte de mes doigts, et j'ai remis l'arme dans son étui. On m'avait dit de faire le ménage et je n'avais même pas commencé ; il faudrait que je revienne plus tard. Pour l'instant, j'avais surtout peur d'être découvert. J'ai donc tiré le verrou, passé la tête dans le couloir et, ne voyant rien, j'ai descendu promptement l'escalier pour vaquer à mes autres tâches.

# 48

Avec les premiers froids et l'arrivée des Fusils, début octobre, ouverture de la chasse pour les Américains, Charley a décrété que je me consacrerais entièrement à la pourvoirie. J'habitais ma bicoque de Partreau depuis un mois, même si, je l'ai dit, le temps ne me semblait guère s'écouler ni signifier grand-chose – en tout cas pas comme deux mois plus tôt, quand je n'étais qu'à quelques semaines de la rentrée des classes, et que le long et lent passage des jours constituait un phénomène que j'aurais voulu maîtriser et vaincre tel Mikhail Tal devant un problème d'échecs.

Je m'adaptais à mes deux petites pièces mieux qu'au départ. Il me fallait utiliser les cabinets extérieurs, ce que je ne faisais qu'après m'être assuré que Charley ne m'épiait pas, sans jamais m'y éterniser. Mais il y avait de l'électricité pour ma plaque chauffante, pour le néon du plafond, et pour fournir un peu de chauffage. Je ne pouvais plus me débarbouiller à la pompe, à cause du vent glacial. Mais j'apportais de l'eau le soir, dans un seau, je me lavais en utilisant une casserole en fer-blanc récupérée dans une décharge et me frottais avec un gant de toilette et ma savonnette Palmolive, que j'enfermais dans une boîte à tabac en métal pour la protéger des souris et des rats.

J'avais traîné le second lit de camp jusque dans la cuisine, seule autre pièce que j'occupais. La chambre donnait au nord, et le vent froid qui s'était mis à souffler depuis peu se glissait entre le stuc et les planches, et sifflait dans les carreaux fêlés, de sorte que cette pièce sans éclairage était devenue inhospitalière, la nuit. Dans la cuisine, il y avait une vieille cuisinière Wehrle qui craquait aux coutures et que je bourrais de planches pourries et de bouts de bois, ainsi que de brindilles de caraganier, le tout glané au cours de mes virées. Je lavais mon linge, mes draps et mes ustensiles de cuisine à la pompe, et je balayais le sol avec un balai de récupération. Je trouvais que je ne m'étais pas trop mal adapté à des circonstances dont la durée et l'évolution possibles m'échappaient totalement. Je voulais me faire couper les cheveux chez le coiffeur de Fort Royal : il m'arrivait de me voir dans les miroirs des salles de bains, à l'hôtel, j'avais maigri et mes cheveux étaient trop longs, je m'en rendais compte. Mais il n'y avait pas de glace dans ma bicoque, et le soir, je ne pensais guère à mon apparence. C'était seulement quand j'étais couché que je m'en souvenais, et de la nécessité de me couper les ongles, aussi, comme le faisait mon père. Le lendemain, j'avais oublié.

J'ai transporté plusieurs des cartons alignés le long des murs de la cuisine dans la pièce donnant au nord, et je les ai empilés contre la fenêtre pour boucher les fentes et les interstices qui laissaient passer l'air. Au bazar de Fort Royal, j'ai acheté une bougie mauve à la lavande, que j'allumais le soir parce que ma mère m'avait dit que la lavande faisait dormir, et que la bicoque, qu'il y fasse chaud ou froid, sentait toujours la fumée, le pourri, le tabac froid et des odeurs corporelles accumulées au cours de décennies de vies vécues entre ses murs. Elle ne tarderait pas à s'écrouler, comme le reste de Partreau. J'étais bien convaincu que si je partais pour revenir dans un an, il n'y en aurait plus guère de traces.

Le soir, quand j'avais fini de manger, fini de me balader, et que je pouvais affronter l'idée d'être tout seul (je n'ai jamais trouvé ma situation véritablement supportable), je m'asseyais sur mon lit et déroulais mon tapis d'échecs sur la couverture, pour installer les quatre rangées de pièces en équilibre instable et me lancer dans des attaques et des campagnes contre de vagues adversaires idéalisés. En fait, je n'avais joué contre personne d'autre que Berner. C'était à Arthur Remlinger que je pensais. Mes stratégies relevaient surtout de l'assaut frontal audacieux. Je battais mes adversaires par des gambits comme le fameux Mikhail Tal, qui était devenu mon héros. C'étaient des parties éclairs, car je ne rencontrais guère d'opposition. D'autres fois, je jouais la lenteur avec des feintes et des retraites qui n'étaient pas de mon goût, tout en faisant des observations et des commentaires astucieux sur notre jeu, à mon adversaire et à moi, et sur ce qu'il m'avait l'air de mijoter, sans jamais trahir pour autant le plan qui m'assurerait la victoire. Pendant ce temps, j'écoutais la vieille Zenith, qui luisait faiblement derrière son cadran, et d'où sortaient, en ces nuits froides et sans nuages, des voix lointaines disséminées par le vent au mépris des frontières. Des Moines ; Kansas City ; WLS à Chicago ; KMOX à Saint Louis. Une voix de Noir, éraillée, au Texas. La voix du révérend Armstrong, qui appelait Dieu à cor et à cri. Des voix d'hommes dans une langue que je croyais être de l'espagnol. D'autres qui parlaient français, décidais-je. Et puis, bien sûr, il y avait les stations qu'on recevait clairement depuis Calgary, Saskatoon, et qui apportaient des nouvelles – la Déclaration canadienne des droits, la Co-operative Commonwealth Federation dirigée par Tommy Douglas. Et encore des noms de lieux, North Battelfield, Esterhazy, Assiniboia, toutes villes dont je ne savais rien, sinon qu'elles n'étaient pas américaines. Je me demandais si je réussirais à capter une station du Dakota du Nord, qui n'était pas si loin, pour avoir des nouvelles du procès de mes parents. Je n'en ai jamais trouvé, mais parfois, couché dans le noir à écouter le ronron de la Wehrle, je me persuadais que ces voix américaines me parlaient, me connaissaient et auraient des conseils à me donner si seulement je parvenais à rester éveillé assez longtemps. Ainsi, et grâce à ma bougie à la lavande, bien souvent je finissais par m'endormir.

D'autres fois, j'ouvrais l'un ou l'autre des cartons que je n'avais pas transportés dans la pièce du nord, et je m'amusais à y chercher trace de ce qui s'était passé dans la maison au fil des années précédant mon arrivée. La Prairie semblait tout aussi étrangère à la mémoire et à l'histoire qu'à l'écoulement du temps. On aurait dit que les citoyens de Partreau avaient disparu non dans le passé, mais dans un présent parallèle bien vivant, ce qui expliquait qu'ils n'aient pas creusé de sépultures décentes et qu'ils aient tant laissé derrière eux.

Arthur Remlinger m'avait dit avoir vécu dans ma bicoque, au début, et nombre de cartons lui appartenaient. Dans ces boîtes ramollies qui sentaient le moisi, je découvrais des pièces à conviction liées à ce que j'avais vu dans son appartement. L'une d'entre elles, portant les initiales A.R. écrites au crayon, contenait des livres minces, des magazines aux feuillets jaunis et friables reliés avec de la ficelle de coton, qui dataient des années quarante. L'un intitulé *The Free Thinkers*, et un autre *The Deciding Factor*. Il y avait aussi deux livres que j'avais déjà vus à l'hôtel : *Captive Passengers* et *World Analysis*. Je n'avais pas idée de ce que c'était, ni de quoi ça parlait. Lorsque j'ai sorti *The Free Thinkers* du carton, sa couverture mentionnait un article écrit par un certain A.R. Remlinger, intitulé « L'anarcho-syndicalisme ; immunités et privilèges ». J'en ai lu la première page. Ça avait trait à l'affaire « Danbury Hatters » et à « l'éthique protestante du travail ». On y développait l'idée que les travailleurs « ne maximisaient pas leur liberté individuelle ». La quatrième de couverture informait le lecteur que A.R. Remlinger était un jeune diplômé de Harvard originaire du Midwest, qui avait décidé de mettre sa prestigieuse formation au service des droits de l'homme universels. Il était probable qu'il avait aussi écrit des articles dans d'autres magazines, mais les ouvrir ne m'intéressait pas.

D'autres cartons ne portaient pas les initiales A.R., et j'y trouvais des polices d'assurance vie et des piles de chèques annulés, un permis de conduire délivré dans le Saskatchewan au nom d'une certaine Esther Ferguson, une collection de bouts de crayons jaunes retenue par des élastiques, et des piles de vieux tracts, ainsi qu'une « Voie lactée pour l'Angleterre », une simple brochure, abîmée, où les souris avaient fait leur nid. Certains textes avaient à voir avec l'« Évangile de la réforme sociale », et un truc qui s'appelait les « Royal Templars of Temperance ». Il y avait des livrets de membre pour le « Club des bâtisseurs de foyers », des bulletins sur « Le blé et les femmes », ainsi que le « Guide du céréalier ». Un fascicule se rapportait à la « Canadian League », dont la première page affirmait que les immigrés esquivaient la part du fardeau qui leur revenait, et que les soldats rentrés du front devraient se voir offrir les meilleurs postes. Entre les pages, j'ai trouvé une photo de journal qui représentait une croix en flammes, avec, face à elle, des silhouettes en grandes robes et capuchons blancs, visage caché. « Moose Jaw, 1927 », disait la légende, à l'encre pâlie.

Un autre carton contenait des boîtes à film rouillées, avec de la pellicule dedans, mais sans précisions sur le sujet du film. Un drapeau américain était plié par-dessus en tricorne, pliage dont notre père nous avait fait la démonstration, à Berner et à moi. Il y avait des boîtes à chaussures pleines de lettres, dont beaucoup étaient adressées à un certain Mr Y. Leyton, à Mossbank, Saskatchewan, et qui portaient des cachets de la poste datant de 1939 et de 1940. Les lettres étaient liées serrées par de la ficelle à ballots de paille, certaines avec un timbre à trois cents, où figurait une effigie que j'ai reconnue comme celle de George Washington. Je me suis autorisé à en lire au moins une, puisque personne ne m'avait écrit au Canada et que lire celles de quelqu'un d'autre me ferait peut-être apprécier la présence d'autrui, quasi disparu de ma vie à Partreau. La lettre disait ceci :

*Mon cher fils,*

*Nous voici à Duluth, où nous sommes venus en voiture avec ton père depuis les Twin Cities, très jolies, très modernes, vraiment. Il fait bien meilleur que dans cette vieille glacière nommée Prince Albert, ça c'est sûr. Je ne sais pas comment les gens font pour vivre chez vous, avec ce vent ! Seigneur ! Enfin, je ne t'apprends rien... Je m'efforce d'oublier tout le canadien que j'ai appris enfant, à l'école — c'est une manière d'expier comme une autre. Jacqueleen disait à l'instant qu'il est bien dommage qu'il y ait une frontière entre les deux pays. Je n'en suis pas si sûre. Après tout, ils sont assez grands pour le savoir. Moi, je finirais volontiers mes jours dans le Tennessee.*

*Je sais, enfin j'ai entendu dire, que tu penses à t'engager dans la Marine Royale, ce qui est très courageux (à condition d'aimer l'eau). Je voudrais bien que tu y réfléchisses encore. D'accord ? Nous n'avons plus guère à gagner dans une grande bataille, aujourd'hui. On n'est pas à l'abri du pire. Toi, bien sûr, tu n'y penses pas. Ce n'est qu'une idée de ta mère.*

*J'ai une carte postale à t'envoyer. Tu y verras notre « prince charmant » lors de son célèbre voyage en train à Sask, en 1919 (vingt ans déjà, seigneur !). Tu étais trop petit pour t'en souvenir. Mais ton père, ta grand-mère et moi t'avions mis debout le long des voies, à Regina, dans ton petit costume en laine peignée, et tu as agité un petit drapeau américain. Je crois que c'est pour ça que tu es tellement patriote — et pourquoi pas, d'ailleurs ? Allez, porte-toi bien. Guette l'arrivée de ma carte postale : elle ne tiendrait pas dans l'enveloppe sans s'abîmer. Ton père t'envoie ses meilleures pensées (tu en as de la chance).*

*Je t'embrasse affectueusement,*

*Ta mère*

J'ai farfouillé dans la boîte pour trouver la carte postale avec
le prince charmant dessus, mais il n'y avait que d'autres liasses
de lettres entourées de ficelle, des cartes de Noël, des coupures
de journaux toutes sèches, avec des clichés de joueurs de hockey souriants, tenue de sport et coupe en brosse. Au fin fond
de la boîte, il restait quelques cartes représentant des femmes
nues posant au milieu de sellettes ornées de vases de fleurs, et
de tables garnies de beaux livres. Les femmes avaient le corps
lourd, elles souriaient aussi joyeusement que si elles avaient
été habillées. Ces cartes-là, je n'en avais jamais vu, tout en
sachant qu'il en existait parce que des garçons de l'école m'en
avaient parlé. On les achetait dans des distributeurs, à la foire.
J'ai passé un bon moment à les observer, et j'en ai finalement
glissé trois dans le tome A de mon *World Book*, certain que je
voudrais les regarder de nouveau. Je voulais le faire et je l'ai
fait. Je les ai gardées des années.

Tout au fond de la boîte, toujours, j'ai déniché une paire
de lunettes à monture de fil de fer, ainsi qu'un simple anneau
d'or. L'anneau était dans un tube d'aspirine Bayer en fer-blanc,
qui contenait encore deux aspirines émoussées et une breloque
porte-bonheur en forme de tour Eiffel. Je me doutais que
j'allais y trouver un anneau, avant même de l'ouvrir. Ne me
demandez pas pourquoi. C'est sans doute une alliance, j'ai failli
dire à haute voix. J'avais bien compris qu'elle représentait un
dénouement qui se perdait dans le passé d'un homme ; elle ne
me disait rien qui vaille.

Dans la plupart des cas, je ne faisais pas l'inventaire intégral
des boîtes. L'une contenait des journaux de Regina. Une autre
des vêtements boueux et des chaussures pillées par les souris.
Une troisième des documents, des reçus, des sommes payées
pour des récoltes, des locations de silos, l'achat d'un tracteur
Waterloo Boy. Une autre, enfin, des imprimés non ouverts
pour les élections de 1948 au Saskatchewan, qui concernaient le

Co-operative Commonwealth Federation et le « Credit social ». J'essayais d'imaginer combien de vies d'individus et de familles se mêlaient dans tout ce méli-mélo. Beaucoup, beaucoup, me disais-je. À croire que ces gens espéraient tous revenir un jour de leur présent pour les récupérer, mais ne l'avaient jamais fait. Ou bien qu'ils étaient morts. Ou enfin qu'ils avaient simplement décidé de laisser ces vies-là derrière eux pour tenter leur chance ailleurs.

Tout de même, je me demandais encore ce qu'Arthur Remlinger voulait dire quand il m'avait déclaré que les Américains n'auraient jamais supporté le spectacle d'une ville comme Partreau et qu'ils y auraient mis le feu en y voyant une insulte au progrès. Mais tout en remettant les cartons en pile le long du mur de la cuisine pour faire barrage aux courants d'air, j'ai conclu qu'il avait sans doute raison. Mes parents – gens sans biens matériels véritables, sans permanence, qui n'avaient jamais été propriétaires de leur maison, qui voyageaient léger, et dont les maigres « actifs » (Berner et moi exceptés) avaient été saisis et jetés à la décharge publique de Great Falls à l'heure qu'il était –, mes parents étaient de ces gens dont parlait Arthur Remlinger, qui n'auraient trouvé aucun intérêt à Partreau, sans l'incendier pour autant. C'étaient des gens qui fuyaient le passé, qui ne se retournaient pas sur lui, sauf contraints et forcés, et dont la vie entière se situait toujours dans un futur immédiat.

# 49

J'apprenais désormais beaucoup de choses en même temps :
où creuser les fosses de tir de sorte que le soleil matinal ne les
éclaire pas trop tôt, mais qu'elles soient tout de même assez
haut sur un talus pour que les Fusils aient de la visibilité et se
tiennent prêts quand les oies décolleraient du fleuve. Placer les
leurres en bois (qui pesaient leur poids) à droite et à gauche des
fosses pour laisser aux oies la place d'atterrir et de s'installer, en
leur faisant croire que rien n'avait changé depuis la veille, mais
pas trop écartés pour ne pas attirer l'attention sur les armes et
les faces blanches des tireurs à la gâchette nerveuse. Charley
disait que, dans l'ensemble, les Américains étaient gros, ou vieux,
ou les deux, et que, comme ils trouvaient très inconfortables
leurs caches creusées dans le gumbo froid et meuble, ils avaient
tendance à en sortir au mauvais moment. Les canards, disait-il,
que ce soient les garrots à œil d'or, les pilets ou les fuligules
à dos blanc, arrivaient toujours en première vague. On les
entendait fondre sur les fosses en criaillant comme des fantômes
échappés de la nuit, volant bas, virant sur l'aile et fonçant en
piqué. Seulement si on les tirait, on faisait peur aux oies, qui
avaient l'ouïe fine ; c'était déconseillé. Quant à moi, je devrais
être très prudent en allant repositionner les leurres, parce que
les chasseurs tiraient sur tout ce qui bougeait. Il y avait eu des
accidents mortels. Charley lui-même avait reçu des cartouches
de 2 ; il en gardait des cicatrices. Il interdisait de charger les
fusils avant qu'il en ait donné l'ordre. Mais il y aurait toujours

des « défourrailleurs » et c'étaient ceux-là qui étaient dangereux. J'étais chargé de lui signaler tout chasseur visiblement éméché, mais comme tous seraient passés par le bar, la veille, jusqu'à une heure tardive, je pouvais m'attendre à ce qu'ils puent tous l'alcool. Je devais aussi lui signaler les malades, ceux qui avaient du mal à marcher, à se traîner, ou qui manipulaient leur fusil sans précaution. Charley vérifiait les permis, il donnait le signal du feu et de l'arrêt du feu, une fois le soleil assez haut pour que les oies voient le sol. Moi, comme je l'ai déjà dit, je restais dans le pick-up et je suivais les oiseaux à la jumelle pour noter combien tombaient, combien étaient blessés, et en tenir le compte. Les gardes-chasses n'étaient jamais bien loin, et ils observaient les opérations avec des jumelles plus fortes encore, en divisant ensuite le nombre d'oies par le nombre de chasseurs. Si le compte n'était pas bon, ils rappliquaient, distribuaient des citations à comparaître, confisquaient les fusils, voyaient qui était ivre et infligeaient une amende à Charley, mais surtout à Arthur Remlinger, qui était contraint de payer de lourdes sommes pour éviter qu'on ne regarde de trop près son établissement avec ses prétendues Philippines et son enfer du jeu dans un coin de la salle à manger, bref, tous ses trafics répréhensibles aux yeux des autorités. Arthur avait une licence pour « les services de guide », tout en n'étant pas guide lui-même et en ne sachant rien de la chasse à l'oie ou au canard, dont il se fichait pas mal du reste. Il était propriétaire de la pourvoirie, prenait les réservations, tenait les comptes, logeait les Fusils à l'hôtel et ramassait leur argent – qui lui servait en partie à payer Charley, lequel m'en reversait un maigre pourcentage à son tour. Étant bien entendu que les Fusils distribueraient des pourboires à chacun à la fin de chaque journée, souvent en dollars américains, et que tout le monde serait content.

Un des derniers beaux jours d'octobre, après que Charley et moi avions passé la matinée en repérages et à creuser des fosses dans les champs où les oies avaient leurs habitudes, j'ai pris ma bicyclette et je suis parti de Partreau par la highway vers la ville de Leader, à trente kilomètres. J'étais bien décidé à trouver la maison de redressement pour filles dont Mrs Gedins m'avait parlé. Birdtail était à dix kilomètres sur la route goudronnée, et j'avais l'intention de demander à m'inscrire pour suivre les cours dans un avenir indéterminé, en hiver, peut-être, quand la chasse à l'oie serait fermée et que je me retrouverais seul. Je ne comprenais pas ce que « redressement » voulait dire et ce qu'il y avait à redresser chez ces filles – peut-être leur parcours, comme le mien. J'avais également du mal à croire qu'il puisse exister une école réservée aux filles. Il devait bien y avoir quelques garçons, ce devait être permis, même au Canada. Mrs Gedins m'avait dit que l'école était tenue par des religieuses, et d'après l'expérience de ma mère chez les sœurs de la Providence, je me figurais que les nonnes étaient des femmes ouvertes et généreuses qui verraient là l'occasion de me venir en aide, ce qui était leur mission et la raison pour laquelle elles avaient renoncé au mariage et à mener une vie normale. Le fait que je sois américain ne changerait rien à l'affaire. Je ne crierais pas sur les toits que ma mère était juive et mes parents détenus dans le Dakota du Nord. La vie exigeait déjà quelques mensonges pour que les choses fonctionnent. Moi, je voulais bien en dire un, voire davantage si ça me permettait d'aller en classe et de ne pas aggraver mon retard.

Par ailleurs, je commençais à penser qu'il serait agréable de fréquenter des filles. Certes, j'avais fréquenté Berner. Mais pour l'essentiel, nous fonctionnions comme les deux moitiés d'un tout, parce que nous étions jumeaux. Ce tout n'était ni mâle ni femelle, mais un être intermédiaire qui incluait les deux. Quoi qu'il en soit, ça n'avait pas duré. En deux occasions, Charley m'avait emmené au restaurant chinois de la grand-rue. Les deux fois j'avais vu les enfants du patron, assis dans le fond de salle obscur, en train de faire leurs devoirs.

J'avais particulièrement regardé la fille au joli visage rond, qui pouvait avoir mon âge. Elle m'avait repéré, mais elle l'avait à peine laissé paraître. Depuis, lorsque je faisais mes virées dans Partreau, ou que j'avançais mes pièces d'échecs en ordre de bataille, tout seul dans ma bicoque, j'entretenais parfois l'idée farfelue que nous puissions devenir amis. Elle viendrait me voir, nous irions marcher dans la ville déserte, et puis nous jouerions aux échecs. (J'étais sûr qu'elle jouait mieux que moi.) Je rêvais même de l'aider à faire ses devoirs. Je n'en pensais pas plus long. Je ne savais même pas son nom, je ne lui avais jamais parlé. Notre amitié n'existait que dans ma tête. Ces choses ne se produisent pas dans la vie, et ne se sont pas produites, en effet. La solitude me faisait accéder à cette triste réalité, sans m'interdire d'imaginer qu'à cet égard et bien d'autres, il pourrait en aller autrement.

La highway et la Prairie à l'ouest de Partreau ne différaient en rien de la partie de la route qui se dirigeait vers l'est et Fort Royal. Mais, sur mon vélo, j'avais une sensation de nouveauté, comme si je roulais sur un terrain que je n'aurais partagé avec personne. Ce n'étaient que coteaux et vallons de terre cultivée, nue en cette saison, constellée de balles de paille à perte de vue, avec les points noirs des pompes à pétrole et, au-dessus, les écheveaux étincelants des oies nouvellement arrivées, une fumée gris-blanc au ras de l'horizon, là où un fermier mettait le feu à ses fossés.

Quand je suis parvenu au panneau indiquant BIRDTAIL, pas de ville en vue. La Canadian Pacific longeait la highway, tout comme à Partreau et Fort Royal, mais il n'y avait pas de passage à niveau datant d'une époque où il y aurait eu une ville, ni de brise-vent de caraganiers, ni de silo à grain, ni d'éolienne, ni même de carrés de fondations pour marquer l'emplacement des maisons. Mrs Gedins ne se serait jamais donné le mal de me mentir, pourtant. Je me suis assis et j'ai regardé le ciel et les alentours, où il n'y avait pas la moindre école, et puis j'ai décidé de pousser un ou deux kilomètres vers le panneau signalant la sortie de l'agglomération s'il y en avait un. Lorsque je l'ai effectivement atteint, il était accompagné d'un autre qui disait : « Institut des sœurs du Saint Nom de Jésus ». Une flèche désignait une piste de gravier qui partait dans les champs, à la perpendiculaire. Une croix était peinte au-dessus du nom de l'école. Il y avait une maison abandonnée en haut de la côte et, au-delà, la piste se volatilisait dans le ciel bleu. L'école pouvait se situer à n'importe quelle distance, à quinze kilomètres. Avec Charley, j'avais roulé indéfiniment dans la Prairie sans trouver trace d'habitations humaines, présentes ou passées. Pour autant, l'école était un but capital à mes yeux. Je pouvais du moins pédaler jusqu'à ce qu'elle apparaisse, et aviser ensuite.

Ma roue avant achoppait. La vieille Higgins de Charley flageolait, vacillait sur les cailloux et les graviers ; la montée était dure. Mais sitôt en haut de la côte, devant la maison abandonnée, l'école – car ce devait être elle – est apparue bien visible en bas de la route, au pied de la colline suivante, un gros cube de briques rouges à trois étages, tout seul au creux de la Prairie et n'offrant pas un aspect très différent de celui du lycée de Great Falls s'il avait été posé là. Mais j'ai compris tout de suite en la voyant ce que « redressement » voulait dire. C'était là qu'on nous aurait mis, Berner et moi, si la Protection des mineurs s'était emparée de nous. Tels des orphelins. Seuls les orphelins échouent dans ces endroits-là.

Le vaste carré de terre sur lequel l'école était posée avait été pris sur les pâturages, le long d'un étroit ruisseau asséché. Du blé poussait sur le plateau qui le dominait. Des arbres grêles étaient plantés sur la pelouse, on apercevait des silhouettes, les filles à redresser, sans doute, répandues sur l'herbe. Le vif soleil d'octobre, qui chatouillait ma nuque en sueur, donnait un éclat stérile et immobile à l'école. J'ai failli faire demi-tour et reprendre la highway. Ce ne serait jamais un lieu entouré de grands chênes, avec un terrain de football et des garçons de mon âge pour m'accepter parmi eux, comme j'avais failli en connaître à Great Falls. Ici, ce ne serait jamais ce que je voulais. C'était le Canada.

Pourtant, puisque j'étais venu jusque-là... j'ai laissé la bicyclette descendre en roue libre la colline pleine de bosses. À vue de nez, il était une heure de l'après-midi. Deux faucons décrivaient des cercles lentement, très haut dans le ciel. Je me suis remis à pédaler dès que la route s'est aplanie, au niveau de l'école. Il y avait des filles assises dans l'herbe, qui parlaient par petits groupes, et plusieurs qui faisaient le tour de la pelouse et m'avaient vu. Il ne devait pas y avoir beaucoup de monde à venir jusqu'ici à vélo, puisque c'était un cul-de-sac.

Une grande nonne en robe noire et coiffe blanche se tenait sur le seuil de l'école, d'où elle surveillait la cour. C'était la récréation après le déjeuner. Elle parlait avec l'une des filles, qui riait. Elle m'a vu et, aussitôt, elle s'est mise à m'observer de l'autre côté de la pelouse.

En bordure de la route, il ne restait plus de l'enceinte de l'école qu'un grand portail solitaire. C'était curieux : on pouvait partir comme on voulait, en fait. Ça ne correspondait pas à ce que je croyais savoir des orphelinats. La route entrait dans le domaine de l'école plus avant, je voyais des voitures garées au flanc du bâtiment. Les battants du portail étaient fermés par une chaîne avec un cadenas au bout, et au-dessus, entre les piliers de brique, une bannière de métal ornée de la silhouette du Christ bras étendus se déployait pour souhaiter la bienvenue à ceux qui franchissaient l'entrée – à supposer que le portail s'ouvre.

Sur la selle de mon vélo, j'étais en sueur, malgré le vent frisquet qui soufflait sur la route que je venais de prendre. J'aurais du mal à la regrimper cette route quand j'en aurais fini. Pas un seul garçon derrière les grilles, pas même pour entretenir la pelouse. Il aurait pourtant dû y en avoir un quelque part. Des endroits où l'on n'acceptait pas les garçons, où l'on n'avait pas besoin d'eux, ça n'existait pas.

Deux filles s'étaient approchées du point où je m'étais posté sur ma bicyclette, c'est-à-dire devant le portail, d'où je les regardais. L'une était grande et maigre, avec une vilaine peau, une bouche dure et froncée qui lui donnait un air adulte. L'autre était d'une taille ordinaire, avec des cheveux d'un châtain banal, et elle avait un bras atrophié par rapport à l'autre, plus mince mais pas plus court. Elle avait un joli sourire, par contre, qui faisait plaisir à voir, et elle l'a braqué sur moi au travers des barreaux. Elles étaient toutes deux vêtues d'un uniforme bleu très vague, avec des tennis blanches et des socquettes vertes. À l'emplacement de la poche de poitrine, on avait brodé en blanc « Saint Nom de Jésus » en guise d'écusson. Ça ressemblait aux vêtements que ma mère portait à la prison, la dernière fois que je l'avais vue.

« Qu'est-ce que tu viens faire chez nous, dis donc ? » m'a dit la plus grande et la plus adulte d'un ton dur, sans aménité aucune, comme pour me faire déguerpir, son long corps se détendant à mesure qu'elle parlait. Elle a donné un coup de hanche ; on aurait dit qu'elle s'attendait à ce que je lui lance une de ces reparties cinglantes dont Berner avait le secret.

« Je voulais juste voir l'école », j'ai dit. J'avais l'impression gênante d'être le point de mire. Je n'étais pas aux États-Unis. Je n'avais que faire dans une école dont je ne savais rien. Je me suis dit que je ferais mieux de repartir comme j'étais venu.

« T'as pas le droit d'être là », a dit la mignonne au bras maigre. Elle m'a souri de nouveau, mais j'ai bien vu que c'était un sourire sans chaleur. Ironique. Il lui manquait une incisive en haut, ça lui faisait un trou noir dans la bouche et gâchait son joli sourire. L'une comme l'autre se rongeaient les ongles, elles avaient des égratignures plein les bras, des boutons autour de la bouche et autant de poils que moi aux jambes. Jamais je ne pourrais être ami avec elles.

Loin derrière les deux filles, la grande religieuse descendait de son perron. Le vent faisait bouffer ses jupes sur ses chevilles. Sur la pelouse, d'autres pensionnaires s'étaient levées, elles regardaient notre trio au portail comme si un incident venait d'éclater. La nonne balançait les bras au rythme de ses longues foulées. J'aurais voulu partir avant d'avoir des mots avec elle et qu'elle appelle la police. Les deux filles se sont retournées, mais elles se fichaient pas mal d'elle, visiblement. Elles ont échangé un sourire plein d'une joie mauvaise, qui semblait bien rodé.

« T'as une petite amie ? » a demandé la plus âgée.

Elle a passé les bras entre les barreaux du portail et m'a fait signe de m'approcher en crochetant les doigts. Je me suis reculé. La petite Chinoise de Fort Royal ne m'aurait jamais appelé de cette façon-là.

« Non, j'ai avoué.

– Comment tu t'appelles ? » a demandé la plus petite, celle au bras maigre.

J'ai serré les poignées du guidon, posé le pied sur la pédale, prêt à partir. « Dell », j'ai dit.

« Allez-vous-en ! Voulez-vous vous en aller ! » s'écriait la religieuse en traversant la pelouse à grandes enjambées, un harnais en perles de bois autour de la taille, avec un grand crucifix qui se balançait au bout, le visage briqué comme un carrelage, sa bouche, ses yeux, ses joues et son front encadrés étroitement par la coiffe blanche empesée. « Allez-vous-en, mon garçon », a-t-elle encore crié.

Les deux filles se sont retournées vers elle de nouveau, avec des regards mauvais.

« Partez, jeune homme. Qu'est-ce que vous faites ici ? » hurlait la nonne. Comme si elle pensait qu'il allait se passer ou s'était passé quelque chose d'abominable.

« Vieille pute, a dit l'aînée des filles, sur un ton tout à fait naturel.

– On la déteste. Qu'elle crève, on sera bien contentes », a

ajouté la plus jeune. Elle avait de tout petits yeux noirs étroits, et quand elle a dit ça, elle les a écarquillés comme si les mots la choquaient elle-même.

« Dell, c'est un nom de singe, chez moi, à Shaunavon, dans le Saskatchewan », a dit l'aînée, sans se soucier de la religieuse qui approchait à grands pas. Subitement, elle a tendu son long bras entre les barreaux et elle m'a saisi le poignet dans l'étau de sa main. J'ai essayé de me libérer, mais je n'ai pas pu. Elle s'est mise à me tirer pendant que l'autre riait. Je commençais à pencher sur le côté, la jambe droite et le talon de ma chaussure me retenaient, mais je dégringolais.

« Ne les touchez pas ! » beuglait la religieuse. Moi, je ne touchais personne.

« Il a peur de nous », a dit la petite, qui s'est éloignée en laissant l'aînée m'emprisonner à travers les barreaux Elle me dévisageait tout en me torturant, ça lui plaisait. Elle plantait ce qui restait de ses petits ongles dans la peau de mon poignet, comme si elle voulait la déchiqueter.

« Lâche-le, Marjorie, a crié la nonne, presque au portail. Il va te faire mal. » Elle avançait péniblement à cause de l'ampleur de ses jupes.

Marjorie était en train de me tirer de ma bicyclette pour me plaquer contre les barreaux. « Arrête, j'ai dit. Pourquoi tu fais ça ?

– Parce que ça me plaît », elle a répondu. Elle voulait me plaquer contre les barreaux pour me faire quelque chose. Me frapper, sûrement. Elle était bien plus forte que Berner, et plus grande. Son visage était calme, mais elle braquait ses grands yeux bleus sur moi et serrait les mâchoires comme si elle forçait. Elle était plus jeune que moi. Quatorze ans, j'aurais dit, un peu au hasard. « Je veux faire de toi un homme, elle a déclaré. Ou alors de la chair à pâté. »

À ce moment-là la nonne est arrivée et elle attrapé Marjorie par les épaules pour la tirer en arrière, mais Marjorie s'accrochait à moi. La nonne lui a pris le menton et elle l'a tourné de trois quarts. « C'est mal, mal, mal ! » elle a dit, furieuse, entre ses lèvres pâles. Ses jupes noires lui compliquaient la tâche. Ses yeux me cherchaient entre les barreaux. « Qu'est-ce qu'il vous prend de venir ici ? elle a demandé, rouge de colère. Vous n'avez rien à faire là, voulez-vous vous en aller ! » Elle était très jeune elle-même. Son visage était lisse et clair, malgré sa fureur. Elle n'était pas beaucoup plus vieille que Marjorie et moi.

Une cloche s'est mise à sonner. J'étais complètement descendu de vélo, mais je n'étais pas tombé. Marjorie refermait toujours l'étau de ses doigts sur mon poignet, son visage n'exprimait rien. En glissant la main gauche sous ses doigts puissants qui perçaient des trous dans ma peau, j'ai réussi à les soulever, un par un. Je ne voulais pas lui faire mal. À la fin, je me suis retrouvé libre. J'ai trébuché en reculant sur ma bicyclette et je suis tombé sur le gravier, le souffle coupé.

« Mais qui êtes-vous ? » La religieuse me foudroyait du regard. Son visage sévèrement récuré brillait, furieux. Elle empoignait fermement aux épaules Marjorie, qui souriait de me voir par terre, comme si je venais de faire un truc marrant. « Comment vous appelez-vous ? » m'a demandé la nonne.

Je ne voulais rien livrer de moi. Je me suis remis à moitié debout tant bien que mal et j'ai relevé mon vélo.

« Il s'appelle Dell, a dit Marjorie. C'est un nom de singe.

— Qu'est-ce que vous venez faire ici ? m'a dit la nonne, sans lâcher Marjorie.

— Je voulais juste aller en classe », j'ai répondu. Je me sentais ridicule, à genoux par terre, rabaissé par la position.

« Mais ça n'est pas une école pour vous ! » Elle avait un accent que je n'avais jamais entendu. Elle parlait vite, elle me crachait ses mots à la figure. Ses yeux sombres et sans profondeur étaient furieux, furieux contre moi. « Où habitez-vous ?

— À Partreau. Je travaille à Fort Royal. » Dans la cour, toutes les filles étaient en train de se mettre en rang pour monter vers le perron. Une autre religieuse, petite et trapue, celle-là, se tenait en haut des marches, mains croisées devant elle. Marjorie souriait toujours entre les barreaux, d'un air de pitié.

« Je voulais t'embrasser, elle m'a dit d'un air rêveur. Mais toi, tu voulais pas m'embrasser, hein ?

– Rentre en classe », a ordonné la religieuse en lui donnant une bourrade. Marjorie a renversé la tête en arrière, elle s'est retournée dans un geste théâtral, elle a éclaté de rire, et puis elle est partie rattraper ses camarades.

« Excusez-moi, j'ai dit.

– Et que je ne vous revoie plus jamais ici ! » a lancé la jeune nonne. Elle secouait la tête et elle a levé le menton en me jetant un regard noir, histoire que je comprenne bien. « Si vous revenez, j'appelle la police, et ils vous emmèneront. C'est compris ?

– Oui, j'ai dit, excusez-moi. » J'aurais bien voulu ajouter quelque chose, mais je ne voyais vraiment pas quoi. Je ne savais pas ce que le mot désespéré voulait dire au juste, mais je crois m'être approchée de sa définition. Déjà la jeune religieuse s'éloignait, balançant ses lourdes jupes noires au soleil. Ayant remis ma bicyclette sur ses roues, je lui ai fait faire demi-tour dans le gravier et je l'ai enfourchée pour grimper la colline face au vent, direction la highway et Partreau.

# 50

Florence La Blanc était venue à Partreau dans sa petite Metropolitan rose, et elle avait déposé une grosse enveloppe en papier kraft contre la porte de ma bicoque. L'enveloppe venait des États-Unis et portait griffonné au dos, d'une main inconnue : « À remettre à Dell Parsons ». Ça se passait quelques jours seulement après ma virée à la maison de redressement, la semaine même où je devais emménager à Fort Royal à cause de l'affluence des Fusils. Charley avait reçu la consigne d'installer l'un d'entre eux dans le lit de camp jumeau du mien, à la bicoque, et on (on, c'était Florence, je l'ai appris par la suite) n'avait pas jugé convenable que je partage ma chambre avec un adulte inconnu. Avec un sourire en coin, Charley m'avait expliqué que les vieux chasseurs d'oies pouvaient devenir « ami-tieux », passé minuit, quand ils avaient un verre dans le nez. Il y avait un réduit pas plus grand qu'un « placard à balais de moine », au deuxième étage du Leonard, à l'extrémité du couloir qui menait à l'appartement de Remlinger. On m'attribuerait ce placard pour y dormir, avec l'usage de la salle de bains d'en bas, à partager avec les voyous et les cheminots, plus un pot de chambre en émail blanc pour la nuit. Charley passerait me prendre en pick-up pour la chasse. Le froid était plus vif, le vent plus fort, j'étais bien content de ne plus avoir à pédaler ni à dormir dans les courants d'air de ma bicoque, sans jamais voir personne. Désormais, on m'aurait sous la main, une fois les oies préparées, qu'il s'agisse d'aller faire une course (avec pourboire à la clef) pour les Fusils, ou de traîner au bar le soir. Si j'avais beaucoup de travail et passais moins de temps tout seul, je cesserais de nouveau de penser à mes parents, à l'école, à Berner – toutes choses qui m'importaient, mais me rendaient triste à proportion.

J'avais eu peu de contacts avec Florence La Blanc. Charley m'avait dit qu'elle possédait une boutique de cartes de vœux au centre commercial de Medecine Hat. Aujourd'hui veuve, elle avait été une beauté locale pas avare de ses charmes du temps que son mari défendait Hong Kong en 1941. Elle s'occupait à présent de sa vieille mère. Mais par ailleurs, c'était une artiste qui aimait bien boire un verre à l'hôtel ou jouer aux cartes dans la salle de jeu où, en tant que femme, elle n'était pas censée avoir accès. Tout le monde l'aimait. Son arrangement avec Arthur Remlinger lui convenait parce qu'il avait de l'argent, de bonnes manières, qu'il était bel homme, même si, par ailleurs, il était secret, américain, et plus jeune qu'elle. Quand elle se lassait de sa compagnie, elle retournait à Hat.

De temps en temps, dans ma bicoque, je levais les yeux et la voyais installée avec son chevalet en divers points de Partreau – une fois à l'arrière de la ville, en face des caraganiers entre lesquels on devinait la pompe à pétrole et les ruches blanches, une autre fois debout dans ma rue, en train de peindre la caravane de Charley et son Quonset. Il m'était strictement interdit d'empiéter sur l'intimité d'Arthur Remlinger, mais on ne m'avait rien défendu quant à Florence, qui m'avait témoigné de la gentillesse de loin, et je me sentais libre de lui parler. Il ne venait jamais personne à Partreau, je le répète. Je parlais à très peu de gens, quel que soit le jour. Je me disais que je ne la dérangerais pas. Alors, quand je l'ai vue sur son tabouret de bois, avec sa blouse marron et son béret noir, en train de peindre dans la rue de la poste désaffectée, j'ai traversé les terrains vagues envahis d'herbe et de déchets divers à l'emplacement des maisons, pour voir comment on peignait un vrai tableau – et pas un dessin aux cases numérotées, car je savais que ça, ce n'était ni de la vraie peinture ni de l'art.

Quand elle m'a vu arriver – c'était l'après-midi où elle m'avait laissé l'enveloppe en papier kraft –, elle a levé son long pinceau, et elle s'est mise à l'agiter de droite à gauche, comme un métronome. J'ai vu dans ce geste le signe qu'elle me reconnaissait, tout en gardant les yeux fixés sur sa peinture comme si elle ne pouvait pas se permettre de la perdre de vue.

« Je t'ai laissé un mystérieux paquet, elle m'a dit sans me regarder. Tu as beaucoup grandi en un mois, c'est possible, ça ? » Elle s'est retournée pour jeter un coup d'œil vers moi, en me souriant. Elle n'était pas grande et elle avait une jolie bouche fendue d'un sourire franc, et une voix un peu éraillée qui suggérait qu'elle n'était pas ennemie des plaisirs. J'imaginais son rire. Parfois, elle et Arthur Remlinger dansaient ensemble au bar, sur la musique du juke-box, je les avais vus faire. Elle le tenait à bout de bras, lui dans un de ses beaux costumes, elle raide, l'air grave, pour exécuter gauchement un pas qui faisait rire les autres clients du bar et elle avec. Comme je l'ai dit, elle aimait aussi les parties de cartes dans l'« enfer du jeu », comme elle nommait la salle attenante au bar, où j'allais rarement. Ses courts cheveux blonds frisés se mêlaient de fils gris ; elle avait « quelques heures de vol », comme disait parfois mon père de certaines femmes. Elle devait avoir la quarantaine, et je devinais qu'elle avait été plus jolie dans son jeune temps, quand elle était mince et tête brûlée, avec un mari à la guerre. Il y avait des veinules apparentes sur ses joues, signes d'une vie difficile, je le savais, et quand elle souriait, ses yeux pétillants se rétrécissaient au point de disparaître ou presque. Elle ne correspondait pas à l'idée qu'on se serait faite de l'amie d'Arthur Remlinger, mais c'était une femme que je pensais pouvoir apprécier. Ça m'a fait plaisir qu'elle m'ait remarqué des semaines plus tôt.

Je me suis posté derrière elle, de côté, pour avoir une vue plongeante sur son travail. Je n'avais vu que la peinture du silo à grain, dans l'appartement d'Arthur Remlinger, et je ne savais pas ce qu'était l'école American Nighthawk, je ne savais rien d'Edward Hopper, ni comment on arrivait à faire un dessin reconnaissable à partir de simples tubes de peinture. Je me figurais qu'il fallait pratiquer des exercices oculaires, comme mon père le faisait, pour avoir une vision plus nette.

Florence était en train de peindre en plein milieu de Manitoba Street. Son tableau ne représentait rien d'autre que la poste désaffectée, avec deux maisons aux portes défoncées sur l'arrière de la rue commerçante où j'allais faire mes virées, rue en pleine activité du temps que Partreau était une ville à part entière. Au-dessus des maisons, le ciel restait à peindre, on voyait la toile nue. Derrière les voies ferrées, le silo à grain et les champs de blé dont la perspective menait à l'horizon viendraient plus tard, eux aussi. Je ne comprenais pas comment ces éléments pouvaient constituer un sujet de tableau, puisqu'on les avait sous les yeux en permanence et que ça n'était même pas beau, pas comme les chutes du Niagara de Frederic Church, ou les compositions florales que mon père peignait avec son système de cases numérotées. Pourtant le tableau me plaisait, et j'aurais dû le dire par courtoisie, au lieu de lancer – j'aurais aimé trouver mieux : « Pourquoi vous peignez ça ? »

Le vent agitait les herbes sèches. Le temps tournait au gris avec un front nuageux qui se refermait sur le ciel bleu, à l'est. Les tourniquets de Charley s'emballaient sur leur axe. Des serpentins d'oies nous arrivaient à vive allure depuis le nord, accrochant les derniers rayons du soleil. Le jour ne paraissait pas bien choisi pour peindre.

« Oh, m'a dit Florence, moi je peins simplement les choses qui me plaisent, tu vois ? Des choses qui n'accéderaient pas à la beauté autrement. » Elle avait passé le pouce gauche dans sa palette, pour la tenir. Des noisettes de peinture de couleurs variées étaient écrasées dessus. Elle en mélangeait deux ou trois du bout de son pinceau et les appliquait directement sur la toile.

Ce qu'elle peignait était exactement ce que je voyais. C'était sans doute ça, l'école American Nighthawk : miraculeux mais singulier. Et puis je ne comprenais pas ce qu'elle voulait dire en prétendant que la poste deviendrait belle dans son tableau. Comme il ressemblait exactement à la poste telle que je la voyais, ça ne pouvait pas être beau. « Moi, je n'ai jamais été un vrai peintre, elle a dit, contrairement à ma sœur, Dinah-Lor, qui est morte d'un chagrin d'amour. Mon père aussi était peintre. Un primitif, si on veut, vu qu'il était coupeur de glace de son état, à Souris, dans le Manitoba. C'est peut-être pour ça que je me suis installée dans South Manitoba Street. » Elle a tourné vers moi son visage aux joues rebondies. Elle avait des yeux bruns, étroits et pétillants, ses mains aux doigts courts étaient puissantes, rougies d'être restées au vent glacé. « Tu n'as pas la moindre idée d'où ça peut être, le Manitoba, hein, Dell ? Si ? »

Elle s'amusait, tout l'amusait sans doute.

« Je sais ce que c'est, en tout cas. » C'était une province. Ça m'a fait plaisir qu'elle connaisse mon nom. Mais je ne savais rien d'autre sur le Canada que ce que Mildred et Charley m'en avaient dit. Je pensais à ce qu'elle venait de me dire, que j'avais grandi. J'en aurais été ravi, mais il ne me semblait pas qu'un mois suffisait. Moi, depuis mon arrivée, je me sentais surtout rapetisser.

« Tu ne sais sans doute même pas ce que Saskatchewan veut dire, a poursuivi Florence en regardant son tableau par-dessus la palette.

— Non, je ne sais pas.

— Eh bien j'ai le grand honneur de t'apprendre que ça signifie "rivière rapide", non pas qu'il y en ait beaucoup par ici. C'est dans la langue des Indiens crees, que je ne parle pas personnellement. Il suffit d'une carte et d'un livre d'histoire, et tu verras que le Manitoba, où je suis née, n'est pas très loin – vu du Spoutnik. » Elle ne disait pas « Spoutnik » comme je l'avais entendu dire jusque-là à la radio, elle le prononçait avec un « ou » long, comme Rudy avec Roosevelt. Elle a continué à foncer la façade blanche de la poste pour qu'elle corresponde à son état de dégradation réel. « En plus, j'aime bien être au grand air. Et puis je m'ennuie, bien sûr. Autrefois je traversais cette petite ville en rentrant du Hat pour venir voir Arthur. Au début de nos amours. Il y avait encore une ou deux maisons habitées, à l'époque. J'ai cru entendre la ville m'appeler... » Elle a froncé les sourcils sur sa peinture. « Ça t'est déjà arrivé, à toi, dans ta vie ? Un mot que tu entends depuis toujours, tout d'un coup, voilà qu'il change de sens ? Moi, ça m'arrive tout le temps. »

Ça m'était arrivé. Ça m'était arrivé avec le mot « criminel ». Qui pour moi renvoyait autrefois à Bonnie et Clyde, Al Capone. Aux Rosenberg. Mais qui, maintenant, renvoyait à mes parents. Naturellement, je n'allais pas dire ça. J'ai seulement dit : « Oui, ça m'est arrivé.

– Bon, et alors, tu te plais ici, avec nous ? » Elle m'a jeté un coup d'œil pour la troisième fois, histoire d'être sûre que je la voyais appliquer de la peinture sur la poste. Ça lui fait plaisir, je me suis dit, qu'on la regarde peindre. « Nous autres Canadiens voulons toujours que tout le monde se plaise ici. Et nous apprécie, nous, en particulier. » Elle a placé une touche précise sur la porte de la poste, et puis elle a penché la tête pour la voir sous un autre angle. « Oui, mais. Quand vous nous appréciez, on se met à douter que ce soit pour de bonnes raisons. Ça doit être tout à fait différent, aux États-Unis. J'ai dans l'idée que tout le monde s'en fiche là-bas. Enfin pour ce que j'en sais... Faire les choses pour de bonnes raisons, c'est l'esprit du Canada.

– Ça me plaît », j'ai dit. Pourtant je n'avais pas envisagé le Canada en ces termes. Je me disais que si je ne m'y plaisais pas, c'était parce que je m'y trouvais contre mon gré, ce qui ne peut faire l'affaire de personne. Mais je n'étais pas sûr de vouloir en partir tout de suite, n'ayant nulle part ailleurs où aller.

« Bon. » Florence s'est penchée sur son tabouret, dos rond,

palette à bout de bras, et de l'extrémité de son pouce à l'ongle rouge, elle a déposé une empreinte légère sur la porte de la poste pour qu'elle ressemble davantage à la porte grise que je voyais en vrai. « Tant mieux, elle a dit, concentrée. C'est pas drôle de se sentir malheureux, sûrement. » Elle s'est redressée et elle a contemplé ce qu'elle venait de faire. « La vie est une forme qu'on nous tend vide. À nous de la remplir de bonheur. » Elle s'est essuyé le pouce directement sur sa blouse marron pour la énième fois. Puis elle a admiré son œuvre. « C'est bien, là où tu vis ? Où tu vivais avant, plutôt ? Je ne suis jamais allée aux États-Unis. Jamais eu le temps.

– J'aimais mon école. » Je l'aurais aimée, plutôt.

« C'est bien, ça.

– Vous savez pourquoi Mr Remlinger veut que je vive ici ? » j'ai demandé. C'était sorti tout seul. Mais j'étais soulagé de pouvoir en parler à quelqu'un qui semblait m'avoir en sympathie.

Florence a regardé, au détour de son chevalet, la rue déserte qui menait à la highway, où le second Greyhound de la journée passait à l'instant. Son regard est revenu à sa peinture, tandis que le pinceau palpitait entre son pouce et son index. Des fils blonds remontaient sa nuque pâle, jusque sous le béret. Elle avait un grain de beauté qui devait accrocher le peigne chaque fois qu'elle se coiffait. « Hmm… » Elle parlait tout en étudiant son tableau. « Ça t'inquiète qu'il n'ait pas du tout fait attention à toi ?

– Parfois. » J'aurais dû dire que oui, puisque c'était vrai.

« Alors là, il ne faut pas que ça te tracasse, a dit Florence en trempant son pinceau dans un pot en fer-blanc qu'elle avait posé sur la chaussée à ses pieds. Les gens comme Arthur ne communiquent pas spontanément avec le monde. Ça se voit. Il ne s'est sans doute même pas rendu compte qu'il t'ignorait. Il est très intelligent. Il a fait Harvard. Il se dit peut-être qu'il est important que tu t'habitues à être seul. Et puis, les gens ne font jamais exactement ce qu'on voudrait. Lui, il te rend service.

Peut-être que tu représentes quelque chose de nouveau pour lui. » Elle m'a adressé un petit sourire malicieux en regardant les nuages. « Que j'ai horreur des ciels marbrés ! » Elle a tracé des petites croix en l'air du bout de son pinceau, comme pour retoucher le ciel. Ensuite elle a trempé le pinceau dans la boîte en fer-blanc, et l'y a laissé.

Là-bas, dans les champs de blé battus par le vent, la pompe à pétrole ronronnait, très loin, son bras de levage montant et descendant d'un mouvement fluide, seul bruit qui ne venait pas de la nature. J'avais presque cessé de l'entendre, la nuit, et pourtant je m'endormais en tendant l'oreille.

Posté derrière Florence, je ne disais rien. Elle s'est penchée pour poser sa palette sur la chaussée, et elle a ouvert sa boîte en bois aux ferrures en laiton brillant qui contenait des pinceaux propres, des tubes de peinture gainés d'argent, plusieurs petits couteaux, des chiffons blancs et des fioles foncées, ainsi qu'un jeu de cartes à dos rouge, un paquet d'Export A et une petite flasque argentée. Haut dans le ciel, progressant imperceptiblement vers l'est, le point minuscule d'un avion est apparu, devançant les nuages mouvants, ailes au soleil. Un jour mon père m'avait assis dans un Scorpion F-89 à la base de la National Guard, il m'avait laissé mettre le casque de pilote, manipuler les commandes, pour me faire croire que je le pilotais. Je me suis demandé ce qu'on voyait d'avion, au-dessus de nous. La rotondité de la Terre ? Les Rocheuses et le Missouri ? Les Cypress, la Saskatchewan, avec Fort Royal et Partreau, et Great Falls, et tout ce qu'il y avait entre ? Tout ça, en une seule image nette.

« Arthur m'a parlé de tes problèmes. Tes pauvres parents et tout et tout. » Elle a pris une de ses fioles brunes, et puis elle a vidé le pot sur la chaussée, elle a dévissé le bouchon de la fiole et versé du liquide propre dans le pot. « L'histoire de ta vie sera intéressante à raconter. Tu auras du succès auprès des jolies filles. On aime bien, nous, les hommes au passé sombre.

Mon père a fait de la prison dans le Manitoba, une fois, mais je ne crois pas que c'était pour vol. »

Elle a plongé son pinceau dans le pot et l'a agité tout en revenant à son tableau, où la poste était la seule partie achevée. « Troisième explication, elle a dit en achevant de nettoyer ses instruments, peut-être qu'Arthur se revoit en toi. Dans une version épurée. Drôle d'idée, mais les hommes sont comme ça. Et puis, quatrième explication, les gens font et disent des choses sans savoir du tout pourquoi. Ensuite, ce qu'ils font affecte la vie des autres, et alors, ils disent qu'ils l'avaient prévu, mais penses-tu ! C'est sans doute pourquoi ta mère t'a envoyé ici. Elle ne voyait pas quoi faire d'autre. Et voilà, tu es là. Il ne faut pas que ça te décourage. J'ai des enfants. Ça arrive. Quel âge tu as, mon petit Dell ?

– Quinze ans.

– Et tu as une sœur qui s'est sauvée ?

– Oui, madame.

– Et comment s'appelle-t-elle ?

– Berner.

– Je vois. » Elle a reposé le pot avec le pinceau par terre, pris un couteau et un chiffon, et s'est mise en devoir de gratter les noisettes de peinture de sa palette, puis d'essuyer la peinture avec le chiffon. Cette conversation n'avait rien de commun avec celles que j'avais pu avoir jusque-là. Où que soit Berner, elle devait en avoir de semblables – sur les raisons qui faisaient que les choses étaient ce qu'elles étaient, et sur ce qu'on y pouvait. Les conversations avec des adultes qui ne sont pas vos parents sont plus productives.

« Comment est-ce que vous connaissez Mr Remlinger ? » j'ai demandé.

Florence a posé la palette qu'elle venait de récurer contre un pied du chevalet, elle a essoré délicatement le bout du pinceau dans le chiffon de coton blanc. Elle s'était agenouillée sur la chaussée pour accomplir ces gestes. Moi, je restais debout auprès d'elle. « Si j'ai bonne mémoire… » Elle a levé les yeux vers moi, souriante. Le vent avait repoussé son béret de velours noir sur son front, et secouait aussi la peinture inachevée sur le chevalet. « Je… j'ai rencontré Arthur au bar du Bessborough, à Saskatoon, en 1950. À l'époque, je sortais avec un Français, un peintre. Aquarelliste. Jean-Paul ou Jean-Claude. On était allés voir un match de football américain, j'adore ça. Mais il m'avait fait un scandale, parce que j'avais dit je ne sais quoi, et il m'avait plantée là. Arthur était au bar. Il était blond, il était beau, raffiné, bien habillé, intelligent, un brin excentrique pour un homme de cet âge, mais assez gentleman, et un brin secret, aussi. Il avait un côté romanesque séduisant. Et puis, il avait cet air rebelle, maussade, décalé – un drôle de mélange –, qui plaît toujours aux femmes. Il vivait ici, pour Dieu sait quelle raison, et il ne savait pas quoi faire de son temps. Moi il me manquait quelques sous pour rentrer chez moi au Hat. J'aurais pu prendre le bus rouge jusqu'à Swift Current et changer. Mais il avait une belle voiture, une Oldsmobile. Il n'était pas encore propriétaire de l'hôtel, à l'époque. Il y travaillait. Et puis voilà. Qu'est-ce que je t'ai dit ? 1950 ? Il avait vingt ans et quelques. J'étais un peu plus âgée que lui. Un peu plus mince que maintenant. Ma mère travaillait encore chez Lepke. J'avais encore un enfant avec moi – qui habite maintenant Winnipeg. Telle est ma vie, dans toute sa palette. » De nouveau, elle a levé les yeux vers moi en souriant, puis elle s'est remise à ranger ses articles de peinture dans sa boîte, promenant ses ongles rouges sur les divers objets. J'essayais de tirer de ses propos une image plus claire d'Arthur Remlinger, et de la relier à cet homme que je n'avais fait que rencontrer. Mais c'était impossible. Ses contours étaient toujours aussi flous.

« Je m'installe bientôt à Fort Royal, j'ai dit, pour dire quelque chose, puisque j'avais posé une question et qu'elle y avait répondu.

–À ma brillante initiative, a répondu Florence, toujours à genoux. Arthur trouve que tu es très bien, dans ton petit wigwam. Et c'est intéressant de vivre ici tout seul, je le vois, c'est très romantique. Mais ça ne sera plus convenable quand les chasseurs vont arriver. Moi, je ne peux pas vraiment veiller sur toi, mais je peux tout de même essayer de savoir ce que tu deviens. Ta mère me remercierait ».

C'était vrai. J'étais convaincu que ma mère savait qu'il se passerait quelque chose de ce genre – que quelqu'un s'apercevrait de ma présence et trouverait que je méritais qu'on s'intéresse à moi ; quelqu'un qui ne me laisserait pas me perdre. Je ne pensais pas qu'on puisse se perdre pour toujours si on valait quelque chose, quand bien même on n'arriverait pas à s'expliquer, à dire pourquoi on était là où on était, etc. « Pourquoi il est ici, Mr Remlinger ? » j'ai dit.

Florence s'est levée avec raideur ; elle n'était pas bien grande, et pas fine comme ma mère. Elle a épousseté son pantalon de velours côtelé marron, s'est ébrouée, tapoté les bras comme si elle avait froid. Moi, je portais ma veste écossaise. C'était vrai qu'il faisait plus froid. « On se croirait au Canada, ici. » Elle a souri vaguement. « On ne voyage pas, nous autres. Parfois, on atterrit ici. C'est le cas d'Arthur. Il s'est retrouvé ici. "Je ne pars pas pour l'Amérique, je quitte Paris", a dit le grand Marcel Duchamp, que mon tableau aurait bien amusé. » Elle a regardé sa peinture de la poste et de la rue déserte, décor que nous avions sous les yeux. « Il me plaît, malgré tout. Ils ne me plaisent pas toujours. » Elle a reculé d'un pas et a considéré la toile du coin de l'œil, puis en face.

« Il me plaît », j'ai dit. Je pensais que si je m'installais à Fort Royal, je la verrais davantage, et que ma vie prendrait un tour plus positif, avec la présence d'Arthur Remlinger notamment, que je souhaitais mieux connaître.

« Je sais que ça doit te faire drôle d'être ici, mon petit Dell, a dit Florence. Mais il faut nager avec les flots, et c'est Flo qui te le dit. D'accord ? C'est ce que je disais à mes enfants. Je leur en ai rebattu les oreilles, de cette maxime. Mais elle reste vraie. » Elle a fait un geste en direction de sa Metropolitan. « Si tu m'aides à charrier mon matériel jusqu'à ma petite voiture, je t'emmène en ville où tu pourras dîner. Charley te ramènera, tu ne vas plus faire long feu ici, à présent. Demain, tu pourras déménager. » Elle a pris sa boîte de peinture, j'ai retiré la toile du chevalet, ramassé le pot en fer-blanc, le tabouret en bois, le chevalet lui-même, et nous sommes allés jusqu'à sa voiture. Tel fut mon dernier jour à Partreau.

## 51

Il y avait trois éléments d'importance dans cette grosse enveloppe en papier kraft adressée à Mr A. Remlinger, par sa sœur Mildred, mais à mon attention. L'une était une lettre de ma sœur Berner, libellée à l'adresse de notre maison vide et récupérée par Mildred, qui relevait le courrier depuis notre départ et avait rédigé le court billet suivant :

*Cher Dell,*

*Ci-joint, ce document hélas intéressant. Je vais assister à leur procès dans le Dakota du Nord. Mais seulement pour que tu saches ce qui s'est passé. Ils ont compris que ta mère n'avait rien à voir dans l'affaire. Mais elle s'est trouvée là tout de même.*

*Ta vieille amie,*
*Mildred R.*

Avec son message, Mildred avait glissé un numéro entier de la *Great Falls Tribune*, daté du 10 septembre, qui gonflait l'enveloppe. En une, il y avait un nouveau reportage sur nos parents, à Berner et moi. Il y était dit qu'un « homme de l'Alabama » et sa femme « native de l'État de Washington » (encore !) avaient été transférés le 8 septembre de la prison du comté de Cascade à celle de Beach, dans le comté de Golden Valley, Dakota du Nord, après la destitution de leurs droits. Ils étaient inculpés pour un vol à main armée perpétré à l'Agricultural National Bank de Creekmore, au mois d'août, hold-up à la suite duquel ils avaient été appréhendés par les enquêteurs de Great Falls, à leur domicile de First Avenue Southwest. La femme, Geneva, dite Neva (avec une faute d'orthographe), Rachel Parsons, était institutrice de CM2 à Fort Shaw, dans le Montana. L'homme « Sydney Beverly Parsons », sans emploi au moment de son arrestation, était retraité de l'Air Force, décoré de la Seconde Guerre mondiale, durant laquelle il était bombardier. Les deux enfants du couple (un garçon et une fille dont les noms n'étaient pas précisés) avaient disparu ; ils seraient chez des parents dont on ignorait l'identité. On faisait tout pour remettre ces mineurs à la police du Montana. Lors de sa première audition dans le comté de Golden Valley, le couple avait plaidé « non coupable ». Un avocat leur avait été désigné d'office. La criminalité était en augmentation de 4 % à Great Falls pour l'année 1959, disait l'article.

Au-dessus du reportage, le journal publiait la photo que notre voisin avait déposée à notre intention, au lendemain de leur arrestation, celle qui leur faisait une tête de desperados. Il y en avait une autre, bien intéressante, qui les montrait sous l'escorte d'agents en uniforme, descendant des marches de ciment raides pour entrer dans un fourgon noir marqué d'une étoile au flanc. Ils étaient menottés. Notre père, vêtu d'un pyjama de détenu aux rayures criardes dans lequel il flottait, regardait où il mettait les pieds pour ne pas tomber. Notre mère était vêtue de la robe informe et sans ceinture qu'elle portait le jour où nous étions allés la visiter, Berner et moi, robe qui la faisait paraître plus minuscule encore. Elle regardait l'objectif bien en face, son visage amenuisé, tendu, furieux, comme si elle savait quelles personnes verraient cette photo, et qu'elle souhaitait leur dire toute sa haine (mais nous n'étions pas dans le lot, Berner et moi).

À ce jour, j'ai conservé le journal. J'ai relu l'article, étudié les photos un nombre de fois incalculable – pour m'en souvenir. Mais là, dans ma bicoque moisie, dans mon nid à courants d'air, assis sur le lit près de la fenêtre, quand j'ai vu la seconde photo et que j'ai lu l'article qui faisait de nos parents de misérables criminels endurcis, que le monde remarquait à peine et s'empresserait d'oublier (comme si leur vie se réduisait à ce fait divers), j'ai éprouvé une drôle de sensation dans la poitrine, une douleur sourde. Cette sensation s'est propagée à mon ventre, telle la faim, sans vouloir passer, de sorte que, pendant un temps, j'ai cru qu'elle allait s'éterniser et m'empoisonner l'existence d'une manière inédite (je n'avais pas besoin de ça). Bien sûr, mes parents étaient semblables à eux-mêmes, malgré leur uniforme de détenu ; mon père était grand, amaigri, mais toujours bel homme (il s'était rasé et peigné pour leur extraction) ; ma mère, agacée, résolue, passionnée. En même temps, ils n'avaient pas tout à fait leur physionomie familière à mes yeux. Rien de ce qui s'était passé n'était normal. Les changements qui s'étaient opérés sur eux, et en eux, défiaient pour moi toute idée du familier. On aurait dit deux personnes que je connaissais, mais vues de loin, séparées de moi par un gouffre insondable et bien plus infranchissable que la frontière désormais entre nous. Je pourrais dire que leur familiarité intime en tant que parents se fondait dans leur humanité générale et ordinaire, l'une neutralisant l'autre et les rendant tous deux ni tout à fait familiers ni tout à fait aléatoires et indifférents à mon cœur. En descendant avec précaution ces marches qui les menaient au panier à salade, lequel les conduirait moteur grondant vers le Dakota du Nord et l'avenir, ils devenaient un peu une énigme pour moi, une énigme que je partageais sans doute avec les autres enfants innocents de parents criminels. Pour le savoir, je ne les en aimais pas moins. Mais en regardant cette photo, j'avais le sentiment que je ne les reverrais jamais. En somme, sur un temps si court, ils étaient devenus deux êtres totalement perdus pour moi. Tout ce qu'il semblait leur rester, c'était ce que chacun représentait pour l'autre, mais même ça, ils ne l'avaient plus vraiment.

Il y avait aussi une vague satisfaction dans tout ça, pour étonnant que cela paraisse, qui a dû finir par faire passer ma douleur sourde. Au cours du mois écoulé, je n'avais cessé de m'angoisser du sort de nos parents ; je m'étais réveillé dans l'inquiétude, le matin. J'avais maigri, mûri, j'étais plus calme. Parfois, je rêvais qu'ils étaient venus me chercher dans leur voiture, avec Berner, mais que, ne m'ayant pas trouvé, ils étaient repartis. En d'autres termes, j'avais quasiment dit adieu à mon enfance à cause de leur terrible chute. Mais maintenant je connaissais leur sort, plus ou moins, et du même coup, j'étais en mesure de faire la part de ce qui m'était propre – ce n'était pas plus mal. J'étais tout de même très content que Berner n'ait pas à voir cette photo ou à lire cet article. Où qu'elle ait pu être, j'espérais que Mildred ne lui avait pas envoyé d'enveloppe en papier kraft. La suite a montré qu'elle ne l'avait pas fait.

# 52

*Mon petit Dell à moi,*

*Je t'envoie cette lettre à Great Falls. Ça m'étonnerait que tu y sois toujours, mais je ne sais pas où l'envoyer sinon. Peut-être que quelqu'un te la donnera. La drôle d'amie de maman, Mildred Quelquechose, peut-être. J'espère que tu ne lis pas ces lignes dans un genre de prison pour mineurs – ça serait terrible, comme fin. Je me demande si tu auras vu nos malheureux parents et je me demande ce qu'ils deviennent, ces temps-ci. Je me demande ce qu'est devenu mon poisson. Je t'adore à mort, tu sais. Malgré tout. J'ai toujours ta moitié de l'argent que tu m'as donnée. Je t'ai imaginé allant les voir dans leur cellule après que j'ai quitté le nid. Pardon, pardon, pardon.*
*Où es-tu ? Moi j'habite dans une maison avec d'autres gens. Une fille fugueuse comme moi, et qui est sympa. Un beau mec qui a quitté la Marine sans autorisation parce qu'il n'aimait pas se battre. Il y a deux autres hommes et une femme qui ne sont pas toujours là mais qui s'occupent de nous et ne réclament pas beaucoup en retour. La maison est située dans une longue rue qui s'appelle California Street (évidemment). Oui, parce que je suis à San Francisco, j'ai oublié de te dire. Je n'ai pas vu Rudy le Rouge, ce vaurien infidèle. On devait se retrouver à San Francisco un samedi, dans un parc qui s'appelle*

*Washington Square. Je ne l'ai pas vu, ni lui ni sa mère.*
*Si tu le vois, passe-lui mon bonjour. Je ne l'aime pas. Il*
*pourrait m'écrire, lui aussi.*
*C'est drôle de s'écrire des lettres comme des adultes, hein ?*
*J'aimerais bien que tu viennes, si tu peux. Je continuerais*
*à te commander. Mais tu pourrais jouer aux échecs, ici.*
*Les gens y jouent dans Washington Square. Tu pourrais*
*apprendre des trucs et devenir champion. J'ai découvert*
*que d'autres que nous, des jeunes, ont des problèmes avec*
*leurs parents, parfois. Je ne dis pas braquer des banques, et*
*peut-être se suicider après, pas des problèmes si graves. Mais*
*d'autres trucs. Est-ce qu'ils t'ont écrit ? À moi pas, bien sûr.*
*Je me demande ce qu'ils pensent de moi, maintenant. Est-ce*
*qu'ils savent que je me suis sauvée ? Il fait très beau, ici,*
*et même pas encore froid, et puis on a l'impression que ça*
*bouge. Ça me plaît d'être toute seule. J'ai raconté l'histoire*
*de nos parents, mais personne ne me croit. Peut-être que*
*j'arrêterai de la croire, moi aussi, ou que j'arrêterai de*
*la raconter. J'aimerais bien venir te voir, même si je suis*
*partie avec l'idée que je ne te reverrais jamais. Maintenant*
*je pense que si. Je suis toujours sur la même planète que*
*toi, même si je suis contente de ne plus être à GF, ville de*
*merde et qui le restera toujours.*
*Un jour, je te raconterai comment je suis arrivée ici. J'ai*
*réussi sans me faire tuer, sans me faire trop avoir, et sans*
*mourir de faim. Mais faut courir vite, des fois...*

*Baisers,*
*Berner Parsons*


*P-S : Je pense à des nouveaux trucs. Tu peux m'écrire à*
*cette adresse, ce serait bien. Tu peux prendre ton temps, ça*
*ne me gêne pas au contraire.*
*Si tu me voyais, tu ne me reconnaîtrais pas. Je me suis*
*fait percer les deux oreilles. Je me rase les jambes et sous*

*les bras et j'ai fait couper ma tignasse d'enfer bien court,*
*c'est mignon. Ça ne me gêne plus, mes taches de rousseur.*
*Je commence à avoir de la poitrine. L'homme, on l'appelle*
*oncle Bob, m'a demandé si j'étais juive. J'ai dit oui, bien*
*sûr. Dommage, j'ai le teint qui bourgeonne. J'ai fait du*
*baby-sitting deux fois, tu te rends compte, moi qui me*
*rappelle encore mes souvenirs de bébé. Pour moi, tu en es*
*toujours un, de bébé. Je te donnerai l'argent du hold-up*
*quand je te reverrai.*
*C'est dommage d'avoir eu les parents qu'on a. C'est pas de*
*chance. Notre vie est gâchée, à présent, mais quand même*
*il en reste un bon bout à faire. Parfois, ils me manquent.*
*J'ai fait, je fais un rêve, pourtant. J'ai tué quelqu'un. Je*
*ne sais pas qui, j'ai complètement oublié. Et puis ça ressort,*
*ce meurtre, et je sais que je l'ai commis, et d'autres gens*
*le savent aussi. C'est terrible, parce que en vrai je sais que*
*je n'ai rien fait, mais le rêve est là. Quand je me réveille,*
*j'ai l'impression d'avoir pleuré et couru comme une folle.*
*Ça te le fait, à toi ? Comme nous sommes jumeaux, je me*
*dis qu'on éprouve la même chose, et qu'on voit (le monde ?)*
*pareil. J'espère que c'est vrai. Je me rappelle un poème de*
*maman. Je le récite au gars de la Marine. « J'ai eu jadis*
*belle jeunesse, héroïque, fabuleuse, à graver sur des feuillets*
*d'or, de la chance à revendre. Par quel crime... » Je ne*
*me rappelle plus la suite, maintenant. Désolée. C'était du*
*français. Elle a toujours pensé que ça parlait d'elle, je crois.*

*Re-baisers*
*Rachel Parsons, ta jumelle*

# 53

La période qui débuta pour moi au Leonard, à Fort Royal, fut en tout point différente de mes semaines solitaires à Partreau, et nettement plus riche, et puis, bien qu'elle ait été de courte durée et se soit soldée par un désastre, elle me donna l'impression de vivre une vie réelle, plutôt qu'une vie au point mort, la demi-vie d'un individu perdu dans le désert de la Prairie, enfin à l'abri, certes, mais perdu toujours, sans espoir que les choses rentrent jamais dans l'ordre.

De nouveaux Fusils arrivaient. Par groupes de cinq ou six – leurs grosses voitures américaines aux plaques d'immatriculation colorées, garées sur le parking en terre battue derrière l'hôtel, pleines à craquer d'un matériel de chasse qui ne tenait pas dans les chambres minuscules. Depuis mon petit cagibi où il faisait chaud comme dans un radiateur, au bout du couloir qui menait chez Remlinger, j'entendais à travers les planchers et les conduites les hommes se parler à voix sourde jusque tard dans la nuit. Silencieux sur ma couchette, j'essayais de distinguer ce qu'ils se disaient. Comme ils étaient américains, pour la plupart, il me semblait qu'ils diraient peut-être des choses que je reconnaîtrais et qui me fourniraient des clefs utiles pour comprendre. Je ne sais pas à quelles clefs je pensais. Je n'ai jamais entendu grand-chose : des prénoms, Herman, Winifred, Sonny ; des doléances quant à des insultes ou des blessures physiques subies par l'un ou l'autre. Un rire.

Le soir, au Leonard, après que Charley et moi étions partis

faire nos repérages et avions désigné les emplacements des fosses à creuser (deux jeunes Ukrainiens avaient été engagés pour le faire à la nuit tombée et recouvrir de paille les mottes de terre), je revenais d'ordinaire prendre mon repas à la cuisine de l'hôtel, puis je passais le début de soirée près du juke-box dans le bar bruyant et enfumé, ou alors debout derrière les joueurs de cartes, dans l'enfer du jeu, ou bien encore à parler avec les petites Philippines qui servaient dans la pénombre, dansaient avec les Fusils ou entre elles, pour disparaître souvent (comme je l'ai dit) avec l'un ou l'autre, sans revenir de la nuit. Je ne nettoyais plus les chambres, de sorte que je les voyais rarement grimper dans le taxi qui les attendait pour les ramener à Swift Current.

Dans l'ensemble, les Américains du bar étaient des grands costauds au verbe haut, en tenue de chasse rudimentaire. Ils riaient, fumaient, buvaient du whisky canadien et de la bière, ils s'amusaient bien. Nombre d'entre eux jugeaient on ne peut plus comique de se trouver au Canada, ils plaisantaient sur le fait que Thanksgiving se fête en octobre et sur la curieuse façon de parler des Canadiens (que je n'avais guère détectée pour ma part malgré mon attention), sur le fait qu'ils détestaient les Américains mais auraient tous bien voulu vivre là-bas et devenir riches. Ils parlaient de la campagne électorale d'« en bas » et disaient qu'ils espéraient que Nixon écraserait Kennedy, et qu'il était important de combattre les communistes. Ils parlaient des équipes de football dans les villes dont ils étaient originaires (les uns du Missouri, d'autres du Nevada ou bien de Chicago). Ils faisaient des blagues sur leurs femmes, parlaient des succès de leurs enfants, de leur boulot à eux, ils racontaient les événements marquants de leurs expéditions de chasse précédentes, avec le nombre de canards, d'oies et autres animaux qu'ils avaient abattus. Parfois, ils s'adressaient à moi, s'ils s'étaient aperçus de ma présence, ou si, plus tôt dans la journée, ils m'avaient envoyé leur acheter au bazar ou à la quincaillerie du matériel qui leur manquait. Ils voulaient savoir si j'étais canadien, ou « le fils de Mr Remlinger », ou le gosse d'un autre chasseur ici présent. Je leur répondais que j'étais en visite, que je venais du Montana, que mes parents étaient malades, mais que j'allais bientôt rentrer chez moi et reprendre mes études – ce qui les faisait souvent hurler de rire et me flanquer des claques dans le dos en disant que j'avais bien de la chance de faire l'école buissonnière, et qu'après avoir été guide de chasse et avoir connu la vie aventureuse dont les garçons de mon âge devaient se contenter de rêver, je ne voudrais jamais retourner en classe. Ils semblaient trouver que le Canada, tout en étant comique, avait quelque chose de mystérieux, de romantique, alors que l'endroit où ils vivaient était ennuyeux et ringard – mais ils choisissaient tout de même d'y vivre.

À la fin de ces soirées, c'est-à-dire avant vingt heures, heure à laquelle Charley venait au bar, après la tournée des fosses, dire aux Fusils de se mettre au lit, puisqu'on se levait à quatre heures, je grimpais dans mon cagibi et me couchais avec mon magazine d'échecs. Un peu plus tard, j'écoutais les chasseurs retourner à leurs chambres d'un pas lourd, rire, tousser, bavasser, faire tinter verres et bouteilles, passer à la salle de bains, où ils émettaient bruits intimes et bâillements, puis de nouveau cogner le sol de leurs bottes, jusqu'à ce que leurs portes se ferment et qu'ils ronflent. Alors, j'entendais la voix des isolés dans la grand-rue froide de Fort Royal, les portières des voitures qui claquaient, un chien qui aboyait, les aiguilleurs qui manœuvraient les wagons céréaliers, derrière l'hôtel, les freins à air des camions qui s'arrêtaient au feu rouge, puis leurs gros moteurs qui redémarraient dans un grincement et se dirigeaient vers l'Alberta ou Regina, deux endroits dont je ne savais rien. Ma fenêtre était située sous l'auvent, et l'enseigne rouge du Leonard coulait sur le noir de ma chambre, tandis que, dans ma bicoque, il n'y avait que le clair de lune, et ma bougie, et le ciel plein d'étoiles, et la lueur de la caravane de Charley. La

radio me manquait à présent. Alors pour me préparer au sommeil, je récapitulais les expériences de la journée et ce que j'en
avais pensé à mesure. Je pensais à mes parents, comme toujours.
Est-ce qu'il leur était difficile de bien se conduire en prison,
qu'est-ce qu'ils penseraient de moi maintenant, quelle attitude
j'aurais eue si j'avais assisté à leur procès, ce que nous nous
serions dit, est-ce que je leur aurais parlé de Berner, et est-ce
que je leur aurais dit que je les aimais, bien qu'on puisse nous
entendre ? (Je l'aurais fait.) Je pensais aussi aux voix américaines
bourrues des chasseurs, à la réussite de leurs enfants, à leurs
femmes qui les attendaient à la porte de la cuisine, et à toutes
leurs aventures dont aucune ne me causait la moindre envie
ni la moindre rancœur. Moi, je n'avais encore rien réussi, je
n'avais personne qui m'attende, ni même un foyer dans lequel
retourner. Je n'avais que mes tâches journalières, mes repas, mon
local, mes maigres effets personnels. Pourtant, curieusement,
je m'endormais presque soulagé. Mildred m'avait dit que je
ne devais pas avoir une mauvaise opinion de moi-même : ce
qui était arrivé n'était pas ma faute. Florence m'avait dit que
la vie était une forme vide qu'il nous revenait de remplir de
bonheur. Et ma propre mère – qui n'était jamais allée là où je
me trouvais, et n'avait vu du Canada qu'une image, par-delà
un fleuve, qui ne connaissait même pas les gens auxquels elle
m'avait confié –, ma mère elle-même avait jugé que je serais
mieux là que dans une prison pour mineurs du Montana. Et
elle m'aimait, sans le moindre doute.

Berner m'avait écrit que nos vies étaient gâchées même s'il
en restait un long bout à faire. Je n'aurais pas pu prétendre
que j'avais atteint le bonheur. Mais je m'estimais heureux de
ne plus avoir à charrier mon eau dans un seau, de ne plus me
laver en me servant de la pompe, de la plaque chauffante et
de la savonnette, de ne plus dormir dans cette bicoque âcre et
froide, ce nid à courants d'air, sans jamais voir personne, de
ne plus partager les cabinets avec Charley Quarters. Peut-être

étais-je en train de connaître une amélioration de mon sort que je n'aurais pas crue possible pendant un temps. Il y avait donc lieu de penser, et c'était important pour moi, qu'une part de ma nature inclinait à croire que la vie pouvait s'arranger.

La seule fois que j'avais rencontré Arthur Remlinger et avais véritablement échangé deux mots avec lui, il m'avait demandé – en plaisantant à moitié – si je ne voudrais pas changer de nom. J'avais décliné la proposition, comme n'importe qui à ma place, mais surtout moi qui voulais m'accrocher à mon identité et à ce que je savais de moi-même lorsque cette question faisait débat. Mais là, dans mon cagibi sous l'auvent, je me disais qu'Arthur Remlinger connaissait peut-être quelque chose que j'ignorais. À savoir que, si notre mission à tous, dans ce monde, était d'acquérir de l'expérience, il était peut-être nécessaire, et je l'avais déjà pensé, de devenir quelqu'un d'autre. Et ce, même si j'avais cru, comme notre mère nous l'avait appris, que nous demeurions fidèlement semblables à ce que nous étions au début de notre vie. Mon père, bien sûr, aurait pu dire que ce premier individu – celui sous l'identité duquel j'avais débuté – avait cessé de faire sens et devait céder la place à un autre, plus pertinent. Il s'était sans doute déjà appliqué l'idée à lui-même. Seulement pour lui, c'était trop tard.

# 54

Ce fut à la suite de mon adaptation à Fort Royal, ville dotée d'une vie propre et d'une certaine considération pour elle-même, que je pénétrai plus avant dans la sphère d'Arthur Remlinger, ce que Florence m'avait prédit et que j'étais très désireux de voir se produire, sans pouvoir dire pourquoi ça n'était pas déjà arrivé. Au cours de mes semaines à Partreau, j'avais eu l'impression de croiser quelqu'un de différent, chaque fois que je le rencontrais, ce qui me plongeait dans une confusion bien naturelle et aggravait ma solitude. Un jour il était cordial, enthousiaste, comme s'il avait hâte de me dire quelque chose – qu'il ne me disait pas. Le lendemain, il était réservé, emprunté, à croire qu'il me fuyait. D'autres fois encore il était raide, hautain, dans ses luxueux vêtements style Nouvelle-Angleterre. Il était l'être le plus inconstant que j'aie jamais rencontré. Mais c'était précisément pourquoi il me fascinait et me donnait envie de m'en faire aimer, moi qui n'avais jamais rencontré de gens étranges, à part notre mère, et qui n'avais jamais trouvé qui que ce soit intéressant, à part Berner, qui était surtout ma semblable.

Un jour (j'avais déjà emménagé au Leonard et commençais à le voir davantage), lors d'une de nos sorties automobiles où il pilotait sa Buick à tombeau ouvert sur les bosses de la highway, tout en dissertant sur tel ou tel sujet qui l'occupait – Adlai Stevenson, qu'il détestait, les forces du syndicalisme, qui sapaient nos droits naturels, l'acuité de ses capacités d'observation, qui auraient dû lui ouvrir une carrière d'avocat à succès –, voilà que la voiture escalade une côte poussiéreuse à plus de cent trente à l'heure. Devant nous, sur la chaussée, six faisans aux couleurs éclatantes sont imprudemment sortis des champs de blé pour picorer les graviers et les germes de blé laissés par les camions en route vers le silo de Leader. Je crois qu'il va freiner ou donner un coup de volant, je suis déjà cramponné à l'accoudoir de ma portière. Puis mes deux mains s'envolent vers le tableau de bord, mes pieds s'écrasent sur le plancher, je rapproche les genoux en anticipant le moment où la grosse Buick va chasser, déraper, ou se retrouver dans les blés, à moins qu'elle ne décolle et ne retombe à la distance correspondant à sa vitesse de propulsion, avec atterrissage mortel. Mais freiner ne vient pas à l'idée d'Arthur. Pas un trait de son visage ne bouge. Il fonce dans le tas : un faisan percute le pare-brise, deux sont catapultés dans les airs, les quatrième et cinquième sont réduits en plumes sur la route... le sixième est indemne, c'est tout juste s'il a vu passer la voiture. « On en voit beaucoup de ces oiseaux, par ici », a commenté Arthur. Il n'a même pas regardé dans son rétroviseur. J'étais stupéfait.

Plus tard – nous avions traversé tranquillement la petite ville de Leader, Saskatchewan, et nous étions garés devant le Modern Cafe pour y prendre des sandwiches –, Arthur me fixait de ses yeux bleus limpides, par-dessus la table, ses lèvres minces au bord du sourire, comme s'il articulait des mots en silence avant de les prononcer, pour finir par ne pas sourire. Il avait mis son blouson de cuir à col de fourrure qui ressemblait au bomber rapporté de la guerre par mon père, mais en plus chic. Il avait coincé sa pochette de soie verte dans son col en guise de serviette. Les lunettes qu'il prenait pour lire pendaient sur sa poitrine au bout de leur cordon. Ses cheveux blonds étaient peignés avec soin. Ses mains osseuses, manucurées, avec des poils fins sur les doigts, manipulaient son couteau et sa fourchette comme si le contenu de son assiette l'intéressait au plus haut point. Aucune raison ne m'avait été fournie pour expliquer pourquoi il m'avait ignoré toutes ces semaines. De même qu'aucune n'allait l'être, supposais-je, pour expliquer pourquoi il avait cessé de le faire. C'était ainsi, voilà tout.

« Ça fait combien de temps que tu es là, maintenant, Dell ? m'a-t-il dit tout à coup, le visage rayonnant comme s'il s'apercevait subitement qu'il m'aimait bien.

– Cinq semaines.

– Et ton travail te plaît ? Il t'apporte quelque chose ? » Il s'exprimait avec une précision qui exigeait des mouvements de sa bouche, comme si chaque mot ménageait un espace avec le suivant et qu'il avait plaisir à les entendre isolément. Sa voix était curieusement nasale, venant d'un homme aussi beau, et aussi raffiné, apparemment. C'étaient ces particularités qui lui donnaient un air vieux jeu, alors qu'il n'était pas vieux.

« Oui, monsieur », j'ai dit.

Il a passé sa fourchette sur la surface de la côte de porc qu'il avait commandée. « Mildred m'a dit que tu serais peut-être un peu perturbé. » Il s'est coupé un morceau dans le gras de la côte et l'a porté à sa bouche, les pointes de sa fourchette tournées comme je n'avais jamais vu les tourner. Il était gaucher, comme Berner. « Ça n'est absolument pas grave, je suis moi-même perturbé. Et je suis docile – enfin, je l'ai été. On est tous perturbés, ici. Il n'est pas naturel d'être ici. Toi et moi, on est pareils, de ce côté-là.

– Je ne suis pas perturbé. » J'en voulais à Mildred de lui avoir dit une chose pareille, je lui en voulais de l'avoir compris. Je ne voulais pas être comme ça.

« Bon… » Il a paru content, ce qui allait bien à ses traits fins. « C'est la première fois que tu te retrouves tout seul, et tu viens de vivre une expérience pénible. »

Il y avait plusieurs personnes dans le café, des fermiers, des gens de la ville, et deux agents de police en gros blousons marron à boutons de laiton, qui déjeunaient au comptoir. Ils nous avaient remarqués. Ils savaient qui était Arthur Remlinger, tout comme la mormone, dans la rue, à Fort Royal. Il était très reconnaissable.

J'étais censé ne pas poser de questions et attendre qu'on me dise les choses. Mais je voulais savoir pourquoi il avait écrasé les faisans en fonçant dans le tas. C'était tellement choquant. Mon père n'aurait jamais fait ça. Charley Quarters, je ne dis pas... Visiblement, Arthur Remlinger n'y pensait déjà plus. « Ce n'est pas une sinécure, de vivre ici, il a dit en mâchant paisiblement sa viande grasse. Je ne m'y suis jamais plu. Les Canadiens sont isolés, trop repliés sur eux-mêmes. On manque de stimulation. » Une mèche blonde lui tombait sur le front ; il l'a relevée du pouce. « L'écrivain Tolstoï, tu as entendu parler de lui ? (J'avais vu son nom sur les étagères de sa bibliothèque.) Il a payé des paysans pour venir s'installer ici, à la fin du siècle dernier. Il voulait s'en débarrasser, je présume. Certains sont toujours là, ils ont fait souche, disons. Une civilisation éphémère a existé. On a monté des pièces, des grands spectacles, des opérettes. Il y a eu des sociétés de débat, et des ténors irlandais célèbres sont venus chanter depuis Toronto. » Ses sourcils blonds ont fait un saut. Il a souri et s'est tourné vers les autres consommateurs et les policiers. Le son des voix et le tintement des couverts sur les assiettes se mêlaient en un brouhaha qui semblait lui être agréable. « À présent – il continuait de couper sa viande et de la manger tout en parlant –, on retourne à l'âge du bronze. Ce qui n'a pas que des mauvais côtés. » Il s'est essuyé la bouche sur son mouchoir de soie et m'a fixé, puis il a penché la tête de côté pour signifier qu'il se posait une question. J'ai vu qu'il avait une minuscule tache de naissance violette sur la nuque, en forme de feuille. « Tu penses avoir l'esprit clair, Dell ? »

Je ne comprenais pas ce qu'il voulait dire. Est-ce que l'esprit clair, c'était le contraire de perturbé ? Alors je voulais l'avoir, l'esprit clair. « Oui, monsieur », j'ai dit. J'avais commandé un hamburger et je l'avais entamé.

Il a hoché la tête et promené sa langue sur ses dents, la bouche fermée, puis il s'est éclairci la voix : « Vivre ici induit un fantasme de certitude colossale. » Il a souri de nouveau, mais son sourire s'est rapidement évanoui en me regardant. « Le désespoir pousse les gens à faire des folies quand leurs certitudes s'estompent. Tu n'as pas cette tendance, je crois. Tu n'es pas désespéré, dis-moi ?

– Non, monsieur. » Ce mot m'a fait penser à ma mère dans sa cellule – souriante, éperdue. Elle était désespérée.

Arthur a bu une gorgée de son café en tenant sa tasse par le bord au lieu de la prendre par sa petite anse. Il soufflait dessus en buvant. « Voilà qui est dit, alors. Le désespoir n'est pas à l'ordre du jour. » Il a souri encore une fois.

Je m'étais trouvé dans son appartement ; j'avais vu ses photos. Vu ses livres. Son échiquier. Son revolver. Il me semblait accessible en ce moment, nous pouvions devenir amis, comme je l'avais toujours souhaité. Je n'aurais jamais cru demander à quelqu'un pourquoi il se trouvait en tel point de la planète plutôt que tel autre. Ce n'était pas un sujet dont on causait chez nous, nos déplacements étant soumis à une autorité supérieure. Mais c'était une chose que je voulais savoir de lui, encore plus que la raison pour laquelle il avait foncé dans le tas de faisans, puisqu'il paraissait plus décalé que moi, qui m'adaptais malgré tout. Nous n'étions pas tellement pareils, d'après moi.

« Pourquoi être venu ici si vous ne vous y plaisez pas ? » j'ai demandé.

Remlinger a reniflé, il a sorti son foulard de son col et il a pincé son nez fin. Il s'est encore éclairci la voix comme le faisait sa sœur Mildred. C'était leur seul point commun. « Bon, la question qui se pose serait plutôt... » Il s'est tourné vers la vitrine du café pour regarder sa Buick, garée à côté de la Dodge des policiers. D'où nous étions, on lisait le mot MODERN gravé à l'envers, en lettres d'or. Il s'était mis à neiger. Le vent poussait dans la rue une nuée de flocons minuscules qui enveloppait dans ses tourbillons les voitures et les camions qui circulaient, tous phares allumés en plein midi. Arthur semblait avoir oublié ce qu'il voulait dire sur la question qui se posait. Il faisait claquer l'ongle de son pouce contre son anneau d'or. Il était déjà passé à une autre idée.

Il a sorti un paquet de cigarettes de son blouson, des Export A, comme celles de Florence. Il en a allumé une, en soufflant la fumée contre le froid de la vitre, où elle a fait des volutes sur le paysage de neige. Il éprouvait le besoin de dire quelque chose, d'être agréable et de réagir comme s'il s'intéressait à moi et à la question que je lui posais. Mais quoi de moins naturel pour lui ? Un garçon de quinze ans, un parfait inconnu ? Peut-être trouvait-il bon que je sois américain. Peut-être qu'il se revoyait en moi, comme l'avait dit Florence. Mais quelle importance, pour un homme comme lui ?

Sa façon de fumer, en tenant sa cigarette de la main gauche entre deux doigts en V, les yeux ailleurs, le faisait paraître plus vieux, la peau moins lisse. Il était plus marqué de profil que lorsqu'il me regardait en face ; sa nuque à la tache de naissance était plus grêle. Un vide s'était emparé de lui un moment. Les coins de sa bouche mince remontaient quand il fumait. « Tu es le jeune fils de braqueurs de banque, de desperados, il a dit en soufflant la fumée sur la vitrine pour éviter qu'elle vienne sur moi. Tu ne veux pas que ta vie se résume à ça, je me trompe ?

– Non, monsieur. » Berner avait dit que personne ne la croyait quand elle racontait l'histoire de nos parents et qu'elle avait bien l'intention de cesser d'y croire elle-même.

« Tu veux que ta personne ne se limite pas à ça – il s'était remis à parler avec la plus grande précision –, qu'elle soit plus riche, idéalement ?

– Oui, monsieur. »

Il a passé sa langue sur ses lèvres et a levé le menton comme s'il était déjà sur une autre idée. « Tu lis quelquefois des biographies ?

– Oui, monsieur. » En fait je n'avais lu que celles des notices du *World Book*. Celles d'Einstein, de Gandhi, de Marie Curie.

J'avais fait des exposés en classe dessus. Mais lui, il parlait des vraies, des gros livres de sa bibliothèque que je n'étais pas censé connaître. Napoléon, le général Grant, Marc Aurèle. Je voulais les lire, celles-là, et je sentais que je les lirais un jour.

« Ce que je pense, a dit Arthur Remlinger, c'est que les gens qui gardent beaucoup de choses pour eux par obligation devraient s'intéresser à ce que font les grands généraux. Eux comprennent toujours ce que c'est que le destin. » Il paraissait content et parlait avec plus d'assurance. « Ils savent que les plans fonctionnent très très rarement, et que l'échec est la règle. Ils savent ce que c'est que de s'ennuyer au-delà de toute expression. Et ils n'ignorent rien de la mort. » Il m'a jeté un regard inquisiteur. Ses sourcils se sont froncés. Il semblait vouloir que j'entende dans ses propos une réponse à ma question sur sa présence ici. Il était comme mon père. Tous deux voyaient en moi un public quand ils avaient besoin de s'exprimer. Il n'allait plus me répondre maintenant.

Il a sorti son portefeuille de son blouson et a posé un billet sur la table. Un billet rouge, contrairement au dollar américain. Subitement, il avait hâte de partir, de remonter dans sa Buick pour rouler à toute blinde à travers la Prairie en percutant tout ce qu'il lui prendrait fantaisie de percuter.

« Je n'aime pas beaucoup les États-Unis, il a dit en se levant. On n'en entend guère parler, ici. » Au comptoir, deux clients s'étaient retournés sur ce grand bel homme blond, si singulier. L'un des policiers s'est retourné, lui aussi, pour le regarder. Il ne s'en est pas aperçu. « C'est curieux d'être aussi proche. J'y pense tout le temps. » Il voulait dire aux États-Unis. « Deux cents kilomètres, même pas. Ça te change beaucoup, d'être ici ?

– Non, monsieur. Pas vraiment. » C'était vrai.

« Alors, tant mieux. Ça prouve que tu t'es déjà adapté. Je suppose que c'est pour ça que je suis là. Je me suis adapté. Mais j'aimerais quand même bien voyager à l'étranger, un jour. Aller en Italie. J'adore les cartes de géographie. Et toi, tu les aimes ?

– Oui, monsieur.

– Bon, enfin, il n'y a pas le feu, hein ?

– Non, monsieur. »

Il n'en a pas dit plus. L'idée qu'il voyage à l'étranger me faisait drôle. Malgré son allure insolite et décalée, il m'avait l'air d'être chez lui, ici. J'avais encore cette perception enfantine que les gens étaient chez eux là où je les trouvais. On est sortis du café. Je n'y suis jamais retourné.

# 55

Ce qui va suivre, il n'est pas en mon pouvoir de lui donner l'apparence de la raison, de la logique, d'un fondement quelconque dans ce que nous croyons savoir du monde, tous tant que nous sommes. Pourtant, comme le disait Arthur Remlinger, j'étais le fils de braqueurs, de desperados, et c'était sa manière à lui de me rappeler que quelles que soient les évidences d'une vie, la personne qu'on croit être, ce qu'on a à son actif, ce dont on est fier, ce dont on tire sa force vitale, tout peut toujours arriver à la suite de tout et du reste.

Il s'est trouvé que Charley Quarters m'a bientôt rapporté des assertions de la plus haute importance sur Arthur Remlinger – il aurait commis des crimes, fui la police en catastrophe, on lui prêtait des humeurs, un tempérament violent, voire explosif. Charley parlait de lui sans estime et n'éprouvait pas le besoin de taire ces informations au nom de la loyauté. Remlinger n'était pas homme à attacher du prix à la loyauté ni à respecter grand-chose dans ce monde. Savoir la vérité sur un individu pareil ne faisait pas de mal, disait-il, vu ce que ça pouvait vous épargner.

Il s'est trouvé aussi (je n'aurais pas pu le formuler à l'époque, ça relevait encore du subconscient, chez moi) qu'Arthur Remlinger me regardait comme il regardait tout le monde, c'est-à-dire en fonction de sa propre vie intérieure, unique en son genre, qui n'offrait presque aucune ressemblance avec la mienne. La mienne n'était pas une réalité pour lui. Alors que la sienne était des plus immédiates, et avait été payée au prix fort – on voyait qu'elle était le réceptacle d'une absence dont il était conscient et qu'il souhaitait ardemment combler. (La chose sautait aux yeux sitôt qu'on l'approchait.) Ce vain effort pour combler l'absence, il y était confronté jour après jour ; absence qui devenait pour lui la question centrale de son identité et qui le rendait si fascinant et si changeant à mes yeux. Ce qu'il voulait – je l'ai déduit plus tard, car il fallait bien qu'il veuille quelque chose, sinon je n'aurais pas été là –, c'était la preuve qu'il avait réussi à combler l'absence, preuve que je lui donnerais ou que je constituerais. Il voulait confirmation qu'il y était parvenu et méritait donc une remise de peine pour les fautes graves qu'il avait commises. S'il m'avait ignoré pendant mes semaines à Partreau, où je tâchais de me persuader que je n'étais pas condamné à vivre indéfiniment dans la solitude, c'était parce qu'il n'était pas sûr de pouvoir tirer de moi ce qu'il voulait. Il fallait d'abord que je m'adapte à l'adversité de ma propre situation, que je dépasse dans une certaine mesure ma propre tragédie, pour concevoir la sienne. Il avait besoin que je sois son « fils privilégié », ne serait-ce qu'un moment, puisqu'il savait quels ennuis le guettaient. Il avait besoin que je fasse pour lui ce que les fils font pour les pères : leur porter témoignage qu'ils ont de la substance, qu'ils ne sont pas seulement une absence qui sonne creux. Qu'ils comptent pour quelque chose quand bien peu de choses comptent.

Je n'avais que quinze ans, j'étais plus porté à croire ce que les gens me disaient que les avertissements de mon cœur. Si j'avais été plus âgé, si j'avais eu ne serait-ce que dix-sept ans et le supplément d'expérience à l'avenant, si j'avais eu des idées sur le monde moins larvaires, j'aurais compris que ce que je vivais – mon attirance pour Remlinger, la façon dont j'avais refoulé mes sentiments à l'égard de mes parents – présageait que les ennuis qui le guettaient me guettaient aussi. Mais j'étais trop jeune et trop loin des étroites frontières de ce que je connaissais. J'avais plus ou moins éprouvé ces sensations quand mes parents avaient planifié et commis leur hold-up ; au moment où nous faisions le ménage dans la maison, Berner et moi, en attendant leur retour, et puis plus tard, quand je me préparais à prendre le train pour Seattle en oubliant mes études. Mais j'étais incapable de relier les impressions d'alors à celles de maintenant, je ne m'apercevais pas qu'elles allaient dans le même sens. Il me manquait la compétence voulue pour faire le rapprochement. Mais enfin, pourquoi nous laissons-nous séduire par des gens que nous sommes bien les seuls à croire honorables et intègres, quand autrui les voit comme dangereux et imprévisibles ? J'ai eu tout le temps d'y réfléchir depuis. Quel dommage que je me sois fait prendre dans les filets d'Arthur Remlinger sitôt après l'incarcération de mes parents ! Malgré tout, quand on se trouve mêlé à une vilaine histoire, quand des menaces planent, il est vital de se rendre compte qu'on est déjà passé par là et qu'on va se retrouver tout seul, à découvert dans le paysage, que la prudence est donc de mise.

Et moi, bien sûr, au lieu de manifester cette prudence, je me suis laissé « prendre en mains » par Arthur Remlinger et Florence La Blanc, comme si c'était la conséquence la plus logique et la plus naturelle du plan de ma mère pour m'éloigner après sa catastrophe personnelle. Ça n'a pas duré très longtemps, mais je m'y suis investi complètement, comme le font les enfants puisque, je l'ai déjà dit, une part de moi était encore enfant.

# 56

Les premiers jours d'octobre, une fois installé dans le cagibi du Leonard, je me suis mis à voir Arthur Remlinger très souvent, à croire que j'étais subitement devenu son chouchou et qu'il ne se lassait pas de ma présence. Je m'acquittais toujours des tâches qui m'incombaient, en y trouvant plaisir. J'allais repérer les oies avec Charley le soir, je me levais à quatre heures du matin, j'accompagnais les Fusils jusqu'aux champs de blé enveloppés de nuit, je plaçais les leurres et je bavardais à bâtons rompus avec les tireurs, après quoi j'allais me poster armé de mes jumelles pour compter les oies abattues.

Mais quand je n'étais pas occupé à ces activités, Arthur Remlinger requérait tout mon temps. Je m'en réjouissais, puisque je n'avais pas fait le rapprochement dont j'ai parlé, que je ne me méfiais pas (ou pas assez) et que j'avais décidé que je l'aimais bien et qu'il m'intéressait au point de vouloir le prendre pour modèle un jour. Florence l'avait dit, il avait de l'instruction, de bonnes manières, de beaux costumes, de l'expérience ; il était américain et avait l'air de bien m'aimer. Comme je l'ai dit, j'étais arrivé à la conclusion que ma mère souhaitait me confier à des étrangers afin de me laisser toute latitude de repartir dans une direction nouvelle.

Remlinger m'a dit de l'appeler par son prénom au lieu de lui donner du « monsieur » – une nouveauté pour moi. Il m'a emmené au restaurant chinois, m'a appris à me servir des baguettes et à boire du thé. J'apercevais la fille du patron, mais j'avais cessé de penser à elle, ou de nourrir l'espoir que nous devenions amis. D'autres soirs, je dînais à la salle à manger du Leonard avec Arthur et Florence. Elle apportait des fleurs pour la table et me mettait en valeur auprès des clients comme si nous étions parents, avec une histoire familiale commune, et qu'Arthur m'ait pris sous son aile. À cet effet, il me traitait comme si j'étais un fils habitant à demeure au Leonard et que cette situation était parfaitement normale.

Ces soirs-là, il endossait l'un de ses beaux costumes en tweed, il mettait ses chaussures cirées, une cravate de couleur vive, et il s'étendait sur ses capacités d'observation qui lui permettaient bien d'autres destinées que celle d'un patron d'hôtel dans un bled perdu. Il me conseillait de développer mes propres capacités pour m'assurer un avenir. Il a sorti gauchement un petit carnet à lignes bleues qu'il me destinait apparemment et m'a dit d'y consigner mes pensées et mes observations, mais sans jamais montrer ce que j'écrivais à personne. Si je les relisais régulièrement, j'y découvrirais tous les signes qu'émettait le monde – et qui étaient nombreux, contrairement aux apparences. Ainsi, je pourrais évaluer et améliorer le cours de ma vie au fur et à mesure. C'était ce qu'il faisait lui-même, a-t-il expliqué.

Pendant cette période, il m'a entraîné dans d'autres expéditions en voiture – une fois à Swift Current, pour régler une dette, une autre jusqu'à Medecine Hat, pour récupérer Florence, dont la voiture était en panne. Un jour, il m'a emmené sur les pistes tape-cul de la Prairie jusqu'à un promontoire argileux surplombant la Saskatchewan, qu'un passeur et son bac traversaient à la poulie. Dans la Buick à l'arrêt, sans couper le chauffage, nous avons regardé la rivière où des milliers d'oies voguaient et jacassaient sur les eaux argentées, ou se répandaient sur l'arrondi des berges. Des mouettes blanches décrivaient des cercles dans les turbulences, au-dessus d'elles. Les cheveux blonds de Remlinger étaient toujours bien coupés, bien peignés, impressionnants de brillance, ses lunettes pendaient à leur cordon autour de son cou et il sentait l'eau de Cologne épicée. Dans la voiture, il fumait, il parlait de Harvard et de l'existence idéale qu'il y avait vécue. (Je n'avais que des idées floues sur Harvard et ne savais même pas que l'université se trouvait à Boston.) Il me reparlait de son désir de visiter des pays étrangers – au compte desquels il ajoutait l'Irlande et l'Allemagne ; parfois il évoquait cette ligne de partage de six mille kilomètres entre le Canada et les États-Unis qu'il nommait « l'horizon des States ». Cette frontière, disait-il, n'était ni naturelle ni logique – la nature n'en comportait pas –, et il faudrait l'éliminer. Au lieu de quoi, elle avait vocation à établir des distinctions spécieuses au nom d'intérêts mercantiles. Il était un partisan ardent d'un retour intégral à la nature et aux origines. Il citait Rousseau : le monde créé par Dieu était bon, mais l'homme l'avait corrompu. Il détestait ce qu'il appelait l'« État tyran », les Églises et les partis politiques, surtout le parti démocrate, qui était le préféré de mon père (et de moi) par affection pour le président Roosevelt, que Remlinger appelait « l'homme en fauteuil » ou « l'infirme » et dont il croyait qu'il avait roulé le pays dans la farine pour le vendre aux juifs et aux syndicats. Ses yeux bleus jetaient des éclairs quand il abordait ces questions. Elles le mettaient en fureur. Il détestait par-dessus tout les syndicats, qu'il appelait les faux messies. C'était sur ces questions qu'il avait écrit ses articles dans les brochures et magazines entreposés à la bicoque : *The Deciding Factor, The Free Thinkers*. En général, quand j'étais avec lui, je ne parlais pas et me contentais d'écouter, puisqu'il ne me posait guère ou pas de questions sur moi – le nom de ma sœur, une fois, où j'étais né, puis de nouveau si j'avais l'intention d'étudier à la fac, et comment je m'habituais à mon second cantonnement. Je ne parlais pas de mes parents et m'abstenais de dire que ma mère était juive. Je suppose qu'aux États-Unis, de nos jours, on verrait en lui un extrémiste, un libertaire, et il paraîtrait moins insolite que dans la Prairie du Saskatchewan à l'époque.

Néanmoins, ces grands discours n'avaient jamais l'air de le rendre heureux, au contraire, on aurait cru qu'ils contribuaient à le plomber. Il parlait sans cesse, de sa voix nasillarde, sa bouche s'animait, il battait des paupières sans me regarder, comme si je n'étais pas là. Tantôt enthousiaste, tantôt véhément, je me disais que c'était sa façon à lui de s'accommoder du vide intérieur. Tout ça pour dire qu'il avait ma sympathie (malgré son hostilité envers les juifs) et que j'aimais les moments passés avec lui, même si j'intervenais peu et ne comprenais pas davantage. Il me semblait exotique, tout aussi exotique que l'endroit où nous vivions, or je n'avais jamais connu personne qui le soit et n'avais plus coutume de trouver qui que ce soit intéressant.

Pendant cette période, j'ai bien dormi, j'étais optimiste quant à ma vie à Fort Royal. Je n'avais pourtant guère de quoi me sentir chez moi et peu d'activités auxquelles participer en dehors de mes tâches. Mais je portais en moi mon propre sentiment d'appartenance et de normalité, parce que c'était, et c'est toujours, mon caractère. Je me suis fait couper les cheveux et j'ai payé en dollars canadiens qui me venaient de pourboires. Je me lavais dans la baignoire commune et voyais ma tête dans le miroir quand j'en avais envie. Je posais mes pièces d'échecs sur le dessus de la commode et je mettais au point des stratégies pour le jour où on jouerait, Remlinger et moi. Je me sentais chez moi, au Leonard, je me joignais aux Fusils, aux commis voyageurs, aux ouvriers du pétrole qui n'étaient pas repartis avec les ouvriers agricoles venus pour les moissons. Je fraternisais sans arrière-pensées avec une des petites Philippines nommée Betty Arcenault. Elle me taquinait, elle riait en me disant que je lui rappelais son petit frère, qui était menu comme moi. Je lui ai dit que j'avais une sœur plus grande que moi, qui vivait en Californie. (Une fois de plus, je n'ai rien dit de mes parents.) Elle espérait y aller par la suite, et c'était dans cette idée qu'elle venait de Swift Current tous les soirs faire l'« hôtesse » au bar du Leonard. Elle avait le teint plombé, elle était maigre, les cheveux teints en jaune, et comme elle fumait, elle souriait peu, de crainte de faire voir ses dents. C'était une de ces filles que j'avais surprises assises sur le bord du lit dans la pénombre, un garçon endormi auprès d'elle. Je n'ai jamais envisagé de faire quoi que ce soit avec elle pour ma part, n'ayant pas une représentation claire de ce que j'en ferais, justement. Ma seule expérience en la matière avait eu lieu avec Berner et je ne m'en souvenais pas très bien.

Je découvrais que je ne pensais plus à Partreau. J'y allais tous les matins avec Charley Quarters, je nettoyais les oies dans le froid coupant, devant le Quonset, en face de ma bicoque. Mais on aurait dit que je n'avais jamais habité là, que je ne m'étais jamais baladé dans les rues, jamais posté derrière les caraganiers pour regarder vers le sud (tel que je le situais) en me demandant si je reverrais mes parents un jour. Le temps se referme sur les événements quand on ne connaît pas grand-chose de lui. Or, je l'ai déjà dit, le temps ne voulait rien dire pour moi, là-bas.

Pendant cette période, Florence La Blanc m'a dit qu'elle avait réfléchi à un projet d'avenir pour moi. Nous nous trouvions à la salle à manger, une nappe blanche sur la table, et des couverts qu'elle avait rapportés de Medecine Hat avec les fleurs, pour créer, disait-elle, un semblant de civilisation dans la Prairie, et aussi parce que c'était Thanksgiving – mon premier au Canada. Si j'allais à l'école, comme il aurait fallu, a-t-elle dit, je serais en vacances aujourd'hui. Moi, bien sûr, je n'avais pas l'impression que c'était Thanksgiving, puisqu'on était lundi. Mais Florence avait préparé une dinde en sauce, de la purée de pommes de terre et de la tarte au potiron, qu'elle avait apportées dans sa voiture, et elle a annoncé qu'on fêterait ce jour ensemble.

Il n'y avait plus beaucoup de clients à cette époque de l'année, un commis voyageur, un couple par-ci par-là, qui allaient vers l'est. Les ouvriers du pétrole et ceux du rail ainsi que les Fusils dînaient tous au bar. Remlinger s'était installé à table, perdu dans la contemplation du grand tableau au mur de la salle à manger, mis en relief par une toute petite ampoule braquée sur lui depuis le plafond. Ce tableau représentait un ours brun coiffé d'un fez rouge et dansant au milieu d'un cercle d'hommes qui vociféraient. Les hommes roulaient des yeux hagards et surexcités, bouche rouge fendue par leurs cris, bras courts levés bien haut.

Florence m'a dit, le feu aux joues, qu'elle avait pensé à moi et à ma triste situation. D'après elle, il fallait que je reste à Fort Royal aux bons soins d'Arthur jusqu'à la fin de l'automne. Je devrais apprendre à mieux m'occuper de moi ; me faire couper les cheveux régulièrement ; forcir. Et puis, avant Noël, j'irais à Winnipeg en autocar m'installer avec son fils Roland, qui avait une jeune épouse et venait de perdre un enfant de la polio. Elle lui avait déjà parlé de moi, et il avait accueilli l'idée favorablement. Il me mettrait à l'Institut catholique Saint-Paul, où l'on me poserait peu de questions parce que sa femme y enseignait. Et si question il y avait, m'a-t-elle expliqué, l'œil brillant de malice, eh bien on dirait que j'étais réfugié, que mes parents m'avaient abandonné et qu'ils étaient en prison. J'avais eu le courage de venir jusqu'au Canada tout seul, et des Canadiens responsables veillaient aujourd'hui sur moi parce que j'étais sans famille. Les autorités canadiennes n'iraient jamais me renvoyer dans le Montana, de sorte que le Montana n'en saurait jamais rien, et s'en ficherait éperdument à jamais. De toute façon, dans trois ans j'aurais dix-huit ans. Trois ans étaient vite passés, et alors je pourrais choisir la vie que je voulais mener, comme tout un chacun – Dieu merci ! Elle n'envisageait manifestement pas que je retourne vivre avec l'un de mes parents, tandis qu'il me semblait bien qu'au terme de ces trois ans, si l'un des deux sortait de prison, il voudrait sûrement que je revienne. J'ai beau présenter aujourd'hui ce projet comme allant de soi, je trouvais très bizarre qu'on évoque mon avenir de cette façon, et d'occuper une position aussi précaire dans la vie.

Remlinger avait posé son regard bleu sur moi pendant que Florence continuait d'exposer son projet. Il portait une belle veste noire et un ascot violet ; comme d'habitude, il détonnait parmi les pensionnaires de son hôtel. Il m'a fait un clin d'œil et un sourire. Ses lèvres minces se sont serrées, la fossette a creusé son menton. Il s'est remis à contempler le tableau de l'ours et des hommes qui braillaient, comme si on venait de prendre la mesure de mon être, d'arrêter une décision, et qu'ensuite il avait repris ses réflexions sur l'ordre naturel de l'univers, et sur l'homme enclin à détruire tout ce que Dieu avait créé parfait. Je n'aimais pas qu'on me regarde de cette manière. Je ne savais pas ce qu'on mesurait chez moi et quel crédit accorder à cette mesure, ce qui m'inspirait une sensation sur laquelle je n'aurais pas su mettre de mots : il se préparait quelque chose qui ne me disait rien qui vaille. J'ai dit plus haut que je croyais qu'Arthur voulait obtenir quelque chose de moi, sinon je n'aurais pas été là, et que je représentais plus qu'un public, ou un témoin. Ce qu'il voulait peut-être aussi, c'était me transférer une appréhension, ou encore que je lui prouve par ma simple existence qu'elle était sans fondement aucun.

Florence, cependant, se réjouissait de continuer à discuter de mon avenir, et moi, je me réjouissais d'en avoir un. Elle a dit que je pourrais envisager de demander la nationalité canadienne et qu'elle me passerait un livre sur la question. Ce serait la solution. Le Canada, c'était mieux que les États-Unis, disait-elle, et tout le monde le savait – sauf les Américains. On trouvait au Canada tout ce qu'on trouvait aux États-Unis, sauf que ça ne rendait personne fou. Il était possible d'être normal au Canada, et le Canada serait heureux de m'accueillir. Elle a dit qu'Arthur avait pris la nationalité canadienne plusieurs années auparavant. (Il a secoué la tête, passé les doigts dans ses cheveux blonds et gardé les yeux ailleurs.) Première nouvelle, puisque Charley Quarters disait qu'il était américain, et du Michigan, comme moi. Aussitôt, je l'ai vu d'un autre œil. Non pas défavorable, mais autre, comme si, le voile de son étrangeté en partie levé, il devenait moins intéressant que lorsque je le croyais encore américain. En un sens, il paraissait plus négligeable. Telle est peut-être, au bout du compte, la seule différence réelle entre un point de la Terre et un autre : ce qu'on pense des gens, et les conséquences personnelles qu'on en tire.

# 57

J'ai écrit à ma sœur Berner pendant cette période. Je lui ai écrit assis sur mon lit, dans mon cagibi dont la fenêtre carrée donnait sur la rue, en utilisant un fin papier bleu acheté au bazar et un porte-mine récupéré dans l'un des cartons, à Partreau. Je voulais qu'il devienne banal que Berner et moi échangions des lettres malgré l'espace immense qui nous séparait. Et que l'endroit où je me trouvais ne paraisse en rien insolite dans le tableau d'ensemble.

Dans ma lettre, je lui disais que j'étais au Canada et que même si ça pouvait paraître loin de tout, il n'en était rien. Il ne m'avait fallu qu'une journée de voiture pour y parvenir depuis Great Falls. Je lui disais que j'envisageais de demander la nationalité canadienne, ce qui ne me changerait guère. J'irais bientôt au lycée à Winnipeg et j'entamerais une nouvelle vie, agréable. Je disais que les gens que j'avais rencontrés étaient intéressants. (Le mot semblait curieux, écrit de ma main.) Ils m'avaient donné un travail, qui comportait de vraies tâches et des aspects uniques, un travail que j'aimais et auquel je m'adaptais bien. J'apprenais des choses, ce qui me plaisait. Je ne parlais pas de nos parents, comme si je n'en avais aucune nouvelle, comme si nous pouvions parfaitement nous écrire sans en dire mot. Je ne parlais pas non plus d'Arthur Remlinger ni de Florence La Blanc, ne sachant trop comment les décrire ni les situer dans ma vie. Je ne disais pas que j'ignorais où se situait Winnipeg, je ne disais pas que Florence avait parlé de ma « triste situation ». Et je ne mentionnais pas davantage mes étranges pressentiments. Je n'en avais que partiellement conscience et je me disais qu'ils inquiéteraient Berner. Je lui disais que je l'aimais et que je me réjouissais qu'elle soit heureuse ; je lui demandais de transmettre mon bonjour à Rudy si jamais elle le retrouvait dans le parc. Je viendrais la voir à San Francisco et redeviendrais son frère à la première occasion, dès que je pourrais sauter dans un car à Winnipeg. J'ai signé ma lettre et l'ai glissée dans son enveloppe bleue, en prévoyant de la poster à l'adresse indiquée à San Francisco. Puis je l'ai posée sur le haut de la commode, je me suis levé pour regarder par la fenêtre les toits de la ville et la terre qui s'étalait, tel un océan, jusqu'à l'horizon. Je me suis dit qu'elle était loin, loin, loin, Berner, et que je ne lui avais rien écrit d'important, ni de personnel, ni qui la concerne. Elle aurait du mal à saisir ce que je devenais à travers ce que je disais, parce que ma situation ne se laissait pas facilement décrire et qu'elle aurait inquiété n'importe qui. Ce n'était pas comme si j'étais chez moi, à aller en classe tous les jours, ou à prendre le train pour Seattle. Mieux vaudrait, au fond, lui écrire depuis Winnipeg, quand les choses se seraient mises en place et que j'irais à l'Institut Saint-Paul, car alors j'aurais davantage à raconter, elle pourrait s'intéresser à ce que je dirais et elle comprendrait.

J'ai pris la lettre et je l'ai rangée dans ma taie d'oreiller, que j'avais gardée depuis le matin de notre départ projeté – à Berner, notre mère et moi. Je la relirais plus tard, comme les commentaires et observations que Remlinger m'avait dit de consigner dans le petit carnet à lignes bleues pour savoir quel effet me faisait la vie à l'époque où je la vivais. Je n'ai jamais rien écrit dans ce carnet et quand j'ai quitté Fort Royal, je l'ai laissé là-bas.

# 58

Charley Quarters m'a dit que l'histoire d'Arthur Remlinger serait en tout point la plus singulière que j'aie jamais entendue, mais qu'il fallait que je l'entende, parce qu'à mon âge un garçon avait besoin de savoir la vérité crue (même si, en général, on ne tient pas à la connaître). Ça aidait à se fixer des limites strictes, et ces limites bien comprises me permettraient de rester à ma place, dans mon milieu. Lui, il l'avait découverte, la vérité crue, seulement il n'était pas arrivé à se fixer des limites claires et nettes. S'il en était là aujourd'hui, à vivre en solitaire dans une caravane infâme à Partreau, il ne fallait pas chercher plus loin. Il parlait toujours de cette manière, avec des allusions à des événements ténébreux le concernant, qu'il ne souhaitait pas rapporter en détail, mais qu'on devinait inavouables quand on tenait à son intégrité, comme je tenais à la mienne. Charley était d'une moralité douteuse, violent, pervers peut-être, et je ne l'aimais pas, comme je l'ai déjà dit. Mais il avait de l'intelligence. Il s'était vanté d'avoir voulu intégrer une université et de s'être fait bouler parce que métis et trop malin. Je me demandais si, sous ses dehors, il n'avait pas été, autrefois du moins, un garçon comme moi, et s'il était possible qu'il demeure quelque chose de ce bon garçon – son désir de me mettre en garde, par exemple, sur la vérité crue et les limites à se fixer.

Nous étions en train de préparer les oies abattues le matin – un grand tas de plumes amoncelées par terre, au pied de la traverse de chemin de fer dont nous nous servions comme d'un établi, dans l'embrasure des portes courbes du Quonset, grandes ouvertes. Il y avait des oies qui battaient encore des pattes, d'autres dont le bec sanglant s'ouvrait spasmodiquement, et nous nous employions à trancher à la hachette têtes, pattes et autres parties avant de les vider au couteau, pour les introduire enfin dans la machine à plumer artisanale. C'est ce jour-là que je suis entré dans la caravane de Charley pour la première et dernière fois.

L'intérieur de cette caravane, je tiens à le dire, était du jamais vu pour moi. D'une certaine façon, elle était comme ma bicoque, un capharnaüm sans air qui puait le moisi. Mais elle contenait tout ce que Charley avait accumulé au cours d'une vie – autant que j'aie pu en juger. C'était une pièce unique, rectangulaire et surchauffée, aux fenêtres obstruées avec du carton maintenu par du papier collant. Un poêle en fonte Delmar, sous une couche de poix, s'imposait dans un coin, son tuyau traversant le plafond bas. Un canapé bleu infect, avec une pile de couvertures, servait de lit à Charley. Il y avait un abominable bric-à-brac de sièges et de valises en carton déchirées, de peaux de bêtes séchées qu'il avait l'intention de vendre à la ville, sans compter ses clubs de golf, une guitare, une petite télé qui n'était pas branchée, plusieurs boîtes de graines pour les oiseaux dont le contenu s'était répandu, pillé par les rats, des boîtes de conserve amassées dans un coin – maïs en grain, poissons divers, thé de la Coop, saucisses de Francfort, crackers –, ainsi que de la vaisselle et des ustensiles de cuisine sales, sa boîte de maquillage avec un miroir de poche, des mobiles dont il fallait réparer l'hélice, des allume-feu, un ventilateur de table, un bocal à cornichons rempli d'un liquide jaune, et une paire de gants de boxe accrochée au mur. Il y avait un vieux frigo et une commode au vernis écaillé, qui avait perdu ses tiroirs. Y étaient posés les livres que Charley lisait. *The Red River Rebellion*, et puis *CCF and the Métis, The Life of*

*Louis Riel.* Il y avait des monceaux de paperasses sur lesquelles étaient écrits ses poèmes, supposais-je – sans avoir regardé de près. Il y avait des photos encadrées au mur, Hitler, Staline, Rocky Marciano. Un homme marchant sur une corde raide à l'aide d'un long balancier, très haut sur un fleuve. Eleanor Roosevelt, Benito Mussolini, mâchoire saillante, et une autre du même, pendu par les pieds à un réverbère, sa chemise lui dénudant le ventre, sa maîtresse ligotée auprès de lui. Il y avait une photo de Charley jeune homme, torse nu, jambes arquées, se préparant à lancer le javelot, et la photo d'une dame âgée qui fixait sévèrement l'objectif, puis une autre de Charley en militaire, portant une moustache à la Hitler, bras levé pour faire le salut nazi. Je n'avais pas tout identifié, à l'époque. Mais je reconnaissais Mussolini pour avoir vu dans de vieux journaux des photos de lui, tant mort que vivant, qui faisaient partie de ce que mon père avait rapporté de la guerre.

Charley m'avait envoyé dans sa caravane sous prétexte de lui rapporter sa pierre à aiguiser pour affûter la hachette à trancher le cou, les pattes et les ailes des oies. Mais je me suis dit qu'il voulait que je voie à quoi ressemblait une vie sans limites clairement fixées. À l'intérieur, ça puait l'œuf pourri, mêlé à des relents douceâtres d'origine chimique et alimentaire, les uns émanant des solvants dont il se servait pour le tannage, les autres de Charley lui-même, qui puaient encore pire dans ce renfermé et cette chaleur. C'était une odeur presque aussi visible et palpable qu'un mur et pourtant j'avais laissé la porte ouverte au vent froid, depuis deux minutes que j'étais là. Je voulais y échapper. Il m'arrivait de sentir cette odeur à l'approche de Charley, ou si le vent la rabattait. On aurait dit qu'elle provenait de ses vêtements graisseux ou de ses cheveux teints. Vous croiriez que personne ne pourrait s'y faire, et que j'avais dû me blinder contre elle. Mais je m'y étais si bien fait, au contraire, que chaque fois que je l'approchais, je me rendais compte que je m'en emplissais les narines et que je continuerais de le faire sans qu'il s'en aperçoive, comme s'il y avait quelque chose d'attirant dans cette odeur. Se déclenchait en moi, et pour pas mal de temps, le besoin de renifler ce qu'il ne fallait pas, de goûter ce qui me dégoûterait, et d'ouvrir les yeux sur ce dont les autres détourneraient les leurs ; bref, d'oublier les limites. Ces penchants cessent avec l'âge, bien sûr, après qu'on y a cédé suffisamment. Mais c'est aussi grâce à eux qu'on grandit, car il faut bien apprendre que le feu brûle, qu'on perd pied dans les eaux profondes, ou que, quand on tombe de trop haut, on ne revient pas toujours s'en vanter.

Charley avait une triste opinion d'Arthur Remlinger, tout en l'ayant toujours gardée pour lui. L'individu était dangereux, m'a-t-il déclaré. Fourbe, chaotique, sans scrupules ni vergogne. Un garçon comme moi ferait bien de s'en méfier et même d'en avoir peur, parce qu'il était par ailleurs intelligent, sachant flatter son monde, quitte à le mener au désastre. Il parlait en connaissance de cause, a-t-il suggéré à demi-mot selon son habitude. Nous nous activions sur les carcasses des oies. Il a levé les yeux de la traverse sur laquelle nous travaillions pour regarder la ville déserte de Partreau, comme s'il venait d'avoir une idée la concernant. Il a inhalé un nuage de tabac dans ses poumons, l'y a gardé avant de le rejeter par ses larges narines. « Des gens sont en route, et il le sait. » *Il* désignait Remlinger. J'aurais dû remarquer qu'il était encore plus bizarre que d'habitude, a-t-il dit. Je devais donc me méfier, me tenir à distance : sa conduite singulière risquait de se solder par des événements funestes auxquels il me fallait absolument éviter d'être mêlé, en m'en tenant à distance. Ridicule, tout ça, a-t-il ajouté, mais c'était ainsi que les choses les plus fâcheuses arrivaient dans ce monde, bien souvent. (J'en savais quelque chose, à défaut de pouvoir le dire : l'improbable devenait souvent tout aussi probable que le lever du soleil.)

Quand Remligner était étudiant, m'a expliqué Charley, il

nourrissait des opinions impopulaires – j'en connaissais quelques-unes. Il détestait le gouvernement, il détestait les partis politiques, il détestait les syndicats et l'Église catholique, entre autres. Il n'était pas apprécié de ses camarades. Il avait écrit des pamphlets dans des magazines isolationnistes, antimilitaristes (disaient certains), pro-allemands qui faisaient tiquer ses professeurs, lesquels auraient vu d'un très bon œil qu'il rentre chez lui dans le Michigan. Quand Arthur était jeune, son père s'était fait injustement renvoyer de son poste d'opérateur sur machine et le syndicat ne l'avait pas défendu parce qu'il entretenait les convictions pacifistes des adventistes. L'affaire avait provoqué un drame terrible dans la famille, et marqué le jeune Arthur à tel point qu'il s'était rallié à des idées extrémistes dès le lycée. Sa famille ne partageait pas ses opinions. Elle avait fait contre mauvaise fortune bon cœur et s'était installée à la campagne pour cultiver la betterave. Ces gens ne comprenaient pas leur fils, Artie, comme on l'appelait, beau gosse, intelligent, parlant bien, destiné à une belle carrière d'avocat ou d'homme politique, et qui avait été accepté à Harvard grâce à son seul talent. (Charley disait « Harvard » comme s'il connaissait bien cette université et y était allé. Remlinger, m'a-t-il précisé, lui avait tout raconté des années plus tôt.) L'été, pour les grandes vacances, il trouvait de l'embauche à Detroit, dans une usine automobile. Il logeait dans un foyer de travailleurs et économisait ainsi de quoi payer ses droits universitaires pour l'année à venir. Ses parents ne le voyaient guère dans ces moments-là, mais le fait qu'il ne rechignait pas à trimer pour payer ses études augurait bien de son avenir à leurs yeux.

Et voilà qu'au cours du troisième été, c'est-à-dire en 1943, alors qu'il avait un poste bien payé au service d'entretien de l'usine Chevrolet, il s'était disputé avec un délégué syndical qui surveillait l'atelier et vérifiait que les employés étaient encartés – y compris ceux qui n'avaient pris qu'un boulot d'été. On avait échangé quelques paroles bien senties sur le fait qu'Arthur n'était pas syndiqué. Le délégué savait pertinemment qu'il était l'auteur de pamphlets hostiles. (Les syndicats étaient attentifs à cette littérature. Ils entretenaient des liens avec Harvard.) Résultat de ce différend, Arthur avait été renvoyé avec l'assurance qu'il ne retrouverait jamais d'embauche en ville et qu'il ferait bien d'en partir.

Ce coup dur en entraînait un autre : perdre son travail signifiait en effet qu'il ne pourrait plus payer ses droits d'inscription à la faculté, or sa famille ne pouvait en rien l'aider. Il se retrouvait en faillite, pas de quoi payer son loyer, ses ambitions universitaires réduites à néant. Il alla trouver les services de Harvard et les supplia de lui accorder une bourse. Mais comme ses opinions étaient connues – et mal vues – on la lui refusa. Les portes de l'université lui furent donc fermées, avait-il expliqué à Charley, et sa jeunesse livrée aux turbulences.

Séisme. « Effondrement psychique », disait Arthur. Il perdit tout espoir, se brouilla avec sa famille tout en parlant parfois avec sa sœur Mildred qui ne lui posait pas de questions, notamment sur ses moyens d'existence. À toute extrémité, il trouva du réconfort ailleurs, chez d'autres. Ces autres vivaient à Chicago et dans le nord de l'État de New York et partageaient ses opinions désormais radicalisées, farouchement antisyndicalistes, anticléricales et isolationnistes. Ils se considéraient comme des adeptes de la philosophie du « droit au travail » et s'impliquaient dans des affrontements avec les syndicats depuis des décennies. Arthur quitta donc Detroit et alla s'installer auprès d'une famille d'Elmira, dans l'État de New York, travaillant à leur exploitation laitière, le temps de retrouver son équilibre. Ces fermiers étaient eux-mêmes des gens violents, mus par la haine et le ressentiment envers les syndicats et le gouvernement qui les avaient lésés, pensaient-ils. Arthur s'impliqua davantage dans leurs idées. Et bientôt, il partageait leur rancœur et leur soif de vengeance, était mis dans le secret de nombreux complots et agissements risqués, en particulier le projet de poser une bombe à la permanence d'un syndicat de Detroit, bombe qui ne devait blesser personne, mais affirmer bien haut que la philosophie du « droit au travail » était la seule valable.

Toujours en proie à l'agitation consécutive au refus de sa bourse, Arthur se laissa convaincre de poser la bombe en question dans une poubelle, derrière l'immeuble. Sa place était dans un hôpital psychiatrique, à l'époque, avait-il dit à Charley, et c'était bien là qu'il aurait été si sa famille et lui n'avaient pas coupé les ponts, surtout avec une sœur infirmière. Les choses auraient tourné autrement.

Il s'était rendu à Detroit avec de la dynamite dans le coffre d'une voiture empruntée. Il avait posé la bombe à l'endroit désigné, y avait fixé un retardateur rudimentaire, et puis il était remonté dans sa voiture. Mais avant que la bombe n'explose – ce qui était prévu à vingt-deux heures précises –, le vice-président du syndicat, un certain Mr Vincent, était rentré dans l'immeuble pour récupérer son chapeau qu'il avait égaré. Au moment où il franchissait la porte de derrière, la bombe d'Arthur avait explosé. Le vice-président avait succombé à ses brûlures dans la semaine.

Aussitôt, on avait lancé une grande chasse à l'homme pour retrouver le poseur de bombe, que personne n'avait vu, mais que l'on cherchait parmi les membres des groupes violents acharnés à étouffer les syndicats.

Arthur fut mortifié d'apprendre qu'il avait tué quelqu'un, ce dont il n'avait nullement eu l'intention, et paniqué à l'idée de se faire arrêter et jeter en prison. On supposait que le criminel était de Detroit, mais les soupçons ne se portèrent pas sur Arthur Remlinger, jeune homme de vingt-trois ans. Son nom était connu de la police, qui soutenait les syndicats, mais ne fut jamais prononcé. Le temps que la chasse au poseur de bombe se mette en place, Arthur était rentré chez ses amis à Elmira ; et s'il n'avait pas renoncé publiquement à ses théories (il ne le fit jamais complètement), il avait eu du moins la sagesse de comprendre qu'il était désormais un criminel traqué, qui avait gâché sa vie.

De deux choses l'une, avait-il dit à Charley, ou bien il se rendait à la police et assumait la responsabilité de son acte – ce qui le mènerait tout droit en prison –, ou bien il partait le plus loin possible puisqu'il n'avait pas été inculpé de ce crime et n'en était pas soupçonné, auquel cas il n'avait plus qu'à espérer que personne ne le retrouverait et qu'il se remettrait de cet acte avec le temps.

Charley m'a lancé un regard de côté pour s'assurer que je l'écoutais. J'avais cessé de vider les oies pour être plus attentif, tellement je trouvais l'histoire sidérante. Il a pris une cigarette entre ses lèvres. Le sang qui lui injectait le blanc de l'œil gauche se déplaçait ; on aurait dit qu'il se répandait et brillait. Il ne portait pas de rouge à lèvres (il n'en mettait jamais en présence des chasseurs), mais ses joues grêlées gardaient des traces du rose dont il s'était barbouillé dans les fosses de tir, et il lui restait du noir aux yeux. Il avait passé un tablier noir de soudeur, il y avait du sang dessus, du sang sur ses bras, et il puait la tripaille. Il aurait levé le cœur à n'importe qui. Il était tombé quelques flocons pendant que nous travaillions sur le seuil du Quonset. Ils fondaient dans ses cheveux et faisaient couler la teinture noire de sa tignasse. Moi, j'avais les mains et les joues gercées à faire mal. Les plumes dégagées par notre besogne avaient voltigé et s'étaient accrochées aux herbes rigidifiées par le froid et aux girouettes de Charley. Le chien blanc de Mrs Gedins était venu fourrer son nez dans la poubelle à tripes et il en léchait les parois. Nous en faisions brûler le contenu dans un bidon de pétrole tous les jours, et puis Charley semait les pattes, les ailes et les têtes des oies pour attirer les coyotes et les pies qu'il s'amusait à tirer ensuite.

Il a haussé ses épais sourcils et son front charnu s'est plissé. « Tu l'entends d'ici dire ça, non ? "Effondrement psychique", "mortifié", "ambitions universitaires". Au-dessus de tout et de tout le monde ? » Il a eu une moue de dérision. « Bien entendu, c'est à ce moment-là qu'il a rappliqué par ici. En 1945. Tout juste à la fin de la guerre. Il se disait – lui ou les gens qui veillaient et veillent encore sur lui à distance – que personne ne viendrait le chercher ici. Et subitement, ils s'aperçoivent que ça n'est pas tout à fait vrai. » Ses babines ont découvert ses grosses dents de devant. Il faisait danser sa cigarette au bout de sa large langue, comme s'il savourait particulièrement ce passage de l'histoire. « Il va falloir qu'il affronte son destin, à présent, hein ? Jusqu'ici, il en a assumé que la première partie. Alors, tu penses, il a une peur bleue ! » Il a regardé le cadavre d'oie qui se rigidifiait sur la traverse, devant lui. Il a levé la hachette qu'il venait d'aiguiser et l'a abattue sur le cou de la volaille, après quoi, d'un revers du bras, il a balayé la tête par terre, pour le chien.

Les membres de la conspiration du « droit au travail » se mirent en quête d'une planque pour Arthur. Il n'était recherché par personne pour l'instant, mais il se disait qu'il finirait par l'être et qu'il ne pouvait pas courir le risque de se faire prendre. Le réseau pensait en outre qu'il ne tiendrait pas le choc, qu'il était imprévisible et risquait de tous les faire plonger. Arthur reconnaissait lui-même qu'il ne savait pas pourquoi on ne l'avait pas liquidé illico et enterré à la ferme d'Elmira. « Je me serais gêné, moi, tiens », a commenté Charley.

Au lieu de quoi le propriétaire du Leonard, un petit homme turbulent et fourbe nommé Herschel Box, chez qui Charley lui-même avait travaillé enfant, fut pressenti pour le cacher au fin fond du Saskatchewan. Box était un immigré autrichien, plus tout jeune, qui partageait les tendances sulfureuses des conjurés d'Elmira et de Chicago, et s'était porté volontaire pour de nombreuses missions d'agitation de l'autre côté de la frontière – l'incendie d'une maison à Spokane, où une personne avait été mutilée, un pillage, une expédition punitive. Il avait accepté d'accueillir Remlinger parce qu'il portait un nom allemand, parce qu'il avait fait Harvard et qu'il le trouvait intelligent.

Arthur prit le train à l'automne 1945. Box l'attendait en gare de Regina et le conduisit en voiture jusqu'à la petite bicoque de Partreau, où il restait encore quelques habitants, comme il me l'avait dit, et c'est là que commença sa nouvelle vie au Canada.

Tout comme moi, il venait en ville à bicyclette et s'acquittait de courses pour les clients venus chasser moyennant finances, que Box hébergeait à l'hôtel. Mais contrairement à moi, il n'allait pas sur le terrain, il ne vidait pas les bêtes et ne creusait pas les fosses. Box ne le croyait pas assez robuste pour des activités aussi rudes, et il l'avait employé à la réception, nommé concierge en titre, puis gérant de nuit ; après quoi, le patron était rentré à Halifax où il avait une fille, ainsi qu'une épouse qui se morfondait. Arthur avait donc dû gérer le Leonard tout seul. Il avait remis la recette à Box toutes les semaines, pendant trois ans, jusqu'au jour où Box était mort et, contre toute attente, lui avait légué l'hôtel – s'étant pris d'affection pour lui, il était désireux de le protéger et de le traiter comme un fils. « Drôle de fils, a conclu Charley. Un comme ça, j'en voudrais pas. »

Cependant, Arthur ne s'était jamais satisfait de vivre où il vivait – dans l'appartement étriqué de Box avec vue imprenable sur la Prairie, en compagnie de Samson, le perroquet vert de l'ancien patron, sur un perchoir au salon, et totalement coupé de tout son univers familier, avec la nostalgie de Harvard et la peur au ventre que des inconnus viennent lui faire payer son « acte irréparable » et ses « théories ». Théories et écrits qui n'étaient qu'un stratagème pour se faire remarquer de ses professeurs, disait-il. N'aurait-on pas pu lui permettre de tirer un trait dessus pour devenir avocat ? « Un homme avait été pulvérisé, quand même », a commenté Charley. Simple détail, visiblement.

Arthur, a expliqué Charley, était désormais en proie à des

colères noires et des accès de dépression devant cette injustice :
sa vie ne se ramenait plus qu'à une seule chose, une carrière
éclair de meurtrier, sans qu'il puisse y faire quoi que ce soit ou
se racheter. Il avait mûri depuis sa prime jeunesse, il le sentait.
Mais ça n'entrait pas en ligne de compte. Selon Charley, il
aurait mieux valu pour lui qu'il ait été arrêté, jeté en prison
et qu'il purge sa peine. Car à présent, il serait libre de vivre
chez lui aux États-Unis, au lieu de moisir dans une petite ville
sinistrée de la Prairie où les gens le regardaient de travers et
le traitaient d'« original ». (C'était le mot de Charley, notre
père l'employait aussi.) Ils faisaient circuler toutes sortes de
rumeurs sur son compte : c'était un milliardaire excentrique, un
homosexuel, un paria qui s'était caché au fin fond de l'Amérique chargé d'exécuter une mission pour un tiers (faux) ; des
intérêts étrangers le protégeaient (vrai) ; c'était un criminel en
cavale après un crime mystérieux. (« Pas de fumée sans feu »,
a dit Charley.) Pour autant, personne ne s'était intéressé à lui
au point de vouloir remonter jusqu'à la vérité. On préférait la
rumeur. La ville n'avait jamais accepté le vieux Box – parce
qu'il offrait de jeunes Indiennes lascives dans son établissement,
qu'on y jouait à des jeux d'argent, qu'on s'y adonnait à des
beuveries retentissantes, que les maris des fermières y venaient
pour boire et faire la fiesta en douce, et que des inconnus y
passaient nuitamment. Mais les gens de Fort Royal toléraient
l'établissement parce qu'ils ne voulaient pas d'histoires et parce
que cette ville aimait mieux fermer les yeux sur ce qu'elle
n'approuvait pas. Une fois Box retourné dans les provinces
maritimes, dont personne n'avait compris qu'elles faisaient
partie du Canada, a expliqué Charley (« personne n'y avait
jamais mis les pieds »), la ville n'avait pas changé d'attitude,
elle avait toléré Arthur, qui, d'ailleurs, ne voulait rien avoir à
faire avec elle.

Pour autant, il se sentait « pétrifié », selon sa propre formule
– je ne connaissais pas ce terme, qui avait arraché une grimace

à Charley –, « victime des vexations et du rejet » de gens dont il n'avait jamais voulu se faire accepter. Il en avait conçu un certain dégoût de lui-même, un sentiment de stérilité, d'impuissance et le regret amer d'avoir été si jeune, en 1945, car alors la panique seule lui avait dicté de s'enterrer ici, et maintenant, il avait beau avoir changé, il était dans l'impossibilité de partir à cause de cette peur pétrifiante de se faire prendre. Rentrer affronter la justice était au-dessus de ses forces. Il ne voyait pas comment il pourrait le faire ; il ne voyait pas davantage ce qui l'empêchait de reprendre ses études, c'étaient ses professeurs qui avaient saisi un prétexte pour lui interdire l'accès à une vie honorable. Où qu'il aille, il était une cheville ronde dans un trou carré, ce qui lui inspirait le désir de partir toujours plus loin (d'où ces voyages à l'étranger dont il me parlait, en Italie, en Allemagne, en Irlande). Il avait presque trente-neuf ans, même s'il en faisait dix de moins avec ses fins cheveux blonds, son visage sans rides, ses yeux clairs et sa belle figure. On aurait dit que le temps s'était arrêté pour lui, qu'il avait cessé de vieillir, en arrêt sur image : Arthur Remlinger, condamné au présent à perpète. Il avait confié à Charley avoir souvent songé au suicide et être victime de rages écumantes, la nuit, le chaos de son esprit prenant feu sans crier gare (comme la fois où il avait foncé dans le tas de faisans), ce qui faisait mentir sa nature. Il soignait désormais sa mise, dont il ne se souciait guère quand il était plus jeune, s'achetait des costumes chic qu'il se faisait expédier par une boutique de Boston, puis faisait entretenir, retouches, reprises et nettoyage, par Florence, à Medecine Hat. Parfois, a dit Charley mais moi je n'en avais jamais été témoin, il se présentait comme avocat, se faisait appeler « maître », d'autres fois, il posait à l'écrivain de premier plan. Charley a ajouté qu'il exerçait son influence, jamais bonne, sur tout ce qui l'entourait, mais n'était pas homme à faire impression. C'était ce que je percevais comme de l'inconsistance, chez lui, je m'en rendais compte. Il le savait, il souffrait de le savoir, il aurait voulu changer du tout au tout, mais rien à faire.

Quant à Charley, il serait parti depuis longtemps sans jamais le revoir, seulement Box, ce vieux brigand de Boche, avait communiqué à Arthur une information très confidentielle sur lui, une affaire concernant son passé (comme Arthur, comme mes parents, comme moi) qu'il ne pouvait voir divulguée. Charley était donc asservi à Remlinger aussi longtemps que ce dernier le voudrait : domestique, employé, confident malgré lui, cible de toutes les plaisanteries, factotum et adversaire secret. La chose durait depuis quinze ans – depuis ma naissance.

« Il est en train de te mettre le grappin dessus, en ce moment, je le vois bien », a dit Charley. Il avait formé un tas d'oies nues à la peau qui fripait et se préparait à les rapporter dans la pénombre du Quonset. « Il t'a trouvé un rôle dans sa stratégie de survie. Ou je me trompe fort. Mais je me trompe pas. »

Son congélateur émergeait parmi les peaux de bêtes mises à sécher et les boîtes de sel, les piles de leurres à réparer, sa moto, ses outils pour creuser, le tout dans une odeur de solvant et de produits de tannage.

« Je n'ai aucune admiration pour lui », j'ai dit en apportant les oies que j'avais préparées et plumées moi-même, pour les jeter dans le congélateur avec les siennes. Je ne l'admirais pas, mais j'avais bien failli.

« Quelqu'un qui veut mettre un terme à un châtiment bien mérité est au bout du rouleau, a dit Charley en me tournant son large dos, de sorte que j'ai vu scintiller sa barrette dans l'ombre. Tu le sais pas, ça, il a ajouté sur un ton bourru. Tu sais rien de rien. »

Il faisait un froid intense, à cet endroit du Quonset, tout était rigidifié, ça faisait mal de toucher les choses. « Et qu'est-ce que je devrais savoir ? j'ai demandé. Quel rôle est-ce qu'il m'a trouvé ? »

Charley Quarters s'est retourné, des oies grisâtres et plumées plein les bras, et il a eu le sourire cruel du premier soir, dans son pick-up sur la route obscure, au nord de Maple Creek, ce soir où il m'avait saisi la main pour la serrer très fort et où j'avais eu la tentation de sauter en marche pour me sauver. « Je te l'ai dit. Des hommes sont sur le point d'arriver. Il comprend sa situation, il se comprend lui-même mieux que je le comprends. Seulement il est faible. Il y peut rien. » De la pointe du coude, Charley a soulevé le lourd couvercle du congélateur. À l'intérieur, il y avait des oies gelées blanchâtres, dures comme des lingots. Il a laissé tomber sa brassée avec un bruit sourd et il a fait un pas en arrière. Je l'ai imité, puis je me suis promptement dirigé vers la porte du Quonset où il faisait plus clair. Je n'aimais pas l'approcher de trop près quand nous n'étions que tous les deux. Je ne savais jamais ce qu'il allait faire sans crier gare.

Les hommes, car ils étaient deux, m'a dit Charley dans le pick-up sur le chemin de Fort Royal, venaient de Detroit, aux États-Unis, scène du crime de Remlinger, quinze ans plus tôt. Arthur lui avait parlé d'eux à la fin de l'été, lorsque le réseau l'avait contacté pour lui dire de se tenir prêt. (On le considérait encore comme imprévisible, reconnaissait-il.) La police avait clos le dossier depuis longtemps, mais certains n'avaient pas oublié cette affaire et gardaient grands ouverts leurs yeux et leurs oreilles. Et contre toute attente, on s'était mis à prononcer le nom d'Arthur Remlinger. « Un coup du hasard, pur et simple », disait Arthur. Il n'y avait aucune raison de le relier au crime, ou de croire qu'il y ait lieu de s'entretenir avec lui sur un mode officiel. C'était nécessairement une initiative privée. La famille de la victime et les gens des syndicats avaient vieilli ; ils n'avaient d'ailleurs jamais cru Arthur capable de commettre un meurtre. Mais quand on avait découvert l'endroit où il était – un bled paumé du Saskatchewan, où il vivait seul, mystérieusement, dans un hôtel – et qu'il avait lié son sort au vieil Herschel Box aujourd'hui décédé mais bien connu dans leur milieu, alors on avait fait le rapprochement avec d'autres éléments détenus sur son compte (dont son altercation avec le délégué syndical, quelques années plus tôt, ses pamphlets, sa posture de trublion à Harvard), et on s'était mis à envisager que ce Remlinger, un Américain curieusement devenu canadien, puisse valoir le déplacement. Si on trouvait moyen de l'observer à son insu, d'entrer dans sa vie sans se faire remarquer, on serait ainsi en mesure d'évaluer la probabilité qu'il soit un criminel. Après quoi, dans le cas où il se révélerait coupable ou simplement complice, on pourrait commencer à se demander que faire de lui. « Il a dû croire que je ne vivais et respirais qu'à travers lui », a dit Charley, en roulant.

D'après Arthur, on ne l'avait pas inquiété outre mesure ; les deux hommes venaient voir à quoi il ressemblait, c'est tout. Il ne devait pas changer d'habitudes, ni s'enfuir, ni avouer quoi que ce soit, ni faire quoi que ce soit qui les porte à soupçonner qu'il était l'auteur de l'attentat à la permanence du syndicat. (« C'était bien lui, pourtant, a dit Charley. Des choses pareilles, ça s'invente pas. »)

On croyait savoir que les deux hommes partis à sa recherche – ils traversaient le Midwest dans une Chrysler noire, de modèle New Yorker, et obliqueraient vers le nord pour franchir la frontière canadienne – ne s'acquittaient pas de leur mission avec un zèle considérable. On connaissait leurs noms. Crosley, le jeune gendre de la victime, et puis un nommé Jepps, policier en retraite d'un certain âge, qui n'était pas de la famille mais qu'on avait enrôlé pour son bon sens. Ces deux hommes n'étaient guère convaincus que Remlinger soit l'individu qu'ils cherchaient. Ils avaient entrepris cette virée jusqu'au Saskatchewan autant comme une aventure que comme une chasse à l'homme. Ils pourraient tout aussi bien tirer l'oie si la possibilité s'en présentait, en désespoir de cause. Aucun des deux n'avait réfléchi aux conséquences pratiques dans le cas où Arthur Remlinger se révélerait être le criminel et qu'ils seraient confrontés à lui – dans un pays étranger dont ils ignoraient tout, sauf la langue, et où il leur faudrait agir : exiger qu'il rentre à Detroit (dans quel but ?) ; rentrer tout seuls et persuader la police de rouvrir le dossier (sur quelles preuves nouvelles ?) ; kidnapper Arthur, citoyen canadien de plein droit, et l'obliger à passer la frontière (mais comment ? Et pour quoi faire de lui ? L'abattre ? Ils avaient des pistolets sur eux, erreur fatale, comme les événements le prouveraient). Ces hommes étaient des travailleurs, des gens ordinaires, pas compliqués ; ils ressemblaient plus aux Fusils, qui se retrouvaient au bar le soir, qu'à des assoiffés de justice ou de vengeance. Il était fort probable, avait-on dit à Remlinger, qu'ils n'aient qu'une idée en tête : arriver au Leonard, vérifier qu'il n'avait rien d'un type louche (quoique...) et remonter dans leur Chrysler pour rentrer à Detroit. Soit trois mille bornes de route.

Le problème, a poursuivi Charley, et voilà pourquoi il me fallait être prudent dans mon plus strict intérêt, c'était qu'Arthur devenait amer, lunatique, en proie aux idées noires, qu'il était plongé dans une confusion mentale plus grande encore à la perspective que des inconnus arrivent en sachant qui il était et ce qu'il avait fait, bien décidés à le traîner de l'autre côté de la frontière pour qu'il affronte ce qu'il n'avait pas su affronter. Son père était toujours vivant. Son avenir, il l'avait gâché. Ses erreurs de jugement passées l'attendaient au tournant. Il n'était pas dans des dispositions sereines, a dit Charley. Il n'avait pas la force psychique de ne pas se faire de reproches. Se faire des reproches, c'était même devenu toute sa vie. Son changement d'attitude aurait dû me sauter aux yeux ; il n'en était rien.

Depuis toutes ces années, m'a expliqué Charley, il espérait que quelqu'un vienne le débusquer, dans sa souffrance et son attente. Une vie passée dans un patelin avec vue sur rien et un vent qui rend fou. En rupture avec le monde, *à l'écart* du monde, sans famille. Avec pour seuls compagnons Box, puis Charley, puis Florence. Et maintenant moi. Comment avait-il fait pour rester ? Je me le suis demandé plus tard. Les intempéries colossales, le calendrier perpétuel, les jours qui aux jours ressemblent, le dépaysement à demeure. Impossible, penserait-on. Telle était la question « qui se posait » et à laquelle il n'avait pas répondu au Modern Cafe. Il s'était adapté, comme il m'avait dit.

Mais ça avait fait de lui l'homme qu'il était. Un excentrique aux nerfs à vif, un aigri légèrement timbré, rendu violent par la frustration. Vivant un fragment d'une vie qu'il n'arrivait pas à laisser derrière lui. (Car il l'aurait laissée, cette vie, s'il avait eu le cran, ou l'imagination, pour s'en aller dans un endroit plus étranger encore, où se cacher de nouveau.) Charley, par mépris pour lui, disait qu'il se voyait encore comme le jeune étudiant intelligent et naïf qui n'avait jamais voulu tuer personne et avait souffert de l'avoir fait, par mégarde et par bêtise, mais qui voulait que son châtiment cesse, puisque ce châtiment occupait toute sa vie.

« Et toi, m'a dit Charley au moment où nous dépassions le panneau indiquant l'entrée dans Fort Royal, les maisons basses, avec au loin le Leonard, point qui grossissait sur la Prairie, la rue principale fluide par ce froid (les pick-up au point mort sur le bord du trottoir, les drapeaux de la poste et de la banque claquant au vent, les habitants de Fort Royal emmitouflés, rasant les murs). Toi, va pas bavasser. Surtout pas à A.R. Ni à Flo. Je t'écorche vif, sinon. » Ce qu'il venait de me dire, il me l'a répété, n'était qu'un avertissement pour que je me fixe des limites, pour que je me « garantisse » contre ce qui arriverait si certains « événements » ne prenaient pas le tour prévu. Charley avait manifestement une idée de ces événements, mais il s'est abstenu de les évoquer clairement, alors je n'ai même pas essayé de les imaginer.

Ce à quoi je pensais, par contre, en longeant la grand-rue,

c'était à ces Américains venus de Detroit. Mon père disait qu'à Detroit, tout le monde vivait en sécurité et avait un boulot bien payé. C'était le fameux *melting-pot* américain. La centrale électrique, l'échantillon de la diversité du continent, l'aimant du monde, énumérait-il. « Detroit fabrique, le monde rapplique. » Etc. Ces hommes qui nous arrivaient venaient de là-bas, et ils venaient découvrir la vérité et s'en faire les champions. Moi, je n'y étais jamais allé à Detroit, mais je me sentais solidaire, parce que j'étais né à Oscoda, pas tellement loin au nord. On peut entretenir ces idées, ces opinions, sans en avoir fait la moindre expérience.

« Pourquoi je serais mêlé à cette affaire ? » j'ai demandé. Le premier choc passé, je commençais à m'enhardir. On était en train de s'arrêter devant la petite porte de l'hôtel, sur laquelle on lisait en lettres noires LOBBY. Le vent cognait aux vitres du pick-up. J'observais le profil de Charley, si bizarre, plein de bosses, avec ses vestiges de rose à joues. Une tête de nain, sur un corps grandeur nature et vigoureux.

« Avec un peu de chance, t'y seras pas mêlé », il a dit. Ses babines s'avançaient, tendues comme pour faire un baiser, signe de concentration chez lui. « Si tu étais malin, tu prendrais tes économies et tu sauterais dans le premier bus. Tu descendrais quelque part, du côté de la frontière, tu la passerais en douce pour plus jamais revenir. Si tu restes ici, tu seras qu'un point de repère pour lui, un élément de stratégie. Il se fiche pas mal de ce qui peut t'arriver. Lui, il va essayer de prouver quelque chose.

— On m'attraperait et on m'enverrait dans un foyer pour mineurs, j'ai répliqué.

— Je m'en serais mieux sorti dans un foyer, a dit Charley. Tu crois toujours toucher le fond, mais il y a le fond du fond. »

Il entendait par là que je ferais mieux de retourner à Great Falls, d'aller tout droit à la police, de dire que j'étais le Dell Parsons porté disparu, et de laisser faire les choses : on me bouclerait dans une chambre avec des barreaux aux fenêtres et vue sur un paysage de givre, et je regarderais passer les jours jusqu'à mes dix-huit ans. Ma mère avait jugé que c'était le pire qui puisse m'arriver. Pour ma part, j'en demeurais convaincu. Je n'avais rien à répondre à Charley. Comme presque toujours. Il parlait pour lui. Mais je savais bien ce qu'il y avait de pire pour moi, quoi qu'il se passe pour Arthur Remlinger. Et quoi qu'il se passe pour moi, son point de repère, ce que je comprenais comme voulant dire que je ne ferais qu'entrer dans son caprice et qu'il m'oublierait une fois l'affaire terminée.

Charley ne m'a pas laissé ajouter quoi que ce soit. Il ne m'écoutait qu'un minimum. Je suis sorti de son vieux pick-up dans la rue où le vent faisait voler la poussière, et j'ai refermé la portière. « En général, les perdants sont des self-made-men, il m'a dit. Ne l'oublie pas. » Je n'ai rien répondu. Il a démarré en m'abandonnant à mon avenir.

# 59

J'étais à la petite réception du Leonard, l'après-midi qui a suivi ma conversation avec Charley, lorsque les deux Américains sont arrivés. Le Leonard n'avait pas de réception digne de ce nom, mais une simple entrée carrée et sombre, au pied de l'escalier, avec un bureau équipé d'une cloche, d'une lampe et d'une rangée de crochets où pendre les clefs. Je venais de déjeuner et je montais faire la sieste, puisque je m'étais levé à quatre heures et devais aller repérer les oies le soir. Charley m'avait donné à entendre que les Américains ne tarderaient pas, et j'étais décidé à les voir, m'étant fait une idée de ce à quoi ils ressemblaient ; j'avais donc essayé de passer par la réception le plus souvent possible. Mais je ne m'attendais pas à ce qu'ils arrivent le jour même.

Ils étaient en train de s'enregistrer auprès de Mrs Gedins qui, occupée à la cuisine, avait entendu la cloche. Elle leur parlait du bout des lèvres. Mais lorsqu'ils ont dit leurs noms – Raymond Jepps et Louis Crosley –, elle a levé les yeux de son registre, ses yeux suédois liquides, sévères et méfiants, comme s'il y avait chez les Américains en général quelque chose de louche et qu'elle n'était pas dupe.

Ils avaient une valise de cuir chacun, et comme on me demandait parfois de porter les bagages des chasseurs dans leur chambre, ce qui me valait un quarter, je me tenais près du mur, sous la photo de la reine Elizabeth, à toutes fins utiles. Mrs Gedins leur a dit qu'ils iraient tous deux coucher à l'annexe (ma bicoque) parce que l'hôtel était complet. (Il ne l'était pas.) Elle prendrait des dispositions pour que Charley vienne les chercher quand ils seraient prêts. Tel a été le premier indice que les informations données par Charley étaient exactes : ces deux hommes venaient des États-Unis, ils avaient été identifiés, ils étaient attendus. J'avais plus ou moins cru que son histoire était fausse, un bobard inventé dans l'idée de me faire peur pour des raisons extravagantes qui lui appartenaient. Mais les deux Américains avaient bien annoncé les noms qu'il avait dits, Jepps et Crosley. Ils déclaraient venir de la « ville du moteur », aux États-Unis. Ils étaient enjoués et ne se donnaient pas la peine de cacher leur identité. Ils ne semblaient pas se douter qu'on puisse les reconnaître, ou savoir ce qui les amenait à Fort Royal. Il n'est pas exclu que Mrs Gedins elle-même ait su qui ils étaient, auquel cas tout le monde était dans le secret, sauf eux.

« Nous allons sur la côte ouest du Canada », a dit en souriant Jepps, le plus âgé des deux, le policier en retraite. Il était rougeaud, sa tête ronde coiffée d'un postiche en cheveux noirs et raides, qui ne paraissait pas naturel du tout. Ça lui donnait un air nigaud, parce qu'il était petit et replet, et qu'il portait son pantalon tiré par-dessus son ventre, ainsi que des oxfords marron longues comme des chaussures de clown. Il n'a pas précisé ce qu'ils allaient faire sur la côte Ouest. Crosley était plus jeune, soigné de sa personne, les traits fins, réguliers, les cheveux noirs coupés court. Il souriait beaucoup, lui aussi, mais il avait le regard particulièrement mobile et le teint plus foncé. Il portait au petit doigt un anneau d'or qu'il faisait tourner nerveusement, comme si sa jovialité était de pure façade. Par la suite, quand Jepps a été abattu et qu'il gisait mort sur le plancher de ma bicoque, qu'il a bien fallu que j'aide à le déplacer malgré ma terreur, j'ai dû ramasser ce postiche, tâche abominable. (Il s'était détaché de sa tête au coup de feu.) Je n'avais jamais vu de postiche, mais j'ai reconnu que c'en était un. J'ai été surpris de découvrir comme c'était léger et petit. Il a fini dans le bidon d'essence, avec la tripaille et les plumes d'oie.

Crosley a demandé à Mrs Gedins s'il restait quelque chose à manger, vu qu'ils n'avaient rien pris depuis leur petit déjeuner à Estavan. Elle a froncé les sourcils et dit que le déjeuner (en fait, elle disait dîner) était passé depuis longtemps – il était près de trois heures de l'après-midi –, mais que le Chinois d'à côté leur fricoterait bien quelque chose. Je pourrais leur indiquer le chemin – c'est là qu'ils se sont aperçus de ma présence. Ils ont répondu que Fort Royal n'était pas si grand (un « bourg », avait dit Jepps d'une voix nasale qui m'évoquait celle de Remlinger). Ils allaient trouver sans mal la seule « cantine » chinoise du coin. À Detroit, il y avait tout un quartier chinois, où ils sortaient souvent avec leurs femmes. Ils avaient hâte de comparer les restaurants chinois canadiens à ceux du Michigan.

Ils ont demandé s'ils pouvaient laisser leurs valises à la réception, et si on chassait l'oie, par ici. Sur le trajet, ils avaient vu des milliers d'oies dans les airs, et de temps en temps, il y en avait une qui tombait du ciel, manifestement abattue par un coup de fusil. Ils avaient apporté les leurs, a dit Crosley, avec une pointe d'hésitation. Peut-être qu'ils pourraient participer à une chasse au cours des deux jours à venir ? Ils voulaient voir les beaux coins, faire des balades – comme si des gens venaient en touristes à Fort Royal, Saskatchewan, dans le froid piquant du début octobre, pour en apprécier les charmes ! Ce n'était pas crédible, décidément, ils avaient bien l'air de ce que Charley disait qu'ils étaient.

Mrs Gedins leur a dit qu'il faudrait en parler avec Mr Remlinger, le propriétaire de l'hôtel, qui organisait des chasses en effet. Ils le trouveraient ce soir, au bar ou à la salle à manger. Il y avait d'autres chasseurs à l'hôtel. Il ne restait sans doute pas de place, sauf si l'un d'entre eux se réveillait pas encore dessoûlé ou malade.

Derrière eux, dans la pénombre de la réception, je guettais

leur réaction au nom de Remlinger que Mrs Gedins venait de prononcer. Car enfin, c'était pour observer Mr Remlinger qu'ils venaient de parcourir trois mille kilomètres, pour déterminer s'il s'agissait d'un meurtrier et décider de la suite à donner, le cas échéant. Comment ils en arriveraient à cette conclusion, la chose me dépassait, puisque Remlinger, Charley l'avait dit, n'avouerait jamais son acte et qu'il n'y avait pratiquement plus personne de vivant qui en ait connaissance. Je m'étais d'ailleurs posé une autre question : à quoi ça ressemble, un meurtrier ? Quand un homme commet un meurtre – sciemment ou pas –, est-ce que c'est écrit sur sa figure ? Est-ce que Jepps et Crosley s'étaient mis en tête que ce serait facile à détecter ? Et puis, au fait, est-ce qu'on avait le mot « meurtre » écrit sur le front *avant même* d'avoir commis le crime ? J'en avais vu des photos d'assassins, dans de vieux films d'« actualités ». Ils fascinaient mon père, avec leurs aventures. Alvin Karpis, Pretty Boy Floyd et Clyde Barrow lui-même, ainsi que John Dillinger. Moi, je leur trouvais toujours des têtes d'assassins. Mais comme ils avaient déjà commis leurs crimes, le doute n'était plus permis. En plus, ils étaient morts. Abattus par balle, pour la plupart, et allongés sous l'œil du photographe. Mes parents, concluais-je, avaient peut-être des têtes de braqueurs bien avant que mon père n'entre dans une banque pour la dévaliser. Ma sœur et moi aurions été les seuls à ne pas nous en apercevoir.

Mais au nom de Remlinger, prononcé dans la quiétude de la réception surchauffée du Leonard, pas un trait du visage de Jepps ou de Crosley n'a bougé. À croire que ce nom ne leur disait rien. « Peut-être que vous pourriez demander à ce Mr Remlinger de venir nous parler, à mon ami et à moi, a dit Jepps en passant ses pouces grassouillets dans son pantalon pour le remonter par-dessus sa bedaine. On aimerait bien chasser si ça peut se combiner. On descendra au bar ce soir, dites-lui qu'il vienne se présenter. On est des Américains sympathiques. » Ils ont ri tous les deux, mais pas Mrs Gedins.

Les Américains sont partis ensemble dans notre modeste grand-rue ventée, à la recherche du Chinois. Aussitôt, je me suis précipité à la porte de derrière pour voir s'il y avait une Chrysler noire modèle New Yorker immatriculée dans le Michigan sur le parking. S'ils m'avaient demandé de venir partager leur repas, j'y serais allé, alors même que j'avais déjà mangé. Quelle aventure de les approcher en sachant qui ils étaient, alors qu'eux ne savaient pas que je savais. Comme si c'était moi qui m'étais déguisé. Ça m'excitait. J'aurais pu apprendre des choses sur eux, leurs plans, par exemple, quoique l'on m'ait défendu de parler de cette affaire, et que, en fait, je ne sache pas ce que j'aurais pu dire et à qui. On devine que ces possibilités n'étaient pas pour déplaire à un garçon de quinze ans.

De leur côté, les Américains avaient à peine remarqué ma présence et ils s'acheminaient tout droit vers l'enseigne rouge du Wu-Lu. Je suis allé sur le perron les regarder. Jepps avait passé son bras court autour des épaules de son cadet, et il s'est aussitôt mis à lui parler sérieusement. « Ça se présente bien », ai-je cru l'entendre dire de sa voix nasale, qui s'enrouait dans le vent froid. « D'accord, d'accord, je sais… a dit Crosley, mais… » Je n'ai pas saisi la fin, pourtant je croyais comprendre de quoi ils parlaient. Et j'avais raison.

Quand je suis sorti par-derrière, dans la cour en terre battue, les voitures des chasseurs et des autres clients de l'hôtel étaient là, avec la grosse Buick marron de Remlinger, à sa place, froide. Le vent soufflait des flocons infimes. Le quai de la Canadian Pacific se situait à cinquante mètres, de l'autre côté d'un terrain vague. Une loco de manœuvre poussait du nez un unique wagon rouge sur une voie vide, des aiguilleurs se pressaient dans le froid, avec leurs lanternes, en crochetant le wagon au passage pour sauter dedans. C'était un boulot que je ferais volontiers, moi qui aimerais bien travailler si la rentrée des classes m'oubliait et si je n'allais pas à Winnipeg, comme le voulait Florence. Les plans ne se réalisent pas toujours, Arthur Remlinger me l'avait dit. J'étais en train de le découvrir par moi-même.

Et au bout de la rangée de voitures était garée la New Yorker noire, une deux portes, salie par la poussière de la route, avec sa plaque d'immatriculation verte et jaune du Michigan. « Water Wonderland », le pays des eaux et merveilles. J'imaginais des forêts et leur tapis vert, avec des lacs immenses sur lesquels on – moi, par exemple – pouvait faire du canoë, ce que je n'avais jamais essayé. Je m'étais dit qu'il y avait un club de canotage au lycée de Great Falls et que je pourrais faire une balade jusqu'au Missouri. J'ai posé la main sur le capot de la Chrysler ; il était encore tiède, mais le froid s'y infiltrait. Cette voiture venait des États-Unis, de l'endroit même où elle avait été fabriquée. Elle représentait tout ce que mon père (et moi) associions à l'Amérique. Le *melting-pot*. L'aimant du monde. Je prônais ces valeurs. Mes parents nous les avaient instillées, à moi et à ma sœur. Une fois de plus, j'ai ressenti que Jepps et Crosley, arrivés au Canada avec leur mission, étaient des hommes droits et dignes, même si je ne voulais pas qu'ils réussissent et qu'Arthur Remlinger rentre aux États-Unis et soit mis en prison. Pourquoi on s'inféode à tel ou tel quand tout nous signifie que nous avons tort, je l'ai dit, c'est un mystère.

Pourtant, là, sur le parking, je me sentais dans une grande confusion. J'étais peut-être au bord de l'effondrement psychique, moi aussi. J'avais les tempes dans un étau douloureux, le nez et le menton engourdis, des picotements dans les mains. Je n'arrivais plus à mettre un pied devant l'autre. Pour curieuse que la chose paraisse, et malgré tout ce que je savais de lui, je ne parvenais pas à croire Arthur capable de transporter une bombe et de la faire exploser, au risque de tuer quelqu'un. Il était le dernier à pouvoir faire une chose pareille, à mes yeux. Encore une fois, j'aurais mieux vu Charley Quarters dans ce rôle-là. Ou bien les assassins des séquences d'« actualités ».

Pour moi, Arthur Remlinger n'avait pas le mot « meurtre » écrit sur le front.

Ce qu'il avait écrit sur le sien, c'était « excentrique », « solitaire », « frustré » ; et aussi « malin », « observateur », « homme du monde », « élégant », toutes particularités que j'admirais à mon corps défendant. J'ai donc décidé – après quoi j'ai de nouveau pu bouger, le sang s'est remis à circuler sur mon visage, mes picotements dans les mains ont cessé – qu'Arthur Remlinger n'était pas un meurtrier. Peut-être que ces Américains, malgré leurs noms, leur voiture et le fait qu'ils soient de Detroit, n'étaient pas les hommes dont parlait Charley. Telle était ma tournure d'esprit. Ma mère avait écrit dans sa Chronique que, pour moi, ce qui niait l'évidence méritait la plus ample considération, et pouvait se révéler vrai au bout du compte. Étant donné mes récentes expériences personnelles du côté de la vérité, j'aurais pu trouver évident que, tôt ou tard, tout le monde commette un crime, si peu disposé qu'on soit à le faire. Or, justement, je n'étais pas prêt à le croire. Quelle place avoir au milieu des autres si c'était vrai, puisque moi, je ne voulais pas en commettre et que je souhaitais par-dessus tout m'intégrer ? Je me suis donc efforcé de croire qu'Arthur Remlinger était innocent du meurtre dont il était soupçonné, car pour toutes les raisons, il valait mieux le croire.

# 60

Je me suis acquitté de mes tâches ordinaires, ce jour-là. Ma sieste a été plus courte du fait que j'avais traîné à la réception et étais allé inspecter la voiture des Américains. Déjà les jours déclinaient, et il n'était pas beaucoup plus de cinq heures lorsque Charley et moi sommes partis dans les champs en surplomb de la rivière pour voir où se posaient les oies et dire aux Ukrainiens où creuser les fosses. Ces jeunes paysans – deux frères costauds et charpentés, parents par alliance du défunt mari de Mrs Gedins – étaient aussi peu loquaces et peu souriants qu'elle. Ils ne m'ont pas adressé la parole quand Charley leur a indiqué où creuser. Ils m'ont regardé avec dédain, comme un petit Américain privilégié décidé à les snober. Je ne me sentais pas enfant gâté, moi, à part ce drôle de privilège d'être sans feu ni lieu et de pouvoir partir quand je voulais, contrairement à eux qui se figuraient n'en avoir pas la possibilité.

Arthur Remlinger ne s'était pas montré de la journée. D'ordinaire, je le voyais traîner à l'hôtel. Parfois, il m'attrapait au passage, me mettait dans la Buick sous prétexte d'une course quelconque, et nous prenions la highway vers Swift Current ou vers l'ouest tandis qu'il causait des sujets qui lui tenaient à cœur. Ce jour-là, non. Et malgré ce que j'avais « décidé » en pensant « à rebours » tout seul dans le froid, derrière l'hôtel (à savoir qu'il n'était pas un meurtrier, etc.), j'étais convaincu que son absence avait tout à voir avec la présence des Américains.

Je me rendais compte que mon raisonnement « à rebours » ne fonctionnait pas, en l'occurrence.

Charley Quarters, je le savais, les avait conduits à l'annexe. Je n'avais pas trouvé leurs valises à la réception quand j'étais descendu, et leur voiture n'était plus au parking. J'aurais cru que Charley allait faire une réflexion sur le mode « je te l'avais bien dit », mais il était mal luné et ne desserrait pas les dents, m'épargnant même ses brimades habituelles – je ne savais rien ; j'étais une mauviette ; la vie était trop dure pour moi, ici ; je ne retournerais jamais à l'école, etc. Le peu qu'il a dit dans le pick-up, ce jour-là, était lié à sa science des oies et de la chasse – encore étaient-ce des choses qu'il m'avait déjà apprises : les oies volent haut avec le vent, mais il peut leur arriver de voler au-dessous ; elles sont plus intelligentes que les canards, si on peut parler d'intelligence, parce qu'il s'agit plutôt d'instinct ; l'oie au ventre moucheté aime le blé, mais pas l'oie des neiges ; une oie peut voler quinze cents kilomètres en une nuit. On n'a pas vraiment besoin des leurres – « une grosse fermière en robe noire » ferait l'affaire, vue d'en haut. J'avais l'impression que s'il répétait ces choses-là, ce n'était pas à mon intention, mais pour se distraire des pensées qui lui venaient et qui lui étaient désagréables. Je me suis dit qu'elles étaient liées aux Américains.

J'ai dîné à la cuisine, comme d'habitude, et puis je suis allé au bar à sept heures, me mêler aux Fusils, comme Charley m'avait dit de le faire, écouter le juke-box, bavarder avec le barman et Betty Arcenault, qui parlait de la Californie, où se trouvait Berner, et de son petit ami, qui était vache avec elle. Les chasseurs buvaient, riaient, racontaient des blagues, fumaient le cigare et la cigarette. Deux d'entre eux venaient de Toronto, et un autre était un Américain de Géorgie. Ils avaient l'accent de mon père quand il parlait « dixie ». Les deux Américains de Detroit étaient déjà arrivés et s'étaient assis sur le côté de la salle, à une table surmontée d'une grande toile représentant deux élans mâles en combat singulier, leurs bois enchevêtrés les condamnant à une mort certaine. *Leur combat mortel*, c'était le titre du tableau. Au-dessus, un panneau noir et blanc disait GOD SAVE THE QUEEN, et on l'avait couvert d'insanités. J'aimais beaucoup ce tableau, je le préférais à celui de l'ours qui dansait, dans la salle à manger. Un jour, des années plus tard, je l'ai retrouvé, lui ou son frère, sur un mur, au Macdonald Hotel d'Edmonton, dans l'Alberta, et je suis resté à contempler son mystère des heures durant.

Les deux Américains détonnaient dans ce bar enfumé, plein de chasseurs, de cheminots et de commis voyageurs. Ils buvaient une bière chacun et n'ont pas bougé de leur place tout le temps qu'ils ont été là. Ils portaient des chemises propres, de beaux pantalons, des souliers à lacets, des brogans classiques, alors que les autres étaient en tenue de chasse, comme s'ils se proposaient de passer directement du bar aux fosses de tir. Et puis, ils paraissaient mal à l'aise, à croire que la nervosité du plus jeune avait rattrapé le plus âgé. Ils ne parlaient qu'entre eux et jetaient fréquemment des coups d'œil au plafond en tôle, à la porte de la réception, vers la cuisine et la porte close de l'enfer du jeu. C'était Arthur Remlinger qu'ils attendaient. Ils lui avaient fait dire de venir les voir pour la chasse à l'oie. Mais il se faisait désirer, ce qui était un signe : peut-être ne voulait-il pas se laisser observer et s'était-il enfui, ce qui signifierait qu'il était l'homme qu'ils recherchaient.

Je suis resté près du juke-box, à regarder, m'attendant à ce que Remlinger entre d'un pas décidé et aille aussitôt de groupe en groupe comme à son habitude, plaisantant, offrant sa tournée et promettant à tout le monde une belle chasse – attitude qui ne semblait jamais naturelle chez lui. La voiture de Florence n'était pas au parking. J'en ai déduit qu'elle s'occupait de sa mère et de la boutique. Mais on pouvait comprendre qu'Arthur ne tienne pas à l'avoir dans les parages en présence des Américains.

Moi, bien sûr, j'ignorais ce que les Américains comptaient faire quand ils auraient posé les yeux sur Remlinger et devraient en tirer des conclusions. Peut-être qu'en le voyant – j'avais voulu le croire – ils se diraient qu'il n'était pas homme à poser une bombe meurtrière. Auquel cas, ils repartiraient satisfaits et lâcheraient l'affaire. Mais s'ils concluaient au contraire que c'était lui qui avait fait le coup, quel serait leur plan d'action ? Quelle aventure de me trouver dans ce bar bruyant, où leur cerveau devait être en effervescence, et de savoir qui ils étaient, alors qu'eux ne se doutaient guère que moi ou qui que ce soit d'autre étions au courant ! Quel avantage sur eux ! Seulement, ces événements connaîtraient un dénouement. Charley n'en avait rien dit, mais il était clair qu'il le pensait, et ce dénouement risquait d'être fatal.

Pour la deuxième fois, j'ai éprouvé une forte envie d'aller parler aux deux hommes – et ce n'était pourtant pas ma nature. On aurait dit que je voulais m'approcher du danger et du drame. J'aurais voulu leur annoncer que j'étais natif d'Oscoda, ça leur dirait peut-être quelque chose. Ce que j'avais éprouvé quand j'avais touché le métal chaud de leur voiture – une impression de solidité rassurante, une sympathie pour eux, sans même les connaître, le sentiment de partager un secret –, je voulais l'éprouver de nouveau et je me figurais pouvoir le faire sans mettre personne en péril. Je ne leur répéterais jamais ce que Charley m'avait dit. Et puis je continuais à penser qu'ils laisseraient peut-être échapper un point important de leur mission – ce qu'ils pensaient d'Arthur Remlinger, ce qu'ils espéraient faire, compte tenu de leurs observations.

Mais à ce moment précis, avant que j'aie pu rassembler le courage de leur parler, Arthur est entré dans le bar par la réception, et ils ont apparemment compris tout de suite qui il était – à croire qu'ils avaient une photo de lui en tête et qu'il lui était ressemblant trait pour trait.

L'homme au postiche, l'ancien policier rougeaud, a aussitôt

dit quelque chose au jeune Crosley. D'un signe de tête et d'un regard, il a désigné Remlinger, qui parlait très fort à une tablée de Fusils. Crosley a tourné la tête pour le voir et, soudain, il a pris un air très sérieux. Il a acquiescé, il s'est retourné, ses mains se sont arrondies autour de sa bière, et il a dit une phrase brève. Ensuite les deux hommes sont restés assis face à face, dans la lumière crue du bar, au-dessous du tableau des élans qui s'affrontaient ; sans plus rien dire.

Remlinger portait, comme souvent, un fédora marron, et un de ses luxueux costumes de tweed qui le singularisaient dans le bar. Ses lunettes de lecture étaient pendues à son cou. Il avait mis une cravate rouge vif et son pantalon de tweed était rentré dans ses bottines de cuir. Je ne le savais pas à l'époque, mais j'ai compris plus tard qu'il était habillé comme un duc ou un baron anglais qui serait allé faire le tour de ses domaines et rentrerait boire un scotch. Ce déguisement visait à empêcher ceux qu'il attendait depuis quinze ans de le reconnaître, mais vu qu'il n'avait pas changé de nom, il n'était pas très difficile de le retrouver. Au fond, peut-être ne se cachait-il pas et ne faisait-il que se divertir en attendant son heure.

Crosley l'a regardé se frayer un passage jusqu'au bar, Jepps ne s'est pas retourné, il est demeuré assis là, face à son cadet, le dévisageant comme s'il s'était mis à calculer quelque chose. Comme s'il était redevenu policier, gentil flic d'abord, flic teigneux ensuite. Je me suis demandé s'ils avaient leurs pistolets sur eux, puisque Charley m'avait dit qu'ils en possédaient.

Remlinger m'a vu près du juke-box. « Et voilà Mr Dell », il a dit avec un sourire et un geste indifférent de la main. Dans un instant, il s'approcherait de la table des Américains. Je ne voulais pas rater ça. Je voulais savoir ce qui se produirait quand les trois hommes se rencontreraient, Arthur Remlinger sachant exactement qui étaient les deux autres, qui ignoraient qu'il le savait, mais qui devraient décider s'il était un meurtrier. Personne n'aurait voulu manquer ça. La situation était potentiellement dangereuse, s'ils étaient armés tous trois et décidaient que la plaisanterie avait assez duré.

J'ai vu les yeux de Remlinger se poser sur les deux hommes et s'y attarder quelques secondes, après quoi il est allé à la table des chasseurs de Toronto. L'un d'entre eux a chuchoté quelque chose en masquant sa bouche avec sa main, comme pour confier un secret. Remlinger m'a lancé un bref regard, puis l'homme s'est penché vers lui et lui a chuchoté autre chose, qui les a fait rire tous deux. Remlinger m'a regardé une troisième fois, comme s'ils étaient en train de parler de moi – ce que je ne croyais pas. Ensuite, Remlinger s'est tourné vers les deux Américains et il s'est dirigé vers eux.

Crosley, celui qui était nerveux, s'est aussitôt levé de son siège, il a essuyé sa main sur son pantalon pour la tendre à Remlinger avec un large sourire, comme soulagé que ce moment soit enfin venu. J'ai entendu Arthur se présenter en serrant la main tendue. J'ai entendu prononcer le nom « Crosley ». L'aîné des deux hommes, Jepps, s'est levé pour serrer la main à Arthur, il s'est présenté, en ajoutant quelque chose qui les a fait rire tous les deux. J'ai entendu Jepps dire les mots « Colombie-Britannique » et « Michigan ». Et puis Arthur a dit « Michigan », et ils ont ri tous les trois. Arthur jouait un rôle, celui du dernier homme qu'on soupçonnerait d'avoir fait sauter de la dynamite pour tuer. En règle générale, je ne crois pas ces choses possibles, mais toute sa vie au Canada n'avait été qu'une longue répétition de cette scène. S'il réussissait – comme il pensait devoir réussir, puisqu'il considérait qu'il avait assez souffert –, alors tout irait bien, tout continuerait comme avant. Dans le cas contraire et si, reconnu comme le meurtrier, il devait être confronté à l'éventualité de retourner dans le Michigan, personne ne savait ce qui se passerait, mais nous n'allions pas tarder à le découvrir.

Je n'ai pas pu en saisir davantage. Les deux Américains s'étaient rassis. Arthur avait pris une chaise à leur table ; il était à califourchon dessus, dans une posture artificielle, mais il n'avait pas retiré son chapeau. J'avais sommeil, de m'être levé si tôt et inquiété de la visite des Américains. Mais je n'ai pas bougé. Remlinger leur a parlé avec animation pendant un quart d'heure. Il leur a commandé des bières, qu'ils n'ont pas bues. Plusieurs fois il a regardé dans ma direction sans que son œil se pose sur moi. Les Américains souriaient beaucoup de tout ce qu'ils se disaient. À un moment donné, Remlinger, et ça ne lui ressemblait pas du tout, a dit en riant : « Oh oui, oui, oui, ouiii ! Vous avez tout à fait raison ! » Ils ont hoché la tête, tous les trois. Là-dessus, il s'est levé bien droit, il a tendu le bras comme pour s'étirer et il a dit : « On va vous arranger ça pour demain, messieurs. » J'ai pensé qu'il parlait de chasser l'oie et pas de se faire reconnaître comme un meurtrier. J'ai pensé que les Américains devaient être parvenus, chacun de son côté, à la conclusion qu'il n'était pas celui qu'ils recherchaient. Ou que, s'il l'était, il était devenu un autre homme qu'il fallait laisser vivre en paix dans la Prairie. (J'ai déjà dit que j'étais plongé dans une grande confusion devant les événements ; n'ayant jamais connu quoi que ce soit qui s'en approche, ce n'était pas ma faute si je ne comprenais rien à ce que je voyais.)

Ces dernières pensées m'ont réconforté alors que je montais l'escalier pour aller me coucher sous l'auvent, fermer la porte à clef et me glisser dans mon lit froid, avec l'enseigne rouge du Leonard qui colorait l'atmosphère. À Partreau, ma bicoque n'avait pas de verrou, et ce n'était pas plus mal d'en avoir un ici, avec ces gens qui déambulaient dans les couloirs, la nuit. Tout irait bien à présent. Arthur semblait soulagé d'avoir fait la connaissance des Américains. Il les avait accueillis avec chaleur, comme s'ils n'étaient pas qui ils étaient, mais les chasseurs d'oie qu'ils prétendaient être ; comme s'ils devaient repartir vers la Colombie-Britannique sitôt finie la partie de chasse matinale que Charley et moi pourrions leur organiser. Je comprenais pourquoi Charley disait que Remlinger était fourbe. Il avait trompé les Américains en ne leur révélant pas qu'il connaissait leur identité. Mais j'avais fini par me dire qu'il fallait tricher dans la vie. Même si tout le monde ne commettait pas de crimes, tout le monde trichait. J'avais triché en ne prévenant pas les Américains que je connaissais leur identité. J'avais caché de l'argent à la police. J'avais triché, par mon silence, sur ma propre identité en passant la frontière, dans la voiture de Mildred. L'individu que j'étais aujourd'hui n'était pas celui que j'aurais été à Great Falls – quand bien même j'avais gardé mon nom. Il était difficile de dire si je redeviendrais un jour ce garçon d'avant, mais je continuerais à tricher indéfiniment puisque j'irais bientôt à Winnipeg pour entamer une vie différente et meilleure, ce qui voulait dire laisser tout derrière moi, vérité comprise.

Bientôt gagné par le sommeil, j'ai essayé de me figurer Arthur Remlinger jeune, grand, blond et gauche, en train de poser une bombe au fond d'une poubelle, dans une ville telle que j'imaginais Detroit. Mais je ne réussissais pas à fixer cette idée dans mon esprit, ce qui était ma manière à moi de détecter si j'y attachais de l'importance. (Par exemple, impossible de me représenter à quoi ressemblait une bombe.) J'ai tenté d'imaginer la conversation entre les Américains et moi. Je nous voyais marcher dans la rue principale de Fort Royal, non pas battue par le vent glacé d'octobre, mais sous le soleil et le ciel bleu de la fin août, comme à mon arrivée. Jepps m'avait posé sa grande main sur l'épaule. Ils voulaient tous deux savoir si j'étais parent avec Arthur Remlinger ; si j'étais américain ; pourquoi j'étais venu jusque-là, au Canada, au lieu d'aller en classe, comme il aurait fallu ; où se trouvaient mes parents ; qui était au juste ce Remlinger ; s'il était marié ; si je connaissais ses tenants et aboutissants ; s'il avait une arme.

Pendant mes dernières minutes de veille, je ne pensais pas avoir réponse à ces questions – à part celle sur l'arme –, mais elles ne m'inquiétaient pas. Et, comme souvent, je me suis vite endormi, sans le savoir. Mais tard dans la nuit, je me suis « réveillé » et j'ai entendu des vaches dans l'enclos de l'abattoir, elles gémissaient en attendant le matin. Un camion est passé dans un grondement, il a rétrogradé au feu, devant l'hôtel. Tout semblait en ordre. Je me suis rendormi pour les courtes heures qu'il me restait encore.

# 61

Le lendemain, vendredi 14 octobre, demeurera à jamais le jour le plus extraordinaire de ma vie à mes yeux, à cause de son dénouement. Mais dans l'ensemble, cependant, les choses ont suivi un cours devenu habituel pendant cette période. La matinée durant, j'ai pensé aux Américains à l'annexe, puis dans Fort Royal, tout en vaquant à mes occupations par ce temps froid où il avait neigé, plu et reneigé. Le vent giflait le feu de circulation suspendu au-dessus de la rue, une pellicule de verglas recouvrait les trottoirs, les citoyens restaient chez eux s'ils le pouvaient. Je n'avais pas la moindre idée de ce que les Américains étaient en train de faire, ni de ce qui allait se passer. Dans la lumière maculée de rouge du petit matin, j'avais totalement renoncé à mon raisonnement à rebours (à croire qu'ils n'étaient pas les hommes qu'on pensait, que Remlinger n'était pas l'homme qu'il était, un meurtrier, ou que les Américains allaient renoncer à leur mission d'identification, avec ses conséquences). Je ne savais pas si, en un quart d'heure de conversation, dans un bar enfumé, ils avaient été à même d'obtenir la confirmation de ce qu'ils cherchaient, de voir si Remlinger portait le mot « meurtre » écrit sur son front, oui ou non, et enfin de décider de la marche à suivre. Selon Charley, les Américains ne pensaient pas au départ qu'il était leur homme ; par conséquent, ils ne savaient sans doute pas ce qu'ils feraient s'ils finissaient par avoir la conviction de sa culpabilité. Peut-être étaient-ils en train de délibérer en cet instant même. Charley avait laissé entendre – en tout cas je l'avais entendu – qu'ils pourraient décider de l'abattre et qu'ils étaient venus armés à cette fin. Mais ils pourraient aussi l'enlever pour le ramener dans le Michigan affronter son procès. Ça ne semblait pourtant pas s'accorder avec leur nature, ni avec la cordialité dont ils avaient fait montre tous trois au bar. J'avais beau y avoir réfléchi toute la journée, rien de tout ça n'était clair. Et cette pensée déclenchait un vrombissement de moteur dans mon estomac et sous mes côtes, comme quoi il s'agissait de quelque chose d'important, je devais prendre garde.

Charley et moi, on a emmené les groupes de Fusils dans les champs de blé avant l'aube. Moi, je suis resté dans le pick-up, à compter les oies abattues à partir des trois sites de leurres. Charley allait dans les fosses et il poussait son cri. Par ce ciel bas, cette neige et ce vent, les oies volaient au ras du fleuve et voyaient moins nettement les leurres ; il en est tombé beaucoup. Charley et moi, on est allés comme d'habitude les préparer dans le Quonset. J'ai remarqué que la Chrysler noire des Américains n'était plus devant la bicoque. Ce qui m'indiquait qu'ils avaient dû repartir.

Cependant, Charley m'a dit que Remlinger voulait qu'il les conduise aux fosses, le lendemain, et leur donne de bonnes places. L'un des groupes de Toronto était parti, il y en aurait de vacantes. Ils avaient apporté leurs fusils et leurs équipements de chasse, ils avaient envie de venir. Je n'ai pas demandé de détails, ni si Charley s'était fait une idée sur les Américains, le temps de les conduire à l'annexe ; ni ce que Remlinger lui aurait révélé en lui laissant ses instructions pour la chasse. Il était d'humeur morose et il a fait plusieurs réflexions bizarres en réponse à mes remarques, pendant que nous préparions les oies. Par exemple : « C'est toujours les plus courageux qui se prennent des balles dans la tête », ou bien « Il est difficile de traverser l'existence sans tuer personne ». Comme je l'ai dit, il était souvent de mauvaise humeur pour des raisons qu'il ne donnait pas, sinon quand il se plaignait de son enfance effroyable ou de sa constipation. Mieux valait ne pas le provoquer, d'autant que je voulais garder pour moi ma vision et mon opinion des choses, et que sa mauvaise humeur et ses déclarations bizarres risquaient de m'influencer dans tout ce que je pensais. Ce que je croyais, moi, d'après le peu qu'il avait dit, c'était que si nous emmenions les Américains chasser le lendemain, comme deux Fusils parmi les autres, la chasse à l'oie ne serait pas la seule au programme. Car les Américains n'étaient pas des chasseurs ordinaires. Ils avaient des arrière-pensées.

De nouveau, je n'ai pas vu Remlinger à la mi-journée, fait remarquable en la circonstance. J'ai vu les deux Américains qui prenaient leur repas tout seuls à la salle à manger, et les autres chasseurs rassemblés pour commenter leur matinée. On m'a envoyé au bazar acheter une bouteille de Merthiolate, et à la poste acheter de quoi timbrer les cartes postales à destination des États-Unis. Les deux Américains étaient en grande conversation et ils n'ont pas fait attention à moi ni à personne d'autre. Il me semblait absurde qu'ils passent la journée à parler au vu et au su de tous, alors qu'on en savait si long sur leur compte, leurs intentions, et qu'il y avait eu mort d'homme ; que Remlinger les avait repérés et qu'il était peut-être dans son appartement en ce moment précis, en train de cogiter sur la marche à suivre les concernant ; qu'eux-mêmes étaient armés et peut-être décidés à faire usage de leurs armes. Le prélude aux drames est parfois dérisoire, Charley l'avait dit, mais il pouvait aussi être seulement banal, sans rien de saillant. Ce qui mérite d'être rappelé, parce que ça montre bien qu'à l'origine des événements les plus terribles, il n'y a parfois qu'une déviation infime de la vie quotidienne.

Ma seule tentative pour me faire remarquer des Américains, car j'aurais volontiers pris le risque d'aller leur parler, a été de demander aux Fusils de la table voisine (j'avais fait leur connaissance le matin) si la chasse leur avait plu. En temps normal, je ne leur aurais pas posé la question, mais j'espérais que les Américains entendraient mon accent (américain, supposais-je) et m'adresseraient la parole. Cependant, aucun des deux n'a tourné la tête ou ne s'est interrompu. J'ai entendu Crosley – le fougueux aux cheveux noirs, qui semblait prendre l'affaire plus au sérieux que Jepps, avec sa tête ronde et chauve – dire : « Ça prouve rien à cent pour cent, c'est qu'une histoire à la con ! » J'ai supposé qu'ils parlaient de ce qu'il faudrait faire, et qui devait leur poser problème. Mais je n'étais pas sûr de ce que ces mots voulaient dire et je n'avais pas envie d'avoir l'air d'écouter aux portes (ce qui était tout de même le cas). Alors, je les ai laissés tranquilles et je suis monté faire la sieste.

# 62

« Je t'ai apporté ce livre, il est très bien. » Florence se tenait dans la pénombre du couloir, devant ma chambre, à l'autre bout de l'appartement d'Arthur Remlinger. Tiré en sursaut de ma sieste, je lui avais ouvert en slip. Sur le moment, j'ai cru qu'elle sortait de chez Remlinger. « Il y a des cartes de géographie dans celui-là. Vous en aviez parlé, alors… » Elle a baissé les yeux sur le livre et me l'a remis en souriant.

Une ampoule unique éclairait le couloir derrière elle. Il n'y avait que Charley pour frapper à ma porte – quand il venait me réveiller le matin, de bonne heure. Je ne lui aurais jamais ouvert en petite tenue. « Il faut que tu t'habilles. » Elle s'est retournée, comme si j'étais gêné.

Elle m'avait dit qu'elle m'apporterait un livre sur l'histoire du Canada, et c'était celui-là. Il avait un code de bibliothèque sur une étiquette blanche, au dos, et un tampon « Bibliothèque municipale de Medecine Hat » en haut des pages. Il s'intitulait *Building of the Canadian Nation* et avait pour auteur un certain Mr George Brown. Nous avions déjà parlé de mon départ pour Winnipeg, où je vivrais chez son fils et pourrais demander la nationalité canadienne. J'y avais réfléchi. Ce serait mieux pour moi, d'après elle. Je n'étais pas au Canada depuis longtemps, six semaines en tout et pour tout, et je ne savais presque rien du pays. Il me faudrait acquérir quelques bases : l'hymne national, le serment d'allégeance (s'ils en avaient un), le nom des provinces et l'identité du Président. Dans l'ensemble, je n'aurais toujours pas dit que je m'y plaisais, au Canada, puisque je n'avais pas choisi d'y venir. Mais être canadien, c'était presque comme dire j'« habite » tel endroit – ainsi que nous le disions, Berner et moi, quand nous emménagions dans une ville dont nous fréquentions l'école, pour partir ensuite. J'avais vécu quatre ans à Great Falls sans jamais m'y sentir chez moi. Le temps passé dans un même endroit ne semblait pas le fond de la question.

« Tu n'auras qu'à me le rendre quand tu auras fini. » Florence a reculé dans le couloir. La lumière, derrière elle, brouillait ses traits déjà flous et arrondis. « Pardon de t'avoir cueilli à l'improviste.

– Merci », j'ai dit en serrant le livre contre moi. J'avais l'impression d'être devenu intégralement visible.

« J'ai des gosses, a ajouté Florence avec un geste de la main. Vous êtes tous faits pareil. »

Elle est partie. J'ai refermé ma porte, donné un tour de clef. Je l'ai entendue descendre d'un pas lourd jusqu'au rez-de-chaussée.

# 63

Remlinger est venu me trouver à la cuisine du Leonard, où j'attendais Charley pour les repérages du soir. J'étais en train de boire un mug de café au lait sucré, habitude que j'avais prise parce que j'avais froid, le matin, dans le pick-up. Je m'étais habillé chaudement – veste écossaise en laine, bonnet, pantalon en laine et bottes Dayton. J'avais déjà trop chaud dans l'étuve de la cuisine, où le fourneau était allumé. La pièce n'était pas plus grande qu'une cuisine familiale, avec un vieux frigo, une cuisinière à bois, un tas d'allume-feu, une table de travail et un garde-manger. Mrs Gedins m'y tolérait parce que je n'avais nulle part ailleurs où aller, sauf à rester tout seul dans ma chambre. Mais elle ne m'adressait jamais la parole. Elle avais mis à bouillir des légumes et remplissait des moules métalliques de pain de viande pour les mettre au four. Elle a regardé Remlinger de travers, comme s'ils s'étaient disputés – ce qui était possible.

« Tu viens avec moi tout de suite », m'a dit Arthur. Il était catégorique et paraissait habité par une certitude – rien de commun avec l'homme auquel j'étais habitué. Pas rasé, les yeux fatigués, un relent de vinaigre dans l'haleine. Il portait son blouson de cuir chic au col de fourrure, et son feutre marron. Comme il venait du dehors, il avait les joues toutes rouges. « Il faut qu'on fasse un tour en voiture.

– J'attends Charley. » Je suais dans mes habits. Je n'avais aucune envie de le suivre.

« Il est déjà parti. Je lui en ai parlé. Il va faire les repérages avec les autres jeunes.

– Où on va ? » Je le savais, en gros disons, ce n'était donc pas vraiment une question. Nous allions nous occuper des Américains, qui s'étaient sans aucun doute fait une opinion à l'heure qu'il était. J'aurais préféré de loin rester dans la cuisine, à attendre Charley. C'était devenu une habitude et ça me plaisait. Mais Charley ne viendrait pas et, apparemment, je n'avais pas le choix.

« Il y a deux Fusils qui ont à me parler », a dit Remlinger, les yeux mobiles. On aurait dit qu'il allait et venait sur place, sans bouger de la cuisine. Les Fusils, il ne leur parlait jamais, sauf quand il circulait au bar et à la salle à manger. C'était Charley qui prenait tout en charge. « Tu les as peut-être vus, hier soir », il a ajouté. Il a souri inopinément et adressé ce sourire à Mrs Gedins, qui lui tournait le dos, s'activant au fourneau. « Ça te fera du bien de m'accompagner. Ça va t'ouvrir l'esprit, ça fait partie de ton éducation. Ces deux hommes sont américains. Tu vas apprendre quelque chose de précieux. »

Il parlait sur le ton déclamatoire qui était le sien, comme si son public ne se limitait pas à Mrs Gedins et moi. Ou comme s'il avait besoin de s'entendre lui-même. Personne ne lui refusait jamais rien, sauf Florence qui n'aurait eu qu'un mot à dire pour empêcher que je l'accompagne : elle était plus âgée que lui. Mais elle n'était pas là. Subitement, tout est monté en puissance dans la cuisine, la chaleur, le vrombissement sous mes côtes, la lumière, l'ébullition des légumes. Je ne pouvais pas dire « non » tout seul.

« Ils sont de Detroit, ces deux hommes ? » j'ai demandé.

Remlinger a penché la tête sur le côté et m'a regardé ; son sourire s'est évanoui comme si j'avais dit quelque chose d'étonnant. Je n'avais pourtant rien trahi. Je me trouvais là lorsque les Américains étaient arrivés à la réception, voilà comment j'étais au courant. Mais lui n'en savait rien. Il a paru alarmé. Il m'a fixé d'un drôle d'air. Moi, j'avais dit ça pour dire quelque chose.

« Qu'est-ce que tu en sais ? Qui te l'a dit ?

— Il était là quand ils sont arrifés, a dit Mrs Gedins sans cesser de nous tourner le dos. Il les a entendus. » Elle touillait dans une marmite.

« C'est vrai ? » Remlinger s'est redressé et il a rejeté sa belle tête en arrière, comme si ce geste allait faire surgir la vérité. « Tu étais là quand ils sont arrifés ?

— Oui, monsieur.

— Che fois », a commenté Remlinger. Il a regardé le dos de Mrs Gedins. « Puisque fous le dites.

— Il faut que j'aille aux toilettes, j'ai lancé, très nerveux tout à coup.

— Eh bien, vas-y, a dit Arthur en passant devant moi. Je t'attends dans le parking, dépêche-toi, le moteur tourne. »

Il est sorti par-derrière en claquant la porte et en laissant entrer le froid, m'abandonnant au mutisme de Mrs Gedins, qui n'a plus soufflé mot.

Je n'avais pas besoin d'aller aux toilettes, j'avais besoin de mettre mes idées au clair et je venais de découvrir que j'en étais incapable en présence de Remlinger. Depuis la veille, j'avais eu tout loisir de repasser l'intégralité de la situation dans ma tête, d'observer ce qu'il me fallait savoir, de me résigner à ne pas savoir toute la vérité, de me dire que le pire n'était pas sûr, et que, selon toute probabilité, les deux Américains ne provoqueraient pas de drame. « Nos expériences les plus marquantes sont liées à des événements concrets », disait mon père, lorsque ma mère, Berner ou moi, nous torturions l'esprit. J'ai toujours tenu que c'était vrai, sans savoir au juste ce que ça voulait dire. Mais ma propre normalité me portait à croire que les événements concrets qui changent une vie et le cours d'une destinée sont rares, de fait ; il ne s'en produit presque jamais. L'arrestation de mes parents, pour terrible qu'elle ait été, le prouvait, exception dans la vie que j'avais menée auparavant, où il y avait eu très peu d'action, contre beaucoup d'attente et d'anticipation. Et tout en croyant ce que disait mon père sur la prépondérance du concret, j'en étais arrivé à penser (croyance d'un enfant protégé) que ce qui comptait davantage, c'était le vécu ; ce qu'on tenait pour juste, ce qu'on pensait, ce qu'on redoutait, ce qui restait dans la mémoire. Telle était la vie pour moi, essentiellement : une suite d'événements qui se déroulaient dans ma tête. Comment s'en étonner, puisque ces dernières semaines, j'étais seul, au Canada, sans aucune prise sur ce qui m'arrivait ?

C'est pourquoi je m'étais efforcé à ce que ma réflexion de la veille influence les événements à venir – suite à l'arrivée des Américains – et à croire qu'il ne se passerait rien. J'avais pensé, par exemple, que puisque Arthur attendait « ces deux-là » (comme il s'était mis à les appeler) et qu'il connaissait le contexte dans les moindres détails – leur nom, leur âge, la marque de leur voiture, le fait qu'ils étaient armés mais s'acquittaient de leur mission sans conviction –, il maîtriserait parfaitement la situation et lui imposerait le dénouement opportun. J'avais cru de même que les Américains ne pourraient jamais le juger sur sa mine, fondamentalement. Le mot « meurtre » n'était pas écrit sur son front, ni sur celui de qui que ce soit. Je m'étais demandé comment aborder un parfait inconnu quand on veut savoir s'il s'agit d'un meurtrier, et j'en étais arrivé à la conclusion que la chose était difficile. Et les Américains avaient dû s'en rendre compte pendant que j'écoutais leur conversation en douce, dans la salle à manger. Il me semblait que leurs rapports avec Arthur Remlinger seraient dans la logique de leur nature. Une nature pas compliquée, sincère, pleine de bonne volonté. Il leur faudrait s'adresser à lui, exercer leurs facultés de raisonnement, étayer leurs conclusions, présenter un projet – après quoi Remlinger nierait en bloc, leur dirait qu'ils étaient dans l'erreur jusqu'au cou, ce que le « réseau » lui avait conseillé de dire. Et tout serait résolu. Qu'ils croient Remlinger ou pas, les Américains seraient bien obligés d'accepter son déni et, encore une fois, la chose s'accordait à leur tempérament et à leur manque de conviction au départ – ils rentreraient chez eux à Detroit. Que faire d'autre ? Ils n'étaient pas du genre à l'abattre. On pouvait même imaginer qu'ils partent chasser avec Charley et moi le lendemain matin.

J'avais aussi réfléchi à la façon dont ils aborderaient Remlinger (puisqu'il ne ferait jamais le premier pas). Un mot en passant, à la réception ; un jalon posé par Jepps au moment où Remlinger sortait prendre sa voiture. « Est-ce qu'on peut vous voir seul à seuls ? On a quelque chose à vous dire. » (Ou « une question à vous poser », « une information à vous demander ».) Comme s'ils avaient envie qu'une fille vienne les rejoindre à la bicoque, ou d'en savoir plus sur la salle de jeu. Arthur serait plein d'assurance, mais évasif. « Pas chez moi, à l'annexe, plutôt. On sera plus tranquilles pour parler. »

J'avais pensé à tout – la puissance de l'imaginaire œuvrant contre le concret. Mais j'avais comme l'impression qu'il commençait à se produire du concret. Que mes idées soient justes ou pas, là n'était plus la question. Mon père avait raison, me semblait-il.

J'ai regardé par la fenêtre de la salle de bains du premier étage, avec toujours ce vrombissement dans la poitrine. En bas, sur le parking, tourbillonnaient des flocons de neige fondue mêlés de pluie. Remlinger était à côté de sa Buick, phares allumés, essuie-glaces en mouvement, moteur crachant une fumée blanche dans la nuit. Il parlait à un homme que je n'avais jamais vu, un grand type maigre, en bonnet de laine et coupe-vent beige, avec des chaussures de ville, qui se frottait les bras comme s'il avait froid. Son bonnet accrochait la neige que le vent chassait. Remlinger lui parlait sérieusement, sa main gauche a fait un grand geste en direction du Leonard, puis de la highway qui menait à Partreau, comme pour lui laisser des instructions. Ils n'ont pas levé les yeux vers moi. À un moment donné, Arthur a posé la main sur l'épaule du grand type – il pouvait avoir la trentaine, il était de la même taille que lui, mais plus maigre –, et de l'autre main, il a désigné la highway. Tous deux hochaient la tête. J'ai présumé qu'il était question des Américains que nous allions rejoindre.

Ce qui m'a porté à me demander ce que je venais faire là-dedans, pourquoi Remlinger m'emmenait, et ce que ma participation – en tant que point de repère – pouvait signifier. Mais alors, Remlinger a levé la tête vers la fenêtre de la salle de bains, sourcils froncés. Et subitement, les gros flocons et la pluie froide se sont dissipés, dégageant comme un trou dans la tourmente, et m'ont découvert. Sa bouche articulait des mots, il avait l'air en colère. Il a fait un grand geste pour me héler – ce n'était pas son habitude –, et puis il a ajouté quelque chose à l'intention de l'homme au bonnet, qui a levé les yeux vers moi sans faire aucun mouvement, après quoi il a tourné le dos et traversé le parking dans le noir. Ce que j'aurais dû remarquer depuis des semaines, et qui m'était passé par-dessus la tête, m'a soudain crevé les yeux. J'aurais bien voulu voir arriver Florence. Je regrettais de ne pas avoir empoché mes économies, que je cachais toujours dans la taie d'oreiller, histoire de sauter dans le bus et de quitter Fort Royal et Arthur Remlinger, comme Charley me l'avait conseillé. Je regrettais même de n'avoir pas gardé vingt dollars sur l'argent confié à Berner. Je me sentais pris au piège, incapable de résister. J'ai quitté la fenêtre et descendu les escaliers, Remlinger m'attendait.

# 64

« Affirmer que quelque chose est fondé sur un mensonge ne mène pas très loin », m'a dit Arthur Remlinger sur le trajet. Des flocons rebondis, désormais plus nombreux, dansaient dans les phares, la route se profilait tel un tunnel devant nous. Il parlait avec animation, comme si la discussion était passionnante. « Ce qui m'intéresse bien plus, moi, c'est comment les mensonges tiennent, tu comprends ? » Il m'a regardé, ses grandes mains à l'anneau d'or posées sur le volant. J'ai bien compris qu'il avait l'intention d'en dire davantage : le voyant de la radio était allumé, mais le son au minimum. « S'ils tiennent toute une vie, alors… » Il a donné un coup de menton. « Où est la différence ? Je n'en vois aucune. » Il m'a regardé, il tenait à ce que je sois d'accord. Sous son chapeau de feutre, ses traits se perdaient dans l'obscurité.

« Oui, monsieur », j'ai dit, ce qui ne m'obligeait pas à être d'accord au fond de mon cœur.

Nous ne roulions pas aussi vite que d'habitude. Il semblait désireux de parler, pas d'arriver à Partreau.

« On ne laisse jamais tout derrière soi, il a poursuivi. Autrefois je l'ai cru, mais passer une frontière ne change rien, au fond. Tu pourrais aussi bien rentrer aux États-Unis, toi. C'est ce que je ferais à ta place. Tout le monde a droit à une seconde chance. Il est certain que j'ai commis des erreurs. Nous en avons commis tous les deux. »

J'avais du mal à le suivre. Je voulais bien croire que j'avais commis des erreurs puisque mon père disait : « L'homme se jette au-devant des ennuis comme l'étincelle crépite vers le ciel ». Mais je ne voyais pas comment il aurait eu connaissance de mes erreurs, lesquelles, d'ailleurs. J'ai failli dire : Je n'ai commis aucune erreur que vous sachiez. Mais je ne voulais pas faire le raisonneur.

« Bien sûr que ça me dérange, l'idée que je vais mourir ici, je te le dis. » Il parlait toujours sur le même ton déclamatoire. « Tu te demandes : pourquoi est-ce que je vis ? Pour vieillir et mourir, c'est tout ?

– Je ne sais pas. »

Nous avons croisé deux biches, sur le bas-côté de la highway, leur pelage, leurs yeux et leur museau luisant sous l'averse de neige. Elles n'ont pas bougé ni l'une ni l'autre, comme si elles n'avaient ni vu ni entendu la Buick. Remlinger était toujours dans la même détermination – c'était un autre homme. Du coup, je me suis demandé ce qu'il éprouvait. Je ne m'étais jamais tellement penché sur les sentiments des autres, sauf ceux de Berner, qui m'en parlait tout le temps. Il n'avait rien dit des Américains, jusqu'ici. À croire que ce rendez-vous était sans importance et qu'il n'y avait rien à en dire.

Il a regardé de nouveau de mon côté, tout en fendant le blizzard. « Tu es agent secret, toi, hein ? » J'ai cru qu'il allait sourire sous son chapeau de feutre, mais il n'a pas souri. « Tu n'en parles pas, mais c'est ce que tu es.

– Je parle. Personne ne me demande jamais rien.

– Les perroquets parlent aussi, mais c'est par désespoir. C'est pour ça que tu parles ? Je m'intéresse à toi, tu le sais, hein ?

– Oui, monsieur, j'ai répondu, sans pour autant voir où il voulait en venir avec ce mot d'agent secret.

– Alors… » Il contracté les bras et serré le volant d'une main plus ferme tout en fixant l'averse de neige, droit devant. « Tu vas peut-être entendre dire des choses, ce soir, quand on sera là-bas, des choses qui t'étonneront. Ces deux-là vont affirmer

que j'ai fait des choses que je n'ai pas faites. Tu comprends ?
Ça a déjà dû t'arriver. Qu'on pense que tu as fait quelque
chose que tu n'as pas fait. Tous les agents secrets s'exposent à
ça. Et j'en suis un, moi aussi. »

J'ai compris qu'il fallait que je dise oui, sinon il me soupçonnerait de savoir ce qu'il avait fait, et ça risquerait de mal
tourner pour moi. D'un autre côté, comme j'allais entendre
l'histoire, la connaître déjà n'y changerait rien, à présent… Mais
j'ai dit « Oui, monsieur », même si, en ce qui me concernait,
je n'avais jamais été accusé injustement.

« Donc si tu m'entends dire à ces deux-là que tu es mon fils,
ne va pas me démentir, surtout. Tu comprends ? C'est assez
clair, même si je ne le suis pas, moi ? »

Nous étions en vue du silo de Partreau, qui se dressait dans
la nuit de neige, les bâtisses vides familières quasi invisibles sur
le front de la highway. La caravane de Charley était à côté du
Quonset, de la lumière filtrait à travers les interstices du carton
qui masquait les fenêtres. Son pick-up n'était pas là. Il y avait
de la lumière à l'annexe, aussi. La Chrysler des Américains
était garée dans la rue délabrée, de la neige accumulée sur son
pare-brise et son capot. Nous entrions dans Partreau.

Mais j'étais outré que Remlinger veuille me faire passer
pour son fils. J'avais bien, en mon for intérieur, entretenu ce
genre de fantasmes, mais ils s'étaient dissipés dès que Charley
m'avait dit ce qu'il m'avait dit dans le pick-up, la veille. Que
Remlinger prétende une chose pareille, c'était extravagant, ça
me faisait mal au cœur, ça m'empêchait de me concentrer sur
ce qu'il me demandait par ailleurs. J'avais beau y avoir rêvassé
moi-même, Remlinger n'était pas mon père. Mon père, à moi,
était en prison dans le Dakota du Nord. Il n'était pas cet
homme au feutre dans le noir.

« Tu ne parles pas assez, c'est Charley qui le dit. » Remlinger
me regardait d'un air sévère. Nous avions tourné dans South
Alberta Street et la Buick avançait sur les nids-de-poule et les

gravats d'une chaussée ravagée par les intempéries. Devant nous, les maisons vides dans le faisceau des phares, les manèges cassés, la rangée de caraganiers. « Est-ce que ces hommes t'ont parlé ? » Nous avions ralenti pour nous garer derrière leur voiture, dont la plaque d'immatriculation était recouverte de neige verglacée. Il ne pleuvait plus, il neigeait.

« Non, monsieur », j'ai répondu. Je n'avais pas dit que c'était plaisant pour lui de me faire passer pour son fils. Tout était mensonge chez lui. Je ne voyais pas pourquoi je devrais jouer son jeu. Lui, bien sûr, se fichait pas mal que je sois d'accord ou pas.

« Écoute-moi bien », a fait Remlinger en coupant le moteur, puis en éteignant les phares ; la pénombre rendait sa silhouette plus imposante encore, avec son chapeau. Il a poussé un profond soupir. Son blouson a dégagé une odeur de cuir en se plissant. « Il n'y a aucune raison que tu en sois chamboulé. Je vais montrer qui je suis à ces deux péquenots, laisse-moi faire. Tu n'as pas besoin de dire quoi que ce soit. »

Il ne faisait plus semblant d'être venu organiser une partie de chasse, une soirée de cartes ou la visite de filles. Il ne m'avait rien dit, mais il reconnaissait que j'étais au courant, puisqu'il l'était lui-même.

J'ai poussé un profond soupir à mon tour et j'ai essayé de ravaler la nausée qui me montait dans le gosier. Le tremblement sous mes côtes n'avait pas cessé. J'aurais voulu dire que je n'entrerais pas. Je ne voulais pas respirer les odeurs de pourri, de poussière de plâtre moisie, sentir ce plafond peser sur moi comme une chape, l'anneau fluorescent et son éclat sinistre, comme dans une cellule de prison. Je comprenais vaguement qu'une chose en « signifiait » une autre. Mais la bicoque, avec les deux Américains qui nous y attendaient, signifiait quelque chose qui ne me disait rien qui vaille et dont je ne tenais pas à m'approcher de nouveau.

Sauf que si je n'y allais pas, ça barderait. Remlinger était un violent, Charley me l'avait dit, à force de frustrations. Et même s'il ne m'avait jamais fait aucun mal, il pouvait se retourner contre moi si je m'obstinais à rester dans la voiture. Son intérêt à mon égard était nul. Tel est l'humain, songeais-je, rien de ce qu'il dit ou ressent ne l'engage.

À tout prendre, le plus facile serait de le suivre. Les Américains pourraient exposer leur position de la manière raisonnable que je croyais leur être naturelle. Remlinger pourrait nier en bloc et ils en seraient dupes. Alors, ils s'en iraient peut-être. Demain, je serais en mesure d'annoncer à Florence que j'étais prêt à partir pour Winnipeg. Remlinger, pensais-je, ne ferait rien pour m'en empêcher. En gros, ça m'épargnerait des déboires pires encore.

« Je ne suis pas chamboulé, j'ai dit, la nausée expulsée de mon gosier par la découverte qu'il me suffirait de le suivre pour me tirer d'affaire.

– Je t'ai senti perturbé pendant un moment », a dit Remlinger. Son visage était dans l'ombre. Il s'agitait sur son siège de voiture, il raclait ses bottes sur le plancher.

« Pas du tout.

– À la bonne heure. Parce qu'il n'y a rien qui doive te faire peur, chez ces deux-là. Ils ne savent rien de rien. On ne va pas traîner, et après, on ira dîner avec Florence.

– D'accord. », Comme j'aurais été heureux qu'elle soit là ! Elle aurait dit ce qu'il fallait pour me garder avec elle dans la voiture. Mais j'étais tout seul, rien à faire. Remlinger est sorti de la voiture, et moi derrière lui, et nous nous sommes dirigés tous deux vers la bicoque.

# 65

Remlinger a frappé à la petite porte du vestibule éclairé par une fenêtre. J'étais derrière lui. La porte s'est ouverte presque tout de suite. Jepps, le plus âgé des deux hommes, est apparu, souriant, avec son postiche sur la tête ; il portait une chemise écossaise verte et un pantalon en laine qui paraissait tout neuf. Crosley, lui, était assis sur un des deux lits de camp, dans la pénombre, emmitouflé dans un gros manteau de laine parce qu'il faisait froid dans la bicoque, comme toujours. Il nous a regardés d'un air décidé. L'un comme l'autre me semblaient tout à fait différents des hommes que j'avais vus la veille se présenter à la réception, puis bavarder avec Remlinger au bar. On aurait dit qu'ils avaient un objectif trop vaste pour tenir dans la pièce, comme si elle avait rétréci. C'était pourtant bien la cuisine où j'avais dormi. En tout point pareille. L'odeur de terre froide qui laissait penser que le lino reposait à même le sol se mêlait à celle de la bougie à la lavande, mon initiative personnelle. L'un des deux hommes avait fumé le cigare.

La plaque chauffante était allumée, incandescente, pour fournir un peu de chaleur. L'anneau fluorescent du plafonnier diffusait une maigre clarté. Le coyote empaillé était toujours au-dessus de la glacière, et la porte était close, celle qui s'ouvrait sur la pièce du fond où j'avais entreposé les cartons et qui aurait très bien pu cacher une tierce personne, me disais-je, sans imaginer laquelle. La seule différence, c'étaient les deux valises des Américains. Derrière Remlinger, je me demandais ce qu'ils espéraient faire et comment ils comptaient aborder le sujet qu'ils étaient venus aborder, et pour lequel ils avaient parcouru une aussi longue route. Ils croyaient qu'il était leur homme. Où mettaient-ils leurs pistolets ?

« Je me suis dit que j'allais amener mon fils avec moi », a lancé Remlinger d'une voix forte. Son timbre et son accent avaient changé ; il était plus à l'aise. Il lui avait fallu baisser la tête pour passer par la porte, et tenir son feutre pour l'empêcher de glisser. Nous avons immédiatement rempli la pièce, et j'avais du mal à respirer normalement.

Jepps a regardé Crosley qui était assis sur le lit de camp, genoux serrés. Crosley a secoué la tête. « Vous avez un fils ? Première nouvelle. » Remlinger a tendu le bras pour me prendre par l'épaule, j'étais derrière lui, plus près de la porte. « On ne le croirait pas à voir comme ça, mais c'est une chance pour un garçon, de grandir ici. C'est un environnement sain, sans danger.

– Je vois », a dit Jepps. Il avait la mâchoire qui se décrochait quand il parlait, ce qui lui donnait l'air de sourire en permanence.

Remlinger a laissé passer quelques secondes. Il paraissait parfaitement à l'aise.

Jepps a fourré ses mains dans ses poches de pantalon et remuait les doigts à l'intérieur. « Il faut qu'on parle, Arthur.

– C'est ce que vous m'avez dit. C'est bien pourquoi nous sommes là, ce soir.

– Il vaudrait peut-être mieux qu'on en parle entre nous, Arthur. Vous voyez ce que je veux dire ?

– Vous ne vouliez pas me voir pour la chasse ? a dit Remlinger, feignant la surprise. Je croyais que c'était ce qui vous intéressait. Mais vous voulez peut-être me demander de vous organiser autre chose ?

– Non », a répondu Crosley. Le lit de camp était plongé dans la pénombre, à côté de la fenêtre froide sur laquelle était posée ma bougie à la lavande.

« Nous ne voulons pas vous créer d'ennuis, Arthur », a dit Jepps en s'asseyant sur une des vieilles chaises où je posais mes chemises et mes pantalons. Il s'est penché en avant, mains sur les genoux. Son ventre était tendu, boudiné sous la chemise verte. Sous le lit, il y avait des cartes postales de femmes nues que j'avais laissées. Personne ne les trouverait.

« Je vous en suis très reconnaissant, a dit Remlinger, sincèrement.

– Nous pensons... » a commencé Crosley. Il a marqué un temps, comme si ce qu'il s'apprêtait à dire était crucial et qu'il veuille y réfléchir une dernière fois. Il a levé les yeux vers Arthur et il a battu des paupières à plusieurs reprises. « Nous pensons... il a répété, en marquant de nouveau un temps.

– Moi j'étais dans la police, l'a interrompu Jepps. J'ai arrêté des tas de gens – vous vous en doutez, à Detroit. » Il a souri de son sourire qui n'en était pas un. « Bien des gens que j'ai arrêtés, et qui sont allés en prison – pour des années parfois – n'y avaient pas leur place. Ils n'avaient fait qu'une seule bêtise. Et comme je les avais attrapés et qu'ils ont pu m'expliquer leur acte, j'ai bien compris qu'ils ne franchiraient pas la ligne de nouveau. Vous comprenez ce que je veux dire, Mr Remlinger ? » Pour la première fois, Jepps nous a montré son visage sérieux. Il a regardé Arthur comme si lui, Jepps, avait l'habitude qu'on l'écoute et qu'il requière notre attention immédiate. Ils étaient tout à leur objectif sérieux qu'ils étaient venus de si loin mettre en acte.

« Oui, a dit Arthur, c'est tout à fait logique. Ce doit être courant. »

(Quand j'y repense, à cinquante ans d'écart et entré dans le nouveau siècle, j'aurais pu sentir qu'Arthur était déjà prêt à abattre Jepps et Crosley, mais qu'il ne se l'était pas formulé clairement et continuait donc de se comporter comme s'il allait nier en bloc. Pourtant il les écoutait. Parfois, quand les gens parlent, ils se figurent qu'ils sont les seuls à écouter. Ils ne parlent que pour leurs oreilles et oublient que les autres les entendent aussi. Jepps et Crosley suivaient une voie qu'ils croyaient être celle de la raison, sans perdre de vue leur but. C'était ainsi qu'ils l'atteindraient, pensaient-ils. Ils ne savaient pas qu'Arthur avait abdiqué toute raison depuis longtemps.)

« Ce que nous croyons, a commencé Crosley avec décision, cette fois, c'est que le seul bénéfice, ici, sera de tirer les choses au clair, monsieur Remlinger. Nous n'avons pas la force pour nous. Nous ne sommes pas chez nous dans ce pays, nous l'avons bien compris.

– Vous pourriez peut-être m'expliquer de quoi vous parlez ? » a dit Arthur en rajustant sa botte sur le lino fendillé. Son blouson de cuir s'est plissé de nouveau. Il n'avait pas ôté son chapeau, sur ses fins cheveux blonds. La cuisine était sans air, surchauffée.

« Il vous suffit de nous parler sans détour pour mettre de l'ordre dans votre vie, a répondu Crosley avec un signe de tête en direction d'Arthur. Nous sommes venus sans savoir ce que nous allions faire. Nous ne voulons pas vous causer d'ennuis. Si nous rentrons en ayant appris la vérité sur ce qui s'est passé, nous nous estimerons satisfaits. »

Remlinger m'a attiré plus étroitement vers lui. « De quoi faut-il que je convienne ? Qu'est-ce que je suis censé vous dire ? Vous voyez bien que je n'en sais rien. Je ne suis pas homme à faire des mystères. Je ne vis pas sous une fausse identité. Mon acte de naissance se trouve au greffe du comté de Berrien, dans le Michigan.

– Ça, on le sait », a dit Crosley. Il a secoué la tête encore une fois, il avait l'air agacé. « Ce ne sont pas des choses à dire devant votre fils.

– Je ne vois pas pourquoi », a dit Remlinger. Il se moquait d'eux ; ils l'avaient compris. Même moi, je l'avais compris. Ils avaient sans doute compris aussi que je n'étais pas son fils.

« Vous avez la possibilité de vous aérer la conscience », a dit

Jepps. C'est le mot qu'il a employé, « aérer ». « Les gens que j'arrête, enfin, que j'arrêtais, se sentaient toujours mieux après leurs aveux, même quand ils les appréhendaient. Parfois des années plus tard, comme vous. Nous allons rentrer chez nous et nous ne vous reverrons plus jamais, monsieur Remlinger.

– J'en serais navré, a dit Arthur en souriant de toutes ses dents. Mais que faudrait-il que j'avoue ? » Jusque-là, aucun n'avait prononcé les mots qui expliquaient notre présence ici, à tous les quatre. Personne ne voulait en prendre l'initiative, je crois. Les Américains, avait dit Charley, manquaient de conviction par rapport à leur mission et ne les diraient donc pas. Remlinger s'en garderait bien. Nous aurions pu partir, en rester là : Je te tiens, tu me tiens par la barbichette. Puisque personne n'avait le cran d'appeler les choses par leur nom.

« Que vous avez fait sauter une bombe », a lancé Crosley brusquement. Il lui a fallu s'éclaircir la voix au milieu de ce que j'avais cru qu'il ne dirait pas, et regrettait peut-être déjà d'avoir dit. « Qui a coûté la vie à un homme. C'était il y a bien longtemps. Et nous sommes… » L'air lui a manqué, comme si cette affaire le dépassait. Ces mots me faisaient horreur, mais il fallait que je les entende. Ils plombaient la pièce minuscule. Crosley faisait figure de mauviette, avec sa peur.

« Nous sommes… quoi ? » a demandé Remlinger. Il prenait les choses de haut, comme s'il venait de marquer un point décisif sur Jepps et Crosley, et qu'ils avaient beaucoup perdu à abattre leurs cartes. « C'est risible, je n'ai rien fait de semblable. »

Ce que je me disais alors en ressentant le poids des mots, c'était : avaient-ils seulement connu la victime ? Ils étaient venus sur un simple soupçon, sans conviction particulière, et voilà qu'ils accusaient un homme de meurtre, un homme qu'ils ne connaissaient pas davantage, et dont le seul lien avec ce crime était de l'avoir commis. Pour autant, et c'était capital à ses yeux, il l'avait commis par imprudence. Ce qui n'empêchait pas qu'il n'avait nulle intention d'« aérer » sa conscience. Bien au contraire.

Jepps et Crosley avaient oublié leur résolution de ne pas parler devant moi. Mais je savais déjà tout, il n'y avait pas eu de choc, et j'étais sûr que mon visage n'accusait pas le coup. Remlinger ne se comportait pas comme quelqu'un qui ignore tout d'un meurtre, mais seulement comme quelqu'un qui prétend tout en ignorer. C'était sûrement ce qu'ils étaient venus de si loin observer. Il l'avait d'ailleurs quasiment avoué en déclarant : « Je n'ai rien fait de semblable. » Chacun sacrifiait quelque chose, une force, pour avancer vers un but. Remlinger n'avait pas menti en me disant que ce serait pour moi une leçon précieuse. J'apprenais que ce qui n'est fait que de mots et d'idées peut déboucher sur du concret.

« Nous nous sommes dit que l'honnêteté était la meilleure attitude, a déclaré Jepps. Que ça vous donnerait une chance de libérer votre cœur.

— Mais si je n'ai rien à vous dire ? Rien à libérer ? a répondu Remlinger avec dérision. Si votre idée est sans fondement ?

— Nous n'en croyons rien », a dit Crosley, qui avait repris son souffle mais paraissait toujours en position de faiblesse. Il avait sorti un mouchoir de sa poche de pantalon, il y a craché quelque chose, puis il l'a replié. Il avait vraiment peur.

« Certes, a fait Remlinger. Pourtant si je vous assure qu'elle est sans fondement, c'est qu'elle l'est. Et si cette réponse ne vous satisfait pas, qu'est-ce qui se passe ? » Il ne s'agissait plus que d'un conflit de volontés. Les faits n'entraient plus en ligne de compte.

« Eh bien, parlons-en », a dit Jepps. Il s'est levé. J'ai pensé aux pistolets, peut-être déjà sortis de la valise, chargés et rangés à portée de main. La vérité, personne ne la disait tellement : Jepps et Crosley n'avaient nulle intention d'être venus de si loin pour repartir bredouilles ; ils étaient bien plus convaincus qu'on ne l'avait cru. Ma présence était peut-être le seul facteur qui les ait empêchés d'agir sur-le-champ. Voilà à quoi je servais

– à maintenir le statu quo et à donner à Remlinger le temps d'y voir clair sur sa situation. J'étais son point de repère.

« Il y a tout de même une chose que je peux vous dire, a admis Remlinger avec un profond soupir à l'intention de Jepps et Crosley. Peut-être vous en contenterez-vous.

– Nous serons heureux de l'entendre. » Jepps a lancé un regard approbateur à Crosley, qui a acquiescé.

« Vous avez raison, ce n'est pas une chose à dire devant Dell. Je vais le raccompagner à la voiture. » Remlinger parlait de moi absolument comme si je n'étais pas là, auprès de lui. Ce qu'il ne s'était pas formulé jusque-là (mais dont j'avais pensé qu'il ne tarderait pas à se le formuler), il se le disait clairement maintenant. Sa décision était prise. Et je lui étais donc de nouveau utile à cet égard.

« Très bien, a fait Jepps. Nous vous attendons.

– J'en ai pour une minute, a dit Remlinger. Ça te va, Dell ? Tu peux m'attendre dans la voiture ?

– Ça me va.

– Je n'en ai pas pour longtemps », a répété Remlinger.

Arthur m'a poussé dans le froid vers la Buick silencieuse, sa poigne sur mon épaule, comme si j'allais être puni. Les flocons étaient plus gros et la neige tenait. Le vent était tombé. Il faisait plus froid. À présent, le pick-up de Charley était garé devant sa caravane. De la lumière suintait par la porte. Le chien blanc de Mrs Gedins était assis sur le capot du pick-up pour se réchauffer.

« Ils sont grotesques, ces deux types », a dit Arthur. Il avait l'air en colère, ce qui n'était pas le cas quand nous nous trouvions dans la bicoque, où il avait semblé résigné, après avoir été hautain. Il a ouvert la portière et m'a fait asseoir au volant. « Mets le contact, et puis mets le chauffage, je ne veux pas que tu meures de froid. » Il a tendu la main pour allumer les phares, qui ont transpercé l'averse de neige, éclairant les vestiges des maisons, dans South Alberta Street.

« Qu'est-ce que vous allez leur dire ? » Un instant, j'ai cru qu'il allait se glisser auprès de moi dans la voiture ; je me suis poussé sur le siège passager.

« Ce qu'il faut. Ils ne vont plus jamais me lâcher, maintenant. » Il a tendu la main sous le pare-soleil et il a sorti le petit revolver en argent que j'avais vu dans son appartement. Il n'était plus dans son étui. Il était là, tout seul. « Je vais tâcher d'être clair avec eux. » Il a inspiré, puis soufflé. C'était presque un hoquet. « Surtout ne bouge pas. Je reviens tout de suite. On ira dîner ensuite. »

Il a fermé la portière et m'a abandonné dans la voiture froide, l'air chaud soufflant sous le tableau de bord. À travers la vitre du conducteur, sur laquelle la neige fondait en coulant, j'ai regardé son chapeau se diriger dans le noir vers la porte de la bicoque restée entrouverte. Il ne s'est pas retourné, n'a pas paru hésiter une seule seconde. Il tenait son revolver au bout du bras gauche sans le cacher, mais comme l'arme était petite et qu'il n'y avait pas beaucoup de lumière, on pouvait ne pas la voir. Je me suis dit que Crosley et Jepps avaient peut-être pris les leurs et les auraient en main lorsqu'il entrerait. Il était logique qu'ils ne l'aient pas cru et pressentent la suite – pour peu qu'ils sachent ce qu'ils faisaient.

Remlinger est entré par le vestibule en terre battue, à la fenêtre sans carreaux. Il s'est avancé vers la porte qu'il a poussée du bout de sa botte.

Jepps, je le voyais, n'avait pas bougé, debout sous la lumière pâlotte. D'où j'étais, je ne pouvais voir de Crosley que ses jambes. Il était toujours assis sur le lit de camp. Ils s'attendaient seulement à ce qu'il leur parle. Ils étaient bien les types pas compliqués qu'on avait dit. Remlinger s'était trompé sur leur compte. Il s'est encadré dans la porte éclairée. J'ai lu sur le visage de Jepps qu'il l'examinait. Puis Arthur a levé son revolver en argent vers lui et il a tiré. Je ne l'ai pas vu tomber. Mais quand Arthur s'est avancé dans la cuisine pour tuer Crosley, j'ai aperçu Jepps allongé sur le linoléum, ses grands pieds écartés. *Pop,* avait fait le revolver. Ce n'était pas un gros calibre. Un revolver de dame, selon l'expression. Je n'ai pas entendu de cris ni d'éclats de voix. Ma vitre était remontée, le chauffage soufflait. Mais j'ai aussi entendu les coups de feu qui ont tué Crosley. Un *pop* est parti, et j'ai vu Crosley tenter maladroitement d'aller se cacher derrière le lit de camp. Arthur s'est approché de lui. Je l'ai vu très nettement pointer le revolver sur l'endroit où il était allé se mettre à couvert. Il a tiré encore deux fois. *Pop, pop.* Et puis il a regardé par terre, d'un air quasi dégagé, là où Jepps était tombé, son pied gauche s'agitant fébrilement. Avec une espèce de sollicitude, il a dirigé son arme sur le crâne de Jepps, ou peut-être sur son visage, et il a fait feu une fois de plus. *Pop.* Cinq coups en tout. Cinq *pop.* Que j'ai tous entendus et vus partir depuis la Buick. Arthur a baissé les yeux vers Jepps en rangeant son arme dans la poche intérieure de sa veste. Il lui a lancé quelque chose de bien senti. On aurait dit qu'il lui faisait la grimace, il a pointé l'index sur lui et l'a secoué trois fois dans sa direction, en prononçant des mots inaudibles (et que Jepps ne risquait pas d'entendre). Des mots de reproche qui exprimaient ce qu'il avait sur le cœur. Il s'est retourné et il a regardé par la porte ouverte, à travers l'étendue de neige et de nuit qui nous séparait, mon visage qui s'encadrait dans la portière – avec quelle expression, je ne saurais le dire. Il a proféré quelque chose d'autre, qui s'adressait à moi, cette fois. Le mouvement de ses lèvres indiquait qu'il vociférait, son grand feutre toujours sur la tête, comme si les mots pouvaient justifier ce qu'il venait de faire. Je croyais savoir ce qu'ils signifiaient, même s'ils ne parvenaient pas à mes oreilles. Ils signifiaient : « Et voilà. C'est réglé, hein ? Une bonne fois pour toutes. »

# 66

Nous avons enterré les Américains la nuit même où ils ont été abattus. On prendra la mesure de l'homme qu'était Arthur Remlinger quand on saura qu'il me força à aider Charley Quarters et Ollie Gedins (le fils de Mrs Gedins, ce grand type au bonnet et au coupe-vent que j'avais vu sur le parking du Leonard) à transporter les corps pour les placer au fond des trous creusés dans la Prairie où, s'ils n'étaient pas morts, ils seraient allés chasser l'oie le lendemain matin, avec moi pour « guide ». On prendra encore sa mesure en sachant qu'il me délaissa, se désintéressa complètement de moi, pour qui il n'avait jamais eu d'autres projets que ceux dictés par l'urgence de la situation. Il était bien loin de vouloir enrichir mon éducation, sauf à me faire toucher du doigt (une fois de plus et avec une cruauté accrue) que l'éventail des possibles est beaucoup plus vaste qu'une tête de quinze ans ne l'imagine. Quand il repensait à ces événements, des années plus tard, à supposer qu'il y ait repensé, il avait peut-être même oublié que je me trouvais là – tel un marteau sur la photo, qu'on a laissé pour donner l'échelle, un point de repère, mais qui perd tout intérêt une fois le cliché pris. Il faut dire qu'il avait lui-même renoncé à s'imposer quelque échelle que ce soit, tout comme il avait abdiqué toute raison. Il ne faisait plus que ce qui lui plaisait, dans des limites par lui seul fixées. Si vous vous dites qu'il n'aurait jamais dû m'emmener avec lui cette nuit-là, qu'il a changé sinon le cours de ma vie du moins sa nature, qu'il m'a mis en danger de mort, car j'aurais fort bien pu être abattu si les choses avaient tourné autrement, si vous vous le dites, vous aurez raison. Sauf que ça n'aurait eu aucune pertinence à ses yeux. Lorsque les gens ne sont pas à leur place, des accidents surviennent et le monde avance et recule en vertu de ce principe. D'une façon générale, le reste du monde était mort à son cœur, aussi mort que les Américains que nous avons balancés en vrac dans le pick-up de Charley, cette nuit-là, tandis que, debout dans les ombres et la neige, il nous regardait en fumant une cigarette. Articulez tous ces éléments, et vous aurez compris ce qu'on peut en comprendre.

## 67

Vous pourriez penser que sortir ces deux corps de l'annexe et les charger dans la remorque du pick-up a dû être l'événement concret le plus mémorable de la nuit, et peut-être même l'acte le plus mémorable d'une vie – leur poids, tout à coup, alors que vivants, on croirait que les corps n'en ont pas ; l'horreur de la chose ; ce changement que la mort opère. Comme je l'ai dit, c'est moi qui ai ramassé le postiche de Jepps par terre sur le lino, où il baignait dans son sang épais, qui séchait déjà. Or mon souvenir le plus vif, c'est précisément celui-ci : la légèreté impalpable, surprenante, de ce petit toupet saturé de sang. Je ne me rappelle pas l'aspect des corps eux-mêmes, ni leur odeur, ni s'ils étaient mous ou rigides, ni les marques laissées par les balles qui les avaient transpercés, ni l'odeur de la poudre (qui avait dû emplir la pièce), ni même si nous les avons charriés comme des sacs de linge sale ou tirés par les mains ou les talons, comme les cadavres qu'ils étaient déjà.

Je me rappelle fort bien, par contre, la vitesse à laquelle les coups de feu mortels sont partis. Aucune dramaturgie, pas comme dans les films. Ça s'est produit en un éclair, à croire que ça ne s'était pas produit du tout. Sauf que, subitement, il y avait un mort. J'en suis parfois arrivé à me figurer que je me trouvais dans la pièce à ce moment-là. Mais ce n'est pas vrai.

Je me rappelle, aussitôt après les coups de feu, l'expression d'Arthur Remlinger qui s'adressait aux morts, cette expression réprobatrice, et puis le regard qu'il m'a lancé par la porte où, stupéfait, je posais les yeux. Ce regard disait (pensais-je alors) qu'il me tuerait, moi aussi, si l'envie lui en prenait, et que j'avais intérêt à me le tenir pour dit. Le meurtre était bel et bien écrit sur son front, à travers cette expression que Jepps et Crosley avaient guettée chez lui et n'avaient entrevue que dans leurs derniers instants.

Je me rappelle qu'après les tirs, lorsque Remlinger m'a regardé en prononçant ces mots inaudibles pour moi, d'instinct, j'ai détourné les yeux. J'ai détourné tout mon corps pour regarder par la vitre du passager, et là j'ai vu Charley Quarters s'encadrer dans la porte de la caravane, à contre-jour. Il était sorti dans le froid en maillot de corps et en slip. Il était penché vers l'avant et il observait. Peut-être savait-il tout déjà et ne faisait-il qu'attendre l'heure d'entrer en scène.

La dernière chose dont je me rappelle, c'est comment nous les avons enterrés, dépouillés de leurs vêtements – leurs valises et leurs effets en route pour le bidon incinérateur de Charley, leurs alliances, leurs pistolets et leurs fusils en route pour les profondeurs de la Saskatchewan –, comment nous les avons pliés au fond de leurs trous, creusés assez profond pour que les coyotes et les blaireaux ne les déterrent pas. Ça a été relativement facile. Je les ai regardés en surplomb, chacun dans sa fosse, à quelques mètres d'écart, et puis j'ai regardé la Prairie obscure, au-dessus de laquelle j'ai entendu une oie, dans le ciel de neige, pousser les cris qu'elles poussent. Et j'ai vu – à ma grande surprise, mais bien vu – l'enseigne rouge du Leonard, là-bas dans la nuit, du côté de Fort Royal, plus proche que je n'aurais cru, ce maître d'hôtel qui offrait son verre de Martini. Un instant, on aurait pu croire qu'il ne s'était rien passé.

Témoin du meurtre des deux Américains, puis-je seulement en parler ? Parler de son effet sur moi ? Il va falloir que j'invente les mots, alors, car, à la vérité, cet effet est le silence.

Vous vous dites peut-être qu'avec les années j'ai beaucoup

pensé à Arthur Remlinger, qu'il a été une énigme, l'objet de mes spéculations. Erreur. Il n'avait rien d'une énigme. J'ai cru pendant un temps qu'il détenait une signifiance, une épaisseur de vécu dépassant le simple factuel. Mais il en était dépourvu, sauf en ceci qu'il avait causé la mort de trois hommes. Il était *en manque* de signifiance, au contraire, sans aucun doute (voir Harvard, et son premier meurtre). Mais il n'a pas pu dépasser l'absence qui était la compagne de sa vie et le menait en toute chose. La pensée à rebours, cette habitude qui m'avait fait voir du sens là où il n'y avait qu'absence, est peut-être un trait positif. (C'est ce qui m'a fait paraître plus intéressant aux yeux de ma mère.) Mais elle se ramène parfois à nier l'évidence – grave erreur –, ce qui entraîne toutes sortes de trahisons et de méprises en cascade, parfois mortelles, comme les Américains l'ont découvert.

Mais bien plus que Remlinger, je me suis efforcé de faire vivre dans ma mémoire les deux Américains, Jepps et Crosley, puisque, disparus corps et biens à jamais, c'est le seul lieu de leur vie postérieure. J'ai pensé, comme je l'ai dit, que leur mort était liée à l'initiative catastrophique prise par mes parents de braquer une banque, moi étant la constante, le raccord, le cœur de cette logique. Et avant de me dire que je bricole, que je bidouille pour inventer une logique, réfléchissez combien le mal est proche de pratiques ordinaires qui n'ont rien de commun avec lui. À travers tous ces événements mémorables, ce que je m'efforçais de préserver pour moi, c'était une vie normale. Quand j'y pense, cette période qui commence avec l'attente de la rentrée des classes au lycée de Great Falls, et se poursuit par le hold-up de nos parents, le départ de ma sœur, mon passage au Canada et la mort des Américains, pour arriver jusqu'à Winnipeg et l'endroit où je me trouve aujourd'hui, cette période est tout d'une pièce, comme une partition musicale avec ses mouvements, ou bien comme un puzzle, à travers quoi je cherche à reconstituer et à conserver ma vie dans un état d'intégrité acceptable, malgré les frontières franchies. Je sais que je suis le seul à établir ces rapports. Mais ne pas tenter de le faire équivaut à se laisser ballotter par les vagues, pour se fracasser sur les récifs du désespoir. Il y a des enseignements capitaux à tirer du jeu d'échecs, où les stratégies individuelles s'inscrivent dans une seule et même stratégie à terme, qui vise non pas à rechercher un état d'hostilité ou de conflit, de défaite ou même de victoire, mais l'harmonie partout sous-jacente.

Pourquoi Arthur Remlinger a tué les deux Américains, je ne peux tenter de le deviner qu'en serrant l'évidence au plus près. Leur mort n'a rien résolu, elle lui a simplement permis de gagner du temps, de retarder l'heure de disparaître dans une obscurité plus profonde encore – ces fameux voyages à l'étranger qu'il avait évoqués.

Il est possible qu'il ait envisagé le problème sous tous ses angles. Non pas à la manière du commun des mortels, c'est-à-dire en pesant le pour et le contre et en laissant ses réflexions et son jugement guider son acte, quitte à ce qu'ils le dissuadent de le commettre, cet acte, précisément. Peut-être était-il convaincu que les Américains finiraient par l'abattre, lui ; et que, même s'ils ne l'abattaient pas, il ne fallait pas compter qu'ils lui laissent le moindre répit (comme il le disait), qu'ils s'en aillent un jour pour ne jamais revenir ; ils étaient plus investis dans leur mission qu'on ne le lui avait donné à croire. Envisager la question sous tous ses angles, pour lui, voulait surtout dire les abattre – sauf imprévu quelconque. Quel imprévu, comment savoir, puisqu'il ne s'est pas produit ? Sans doute que, dans bien des cas, envisager une question sous tous ses angles revient à ceci : faire ce qu'on a envie de faire – dans la mesure du possible. Peut-être voulait-il les tuer, voilà tout ; pour la simple raison qu'ils étaient parvenus jusqu'à lui et essayaient de s'expliquer avec lui ; parce que l'idée de parler le mettait en fureur, après toutes ces années de frustration muette, de tension, de déception, d'attente ; peut-être que le fait d'être abordé par deux quidams venus de nulle part et malintentionnés qui plus est le mettait en rage, lui qui avait une haute opinion de son intelligence ; peut-être qu'entendre les verbes « aérer » et « libérer », verbes sous-entendant une compassion de leur part – peut-être que cela l'avait subitement rendu accessible, et du même coup mortellement dangereux. Il se peut qu'il ait su depuis longtemps que la déraison était sa fêlure majeure. Et il se peut qu'il ait cessé de s'en inquiéter, acceptant son impuissance en la matière, puisque la déraison était sa nature et qu'il méritait tout ce qu'elle lui valait. Il était meurtrier, tout comme mes parents, à leur échelle plus modeste, étaient braqueurs de banque. Pourquoi s'en cacher, croyait-il peut-être ? Il fallait s'en glorifier, au contraire. Pour tuer deux personnes, il faut bien qu'il y ait un quotient de démence à la clef.

Qu'en est-il résulté, de ces deux meurtres ? Pas grand-chose, que je sache. La Chrysler des Américains fut cachée dans le Quonset de Charley, puis reconduite aux États-Unis par Ollie Gedins et un de ses cousins, sous l'identité des deux victimes, sans attirer l'attention des douaniers pour autant. (On était au Canada ; et en 1960.) Les deux Canadiens descendirent au motel Hi-line de Havre, dans le Montana, sous les noms de Jepps et Crosley, puis s'évanouirent discrètement dans la nuit, en laissant la voiture garée devant leur chambre et la police les rechercher, persuadée qu'ils avaient quitté le Canada, qu'ils étaient parvenus jusqu'à Havre, pour disparaître ensuite mystérieusement. Il est possible que la police montée soit passée au Leonard par la suite, qu'elle ait posé des questions, montré des photos. Personne ne fit le rapprochement entre Arthur Remlinger et la mort des Américains, pas plus que des années plus tôt, on en avait fait entre lui et l'attentat. Quant à Jepps et Crosley, enterrés dans la Prairie qui n'allait pas tarder à geler (nous avions trouvé le sol tout juste assez meuble pour y creuser deux trous), preuve ne fut jamais faite qu'ils étaient morts. Si quelqu'un est venu y regarder de plus près, une épouse, un parent de Detroit, ça s'est passé longtemps après que j'avais pris le bus pour Winnipeg.

Il est certain que quelque chose a dû transiter par les courants électriques du Leonard, les jours qui ont suivi les meurtres. Pour autant, Charley Quarters a continué d'emmener les Fusils dans les champs, le matin, et Remlinger de passer de table en table avec entrain, le soir, au bar. Moi, on m'a interdit de participer à quoi que ce soit, comme si on ne me faisait plus confiance. Mais je gardais le droit de prendre mes repas à la cuisine et de rester dans ma chambre, de traîner sans savoir que faire dans le périmètre du Leonard, ou de vagabonder dans les rues de l'hiver, comme je l'avais fait aux jours tièdes de septembre. Je voyais le demi-tonne de Charley Quarters dans la rue et sur le parking de l'hôtel. Un jour j'ai croisé Arthur Remlinger à la réception où les Américains s'étaient présentés. Il était en train de lire une lettre, il m'a regardé comme jamais. Il m'a semblé plein d'énergie, comme si, en cet instant, il voulait m'exprimer quelque chose qu'il ne m'avait jamais exprimé, mais son visage a très vite changé, pour prendre un air presque sévère. « Il faut parfois semer le trouble pour tirer une situation au clair, Dell, m'a-t-il dit. Nous méritons tous une deuxième chance », ce qu'il m'avait dit le soir des meurtres. Ça n'avait ni queue ni tête, et je ne savais que répondre. Je l'avais vu assassiner deux hommes. J'étais au-delà des mots. Il a fourré la lettre dans la poche de sa veste et il est parti – comme ça. Je crois que c'est le sens qu'il donnait à ce double meurtre, avec enterrement des hommes dans des fosses de tir au milieu de la Prairie : il avait été commis dans un but de clarification, et pour soulager sa souffrance, aussi. J'ai essayé de le comprendre et de réconcilier cette vision des choses avec ce que j'éprouvais, honteux et mortifié, comme si une part de l'absence de Remlinger avait ouvert une brèche en moi. Mais je n'ai jamais pu.

J'ignore ce que Florence savait ou ne savait pas des meurtres.

Entre nous, j'incline à croire qu'elle était au courant sans l'être. C'était une artiste. Elle hébergeait des contradictions dans sa tête. Des contradictions, il y en a tant, dans la vie. Le mariage, par exemple. Cette ambivalence s'accorde avec le peu que je savais d'elle.

Quatre jours après les meurtres, le 18 octobre, donc, Florence est venue me réveiller dans ma chambre. Elle m'apportait une valise en carton avec des serrures en cuir et des étiquettes qui disaient PARIS, NEW ORLEANS, LAS VEGAS et LES CHUTES DU NIAGARA. Elle l'a posée sur la commode en me disant que je ne pouvais pas indéfiniment ranger mes affaires dans une taie d'oreiller. Je la lui rendrais quand on se reverrait. Elle apportait aussi un billet de car, qu'elle m'a donné, ainsi qu'une petite huile sur toile de sa main, qui représentait la rangée de caraganiers, au bout de la ville, avec les ruches blanches derrière, la Prairie et le ciel bleu, cette fois achevés. « Elle est meilleure que la précédente, m'a-t-elle dit sur un ton professionnel. Comme ça, tu garderas un souvenir plus positif. La ville est hors champ. » (Ce détail, surtout, m'a fait penser qu'elle était au courant des meurtres.) Je lui ai dit que la toile me plaisait beaucoup – c'était vrai et je n'en revenais pas qu'elle m'appartienne. J'aurais déjà dû le lui dire pour l'autre, j'espérais que ça compenserait. J'ai rangé dans la valise mes quelques vêtements, mes pièces d'échecs, mon *Chess Fundamentals*, et mon échiquier, les deux tomes de mon *World Book*, le *Building of the Canadian Nation*, qu'elle m'avait offert, mais pas mon livre sur les abeilles ; celui-là, je l'abandonnais. La valise était lourde. Ensemble, nous sommes descendus et nous avons quitté l'hôtel pour nous retrouver dans l'animation de la grand-rue, et marcher jusque chez le coiffeur où je m'étais fait couper les cheveux ces derniers jours, comme si j'avais su qu'il allait m'arriver quelque chose. Nous avons attendu derrière la porte vitrée, et Florence m'a dit qu'elle allait me mettre au car et que je ne devrais en descendre qu'à Winnipeg, situé à huit cents kilomètres environ, et que j'atteindrais le lendemain de bonne heure. Son fils Roland m'attendrait à l'arrêt. J'habiterais chez lui, j'irais en classe chez les sœurs, jusqu'à ce que « tout rentre dans l'ordre ». Ça marcherait comme sur des roulettes. C'était bien que je parte avant que l'hiver n'écrase la vie sous sa botte. À quoi bon en dire davantage ? a-t-elle conclu. Elle m'a serré dans ses bras et embrassé quand le car est arrivé – elle ne l'avait jamais fait, et elle ne l'a fait que parce qu'elle me plaignait. Elle me reverrait, m'a-t-elle dit. Il n'y a qu'à elle que j'ai dit au revoir. C'était comme si j'étais déjà parti depuis longtemps et que je ne faisais que me rattraper moi-même. Les adieux classiques, où tout le monde respecte pieusement les formes, c'est l'exception, dans la vie, pas la règle.

Moi, bien sûr, j'étais très très content de partir. Dans la voiture de Remlinger, entre les tirs et le moment où on s'était débarrassé des corps, j'avais regardé par les vitres, la voiture des Américains, et la ville de Partreau enfoncée dans la nuit et la neige ; décor parfait pour un crime, ce lieu de l'absence et des promesses oubliées. J'avais cru m'en être échappé, mais finalement, non. Si bien que là, dans ce car qui quittait à pleins gaz Fort Royal et le Saskatchewan, je me disais que je tenais une fameuse chance, ma dernière.

Tout en roulant vers l'est, je ne me suis que très peu adonné aux retours en arrière, qui n'ont jamais été mon fort. Il faut que les événements s'enfoncent profondément et se diffusent ensuite naturellement pour que je les considère avec l'attention qui leur est due. Ou alors je les oublie. Je n'ai pas songé un instant que ce qui venait de m'arriver allait colorer l'idée que je me faisais de mes parents et de leur crime tellement plus mineur. Rien non plus n'est venu conforter l'espoir de les revoir, moi qui l'aurais tant voulu. La façon dont Remlinger m'avait instrumentalisé, comme auditoire d'abord, puis comme un objet prétendument digne d'intérêt, en me faisant jouer le rôle de son fils, de son garant, de son témoin et de son complice, n'était pas de nature à me réjouir. Pour autant, cela ne m'avait pas empêché de monter dans le bus, ni interdit l'avenir auquel je m'accrochais.

Ne craignait-il pas que je parle ? Je suis persuadé que jamais il n'a cru que je raconterais ce que j'avais vu et à quoi j'avais participé – pas davantage que les deux Américains dans leurs pauvres tombes. Il y a des choses qu'on ne dit pas, c'est tout. J'éprouve même une pointe de satisfaction à penser qu'il me connaissait du moins assez bien pour le savoir, qu'il m'avait prêté assez d'attention.

Mildred Remlinger m'avait conseillé d'ouvrir au maximum mon champ d'intérêts, pour ne pas me laisser monopoliser de manière malsaine par un seul, et avoir toujours de quoi me délester en cas de besoin. De leur côté, mes parents m'avaient tour à tour conseillé l'acceptation. (Souple, c'était le mot de ma mère.) Avec le temps, je serais en mesure de m'expliquer tout ça. Quelque part, d'une façon ou d'une autre. Peut-être auprès de ma sœur Berner, que j'étais sûr de revoir avant de mourir. D'ici là, je tâcherais de faire la part des choses parmi les bons conseils reçus : pratiquer la générosité, savoir durer, savoir accepter, se défausser, laisser le monde venir à soi – de tout ce bois, le feu d'une vie.

# Troisième partie

# 68

J'ai toujours conseillé à mes élèves de méditer la longue vie de Thomas Hardy, né en 1840 et mort en 1928. De méditer sur tout ce qu'il a vu, sur les changements qui ont fait la trame de son existence sur une telle période. Je les encourage de mon mieux à élaborer un concept de vie ; à mobiliser leur imagination ; à concevoir leur existence sur la planète non pas seulement comme un catalogue d'événements, aléatoires et indéfiniment déroulés, mais comme une vie, précisément, à la fois abstraite, et limitée. Et ce, pour faire la part des choses.

J'étudie avec eux des livres qui me semblent secrètement traiter de mes jeunes années : *Heart of Darkness, The Great Gatsby, The Sheltering Sky, Nick Adams, The Mayor of Caster-bridge*[1]. Mission : cap sur le néant. Abandon. Figure qu'on pourrait croire mystérieuse, mais qui ne l'est pas après tout. (Ces livres ne font pas partie des programmes du lycée, au Canada, allez savoir pourquoi.) Ma métaphore centrale est toujours le franchissement d'une frontière ; l'adaptation, le passage progressif d'un mode de vie inopérant à un autre, fonctionnel celui-là. Il s'agit parfois aussi d'une frontière qui, franchie, ne se repasse pas.

Chemin faisant, je leur expose sinon les faits du moins quelques-unes des leçons de ma longue vie : me rencontrer à

---

1. *Au cœur des ténèbres, Gatsby le Magnifique, Un thé au Sahara, Les Aventures de Nick Adams, Le Maire de Casterbridge, histoire d'un homme de caractère.*

l'âge de soixante-six ans ne leur permet pas de m'imaginer à quinze (il en ira de même pour eux) ; rien ne sert de traquer fiévreusement un sens caché ou paradoxal, y compris dans les livres qu'ils lisent, mieux vaut, autant que possible, regarder bien en face ce qui saute aux yeux. En définissant son propre lien à ce que l'on voit, on a toutes les chances de comprendre le monde et d'apprendre à l'accepter.

Non que cela leur soit toujours spontané. Souvent, l'un d'entre eux déclare : « Je ne vois pas le rapport avec nous », à quoi je réplique : « Est-ce que tout doit tourner autour de votre nombril ? N'êtes-vous pas capable de vous projeter hors de vous-même ? D'endosser la vie d'un autre pour en faire votre profit ? » C'est alors que je suis tenté de leur parler de mes jeunes années dans leur entier. De leur dire qu'enseigner, c'est pour moi mettre en acte le refus opiniâtre de les abandonner, c'est la vocation d'un garçon qui adorait l'école. J'ai tant à enseigner, et si peu de temps ! me dis-je toujours, ce qui n'est pas bon signe. La retraite arrive à point nommé.

Il est entendu de longue date que je suis américain, moi qui ai pourtant été naturalisé voici trente-cinq ans et qui possède un passeport canadien. Moi qui ai épousé une Canadienne qui sortait de l'université du Manitoba, il y a des décennies. Moi qui suis propriétaire de ma maison de Monmouth Street, à Windsor, dans l'Ontario, et qui enseigne au Walkerville Colle-giate Institute depuis 1981. Mes collègues n'abordent qu'avec tact la question de mon américanité abandonnée. De temps en temps, on me demande si j'ai « envie de retourner » là-bas. Je réponds que non, pas du tout. Là-bas : l'autre rive du fleuve, visible à l'œil nu. Ils me donnent l'impression d'approuver mes choix (les Canadiens se perçoivent comme naturellement tolé-rants, compréhensifs, portés à l'ouverture), mais ils sont agacés jusqu'à la rancune à l'idée que j'aie dû faire un choix, justement. Mes élèves, qui ont dix-sept, dix-huit ans, je les amuse, plutôt. Ils disent que je parle « yank », ce qui est faux, et à quoi je réponds qu'il n'y a aucune différence. Je leur dis qu'il n'est pas difficile d'être canadien : témoins les Kenyans, les Indiens et les Allemands, qui y arrivent très bien. Et puis, je n'avais pas eu le temps d'être formé à l'américanité. Ils veulent savoir si, dans un passé lointain, j'ai voulu éviter la conscription (je me demande même comment ils sont au courant de cette question dans la mesure où l'histoire n'est pas leur matière majeure). Je leur dis que je suis un « conscrit canadien » et que le Canada m'a sauvé d'un sort pire que la mort – ils croient que je parle de l'Amérique. Parfois ils me demandent par boutade si j'ai changé de nom. Je leur assure qu'il n'en est rien. L'usurpation d'identité et les masques sont de grands thèmes de la littérature américaine. C'est beaucoup moins vrai au Canada.

Au bout d'un moment, je cesse d'aller dans leur sens. Le Canada ne m'a pas sauvé ; je le leur dis seulement parce qu'ils ont envie de le croire. Si mes parents n'avaient pas fait ce qu'ils ont fait, s'ils n'étaient pas morts en tant que parents, ma sœur et moi aurions mené des vies américaines sans déviance et nous nous en serions très bien portés. Mais de leur écart, est survenu le nôtre.

Au fil des années, ma femme et moi avons de temps en temps passé nos vacances « en bas ». Nous n'avons pas d'enfants et chacun de nous représente, en un sens, la fin de sa lignée. Alors nous allons où il nous plaît : nous avons fait l'impasse sur Orlando et le comté d'Orange ainsi que Yellowstone, en préférant des sites dotés d'une importance historique et culturelle – Chatauqua, le pont de Pettus, Concord, et DC, que Clare considère comme un peu « indigeste », mais qui me convient, à moi. Je me suis inscrit à des cours d'été donnés par des professeurs de Harvard, j'ai visité la clinique Mayo, et nous avons souvent pris une route directe pour aller dans le Manitoba.

Je ne suis jamais retourné à Great Falls, mais il paraît que la ville – restée à une échelle réduite – est devenue bien plus conviviale qu'à l'époque où nous y vivions et où j'ai été escamoté sans retour. Pareille aventure serait franchement impossible aujourd'hui, depuis le 11-Septembre et l'étanchéité de la frontière. Ça se passait il y a longtemps. Mes parents occupent une place encore plus petite dans ma mémoire, aujourd'hui. Je me souviens souvent que Charley Quarters m'avait dit, le jour où nous observions les oies depuis nos chaises longues, que quelque chose « sortait de lui » quand il remontait des « 48 États » vers le Canada. Moi, j'éprouve l'inverse. Il y a quelque chose en moi qui s'apaise lorsque je rentre. Si quelque chose sort de moi, alors, il s'agit de quelque chose que je veux chasser.

Lors d'une virée en voiture à Vancouver, nous nous sommes arrêtés à Fort Royal, dans le Saskatchewan. Ma femme n'ignore rien de cette époque, elle manifeste de la sympathie et une curiosité diffuse sur le sujet, dans la mesure où je ne passe pas mon temps à le ressasser. Je lui ai raconté mon histoire une bonne fois pour toutes quand nous étions jeunes, parce que je considérais qu'il fallait qu'elle la connaisse, mais depuis, je ne l'ai pas souvent reparcourue.

De Fort Royal même, il ne restait plus grand-chose. Le bazar, la bibliothèque désaffectée, l'école de brique vide d'enfants – disparu, tout ça, plus une trace. Deux rangées de bâtisses vides, la station-service coopérative, la poste, le silo désaffecté. La gare de marchandises fonctionnait toujours, mais elle m'a paru plus petite. Bizarrement, l'abattoir (qui s'appelle aujourd'hui Custom Prairie Meats) a perduré. De même que le petit hôtel Queen of Snows, avec son panneau annonçant : CHASSEURS D'OIES : BIENTÔT L'AUTOMNE ! RÉSERVEZ VOS JOURNÉES. Le Leonard, en revanche, compte au nombre des disparus. Son site, aux marges de la ville, ne porte nulle trace de sa présence. C'était l'été, début juillet, et la moisson n'avait pas commencé. La plupart des maisons étaient encore debout, dans leurs courtes rues au cordeau ; sur beaucoup flottait la feuille d'érable – pratique inconnue il y a cinquante ans. Mais on ne voyait pas où les habitants auraient trouvé de l'embauche. Tout le monde prenait sans doute sa voiture pour aller travailler, jusqu'à Swift Current ou au-delà.

Partreau, que nous avons traversé ensuite, avait disparu corps et biens. Jusqu'au squelette du silo à grain. On aurait dit qu'une énorme machine vengeresse était venue déblayer le terrain pour saler la terre ensuite. J'ai roulé en m'enfonçant dans les champs de blé, denses et ondoyants. Le ciel était haut, bleu clair, le vent chaud chargé de poussière, constellé de sauterelles bondissantes. Des faucons patrouillaient, paresseux sous le vaste dôme, ou se postaient en sentinelles sur un arbre solitaire, çà et là. Sans le dire, je nous ai emmenés, me fiant au mieux à ma mémoire, jusqu'à l'emplacement où nous avions enterré les Américains. Curieux qu'un arpent de terre puisse être si étranger à sa signification ; quoique d'un autre côté, c'est heureux, sinon les lieux deviendraient sacrés et impénétrables, alors qu'ils ne sont ni l'un ni l'autre et que tout trouve sa place dans notre pensée complexe pour susciter notre assentiment final – avec un peu de chance. Les vastes champs de céréales ondulaient, sifflaient, s'irisaient, ils se courbaient et se redressaient contre le vent quand nous nous sommes arrêtés. Je suis sorti respirer l'odeur entêtante de la poussière, du blé, et de quelque chose de vaguement gâté – à peine perceptible, un relent. Les Américains gisaient sous terre, comme ils l'auraient fait à présent de toute façon, même s'ils avaient vécu plus longtemps. Mains dans les poches de mon pantalon, pieds dans la poussière, j'essayais de trouver là une signifiance, une révélation, comme si j'en avais besoin. Mais en vain. Alors je suis retourné à la voiture, où ma femme m'attendait dans la chaleur et m'observait d'un œil curieux. Nous avons repris la route de l'ouest, et des montagnes, lointaines et invisibles, et nous avons quitté les lieux à jamais, une fois de plus.

# 69

À l'automne dernier, avant la mort de ma sœur, je suis allé la voir à Twin Cities. La ville n'est qu'à une heure de vol de Detroit Metro, aéroport que nous avons fait nôtre, tous tant que nous sommes. Je ne savais pas qu'elle habitait là. Les élèves qui organisaient mon pot de départ avaient tapé mon nom sur le Net pour glaner ce qu'ils pouvaient – un détail gênant ou touchant ; quelqu'un qui me rechercherait – ancienne conquête ou copain de régiment ; une citation à comparaître. Il devient difficile de garder un secret par les temps qui courent (quoique je ne m'en sois pas trop mal tiré pour ma part). C'est ainsi qu'ils ont découvert un message de recherche « posté » sur je ne sais quel site. Il disait simplement : « Recherche Dell Parsons, professeur. Vit peut-être au Canada. Sa sœur malade voudrait le joindre. Le temps presse. Bev Parsons. »

Ça m'a fait un choc considérable de voir le nom de mon père sur la feuille de papier que mes élèves me tendaient assez solennellement, me montrant par là que, si leurs intentions étaient plus badines au départ, ils avaient bien compris que je devais prendre connaissance de ce message.

Je n'avais jamais revu mon père, ni ma mère, depuis qu'ils étaient partis en prison dans le Dakota du Nord. La dernière fois, c'était le jour où nous étions allés les voir dans leurs cellules, à Great Falls. Il y avait eu des lettres, une ou deux de Mildred. L'une des deux m'annonçait, autre choc, que ma mère s'était suicidée dans sa prison. (J'étais déjà à l'Institut Saint-Paul, à

Winnipeg, et je me rappelle assez mal ce que j'ai éprouvé.)
Mais de lui, aucune nouvelle depuis qu'il avait purgé sa peine
– s'il avait vécu au-delà. Il devait se dire que je ne m'en portais
que mieux, où que j'aie pu être, et qu'il ne servait à rien de
revenir sur une page tournée depuis longtemps – voilà ce que
j'en concluais. J'avais fini par y croire, sans oublier mon père
pour autant. Lors de mes premières retrouvailles avec Berner, à
Reno, dans le Nevada, en 1978, elle m'avait dit qu'elle pensait
l'avoir vu à Jackpot, perché sur un tabouret du casino d'une
station-service, en train d'enfiler des nickels dans une machine à
sous, une « petite Mexicaine » à ses côtés. Il s'était laissé pousser
la moustache. Elle a reconnu qu'elle pouvait confondre cette
image avec celle d'un homme aperçu à Baker, dans l'Oregon,
tout seul cette fois. « Mais dans les deux cas, il était resté bel
homme, a-t-elle dit, avant d'ajouter : Je ne lui ai pas parlé. »
Berner buvait, et elle n'était pas avare de ce genre d'anecdote.

Mais l'idée que mon père, à l'âge de quatre-vingt-dix ans, soit
au chevet de ma sœur à un moment difficile, et remue ciel et
terre pour me demander assistance, m'amenait bizarrement à
éprouver que ma vie était pire qu'assiégée, menacée de nullifi-
cation. Ils m'attendaient donc tous finalement, fantomatiques,
obstinés, ils me dévisageaient, indélébiles. J'ai réalisé à quel
point j'avais voulu les effacer, à quel point mon bonheur était
lié à leur disparition.

Berner et moi ne nous étions vus que trois fois en cinquante
ans. Ces relations familiales en pointillé sont peut-être plus
typiques aux États-Unis. Il m'est impossible d'en faire une
généralité pour le Canada et les Canadiens, dont je n'ai guère
l'impression de faire partie. Toujours est-il que nous avons
beaucoup vu les parents de ma femme avant leur mort, et que
nous voyons toujours beaucoup sa sœur, qui habite Barrie. Les
Canadiens et les Américains sont si semblables à bien des égards
qu'il serait sans doute injuste de les opposer sur ce chapitre.

J'ai toujours eu le sentiment qu'il faudrait que je voie ma

sœur davantage ; je suis comme ça, moi, en tant que frère, que voulez-vous ! Seulement les choses ont tourné autrement. Elle a mené une vie très différente de la mienne, au bout du compte. Moi, je suis resté marié avec la même femme, et j'ai été professeur de lycée et animateur de clubs d'échecs pendant toute ma vie active. Berner s'est mariée trois fois au moins et il semble malheureusement qu'elle n'ait jamais pu s'épanouir que dans une forme de marginalité. J'ai perdu le fil de la plupart des péripéties de sa vie. Elle a été hippie jusqu'à l'épuisement du phénomène. Ensuite elle a épousé un policier qui la traitait très mal. Puis elle a repris des études sur le tard, sans succès. Elle a été serveuse dans un casino. Puis dans un restaurant. Puis aide-soignante à l'hôpital. Elle a convolé avec un mécanicien moto à Grass Valley, en Californie. Pas d'enfants. Bien d'autres indices donnent à penser qu'elle n'a pas eu la belle vie, quoiqu'elle ne l'ait jamais dit.

Lorsque nous sommes allés la voir à Reno, elle vivait avec un dénommé Wynne Reuther, qui se disait parent avec Walter Reuther[1]. Ils étaient ivres, lui comme elle. Nous dînions dans les caves d'un casino. Berner était bouffie sous ses taches de rousseur, le faciès exagérément aplati ; un rire rauque et gouailleur lui découvrait la langue ; ses yeux gris-vert étirés vers les tempes avaient quelque chose de froid, de rapace. Elle a traité ma femme avec beaucoup d'ironie et ne semblait même pas se rappeler que nous étions canadiens. Elle avait gardé cette agressivité singulière qui m'avait toujours fasciné – sa *hauteur**, comme disait notre père. Enfants, nous étions les deux faces de la même pièce. Tandis que là, à table, pendant qu'elle parlait pour couvrir la voix de ce Reuther, elle me faisait l'effet d'un être humain parmi d'autres, malgré des tics, des gestes de la main et un « air » de famille fugace, spectral, que je reconnaissais.

1. Syndicaliste américain, président de l'United Auto Workers, un des plus importants syndicats américains, de 1946 à 1970.

Pour finir, elle a déclaré que je parlais comme un Canadien (moi, pas Clare !), ce qui ne m'a pas tracassé outre mesure, d'ailleurs. Elle a dit que le Canada était un pays « informe », ce qui a agacé Clare. Elle a fini par me reprocher d'avoir abandonné mon pays à lui-même. Après quoi je me suis pris de bec (déplacement caractérisé) avec Wynne Reuther, à propos de l'Iran, je crois, et la soirée en a été écourtée. Et voici les derniers mots que Berner m'ait dits, sur le parking désert, dans la nuit étouffante, tandis qu'au-dessus de nos têtes, l'Interstate 80 roulait avec fracas son fardeau de camions sous la clarté orangée des lampes au sodium et les illuminations du casino : « Tu as renoncé à beaucoup de choses. J'espère au moins que tu t'en rends compte. » Elle parlait sans savoir ; elle avait trop bu et pensait avec amertume à l'ersatz de vie qu'elle avait mené en lieu et place de celle qu'elle aurait eue si tout s'était passé comme il faut, si nos parents, etc. Elle avait raison, bien sûr ; j'avais renoncé à beaucoup de choses, comme Mildred me l'avait suggéré. Oui mais voilà, moi, j'étais satisfait de ce que j'avais eu en retour. « C'est drôle, tout de même, à quoi ça tient, la différence entre les gens », a dit Clare, de but en blanc, une fois dans la voiture. « La nature ne fait pas rimer ses enfants », j'ai répondu, content de me souvenir de ce mot d'Emerson et de le caser à point nommé. Pour autant, cette soirée m'a laissé un sentiment d'impermanence, d'incomplétude, de tristesse. Je me disais que je ne reverrais peut-être jamais Berner.

Nous sommes convenus de nous retrouver au Comfort Inn de l'énorme centre commercial, près de l'aéroport de Twin Cities. Nous nous étions fait des politesses au téléphone pour savoir qui viendrait voir qui et, une fois cette question réglée, si je louerais une voiture pour aller chez elle ou si elle viendrait me chercher à l'aéroport.

« Il faut seulement que je puisse rentrer quand je serai fatiguée », m'avait-elle dit au bout du fil, la voix épuisée mais positive

– comme si ça pouvait me poser problème de la raccompagner le moment venu. Elle avait une petite toux rauque et m'a paru enrouée : « Je fais ma chimio le mardi, alors je me fatigue vite.

– Papa est avec toi ? » j'ai demandé. Le nom Bev Parsons me trottait dans la tête. Je ne voulais pas le voir. Mais s'il était vivant et s'occupait d'elle, il serait difficile de l'éviter.

« Papa ? a répété Berner sur un ton incrédule. Tu veux dire notre père ?

– Bev Parsons.

– Oh bon sang, j'avais oublié ! Non. J'ai fini par larguer mon prénom abominable, a-t-elle dit avec rancune. Ce nom de Berner qui m'a suivie toutes ces années, cette identité qui m'a collé comme la poisse. J'ai pensé qu'il valait mieux prendre le sien. Je le lui avais toujours envié. J'ai gardé les mêmes initiales, pas besoin de changer de valises. Si j'en avais eu.

– Moi je l'ai toujours aimé, ton prénom. Je le trouvais original.

– Tant mieux. Prends-le, alors. Il est vacant. Je te le lègue. » Elle a ri de nouveau.

« C'est grave, ce que tu as ? » Tout à coup, du fait d'être au bout du fil plutôt que face à face, j'avais l'impression non pas que nous étions deux jeunes, mais deux adultes, que nous pouvions nous poser ces questions. Jumeaux toujours, mais en version améliorée.

« Oh là là. Je fais une chimio pour faire quelque chose. J'en ai plus que pour deux mois. Et encore. Un lymphome comme ça, je le souhaite pas à mon pire ennemi. Vraiment. » Je l'ai entendue respirer dans le récepteur. Soupirer. Elle soupirait toujours, dans le temps, mais jamais de résignation.

« Je suis désolé », j'ai dit. Et là-dessus, nous sommes redevenus presque des étrangers. J'étais sincère, bien sûr.

« Et moi donc. » Elle avait une voix enjouée. « C'est le traitement qui me fait souffrir le plus. Et il n'a de traitement que le nom. Il vaut mieux que tu viennes, n'empêche. D'accord ? J'ai envie de te voir. J'ai un truc à te donner.

— D'accord, je viens le week-end prochain.

— Tu es toujours monsieur le professeur ?

— Jusqu'en juin, et après, c'est la retraite.

— Je vais manquer ta remise de diplôme, je crois. » Elle a ri de ce rire dur et ironique que je me rappelais depuis la dernière fois, celui avec lequel elle m'avait dit que j'avais renoncé à beaucoup de choses.

« Elle veut seulement voir si tu vas venir », a dit Clare en secouant la tête d'un air résolu. Elle m'aidait à faire mon petit sac de voyage. Je ne resterais qu'un jour et une nuit. « Et bien sûr, tu vas y aller. »

J'ai dit : « Si ta sœur était en train de mourir, tu irais, toi aussi. » Notre maison de Monmouth Street est située près d'un petit parc et est entourée de quelques ormes. Ce jour-là, ils faisaient retentir la fanfare de leurs ors. On était en octobre, période que l'on attend toute l'année, sous nos latitudes.

« J'y serais allée, a-t-elle dit en me tapotant l'épaule et en déposant un baiser sur ma joue. Je t'aime, elle a ajouté. Donne-lui tout ce qu'elle voudra.

— Tout ce qu'elle veut c'est que je vienne. C'est elle qui a quelque chose à me donner, en fait.

— C'est ce qu'on verra », a dit Clare. Ma femme est commissaire aux comptes et, exception faite du cercle étroit de ses intimes et de ses proches, elle a tendance à voir le monde en termes de négociations permanentes, de pour et de contre, de profits et pertes, de donnant, donnant – mais jamais de bien et de mal. Cette façon de voir ne fait pas d'elle une cynique, seulement une sceptique. Elle a le cœur généreux. « Tu récolteras ce qui te vient, de toute façon, a-t-elle ajouté. Dis-lui bien des choses de ma part, si elle se souvient de moi.

— Elle se souvient de toi. Ça lui fera plaisir. Je n'y manquerai pas. »

Il faisait froid, à Minneapolis, ville que j'ai toujours aimée de loin, pour ce qui me paraît être son optimisme à échelle humaine, policé et vigoureux. Quand nous allions voir la mère de Clare, à Portage la Prairie, il nous est arrivé de faire un détour par cette ville dynamique, en prenant le ferry pour le Wisconsin.

J'étais devant le Comfort Inn, en pardessus, suivant de l'œil une escadrille de canards qui filaient vers le sud, lorsque Berner est arrivée dans une Probe bleue cabossée, couverte de croûtes de rouille au-dessus des roues, sur le toit et le capot. Elle a baissé sa glace. « Salut, mon grand ! Ça te tente un petit coup vite fait ? J'ai pas mieux ! » Elle avait une mine épouvantable. Son visage, qui souriait par la vitre de la voiture, avait pris une couleur moutarde. Il ne restait rien de la figure bouffie qui était la sienne trente ans plus tôt, ni du duvet enfantin sur ses joues. Elle avait les yeux presque éteints derrière d'énormes lunettes à monture rouge (du genre que portent les femmes mûres pour faire jeune). Elle était maigre, presque aussi maigre que dans notre jeune temps. Une vieillarde aux dents trop grandes pour sa bouche. Son faciès aplati paraissait avoir moins de taches de rousseur sous le fond de teint. Ses cheveux jadis crépus étaient gris et clairsemés.

« Il faut absolument que je repasse par la maison, j'ai oublié mon oxy trucmuche, a-t-elle dit une fois qu'on a démarré. Après, on ira à l'Applebee, je m'y sens à l'aise. D'acc ?

— Formidable », j'ai dit. Elle portait un shunt transparent scotché sur le dos de la main droite, pour la chimio. Le moindre mouvement lui demandait un effort considérable – même me voir. L'intérieur de sa voiture était un capharnaüm. Un jeté de lit en chenille verte recouvrait les sièges-baquets. La radio avait été retirée. Un morceau de ruban adhésif cachait une déchirure dans le vinyle du tableau de bord. Sur le siège arrière traînaient une roue de secours et un cric pour la changer. Berner portait un manteau en patchwork violet qui avait vécu, et des bottines blanches fourrées. Elle dégageait une forte odeur d'hôpital, un mélange d'alcool avec quelque chose de douceâtre. Elle était manifestement très malade, comme elle l'avait dit.

« Je prendrai ma pilule quand on aura mangé. » Elle se faufilait dans la circulation, dense autour du centre commercial, en ce samedi matin. « Ça me donnera une bonne demi-heure de répit, et après, il faudra que je rentre. Je te déposerai à ton hôtel. Sinon je vais me mettre à conduire à l'envers et sens dessus dessous. Je suis devenue toxicomane. Je ne l'avais jamais été. Ça m'a soigné mes allergies. Un vrai bonheur ! » Elle a souri. « Tu m'avais reconnue ? Le moutarde va faire fureur, cette saison. J'ai le foie flingué, d'où ma couleur. C'est ce qui va m'envoyer de l'autre côté, je crois. Il paraît que c'est pas grave.

– Je t'avais reconnue », j'ai dit. Je ne voulais pas être en reste si elle le prenait sur ce ton. « Est-ce que je peux faire quelque chose pour toi ?

– Oui, ça. » Elle s'est reculée dans son siège comme si quelque chose venait de la mordre à la taille. Elle a inspiré profondément, puis soufflé tout aussi profondément. « Sauf si tu veux me donner des leçons de maths. Je me disais que ce serait bien de me remettre aux maths avant de mourir. J'étais bonne, tu te souviens ? Mais c'est pas du tout la même chose, aujourd'hui. Mourir te donne sans doute cette soif de savoir. Entre autres. » Elle a souri de nouveau. « Tu m'as manqué. Parfois.

– Je me rappelle. Tu m'as manqué, toi aussi.

– Toi, bien sûr, tu as de la mémoire. La mienne flanche complètement. » Elle s'est tournée vers moi et m'a regardé d'un air sérieux, comme si je venais de dire quelque chose que je n'aurais pas dû dire. Elle voulait faire passer dans son regard toute sa chaleur envers moi. M'accueillir, me faire savoir que je lui avais manqué. Tout à coup, j'ai éprouvé un élan douloureux – être jeune, me réveiller de cette vie qui n'aurait été qu'un rêve, dans le train pour Seattle.

« Alors ça te plaît de t'appeler Bev ? » Je ne l'avais pas encore touchée, mais j'ai tendu la main gauchement pour lui tapoter l'épaule, qui m'a paru maigre sous son manteau.

Elle a eu une toux rauque et s'est éventé le visage. « Oh oui ! » elle a dit en ravalant ce qui lui était remonté dans la bouche. « Quinze ans que je le porte ce nom, il m'est devenu naturel. La pauvre Berner est passée sous un bus je ne sais où. Elle avait du mal à me suivre.

– Ça me plaît.

– Papa n'a pas vraiment fait honneur à son nom. Alors je me suis dit qu'il fallait que j'essaie. C'étaient des gosses et rien d'autre, tous les deux, tu sais…

– Non, ce n'étaient pas des gosses, j'ai répliqué, surpris par ma propre dureté. Jamais de la vie. C'étaient nos parents. Les gosses, c'étaient nous.

– D'accord, *touché** », elle a dit, mains sur le volant. Des mains rouges, à vif. « Tu le dis pas, ça, *touché** ? *Touché olé** ?

– Quelquefois.

– Touchée, oui, elle a repris avec un hochement de tête et un sourire accommodant. Je suis touchée. Touchée à la tête. Et toi aussi. On est jumeaux. Le zygote a une mémoire d'éléphant.

– Très juste, on est jumeaux. »

La maison de Berner était un mobile home récent, un double largeur parmi d'autres, dans une ruelle étroite, avec des jardinets impeccables devant, des arbustes solitaires maintenus par des tuteurs, des voitures de sport garées sur une chaussée goudronnée sans trottoir, et des antennes paraboliques sur le toit. On était samedi matin, les enfants jouaient dehors. Des jets énormes s'élevaient dans le ciel d'automne à quelque quinze cents mètres de là, sans faire beaucoup de bruit avant de disparaître.

Berner s'est garée dans une allée pavée. Un homme de petite taille était au bout, en train de glisser de la laitue par la porte grillagée d'un clapier où se trouvaient quelques lapins dodus, gris et blancs, qui poussaient leur nez dans le mince intervalle.

« Je te présente le champion du monde de la patience, qui est aussi champion du monde de Scrabble. Tu le vois s'occuper de son bétail. » Berner a ouvert sa portière, elle avait du mal a dégager ses jambes de sous le volant. « Allez, frérot, pousse-nous gentiment. » Elle avait l'air de souffrir, elle peinait. « J'ai du mal à me remettre en route quand je m'arrête. J'en ai pour une minute. » Elle avait commencé à parler avec l'accent du Sud, à l'approche de chez elle. « On n'est pas mariés, mais je n'ai jamais eu de meilleur mari. Il fallait bien que je tire le bon numéro, un jour, hein ? Il est timide. » Elle s'est mise debout avec raideur et elle a regardé dans la direction de l'homme, qui tirait le verrou du clapier. Il portait des bottes de cow-boy, un jean et un coupe-vent en nylon, ainsi qu'une casquette rouge comme en portent mes élèves, mais à l'endroit. « J'ai oublié quelque chose », elle lui a lancé. Il a levé les yeux vers elle, sans répondre cependant. « Ma dose ! » elle a ajouté, et puis, péniblement, elle s'est dirigée vers le seuil de la porte pour récupérer son médicament.

Le long de la rue, dans le soleil frisquet, beaucoup de mobile homes, disposés dans le sens de la longueur, étaient pavoisés, le drapeau américain flottant au bout d'une hampe en alumi-nium, dans leur jardin. À croire qu'on était venu en vendre à tout le monde. Il n'y en avait pas devant chez Berner. Sur certaines pelouses, des placards annonçaient les convictions des habitants : L'AVORTEMENT EST UN CRIME. LE MARIAGE EST UN SACREMENT. SUPPRIMONS LES IMPÔTS. Ce genre de pratique était en train de contaminer le Canada, avec le gouvernement, cette fébrilité tout américaine de changement. Tant il est vrai que tout dérive irrésistiblement vers le nord.

Le petit homme en casquette rouge et bottes de cow-boy s'est approché d'un deuxième clapier et, là aussi, il s'est mis à y glisser de la laitue apportée dans un saladier posé à ses pieds. Un insigne des Confédérés était cousu sur son coupe-vent, avec un sigle au-dessous que je n'arrivais pas à déchiffrer. L'homme était rabougri, desséché, anguleux, dur à cuire – plus âgé que Berner, et de beaucoup. Un homme pieux, ayant trouvé son salut de longue date, imaginais-je en le voyant à travers le pare-brise aveuglant de soleil. Il devait y avoir une moto dans un coin. Une télé avec écran géant. Une bible. Tout le monde a cessé de boire depuis des années, et maintenant ils attendent. Voilà leur histoire, me disais-je. Finir ici, comme ça. J'avais pour habitude de donner ma vie en exemple, comme si elle était porteuse d'un enseignement profitable à tous. Il n'en était rien, sans doute, surtout pour ma sœur, qui avait pris son destin en main et l'avait accepté. Je me suis rendu compte que je ne savais plus comment l'appeler, ma sœur.

Le petit homme a refermé le second clapier et l'a verrouillé avec soin. Il s'est baissé pour ramasser son saladier et a regardé vers la voiture. Puis il s'est relevé et il a considéré le pare-brise qui miroitait. Peut-être qu'il me voyait sur le siège passager, attendant Berner – attendant Bev. Il a soulevé le saladier en guise de salut et m'a souri d'un sourire agréable, auquel je ne m'attendais pas. Il s'est retourné et, d'une démarche raide et digne, il a disparu au coin du mobile home. Il ne m'a pas vu lui répondre d'un geste. Il ne souhaitait pas faire ma connaissance. Je le comprenais tout à fait. J'arrivais un peu tard sur la scène.

En route pour l'Applebee, Berner m'a paru aller mieux. Elle s'était remis une couche de maquillage, elle sentait la cerise et mâchait du chewing-gum. Elle avait apporté un sachet en plastique de l'épicerie Cub Foods qui contenait, supposais-je, ce qu'elle voulait me remettre.

Elle a allumé le chauffage en me disant qu'elle avait froid en permanence, pas moyen de se réchauffer. Elle a gratté l'adhésif transparent qui fixait le shunt au dos de sa main. Et elle a secoué la tête quand je m'en suis aperçu. On aurait dit qu'elle voulait tirer une langue trop large, ce qui m'a semblé être un effet du médicament. Elle avait moins l'accent du Sud, à présent que nous n'étions plus au mobile home. « Il est de la Virginie-Occidentale », elle a dit. Elle pensait à l'homme qui n'était pas son mari, et qui l'amusait. Il s'appelait Ray. C'était un chou. Il connaissait tout son passé et il s'en fichait pas mal. Il avait été dans l'armée pendant longtemps, et puis il avait pris sa retraite. Elle l'avait rencontré à Reno, et il l'avait amenée ici une dizaine d'années plus tôt, ayant un frère qui vivait dans les Twin Cities. Ce mobile home était son cadeau de quasi-mariage. Ray élevait des lapins « pour la table » et pleurait chaque fois qu'il en sacrifiait un. Ils allaient à l'église. « Moi, tu penses, je ne crois en rien, j'y vais pour lui faire plaisir, pour être sympa. Il sait qu'officiellement je suis juive, du côté de notre mère. Mais pas pratiquante. »

Elle m'a dit qu'elle s'intéressait depuis quelque temps à la Chine et à son hégémonie croissante ; qu'elle avait des sujets d'inquiétude : les « clandestins », les impôts, le 11-Septembre, la « menace terroriste ». Elle se souvenait que ma femme s'appelait Clare et qu'elle était comptable. Elle aurait bien aimé venir nous voir, et savait que Windsor n'était pas loin des Twin Cities. Elle a dit que Ray et elle avaient voté Obama. « Pourquoi pas ? Tu vois ? Il faut bien changer de temps en temps. » Elle m'a demandé si j'avais voté pour lui et je lui ai répondu que ç'aurait été volontiers si on avait laissé voter les Canadiens. Ça l'a fait rire, puis tousser, puis dire : « OK, c'est juste. Au temps pour moi. J'avais oublié que tu avais laissé tomber ton pays. Je ne peux pas te le reprocher. » Là encore, elle ne savait rien de ma vie et ce n'était plus le moment de s'y intéresser, pour elle. Elle s'acharnait à correspondre à une certaine image d'elle, juste pour moi. Notre seul point commun était nos parents – cinquante ans plus tôt – et ce que nous étions l'un pour l'autre, à savoir frère et sœur, une fraternité dont nous tâchions de tirer un parti maximal, dans les limites de cette matinée. Le temps du trajet, elle a réussi à ne pas paraître trop malade ni trop amère à l'idée que nos vies soient parties de travers, et avec une telle injustice dans son cas – à présent surtout. Elle paraissait revenue à un état antérieur d'elle-même, et me regardait avec son scepticisme et son affection d'hier, si bien que je me trouvais jeune et naïf, comparé à elle, vieille et sagace. Ça me plaisait. J'étais content que Clare ne soit pas venue. Et pourtant je n'avais pas vu les choses de cette façon. J'avais imaginé un mobile home, oui ; mais ensuite, j'avais vu une chambre de malade, petite lumière, télé sans le son, étalage de médicaments et oxygène sur le dessus de la commode, voile et effluve de la mort partout. La réalité était bien mieux. Dans des circonstances différentes et plus favorables, nous n'aurions peut-être pas eu envie de passer une journée ensemble. La mort nous rendait indulgents.

« Tu sais – nous nous engagions sur le parking de l'Applebee, bondé d'acheteurs du samedi qui entraient et sortaient de leurs monospaces, motos et pick-up –, je me dis toujours : N'oublie pas, tout aura peut-être changé dans six mois.

– Je suis assez comme toi là-dessus. Nous sommes toujours du même âge.

– Mais tu ne peux pas savoir combien de fois ça s'est vérifié. Six mois, dans ma vie ? C'est toute une vie, justement. » Elle m'a fixé d'un regard de pierre, les muscles de sa mâchoire s'activaient sous sa chair beige, sa langue ne tenait pas en place dans sa bouche.

« Mais si, je peux savoir.

– Alors… elle a dit avec, de nouveau, un soupir résigné, elle qui ne soupirait que d'impatience, autrefois. J'essaie de toutes mes forces de résister à cette mort à petit feu. Ça ne se voit peut-être pas, mais c'est vrai. J'ai l'impression – elle a regardé la clef dans le contact et, du bout du doigt, l'a fait tinter sans rime ni raison –, parfois j'ai l'impression que ma vraie vie n'a même pas commencé. Celle que j'ai vécue n'a pas été à la hauteur, comme tu dirais. Tu n'y es pour rien. Je suis partie au bout de la rue toute seule, un certain été, tu t'en souviens ?

– Je m'en souviens. C'est même très net dans ma mémoire.

– Tu regrettes de n'avoir pas eu d'enfants ? » Elle observait la circulation sur la rampe d'accès. Un gros bus filait vers le centre commercial, des visages de femmes encadrés de cheveux courts à toutes ses vitres. Elle a coupé le chauffage et le contact. Dehors, le bruit était assourdi mais constant.

« Non. Je n'y ai jamais pensé. Il faut croire que j'en vois assez défiler, des gamins.

– C'est le bout de notre lignée, du coup, elle a dit sur un ton de triomphe. La lignée des Parsons finit ici, sur le parking de l'Applebee. Enfin, presque.

– Clare et moi, on se dit la même chose.

– Tu as l'impression d'avoir eu une vie formidable ? Maintenant que je t'ai dit ce que je pense de la mienne ? Tu as le droit de dire que oui. Je m'en réjouirai. » Elle s'est tournée vers moi et, en cet instant, je n'ai vu aucune trace de lutte sur son visage, mais seulement du soulagement. C'est ce visage-là qui restera à jamais dans mon souvenir.

« J'accepte ma vie. Je l'accepte dans son entier. J'ai épousé la fille qu'il me fallait.

– Accepter, on accepte tous. C'est pas une réponse. » Elle a froncé ses lèvres sèches et s'est retournée vers le bus, d'un air contrarié. « Comment faire autrement ?

– Alors, oui, j'ai eu une vie formidable. » Mais je n'étais pas sûr de le penser.

« Je suis ta grande sœur, elle a dit en reniflant d'un air circonspect. Il faut que tu me dises toute la vérité. Sinon, tu auras affaire à mon fantôme. » Elle a eu un sourire qui s'adressait à elle-même, elle a soulevé la poignée de la portière et entrepris, non sans douleur, de poser les pieds dehors. « Je vais y arriver toute seule, cette fois », elle a dit. Nous avons cessé là notre discussion, et nous ne l'avons jamais reprise.

À l'Applebee, nous nous sommes mis à une table près d'une grande baie vitrée qui donnait sur sa voiture rouillée, plus cabossée qu'au premier coup d'œil, avec sa plaque minéralogique du Minnesota tordue et son pare-chocs arrière arraché. C'était la seule voiture en aussi triste état sur le parking.

Berner semblait d'humeur joyeuse, remise de la conversation grave que nous venions d'avoir, comme si le vacarme de ce fast-food au décor kitsch, avec ces télévisions qui vous vidaient la cervelle, était exactement ce qu'il lui fallait, comme s'il avait vocation à faire oublier leurs misères aux malades en phase terminale. Elle avait gardé son manteau, qui aurait mérité un nettoyage.

Elle a sorti son chewing-gum, l'a enveloppé dans un coin de papier déchiré à la nappe, et posé sur le rebord de la fenêtre. Elle a commandé un Martini et m'a invité à faire de même, tout en m'expliquant qu'elle ne pourrait pas le boire à cause de son traitement. Elle avait plaisir à le voir devant elle, comme au bon vieux temps, prêt à opérer son petit miracle. J'ai commandé un verre de vin pour mieux me détendre et me mettre à l'unisson de son humeur.

« Est-ce que je t'ai dit que je n'allais pas me suicider, moi ? m'a-t-elle demandé (elle avait déposé le sachet en plastique sur son siège, dans notre box). J'oublie ce que je t'ai dit et pas dit. C'est la merde, pour ça, les médocs.

— Tu ne m'en as pas parlé, mais je me réjouis de te l'entendre dire. » J'ai levé mon verre à elle.

« Un suicide par famille de quatre, ça suffit », elle a dit. Nous n'avions que seize ans, alors, et nous n'étions guère en état de décider grand-chose. La dernière demeure de notre mère était comprise dans ce que j'avais laissé derrière moi. « Ce n'est pas que je fasse une fixation sur eux », elle a poursuivi, en caressant le pied de son verre d'un doigt, où était tatouée une croix largement effacée, tout en consultant le menu illustré de photos aux couleurs vives représentant les plats proposés. « Parfois, quand je pense à eux et à leur braquage du siècle, je ne peux pas m'empêcher de rire. On est tous partis en vrille, après ça.

Ça a été le grand événement de notre vie, non ? Mégafoutoir, et tout ce qui s'ensuit. » Elle a plissé les paupières derrière ses lunettes et s'est penchée sur les coudes en me regardant droit dans les yeux pour que je voie combien il lui importait d'arriver enfin au terme de ses misères. J'en étais ravagé pour moi, pour elle, avec un sentiment d'impuissance totale.

« Ça ne sert à rien d'y penser », j'ai dit, ce qui était une vérité minimale.

Voilà que les jeunes serveuses se mettaient à chanter bruyamment « Joyeux anniversaire » à un client âgé, au fond du restaurant. D'autres clients frappaient dans leurs mains en mesure. L'équipe de football de l'université du Minnesota jouait sur vingt écrans de télé. Le match suscitait des ovations et quelques gémissements de temps en temps.

« Non, a dit Berner, c'est bien vrai. » Elle a détourné les yeux de son Martini, comme si elle venait seulement d'entendre chanson et applaudissements. « C'est notre secret, hein ? Un secret que nous partageons avec le reste du monde. Il faut laisser glisser. Ça nous relie au genre humain. Voilà ce que j'en pense. » Elle a souri sans raison apparente. Je me suis rappelé la lettre où elle me disait que sa vie débutait. *On éprouve la même chose et on voit (le monde ?) pareil.* Elle avait déjà commencé à prendre part au monde, à l'époque, pas moi. J'y avais été abandonné. Je me demandais si j'étais en train de tricher avec elle d'une manière significative. Est-ce que je lui donnais à voir mon être authentique et sincère ? Ce que j'avais dit de ma vie, était-ce vrai ? Je ne voulais surtout pas tricher avec elle. C'était tout ce que j'avais à lui offrir, et ça avait toujours été mon souci – à cause de mon passé, du fait que j'étais professeur, toujours en représentation, malgré tout. Rien n'est jamais clair car nous disposons tous d'un éventail de « moi » parmi lesquels choisir. « Peut-être que tu avais un penchant secret pour le désordre, et moi, pour la norme. Pour

469

la sagesse. » Elle s'était laissée aller à suivre une conversation intérieure qui n'était pas tout à fait la nôtre.

« Probablement, j'ai dit en buvant mon vin. En tout cas, il doit y avoir une moitié de vrai là-dedans.

— Soit. » Elle a baissé les yeux, s'étant surprise à perdre le fil. Ses cheveux brun-gris étaient clairsemés sur le front et sévèrement tirés en arrière. Elle s'était mis du rose à joues en passant chez elle. Elle avait les oreilles percées, mais pas de boucles. Ses lobes étaient pâles, ramollis. « Tu es toujours mordu des échecs ? elle a demandé en souriant pour m'indiquer qu'elle était redevenue attentive.

— Non, je donne des cours aux autres. Je n'ai jamais été très bon. »

Elle s'est retournée tout à coup, comme si notre commande arrivait. Sa soupe et ma salade. Mais ce n'était pas le cas. « Tiens, au fait, elle a dit, en soulevant le sachet Cub Foods qu'elle a posé sur la table. Voilà. » Elle a soupiré et tiré du sachet une liasse de feuilles de cahier blanches toutes desséchées, percées d'œillets et reliées par des lacets rigidifiés dont la couleur rappelait celle de sa peau. « Je ne voulais pas te les envoyer par la poste. » Elle a posé les mains sur le haut de la pile pour la bloquer. Puis elle m'a regardé en souriant. « Je ne savais pas si tu me plairais, ou si je te plairais. Ni si tu en voudrais, de ces feuillets. » Elle a soupiré de nouveau, très profondément cette fois, comme défaite.

« Qu'est-ce que c'est ? » On voyait des lignes manuscrites à l'encre bleue délavée sur la première page.

« C'est seulement sa "Chronique", comme elle l'appelle. Enfin, l'appelait. Elle l'a écrite en prison, au début où elle y était, d'après les dates. Elle l'a envoyée à Mildred, et comme j'ai rencontré son fils par hasard, là-bas, dans l'Ouest, elle me l'a envoyée. Ça fait longtemps – ça se perd dans la nuit des temps. Elle aurait dû te l'envoyer. Mais elle a sans doute privilégié la relation mère-fille. Je suppose. Non pas qu'il y ait de quoi perturber qui que ce soit, là-dedans. Pas de révélations fracassantes. Mais on entend sa voix, et c'est plutôt sympa. Il faut que tu l'aies. » De ses deux mains meurtries, elle a poussé la liasse vers moi sur la table, en écartant imperceptiblement son verre de Martini et en trempant légèrement la page de dessous.

« Merci, j'ai dit, en prenant les feuillets.

— Elle appelle ça la "Chronique d'une personne faible", et c'est bien ce qu'elle était. » Berner s'est mordu la lèvre en s'arrachant un petit bout de peau sèche, comme si le contenu des pages l'intéressait à présent qu'elle venait de me les céder. À présent que j'étais venu de si loin pour en prendre possession. « Elle y dit des trucs comme "Pour être bon, il faut avoir eu la possibilité de faire le mal, et avoir décidé de ne pas le faire" et puis "Nous avons raté notre couple". Ça, on est tous d'accord. "Ce qui rend la vie meilleure, voilà la question essentielle." Ou encore : "On ignore mener une vie insupportable tant qu'on n'a pas trouvé moyen de s'en sortir." Elle s'interroge sur ce qui se serait passé si elle avait quitté papa longtemps avant, elle s'interroge sur leur hold-up. Elle nous écrit des lettres. Et il y a des vers qui comptaient parmi ses préférés. Je les savais par cœur, dans le temps. "… Par quel crime. Par quelle faute ai-je mérité ma faiblesse présente." Elle avait toujours voulu être écrivain. J'ai lu et relu ça au fil des années. J'en pleurais. Lui, c'était plus fort que lui. Mais elle, elle était bien plus lucide. En tout cas dans mon souvenir. » Berner a secoué la tête et s'est remise à considérer le parking en effervescence. « Je regrette de lui en vouloir. Surtout maintenant. J'aimerais bien être comme toi. Tu acceptes tout. Ça serait tellement plus raisonnable.

— Moi aussi, je lui en veux, à notre mère », j'ai dit. Ce n'était pas la réponse qu'elle aurait voulu entendre. Je regardais les mots fins, précis et fanés, courant, minuscules, dans une encre bleu pâle, qui n'était pas son encre marron favorite.

Berner tambourinait sur la table. Lorsque j'ai regardé son visage ingrat, en attente, je n'y ai lu aucune expression, malgré l'agitation de ses muscles maxillaires. Ses yeux brillaient. Nous ne nous ressemblions pas du tout, mais d'une autre manière, à présent.

« Tu te rappelles Rudy ? » Elle a serré les lèvres.

« Oui.

— Rudy le roux, Rudy Kazoot. Mon premier grand amour. Marrant, non ?

— J'ai dansé avec lui.

— Tu as dansé avec lui ? » Son visage s'est éclairé, un instant. « Et moi, où j'étais ?

— Tu étais là. On a dansé tous les trois. C'était le jour où ils sont partis en prison. »

Je voulais dire son nom. Pour moi. Son vrai nom. « Berner, j'ai dit tout bas.

— C'est mon nom, elle a répondu d'une voix voilée, qu'on aurait cru venir de la table à côté.

— Tu as besoin de quelque chose ? Est-ce qu'il y a quelque chose que je puisse faire pour toi ? »

La foule du stade, à la télé, a poussé un rugissement pareil à une lame de fond. Les autres clients ont applaudi distraitement. Elle n'a rien dit pendant un temps, comme si l'autre conversation qui se poursuivait dans sa tête, celle que nous aurons tous tôt ou tard, avait pris le pas sur la nôtre. « Tu as tout fait, elle a dit. Nous essayons tous. Tu essaies. J'essaie. On essaie tous. Que faire d'autre ?

— Je ne sais pas. Tu as peut-être raison. » Ça ne semblait pas suffire, comme réponse.

Nous avons grignoté nos plats, mais sans les finir. Elle n'avait pas faim, et moi, j'avais pris un petit déjeuner à l'hôtel. À un moment donné, alors que la conversation languissait, elle a annoncé : « Je ne suis pas en superforme. » Elle ne tenait plus en place. Elle avait pris sa pilule. J'avais remis les feuillets dans leur sachet. Nous en avions fini.

Je suis allé payer à la caisse, puis je l'ai aidée à se lever et à gagner la sortie. Elle ne me paraissait guère en état de conduire et je ne connaissais pas le chemin pour aller chez elle. J'ai demandé à l'hôtesse de nous appeler un taxi, qui est arrivé plus vite que je n'aurais cru. Nous nous sommes installés sans rien dire sur la banquette arrière, en regardant la circulation par la vitre, elle de son côté, moi du mien. Les lieux m'étaient inconnus. Elle n'avait pas vu d'objections à abandonner sa voiture, que Ray viendrait récupérer plus tard.

Enfin nous sommes arrivés dans sa petite rue de mobile homes, avec leurs drapeaux, leurs arbustes, leurs bagnoles de frime, leurs enfants, et les jets qui s'élevaient dans le ciel, non loin de là. Ray était à la maison. Il a paru content de la voir rentrer. Nous avons échangé une poignée de main en nous présentant. J'ai expliqué que nous avions laissé la voiture. Il a eu l'air gêné et il a ri, pour une raison qu'il se reprocherait peut-être plus tard. En tout cas, il savait quoi faire. Berner n'avait pas l'air bien du tout et elle a eu besoin qu'on l'aide à monter les marches. Ray m'a demandé si je voulais entrer, il y avait toujours du café de prêt. J'ai décliné, mais je l'ai remercié. J'ai dit que j'appellerais le lendemain. Quand j'ai lancé au revoir à travers la porte – une grosse télé était allumée, le match continuait –, Berner s'est retournée et elle m'a souri en disant rêveusement : « Ben voilà, frérot. Au revoir. Ça m'a fait plaisir de te voir. Mon bonjour à tout le monde, hein ?

– Je n'y manquerai pas. Je t'aime. Ne t'en fais pas. » Son visage n'avait pas cette expression de dépit que notre mère espérait ne jamais y voir.

Je suis rentré à l'hôtel par le même taxi, qui attendait. Le lendemain matin, j'ai repris l'avion pour Detroit.

Il ne reste plus grand-chose à ajouter. Telle est ma satisfaction. J'ai la chance d'avoir de la mémoire, tout comme Berner connaissait celle d'en avoir moins. Mais elle voyait juste : le hold-up fut bien le grand événement de notre vie puisqu'il prenait son origine au sein de notre famille et que, malgré sa portée, il n'en a jamais dépassé la sphère. La semaine qui a suivi la mort de Berner, semaine qui était celle du Thanksgiving américain, l'an dernier, en 2010, j'ai dit à mes élèves, comme ça, de but en blanc : « Il ne vous arrive jamais d'avoir le sentiment bizarre que vous auriez échappé au châtiment ? » Nous étions une fois de plus en train de parler de Thomas Hardy et du *Mayor*. Ils m'ont regardé, sidérés, ayant bien conscience que je m'égarais et que je venais de parler pour moi. Aussitôt, j'ai réalisé que c'était un propos inquiétant pour eux, encore qu'un garçon, dont les parents sont kosovars, ait répondu que, oui, ça lui arrivait.

Je n'ai pas vu ma sœur morte, bien que Ray m'ait téléphoné poliment le jour de son décès, en m'appelant Dell et en la nommant Bev. Il m'a dit qu'ils s'étaient mariés la semaine précédente. Je lui ai dit que c'était formidable et je l'ai remercié. Il n'était pas grave que je ne sois pas là, car je ne crois pas avoir triché avec ma sœur lors de notre rencontre, et elle l'avait bien compris. Tout de même, les jours qui ont suivi sa mort, j'ai eu l'impression curieuse, la sensation inédite, que mon père était toujours vivant quelque part et que, dans son grand âge, il aimerait peut-être avoir de ses nouvelles, et même des miennes. Je me suis appliqué à chasser cette idée de mon esprit et je n'ai pas tardé à y parvenir. Ce n'était qu'un fantasme lié à la répétition d'une situation d'abandon. N'empêche que, moi aussi, à présent, je fais le rêve de Berner, celui qu'elle racontait dans sa lettre de San Francisco, il y a cinquante ans. J'ai tué quelqu'un mais j'ai oublié ; or voilà que le crime refait surface, tel un spectre affreux, et qu'il est révélé à tout mon entourage. Mes élèves, mes collègues. Ma femme. Tous en sont horrifiés et me prennent en aversion.

Sauf que moi, je n'ai tué personne, ni dans mon rêve ni dans la vie (même si j'ai effectivement aidé à enterrer les deux Américains, ce qui, quelque part, reste à payer).

La Chronique de notre mère était tout à fait fidèle à ce que Berner en avait dit : des pensées éparses, destinées à une période ultérieure qui n'est jamais arrivée ; sa perception du hold-up, ses opinions, ses rationalisations, des banalités, des jugements sévères sur notre père. Il y a de quoi bâtir tout un roman. Car enfin, comme l'a dit Ruskin, la composition, c'est l'art d'agencer des éléments disparates, et le contenu de sa chronique mérite bien le qualificatif de disparate. Mais à mon âge, cette besogne ne m'intéresse pas, car de toute façon elle est disproportionnée par rapport au temps que j'ai encore à vivre – à mon grand regret.

« Je crois, écrivait notre mère de sa main fine, à l'encre bleue de la prison devenue invisible en certains endroits, je crois que, quand on meurt, c'est qu'on y consent. On cesse de lutter. C'est comme de rêver. Ça fait du bien. Vous n'imaginez pas que ça puisse en faire ? De céder, tout simplement. De ne plus lutter, lutter, lutter. L'inquiétude viendra à la fin, avec le regret. Mais en ce moment, je me sens bien. Soulagée d'un poids. D'un grand poids. La nature n'a pas horreur du vide, après tout. »

C'était daté du printemps 1961. Berner avait coché le passage au crayon. Elle le trouvait significatif. Peut-être prendra-t-il avec le temps une signification particulière à mes yeux, une qui dépasse l'évidence.

Certains jours, j'emprunte le tunnel pour entrer dans Detroit – l'ombre de Detroit, qui n'est plus que terrains vagues sur des kilomètres, avec de grands immeubles aux façades miroitantes, à l'aplomb de la rivière, comme des décors destinés à sauver la face aux yeux de notre monde, sur l'autre rive. Je longe la berge par Jefferson Avenue et je sors dans la périphérie en direction des quartiers du Thumb et de Port Huron. Je me dis toujours que je vais pousser jusqu'à Oscoda, au nord, où je suis né, voir ce que c'est devenu, les vestiges de la base aérienne – dont je ne me rappellerai rien, sûrement. Mais quand m'accueille tel un grand arc de triomphe le pont de Blue Water de l'autre côté de Sarnia, l'envie me passe, comme si je tentais de recouvrer ce qui jamais ne fut mien. « Tu devrais y aller, un jour, me dit ma femme. Ça vaudrait le coup. Ça t'aiderait à faire la paix. » Comme si je ne l'avais pas déjà faite.

Certes, il ne m'échappe pas que j'ai mis une frontière entre moi et mon lieu de naissance, qui est aussi celui où ont commencé les diableries d'Arthur Remlinger et d'où sont partis les Américains pour aller à leur perte. Dans un sens, la signifiance de mon lieu de résidence me pèse ; et j'ai souvent pensé que, à travers les tours et détours de la vie, il ne devait rien au hasard et que ce qui me pèse, c'est la logique à l'œuvre. Comme si je m'étais attendu à devenir le Janus d'une alternative quelconque. Sauf que je n'en crois rien. Je crois que ce qu'on voit, c'est l'essentiel, comme je l'ai enseigné à mes élèves, et que la vie est une forme qu'on nous présente vide. Alors, si la signifiance des choses nous pèse, elle ne fait rien de plus. Le sens caché en est quasi absent.

Ma mère disait que j'aurais tous les matins du monde pour y réfléchir au réveil, et qu'alors il n'y aurait personne pour me dire quoi penser. J'en ai eu des matins, en effet. Ce que je sais, c'est qu'on a plus de chances dans la vie, plus de chances de survivre, quand on tolère bien la perte et le deuil et qu'on réussit à ne pas devenir cynique pour autant ; quand on parvient à hiérarchiser, comme le sous-entend Ruskin, à garder la juste mesure des choses, à assembler des éléments disparates pour les intégrer en un tout où le bien ait sa place, même si, avouons-le, le bien ne se laisse pas trouver facilement. On essaie, comme disait ma sœur. On essaie, tous tant que nous sommes. On essaie.

# Remerciements

Ma dette la plus importante, je l'ai contractée envers Kristina Ford qui m'a aidé, encouragé et qui, impliquée en permanence dans ce livre, a mis son intelligence, sa bonne volonté et sa patience au service de son achèvement.

Bien d'autres personnes ont fait la preuve de leur générosité envers moi et envers mon livre, et parmi elles, comment ne pas distinguer Dan Halpern, qui a misé sur un vieil ami ? Je voudrais dire ici toute ma reconnaissance à ma chère Amanda Urban, qui en fut la première lectrice « extérieure » et qui m'a toujours encouragé. J'aimerais remercier de même ma grande amie Janet Henderson, qui m'a fourni une aide inestimable en éditant et en lisant mon texte pendant la période initiale comme dans sa conclusion. Merci encore à Philip Klay, qui m'a accordé son temps précieux pour mener à bien les recherches qui y sont associées. Merci à Ellen Lewis, qui m'a appris ce que je sais de la Haggadah. Je dois beaucoup à Scott Sellers et Louise Dennys, éditeurs hors pair, dont l'enthousiasme à l'égard du livre m'a si bien aidé à l'achever. Merci à Alexandra Pringle, mon amie depuis des décennies, et à Jane Friedman, qui ont eu foi en mes efforts. Si le livre a vu le jour, il le doit aussi à la bienveillance sans limites de Dale Rohrbaugh. Merci à mes amis de l'université du Mississippi, qui m'ont accueilli chez eux et offert la quiétude d'un bureau où terminer le roman. Merci à mon ami le Dr Jeffrey Karnes, de la clinique Mayo, pour la clairvoyance avec laquelle il a compris le dilemme si singulier de l'écrivain. Merci, toujours, au Dr Will Dabbs, pour son aide stimulante venue à point nommé, c'est-à-dire à la fin.

Il est des œuvres et des auteurs qui ont joué un rôle déterminant, manifeste ou plus discret, dans l'écriture de *Canada* : mon ami Dave Carpenter, qui m'a fait découvrir le sud-ouest du Saskatchewan en 1984, et mon ami Edward Leyton, qui m'y a emmené chasser l'oie ; Guy Vanderhaeghe, qui a écrit avec une telle puissance d'évocation sur la région frontalière entre le Saskatchewan et le Montana, comme l'a fait aussi le grand Wallace Stegner. Le lecteur aura repéré sans mal la présence flagrante de William Maxwell. À eux tous, ils ont été l'étincelle d'où ce livre a jailli. Deux ouvrages d'histoire sur le Saskatchewan : *Saskatchewan : A History,* de John H. Archer, et *Saskatchewan : A New History*, de Bill Waiser ont représenté pour moi des sources d'informations majeures. J'ai également beaucoup appris dans *Without Reserve*, le remarquable livre d'entretiens avec la population autochtone, de Lynda Shorten. C'est le superbe mémoire de Blake Morrison, *And When Did You Last See Your Father ?*, ouvrage plein de charme et de ressources, qui a nourri mes révisions. J'ai bénéficié du généreux concours de Rachel Wormsbecher et Lloyd Begley, conservateurs du musée de Swift Current, dans le Saskatchewan, ainsi que de celui de Libby Edelson et de celui de Laurie McGee, qui a établi le texte définitif. Mon grand ami de longue date, Craig Sterry, m'a chaleureusement accueilli et offert le gîte pour écrire à Great Falls. L'écrivain Melanie Little a lu le roman et m'a prodigué ses conseils avisés et indispensables pour revenir sur tout ce qui laissait à désirer. Sarah MacLachlan m'a apporté son soutien depuis les débuts de ce livre. Enfin, Iris Tupholme et David Kent ont généreusement accepté de publier *Canada*... au Canada. À chacun d'entre vous, merci.

R.F.

Réalisation : Nord Compo à Villeneuve-d'Ascq
Impression : Normandie Roto Impression s.a.s. à Lonrai
Dépôt légal : août 2013. N° 0011-2 (133215)
*Imprimé en France*